동학·천도교의 교육사상과 실천

동학·천도교의 교육사상과 실천

정 혜 정 지음

혜안

책머리에

　일제로부터 조국 해방을 맞은 지 반세기가 넘어가지만 우리의 정신과 삶은 일상적 파시즘과 이념의 굴레에서 헤어나오지 못하고 있다. 이제 우리 자신 스스로 억압과 분단의 사슬을 풀고 진정한 해방과 행복을 위해서 우리는 역사와 자신을 겸허하게 돌다 보아야 한다. 조선의 역사를 가슴에 안고 귀기울이면 그 시대를 치열하게 살다간 조상들의 피땀이 전해져 온다. 사상적으로 유불선 三敎가 공존하면서 현세를 완성시키고자 했던 그들의 노력과 서구문명의 침입과 일제식민지 하에서 조선혼을 지키고 독립을 이루고자 했던 그들의 절규가 살아나는 것이다.

　우리에게는 역사적으로 계승된 민족 고유의 사상과 이상이 있다. 이는 우리 삶의 기반이요 교육의 근간이 되는 것이다. 이를 무시한 채 서구에 위축되고 종속되어 중심과 뿌리 없이 물 위에 부동하듯 휩쓸려만 간다면 우리는 이 땅에 살 자격이 없다. 이 땅에 산다는 것은 이 땅을 일구어 온 일관된 理想의 맥을 계승하여 세계를 끌어안는 주체자로서의 삶을 요구한다. 이러한 삶은 가장 가까이로는 東學에서 찾아볼 수 있다.

　동학은 전통사상을 결집하여 인내천으로 새롭게 집약하고 자기 안에 모신 한울님이 곧 자신의 무궁성임을 알아 이를 통해 자신을 완성하고 세계를 변혁해가는 사상을 제시하고 있다. 또한 이를 계승한 천도교는 일제 하에서 전통사상에 기반하여 사회주의나 자유주의의 입장을 정리하면서 주체적으로 민족운동을 펼쳐간 역사의 주체였다. 우리는 동학과 천도교의 사상과 운동을 통해서 끊겨지고 갈라진 사상과 역사적 맥을 이을 수 있다. 그러므로 우리의 교육에 있어서 동학에 나타난 교육이념과 방향을 짚어 이를 실천한다는 것은 필연적인 것이라 하겠다. 분명 인간 자신이 자기 안의 한울님을 키워갈 때 인간 자신이 자유로워지고 세계가 행복해질 수 있음을 동학의 교육은 말하고 있는 것이다.

2001년 10월

정 혜 정

차 례

제1장 서 론

오늘날 한국 교육철학의 가장 큰 과제는 한국사상사에서 추구되어온 교육논리의 발전맥락을 인식하여 이를 체계화하는 작업이라 할 수 있다. 물론 서구의 교육이론을 철저히 이해하여 수용하고 이를 한국의 교육현실에 적용하고자 하는 노력 역시 중요하다. 그러나 한국 역사 속에서 교육의 이상을 키워온 터 닦음 없이 외래학문에 의존하고자 한다면 이는 집터 없이 집을 짓고자하는 것과 같을 것이다.

교육철학에 있어 주체를 확립한다는 것은 전통교육에로의 복귀를 의미하는 것은 아니다. 우리의 것이라 하여 時空적 맥락 없이 현대 공간에 나열하여 놓는 것은 맹목적인 서구이론의 도입과 다를 바 없다. 교육철학의 주체확립은 먼저 전통철학이 추구한 理想의 흐름을 파악하는 데서 시작된다고 하겠다.

불교와 성리학, 양명학, 실학, 그리고 동학에로 이어져 오는 일련의 사상적 흐름에는 일관된 맥락이 있다. 그리고 동학은 불교 화엄의 이사무애적 본체에 바탕하여 三敎를 아우른 전통철학의 결정체로서 자리매김 된다. 그러면서도 시대상황과 외부적 도전에 의해 변용이 가해진다. 이러한 일관된 맥락과 변용의 흐름을 읽어 발전방향을 포착해내고 우리 사유체계의 맥을 감지하여야 주체적 교육철학이 확립될 수 있을 것이다.

1. 문제제기

1) 교육에 있어서 전통적 세계관 이해의 필요성

교육철학은 교육현상에 대한 철학적 인식 노력이다. 교육철학은 철학적 논리들을 통하여 인간과 세계를 인식하되, 교육적 관점 아래에서 인식하는 철학적 방법론을 수용한다. 그러므로 교육철학은 교육인간학으로서 철학, 역사학, 심리학, 사회학, 생물학, 경제학, 인류학 등 인간에 관한 제반 학문을 포괄하여 교육의 문제를 접근함으로써 자리매김 된다. 이는 교육이론의 종합자(synthesizer)로서의 교육철학을 임무 지우는 것이며, 제 학문의 원리와 사실들을 기초로 하고 참조한다.1) 따라서 교육철학은 사회의 난제를 직시하고 이의 해결을 위하여 인간의 가장 바람직한 경험의 재구성을 의도하는 보편적 이론체계이다. 이는 듀이가 철학 자체가 사회와 인간, 그리고 실제와 상황을 떠나서 사변되는 철학이어서는 안 됨을 주장한 것과 입장을 같이 한다. 그러므로 철학은 곧 교육철학이다.2) 자신이 살고 있는 공간의 역사와 철학, 그리고 민족문화와 유리되어 교육을 논할 수는 없는 것이다. 특히 민족문화의 핵심이라 할 수 있는 전통사상을 이해하는 것은 중요한 과제이다.

현재 교육철학의 문제는 이러한 전통사상의 변용과 발전적 맥락을 단절시켜 뿌리를 차단한 데서 파생된다고 하겠다. 현재의 우리교육은 그 동안 서구 근대교육을 실행하면서 종교중립이라는 명목 하에 교육이자 종교였던 전통교육이 부정되고 파기의 대상이 되었다. 이제 우리는 전통사상에서 일관되게 추구되고 형성되어 온 민족의 敎育理想을 계승하고 시대에 뒤떨어진 전통적 요소는 파기하면서 현대의 지식과 더불어 새롭게 교육을 창조하는 이론 틀이 필요하다. 다시 말해서 탈근대의 시대적 변화를 수용하면서 모더니즘의 억압과 획일적 횡포를 타파하고 전통의 계승을 통해 사

---

1) 한명희, 『교육철학』, 배영사, 1983, 45·51쪽.
2) John Dewey, *Democracy and education*, N.Y. : The Macnillan company, 1916, 383쪽.

유를 발전시켜 나가는 교육이 요구된다.

　전통교육은 본체와 현상을 하나로 하는 통합적 세계관과 종교적 수행이 결합된 인간완성을 목적하는 교육으로서 마음 닦음 내지 본성 함양에 초점이 맞추어져 있다. 여기에는 종교와 철학, 그리고 교육이 하나로 통합된다. 또한 인간은 오늘날과 같이 대상적 지식의 학습만으로는 인간 됨을 꿈꿀 수 없으며 인간 스스로 자신의 마음을 닦아나가는 노력 없이 인간 됨을 이룰 수 없다는 것이 전통교육의 입장이다.

　동학·천도교사상은 조선의 역사, 조선의 문화를 지닌 민족사상이기에 우리에게 적합한 교육철학이 될 수 있다. 우리가 살아온 역사는 민족이 추구하는 희망과 이상이 스며있다. 그리고 이를 중심으로 역사가 발전하여 왔다고 할 때 동학사상을 떠나서는 주체확립이 불가능할 것이다. 특히 해월은 向我設位를, 그리고 의암은 自心自拜를 말하여 근대 합리적 주체정신을 기초로 하면서도 자신의 무궁한 역사와 자신의 神性을 길러 나가는 세계관을 제시하여 근대성을 탈피하고 있다. 이는 전근대과 근대, 그리고 탈근대가 공존하는 현대사회에 있어 대안적인 교육담론이 될 수 있음을 보여주는 한 단면이다.

　동학은 불교의 無自性的 비실체론을 기저에 깔면서 유불선을 결합, 극복한 물심일치적 세계관을 지닌다. 인간이 자연과 대립하지 않고 인간과 인간이 약육강식의 진화론적 법칙에 따라 발전하는 것이 아니라 자연과 인간, 그리고 인간과 인간이 상호의 존재를 가능하게 하는 의존된 합일체로서 발전을 이루어 가는 세계관을 제시한다. 따라서 이러한 세계관을 교육에서 중요시할 때 인간은 자연에 대한 태도가 달라지고 인간에 대한 태도가 달라질 수 있다.

2) 교육에 있어서 종교성 회복의 필요

　종교란 인간과 세계를 설명해 줄 뿐만 아니라 인간이 지향하는 가장 지고하고 궁극적인 것으로 인도해 주는 힘이다. 이는 철학과 같이 어떤 당연성이나 법칙을 제시함에 끝나는 것이 아니라 인간 자신이 그곳에 서도록 이끌어 주는 힘이다. 교육은 바로 이러한 힘을 고려하지 않으면 안 되기에 종교성은 교육철학과 분리되지 않는다. 현대교육이 종교적 요소를 교육에서 배제한 것은 교육의 힘을 잃게 하는 것이다. 현재 우리교육은 서구 근대교육의 이념에 맞추어 종교중립이라는 명목 하에 인간완성으로서의 전통교육은 사라지고 있다. 서구 역사에 있어서 근대교육이념이 종교를 배제한 것은 종교가 인민주권을 억압하는 권력자들의 울타리가 되어 시민혁명의 타도대상이 되었기 때문이다. 그러나 한국 역사에 있어서 종교는 철학이요 교육이기에 이를 배제하면 역사적 공백과 정신의 황폐화를 가져온다. 한국교육사 상에서 분명 종교는 교육과 분리될 수 없는 교육의 요소를 제공한다. 더구나 종교는 민족문화의 핵심이다. 현 시점에서 종교와 교육의 접점을 복원하는 것은 민족의 이상을 복원하고 창조하는 작업의 기초가 된다. 흔히 종교교육을 종파교육으로 동일시하여 각 종단적 이해관계가 결부될 수밖에 없는 종파선전이라는 부정적 견해를 낳기도 하는데, 본 연구에서 제기하는 종교교육은 각 종교의 도그마가 아니라 종교교육이 갖는 인간 영혼의 至高性(Spirituality)을 주목하고자 하는 것이다. 즉, 종파교육이 아닌 종교성으로서의 종교교육을 학교교육에 포함시키고 특정 종교의 경전이나 의례는 종교교육의 매개로 활용될 수 있음을 의미한다.

교육에 있어서 종교성 교육의 필요성을 종교학적 입장에서 고찰하면 다음과 같다.

스트렝은 '종교란 인간의 자각과 자기완성을 성취하는 수단'[3]이요, 인간을 변화시키는 힘이라 했다. 이는 어떤 정형화된 도그마의 신앙이 아닌 어떤 신성한 감정이나 표상, 상징을 주의 깊고 성실하게 생각하고 돌보는 하나의 자세이며 관점을 의미하는 것이다.[4] 그러므로 인간의 전체적이고 지

---

3) 스트렝, 정진홍역, 『종교학입문』(현대신서43), 대한기독교서회, 1973, 68쪽.

4) 김용표, 「종교적 심리의 공동 원형론과 종교교육」, 『종교교육학연구』 1, 한국종교교육학회, 1995, 97쪽. K.Jung도 종교란 하나의 신조만을 의미하는 것이 아니라 누미노제라는 어떤 특정한 체험과 이로부터 얻어지는 의식의 변화, 그리고 이를 향한 복종과 신뢰의 마음에서도 얻어진다고 했다. 누미노제란 루돌프 오토가 말하는 "성스러움, 두려움과 매혹적 신비"의 聖的 체험을 의미한다. 聖的 체험이란 우주와 하나되는 空觀의 체험 등 다양하게 설명되어질 수 있어야 하고 사람마다

속적인 변화를 이끄는 것은 모두 종교요 교육이라 할 수 있다. 그러나 종교의례, 교리, 신앙 그리고 그에 알맞는 제도적 부착물은 개개인에게 주입된 문화적 전통이지 반드시 변화를 가져다주는 것은 아니다. 그러므로 종교에는 두 가지가 있다. J. 듀이는 종교와 종교적인 것을 구분하여 말한다.[5] 듀이에 있어서 "종교적"이란 전체적 전망을 주는 힘을 갖게 하는 것으로 높은 이상적 특성을 나타낸다. 반면 "종교"란 반드시 그러한 효과를 가져다주지 못하는 것을 지칭하는 개념이다. 종교다원화의 현대사회에 있어서도 '종교'보다는 '종교적' 관점을 지녀야 종교간 상호대화에 있어서 각기의 종교틀에 방해받지 않을 것이다. 각기의 종교적 삶을 이해한다는 것은 사람들이 어떻게 진정한 인간이 되었는가 하는 것을 나타내는 그 표현에 귀 기울이는 것이다.[6] R.N. 마이너도 종교를 '진정한 종교(true religion)'와 '종교주의(religionism)'로 나누어 유사한 맥락을 말하고 있다.[7] 따라서 교육에 있어서 종교성이란 특정 종파의 교리를 전달하고 의식에 참여하게 하는 것이 아니라 인간 각자가 궁극적이고 미묘한 세계에 눈을 뜨게 함으로써 인격의 완성을 이루게 하는 행위라고 할 수 있다.[8] 인간은 인류 안에서 神性의 발견과 신성의 표현을 향한 상승적 진화를 추구한다.[9] 그것은 종파교육처럼 종교적 교리나 형식에 주안점을 두기보다는 각 지고한 영혼들의 삶 자체와 만나게 하고 이를 수단으로 하여 자신의 聖性을 키워가게

다룰 수 있다고 본다. 제임스는 종교체험의 기록들을 분석하여 종교체험의 특성을 세 가지로 열거하였는데, 첫째, 강렬한 힘이 외부로부터 자기에게 주어지는 것을 느끼게 되는 것, 둘째, 깊은 행복감과 안녕, 흥분, 자발적인 자기통제적 자세와는 다른 무엇, 셋째, 장엄하면서도 심각해서 비극적인 요소를 포함하는 것이라 했다. 그러나 이 역시 서양적인 종교체험을 기준으로 했기에 제한점이 많다.

5) John Dewey, *A Common Faith*, Yale University Press, 1934, 24쪽.
6) 스트렝, 정진홍역, 『종교학입문』(현대신서43), 대한기독교서회, 1973, 68쪽.
7) Edited by Harold G. Coward(1987), *Modern Indian Responses to Religious Pluralism*, Sri Satgru Publications a Division of Indian Books Centre Delhi-India, 1991, 97쪽.
8) 박선영, 『불교와 교육』(현대불교신서45), 동국대학교역경원, 1982, 18쪽.
9) T.M.P. Mahadevan & G.V. Sarota, *Contemporary Indian Philosophy*, Stering Publishers Private Limited, 1981, 184쪽.

하는 것이다.

인간의 삶은 궁극적 단계로 가면 세상의 즐거움으로부터 자신을 자유롭게 하는 것을 배우고 점차 자기실현에로 향한다. 그리고 마침내 인간은 자기실현으로부터 神의 실현에로 옮아간다. 인간 여정의 궁극은 세상의 추구로부터 神의 추구, 혹은 우주 魂을 향한 이동이다.10) 인간의 聖적 체험과 자신이 갖는 聖性은 상호 결합되어 자기 삶의 의미와 목적을 깨닫게 하고 그것을 향해 살도록 하는 동력이 된다. 따라서 교육에 있어서 이러한 요인은 인간형성과 완성에 필수적이다. 그리고 그 목적 때문에 그것을 달성하기 위하여 장해물과 싸우면서 이룩된 활동, 생명의 위험을 무릅쓰고 보편적인 영원한 가치에 대한 확신 때문에 이룩되는 활동, 즉 그러한 활동을 종교적 본질을 갖춘 것이라고 듀이는 말한다.11) 특히 아이엥가는 faith와 believe를 구분하여 말하고 있는데 faith는 believe 이상의 것이라 한다. 만약 누군가가 어떤 대상을 믿는다(believe) 해도 그대로 행하지 않을 수 있다. 그러나 신앙(faith)은 자신이 체험한 그 무엇이다. 인간 자신은 그것을 무시할 수 없고 인간이 던져 버릴 수 없는, 그리고 하지 않을 수 없는 주관성이다.12) 결국 교육의 종교성이란 인간 각자의 전체적이고 핵심적인 행동이며 자기 의지로 막을 수 없는 궁극적 관심13)이라 할 수 있다.

한편 천도교의 이돈화는 "종교란 인간성이 자기의 유한적 생명과 약소한 능력을 자각하여 현실생활 이상의 어떤 무한하고 위대한 세력, 혹은 인격자의 현존을 느껴 그와 인격적 교섭을 맺고자 하는 심리의 개인적, 사회적 발표"라 했다. 그는 인간의 본질적 현상을 두 가지로 나누어 식욕본능과 같은 '현실적 본질'과 무궁성에 대한 욕구나 애타적 본능을 일컫는 '이념적 본질'을 말했다. 그는 이 이념적 본질이야말로 종교발생의 원인이 된다고 하였는데14) 인간은 본질적으로 무궁에 대한 심절한 욕구가 있고 그

10) B.K.S. Iyengar, *The Tree of Yoga*, Fine Line Books Ltd, Oxford, 1988, 17~18쪽.
11) John Dewey, *A Common Faith*, Yale University Press, 1934, 47쪽.
12) B.K.S. Iyengar, *The Tree of Yoga*, Fine Line Books Ltd, Oxford, 1988, 35쪽.
13) Paul Tillich, *Dynamics of Faith*, New York : Harper & Row Publishers, 1957, 8쪽.
14) 이돈화, 『자수대학강의 - 종교과』, 2쪽. 자수대학강의는 우리나라 최초의 국문으로

추구하는 무궁성이 있기에 사람성이 곧 무궁성임을 알 수 있다. 따라서 神, 혹은 佛이라 이름하는 인격적 존재도 사람성 자체의 반영에 불과하다. 그러나 인간성의 무궁적 본질이 표현될 때 이는 시대와 민족에 따라 각기 다신도 되고 일신도 되며 범신도 된다 하였다. 인간에게 체험되고 해석되는 神이란 존재는 그 민족의 풍속, 습관에 따라 神의 모습이 寫象된다는 것이다.15) 즉, 흔히 말하는 종교체험이라는 것은 인간의 심리적 사실로 인간의 종교의식이 사회 문화적 표현을 빌어 나타난 것16)이라 말한다. 그는 또한 종교체험의 경지를 '오관의 감각을 초월한 순수신령적 靈覺의 境涯'라 하였다.17) 그러므로 불교의 붓다나 기독교의 예수도 위대한 인격과 심경으로부터 내적 경험을 일으켜 사회적으로 표현된 것이, 후세에 의해 교의와 교단과 儀式이 첨가된 것이다. 종교의 의미는 무엇보다 인간의 초월가능성과 인간경험의 개방성에 있다. 인간은 종교적 태도와 체험을 통해 자신의 유한성을 넘어갈 수 있으며 전혀 다른 세계를 향해 개발될 수 있다. 실존적 변형과 새 사람의 탄생은 여기서 비로소 가능한 것이다. 근원을 상실한 개별화 과정은 통속적 지평을 넘어설 수 없다.18)

그러므로 이러한 체험의 내용과 특성들은 인간 궁극성을 향한 인간 성장의 필수요인으로 교육철학에서도 이를 중요하게 다루지 않을 수 없다. 진정한 의미의 종교는 인간과 세계에 대한 총체적 이해를 제공하고 존재

된 대학강의록으로 1933년 7월 1일부터 월간으로 천도교 청년당 본부에서 간행되었다. 전부 11권을 내놓고 중단되었는데, 이돈화의 종교과 외에도 유물론에 입각하여 전개한 김형준의 철학과, 진보적 민주정치를 골자로 한 이정섭의 정치과, 경제학 입문으로서 높은 수준을 보인 이긍종의 경제과, 프랑스 사회학의 한국소개로서 韓國社會學史上 주목되는 공탁의 사회과, 러시아 문학의 대표적인 소개자로서 美學 내지는 예술철학에 해당하는 예술론을 서술한 함대훈의 예술과, 독보적인 체육개론으로서 당시 조선체육회가 실천에서뿐만 아니라 이론면에서도 만만치 않은 내용을 갖추었음을 보이는 김보영의 체육과 강의록이 있다(신일철, 「자수대학강의의 의의와 내용에 대하여」, 『자수대학강의 해제』, 1~5쪽).
15) 이돈화, 『자수대학강의 - 종교과』, 2~4쪽.
16) 이돈화, 『자수대학강의 - 종교과』, 1쪽.
17) 夜雷, 「東經大全解説」, 『신인간』 157, 1941.7.
18) 夜雷, 「東經大全解説」, 『신인간』 157, 1941.7, 256·270쪽.

의 궁극성을 체험하는 것이다. 그러므로 교육은 곧 종교성의 교육을 포함하지 않으면 안 된다. 종교의 본질이 인간의 본질이고 신의 본질이 곧 인간성의 본질이라 할'때 종교와 교육의 본질은 같다. 교육은 곧 인간을 대상으로 인간본질의 성취를 이루는 것이라 한다면 이돈화가 말하는 종교적 본질은 곧 교육의 본질로 인간본질인 무궁성의 실현이다.

종교성의 교육이란 신비적인 범주로 돌려 교육내용으로 대상화시키기 어려운 것이 아니다. 종교의 역사는 인간생활과 직접적으로 결부된 사실로, 이는 학술이나 도덕, 경제와 마찬가지로 인간생활에 대한 가치적 요소를 전제한다. 종교체험이라는 것도 개별적이지만 그 내용은 집단적으로 공유하는 경험으로서 같은 문화공동체 안에서는 종교체험도 비슷하기 마련이다. 결국 인격형성이란 인간 개인이 환경에서 접할 수 있는 여러 논의된 가치들을 선택하고 수정하는 것에서 이루어진다. 그리고 교육은 그러한 가치들을 제공하고 협조하는 역할을 지닌다. 학교 현장에서 종교성의 교육은 각 종교의 교리교육이나 신비적 종교체험의 추상성을 말하는 것이 아니라 각 교과교육과 생활교육에서 현상적 자아의 집착을 끊고 보다 높은 세계의 지평으로 나가게 하고 선택할 수 있도록 유도하는 것이다. 그리고 궁극적으로 인간개인이 더이상 교육의 도움 없이 자신의 무궁성을 실현해갈 수 있을 때 교육은 진정한 자기교육의 단계로 넘어간다. 오직 스스로의 자기교육만이 있을 뿐이다.19) 이것이 곧 교육의 목적이자 종교의 목적이다. 종교는 그 궁극성을 지향하도록 하는 근원적 힘이다. 교육에 있어서 이러한 종교적 힘을 수반하지 않고는 인간을 변화시킬 수 없다는 점에서 종교성의 필요를 인식해야 한다. 결국 교육도 궁극적으로 자신의 무궁성을 실현하기 위한 자기창조의 교육을 지향하는 것이기 때문이다.

---

19) B.Gerner, *Einführung In Die Pädagogische Anthropologie*, Druck und Einband : Wissenschaftliche Buchgesellschaft Darmstadt, 1974, 28쪽.

2. 선행연구의 현황과 검토

천도교와 관련하여 연구된 교육학만의 논문과 저서는 그리 많지 않다. 이원호[20])의 논문은 동학의 본격적인 최초 연구로 동학이 한국의 인간교육의 소중한 유산으로 해석, 수용되어야 하고, 한국교육사에서 간과될 수 없는 교육문맥이라 하였다.[21])

동학의 교육사상을 민중운동적 관점에서 본 연구로는 안경식,[22]) 장대희[23]) 등의 글이 있고, 송준석[24])은 동학의 근본사상이 평등사상임에 착안해 여성, 소년, 농민의 각 부문 운동에서 평등사상의 실현을 고찰하였다. 최무석[25])은 동학사상을 유교적 도덕교육사상과의 공통적 특성을 밝히고, 동학의 교육사상 역시 道成德立의 도덕적 인간, 지상천국 건설의 도덕적 사회를 지향하는 것임을 말했다. 또한 천도교 부문 교육운동에 관한 연구로서 조선농민사의 교육운동을 고찰한 김기웅[26])과 소파 방정환의 아동교육사상을 연구한 안경식[27])의 논문이 있다.

그러나 이러한 기존 연구는 동학사상을 입체적으로 분석하여 맥을 뚫는

---

20) 이원호, 「동학의 인간관과 현대교육적 의미」, 『한국교육사상연구』, 집문당, 1983.
21) 이원호, 앞의 글, 240 · 256쪽. 그는 여기서 수운의 윤리사상이 유교 윤리에다가 수심정기를 부여한 것으로 파악하였고, 특히 수운의 교육사상을 '侍人교육론'이라 하여 사람이 교만심 때문에 한울님을 자기 마음속에 기르지 못하는 과오를 경계하는 것이라 했다.
22) 안경식은 동학이 민중해방을 주장함으로써 사회혁신적 기능을 했고 교육대상에 있어 민중을 중시하며 동학과 천도교의 교육사상 및 교육활동은 전환기의 조선사회에 새로운 가치관을 제시하여 민중의식을 변화 성장시킴으로써 근대 한국민중의 발전에 크게 기여하였다고 했다(안경식, 「동학의 민중교육사상과 운동에 관한 연구」, 정신문화연구원 석사학위논문, 1983).
23) 장대희는 동학의 사상과 운동은 궁극적으로 소외되고 무지한 민중이 자아에 대한 자각과 각성을 하도록 하기 위한 조직적인 표현으로 파악했다(장대희, 『동학의 민중교육사상연구』, 중앙대학교 박사학위논문, 1983, 163쪽).
24) 송준석, 『동학의 평등교육사상에 관한 연구』, 고려대학교 박사학위논문, 1993.
25) 최무석, 『동학의 도덕교육사상에 관한 연구』, 고려대학교 박사학위논문, 1988.
26) 김기웅, 「일제하 농민교육에 관한 일 연구」, 정신문화연구원 석사학위논문, 1985.
27) 안경식, 『소파 방정환의 아동교육과 사상』, 학지사, 1994.

교육철학적 접근이 부족하고, 동학사상이 구체적으로 어떻게 실천되었는
지 심층적인 고찰이 다루어지지 않았다. 기존 연구는 단순히 교리 해설적
인 또는 가치평가적인 연구에 머물러 교육철학으로서 체계적인 사상이해
와 실천적 전개가 간과된 경향이 있다. 따라서 본 필자는 동학사상의 실체
를 전통사상과 연맥하여 규명하고 동시에 교육철학의 그 기본요소인 세계
관과 교육목적, 교육방법 및 다양한 교육이론의 전개를 분석하고 그 이념
에 따라 실천이 역사적으로 어떻게 전개되었는지 탐구하고자 한다.

　교육학 외의 논문으로서는 각 분야에서 축적된 연구물이 많지만 본고에
서는 사상적 논점에 국한하여 검토하였다. 동학과 천도교의 흐름을 통사적
으로 꿰뚫는 역작으로 황선희[28]의 연구와 개화기 여러 종교들과 함께 동
학의 교육운동을 다룬 정영희[29]의 연구, 동학의 민족주의적 정치사상을 다
룬 노태구[30]의 연구, 그리고 천도교의 소년운동을 중심으로 다룬 김정의[31]
의 연구가 있다. 수운의 至氣를 중심으로 연구한 논문에는 백세명,[32] 김경
탁,[33] 신용하[34] 등이 있고, 수운사상의 삼교합일에 대한 논문으로는 김경
탁,[35] 이현희[36] 등의 논문이 있다.

---

28) 황선희, 『한국근대사상과 민족운동 - 동학·천도교편』, 혜안, 1996.
29) 정영희, 『개화기 종교계의 교육운동연구』, 혜안, 1999.
30) 노태구, 『동학과 신문명론』, 아름다운세상, 2000.
31) 김정의, 『한국소년운동사』, 민족문화사, 1993 ; 『한국소년운동사연구』, 성신여대출
　　판부, 1992 ; 『한국의 소년운동』, 혜안, 1999.
32) 백세명은 수운의 지기를 생명론으로 보아 본체생명 그대로 있을 때는 허령이 창
　　창한 것뿐이지만 억천 만의 개체생명으로 분화되면서 간섭하지 않는 일이 없다고
　　이해하였다(백세명, 『하나로 가는 길』, 일신사, 1968, 107쪽).
33) 김경탁은 수운이 古來의 한울님을 처음으로 천주라 번역한 사람으로 氣의 지기
　　가 곧 하느님이라 하였다. 즉, 수운은 지극한 기운을 영적으로 보아 이것을 불가
　　사의한 종교적 대상으로 하였다 한다(김경탁, 「동학의 동경대전에 관한 연구」,
　　『아세아연구』 14-1호, 1971, 3쪽).
34) 신용하는 최제우의 지기 개념을 현대적으로 설명하면 일종의 에너지라 하였다.
　　이를 해월은 천, 지, 인, 귀신, 심 …… 등을 모두 지기로써 생긴 하나의 개념으로
　　이해하였다 하였고 수운의 사상은 곧 지기일원론으로 天=至氣=人이 되는 사상
　　적 기초가 되는 것이었다고 말했다(신용하, 「서세와 체제에 대한 동학의 대응」,
　　『한국의 사회와 문화 19 - 조선후기의 근대적 사회의식』, 정신문화연구원, 1992,
　　26~27쪽).

김경탁은 동학에 불교적 요소는 없고 三敎를 종합한 것이기보다 이것들을 화합한 독특한 종교라 하였다. 여기서 문제가 되는 것은 수운의 道가 불교적 요소가 없다 하면 초기 동학도인들이 자신의 교를 삼교합일의 도라 한 것은 어떻게 설명될 수 있는지 답변이 제시되어야 할 것이다. 반면 이현희는 삼교뿐만 아니라 서학, 실학 등 다양한 측면의 수용을 거론하고 있다. 특히 그는 실학파의 학자들이 정계에서 소외되거나 영향력을 행사할 수 없었기 때문에 당시 정계에 반영되지 못하였으나 최제우의 역사의식을 충족시켜 줌에 있어서는 틀림없는 실학과 동학의 연결성을 느낄 수 있다고 했다.37) 그러나 동학의 출발은 민중종교인 만큼 위로부터의 개혁인 실학과는 분명 구별이 있을 수밖에 없을 것이다.

한편 신일철38)은 동학사상을 유교와 도교의 결합으로 말하고 있다. 그

---

35) 김경탁은 수운의 하느님이 창조신이 아니요 조화의 신이라 하였다. 창조의 신은 의지적이요 로고스적이며, 또 천지만물을 직접 섭리하지만 조화의 신은 직접 하는 것이 없으면서 천지만물을 저절로 변화생성케 하는 것이라 하였다(김경탁, 「동학의 동경대전에 관한 연구」, 『아세아연구』 14-1호, 1971, 5·12쪽).

36) 이현희, 『동학혁명과 민중』, 대광서림, 1985. 이현희는 동학이 이미 서민 대중계층에서 이탈된 유·불·도 기존사상과 서학을 배격하는 동시에 유교로부터는 인간의 윤리를 회복하여 인간성의 역사적 임무를 강조하고, 불교로부터는 호국사상을 체납하였으며 도교로부터는 노장사상과 지상천국사상을 받아들였고 실학과 서학에서 현실 개혁성과 평등, 평화, 인도사상을 받아 더욱 이를 보강하였다고 하였다(같은 책, 219쪽).

37) 이현희, 「동학사상의 배경과 그 의식의 성장」, 『한국사상』 18, 1981, 77쪽.

38) 신일철은 동학이 그 교리 표현상 민간신앙적 주술적 언어를 통해 널리 민중을 入信케 했고 왕조해체기에 이탈된 민심을 동학에 집결시킬 수 있었으며 수운의 사회비판의 기준이 주자학적 자연법에 순응하는 상태여서, 인간성 안에 내재하는 선천적 규범을 잘 따르는 것이 군자라 했다고 해석하였다. 또한 그는 수운이 인의예지를 先聖의 가르침으로 일단 긍정해 놓고 자신의 주장인 수심정기도 역시 자신의 독창이 아니라 다만 자기의 更定이라 했으니 인의예지의 실천을 다시 강조한 것에 불과한 것이라 했다(신일철, 「동학사상의 전개」, 『동학사상논총』 1, 1982, 32·46쪽). 또한 그는 동양 고래의 천인합일 사상이 중국에서도 유가들이나 노장학파의 이론에 그치었고 구체적인 생활의 원리로서 전개되지 못했는데 수운은 천인합일이라던가 '與天地合其德'의 동양적 이상에 대해서 비상한 관심을 가졌다고 했다. 즉, 수운은 그당시 귀신사상 즉 巫俗(Shamanism)에 대해 깊이 사색한 나머지 그 당시 성했던 성리학의 인성사상과 샤마니즘의 淨化로서의 '귀신인간합일성

런데 필자가 보기에 수운의 용어는 선교적 용어를 쓰고 있지만 내용은 유불적 내용이면서 동시에 삼교를 극복한 것이다. 귀신이 음양=천지=지기=귀신=상제로서 이해되는 것은 곧 이기묘합적 체용의 주재자로서 현상과 본체의 화엄적 상즉을 말하게 되는 발전적 논리이다. 따라서 수운의 귀신은 조선철학의 녹문이나 혜강과 같은 기학적 전통에서 비롯된 개념으로 여기에 불교적 영향이 가세한 것으로 보아야 할 것이다.

또한 도교에 집중하여 접근한 논문으로는 이능화,39) 오익제,40) 정재서,41) 신일철,42) 김한식,43) 윤석산,44) 김의환45) 등의 글이 있다. 이 가운데 이능화는 수운이 옥황상제로부터 통천대도를 얻었다 하는데 수운이 옥황이라 한 적이 있는지 의심스럽다.『동경대전』이나『용담유사』어느 곳에도 옥황상제라는 말은 없다. 다만 호천금궐상제(『용담유사』안심가)라는 말이 있을 뿐이다.

한편 유교로 접근한 논문으로는 윤사순,46) 조혜인,47) 신용하,48) 김인환

(鬼神者 吾也)'의 합류점을 발견하여 인내천(시천주) 사상을 창도했다고 하였다(신일철,「한국의 근세화와 최수운」,『한국사상』1·2합집, 1959).

39) 이능화, 이종은 역,『조선도교사』, 보성문화사, 1977.
40) 오익제는 동학은 민족자존과 공존, 공영의 정신을 강조하는 것으로 당시 민중의 정신세계를 깊이 지배하여 온 풍수신앙과 가계의 관념이 강하게 나타나 있다고 하였다(오익제,「동학사상연구의 방향」,『동학사상논총』1, 1982, 9·11쪽).
41) 정재서,「한국민간도교의 계통 및 특성」, 한국도교학회편,『한국도교문화의 위상』, 아세아문화사, 1993, 204~205쪽.
42) 신일철,「동학사상의 도교적 성격문제」, 유병덕 편저,『동학·천도교』, 시인사, 1993.
43) 김한식,「상고시대의 신관과 수운의 신관」,『제2회 천도교학술세미나 자료』, 1998.
44) 윤석산,『도교사상의 한국적 전개』, 아세아문화사, 1989.
45) 김의환은 이조말 치자계급의 종교가 부패쇠퇴하여 가고 있을 때 일반대중 사이에 뿌리를 깊게 박고 있던 것은 재래의 민간신앙이었고 이 때에 동학이 서학에 대립되는 입장에서 또 대중적 민족적인 종교로서 출발했다면 그것은 민간신앙에 근거하지 않을 수 없었을 것이라고 한다. 따라서 민간신앙은 동학의 중요한 요소를 이루었다고 한다. 특히 김의환은 수운이 만난 상제가 '귀신자 오야'라 한 것에서 동학사상을 강령접신의 무격사상인 샤마니즘의 영향으로 보고 있다(김의환,「동학사상의 사회적 기반과 사상적 배경」,『한국사상』7, 1964, 137·141쪽).
46) 윤사순,「동학의 유학적 성격」,『동학사상의 새로운 조명』, 영남대학교출판부, 1998, 103~104쪽.

등의 글이 있다.[49] 윤사순은 동학에서 궁극적으로 받드는 天主 내지 天이 원시유학의 상제천, 자연천 및 이법천 등을 그대로 망라한 것은 서경, 주역, 논어 및 중용집주 등으로 충분히 증명할 수 있다고 하면서도 하날님, 상제, 천주를 음양의 氣라고 하여 귀신과 동일시하는 사고는 일종의 무속적 사고경향에 속한다고 하였다. 그러나 필자는 이 역시 불교적 영향에서 귀신과 음양, 그리고 한울님이 동격화됨이 가능했음을 밝혀보고자 한다. 이는 허응당 보우의 인즉천 개념에서 수운보다 앞서 제시된 것이다.

한편 윤석산은 수운의 상제를 도교적 맥락에서 파악하면서도 수운이 말한 인의예지와 성경신을 유가적 맥락에서 같이 놓고 있는데[50] 필자가 보기에 수운은 분명 전통성리학을 비판한 점이 있고 인의예지가 아닌 성경신을 새로 제시했다는 점을 좀더 검토해야 할 것이라 생각된다. 따라서 필자는 성경신이 유불합일의 맥락에서 말해졌음을 밝히고자 한다.

신용하는 최제우가 시천주의 주체로서 사람의 心을 강조한 것은 양명학

---

47) 조혜인은 동학을 주자학의 종교적 개혁의 맥락에서 보고 있다. 구조적 유사성에도 불구하고 사람 속에 하늘이 들어 있다는 명제는 사람 속에 理가 들어 있다는 명제를 혁신한 것이라 했다. 최제우가 사람이 하늘님을 모시고 있다고 말하는 것은 理와 같은 매개자를 둠이 없이 사람 안에 바로 들어와 있다는 것이며 이것은 하늘의 공간적 초월성을 부정하는 동시에 하늘/理의 이중구조를 배제하는 것으로서 동학의 하늘은 理의 관념적 초월성을 계승하면서도 理와 다른 점은 다른 무엇의 분신이 아니었다는 것이다. 그는 동학을 곧 유교적 종교개혁으로 본다(조혜인, 「동학과 주자학 : 유교적 종교개혁의 맥락」, 『한국의 사회조직과 종교사상』, 문학과지성사, 1990, 147~148·155쪽).

48) 신용하 양반 상민의 신분구별은 결국 군자/소인의 氣를 구분하는 주자학의 존재론에 기초한 것이기 때문에 평등에 큰 결함을 지니고 있었고 최제우는 바로 그것을 교정하려 하였다고 말한다. 즉, 모든 사람이 하느님을 모시고 있다는 최제우의 명제는 누구나 理를 지니고 있다는 주자학의 평등주의적 명제를 교정하는 것으로 보았다(신용하, 「동학의 사회사상」, 『한국근대사회사상사연구』, 일지사, 1987, 161쪽).

49) 김인환은 용담유사에 선교와 무격의 내용은 없다고 한다. 무위이화와 지상신선이라는 어휘가 보이기는 하나 이러한 어휘가 곧 그 사상내용을 지적하는 것은 아니라는 것이다. 그 어휘들은 단지 장식으로 사용된 것으로 내용은 유교라 한다(김인환, 「용담유사의 내용분석」, 『한국사상』 15, 1977, 231쪽).

50) 윤석산, 『수운 최제우평전 - 후천을 열며』, 동학사, 1996, 136쪽.

의 心개념에 영향받은 것으로 보았다. 양명학은 心卽理를 주장하고 심의
영명을 극히 강조하여 심학이라는 별명을 갖고 있는데 최제우도 그의 학
을 심학이라고 불렀다는 것이다. 양명학에서 현인군자가 되는 길은 本心을
잘 간직하여 致良知하면 되는 것이며 반드시 萬卷詩書를 읽고 卽物窮理
해야만 되는 것이 아니라고 주장한 것과 같이, 수운 최제우도 같은 현상을
나타낸다고 하였다.51) 이에 본 연구에서는 조선의 양명학자인 하곡의 사상
을 분석하여 수운이 갖는 심학의 특징을 구체적으로 밝혀 보고자 한다.
한편 수운의 神개념에 대한 연구는 이돈화로부터 시작하여 다양한 측면
에서 접근되었다. 일신과 범신, 유심과 유물을 융화한 것으로 보는 홍장
화,52) 범신론적 理神論의 성향으로 말한 박선영,53) 범재신론으로 말한 김
경재,54) 고대 경천사상과 민간신앙의 결합으로서 귀신을 말한 한우근,55)

---

51) 신용하, 「동학의 사회사상」, 『한국근대사회사상사연구』, 일지사, 1987, 30~31쪽.
52) 홍장화는 그의 編著에서 동학이 초월적 一神의 관념과 내재적 汎神의 관념을 동
시에 극복하여 사람이 곧 한울님이라는 인내천 사상을 바탕으로 이기이원론 또는
유물과 유심, 양론의 대립과 모순을 지양하고 융화한 고차원의 통일원리를 보이
고 있다고 하였다(홍장화 편저, 『천도교운동사』, 천도교중앙총부, 1990, 230쪽).
53) 박선영, 「한국종교들의 인간관과 인격교육의 가치요소」, 『종교교육학연구』 4, 한
국종교교육학회, 1997, 272~273쪽.
54) 김경재는 수운의 신관을 범재신론으로 보았다. 神은 자의식적이고, 세계를 알고
있으며 세계 속에 내재해 있는 영원한 존재로 신은 시간적이라 했다. 수운에 있어
서 神은 초월적 존재가 아니라 생성 자체로서 창조행위와 창조과정이 곧 신의 모
습이요 신적 생명의 숨결이라 말한다. 또한 수운의 신관이 돌연히 깨닫거나 얻어
진 독창적 산물이 아니라 한국민의 심성 속에서 수천 년간 형성 발전되어 온 하
느님관이 수운의 誠·信·敬에 의해 뚜렷이 이해되고 체험된 것이라 한다. 여기
에는 세계고등종교인 불교, 유교, 도교 기독교의 영향이 있어 가장 포괄적인 신관
으로 창조될 수 있었다고 했다(김경재, 「최수운의 신개념」, 『동학사상논총』 1, 천
도교중앙총부, 213·217~218쪽). 한편으로 그는 이돈화가 말한 수운의 인내천 신
관을 비판하며 이돈화가 하느님의 인격적 개념을 제거했다고 한다. 즉 이돈화는
수운의 한울님을 인격적으로 생각지 않았지만, 수운은 인격적인 주재자로 보았다
는 것이다. 또한 수운의 시천주는 하느님을 몸으로 모심이지 지적 이해나 교리적
수락이 아니며 불교적인 覺의 현상이거나 샤마니즘적인 접신현상만도 아니라고
했다(김경재, 「최수운의 시천주와 역사이해」, 『한국사상』 15, 1977, 218~219쪽).
그는 특히 진화와 불연기연을 관련지어 설명하는데, 실재계는 처음부터 오늘날의
모습처럼 다양한 현상으로 창조된 것이 아니고 원인을 알 수 없는 準原子의 거대

또한 수운의 종교체험을 샤만적 憑依形으로 보는 정재호[56] 등의 논문이
있다. 본 연구에서는 수운의 한울님을 삼교합일의 측면에서 접근하여 인간
성-무궁으로서의 神개념을 분석해 보고자 한다.

또한 수운은 자신의 동학을 삼교합일의 도라 했는데 유교와 도교로 접
근한 연구는 비교적 많지만 불교에서 접근한 연구는 거의 전무한 편이다.
다만 수운의 불연기연이 緣起사상임을 말한 조용일[57]의 연구가 있을 뿐이
다. 여기서도 보면 구체적인 설명은 하지 않고 간략하게 언급할 뿐이다. 그
리고 수운과 불교와의 교섭관계에 있어 사상적 측면보다는 사찰과 승려의
협조관계를 말한 논문으로 박맹수[58]의 글이 있다. 본 연구에서는 이와 같
이 기존 연구에서 다루어지지 못한 동학에 나타난 불교적 영향에 주목하
여 삼교합일의 전체적 맥락을 파악하고자 한다.

동학의 원류를 고대의 한울님신앙에까지 끌어올린 글로는 조용일[59]의

한 에너지 폭발이 있은 후 물질계-생명계-정신계-靈界로 점진적인 발전과정을
거쳐 불연속적인 연속성을 띠면서 유기체적인 상관관계를 이루는 것이라 하였다.
수운은 불연기연론에서 전통적인 동양철학의 靜的이고 원형적인 완성된 실재관
을 깨뜨리고 동적이고 원추형적인 진화실재관을 피력하였다고 보았다(김경재, 위
의 글, 219~220쪽).

55) 귀신관에 있어 한우근은 수운의 귀신관이 동양 고대의 경천사상과 관련되는 동시
에 일면에 있어서는 민간신앙으로 전승되어 온 귀신신앙과도 관련되는 것으로 보
았다(한우근, 「동학의 리더쉽」, 『동학사상논총』 1, 1982, 78쪽).

56) 정재호는 접신현상은, 엘리아데가 구분하기를, 샤만의 혼이 천상이나 지하로 왕래
하는 북아세아적인 飛翔形과 신령이 샤만에게 강림하는 동남아세아적인 憑依形
두 가지가 있는데 수운의 경우는 후자에 가깝다고 했다(정재호, 「용담유사에 나타
난 수운상」, 『동학사상논총』 1, 1982, 171쪽).

57) 조용일은 수운의 불연기연을 불교의 緣起로 설명하였다. '제법이 인연을 좇아 생
겨남' 즉 없던 법이 있게 됨(조화)이란 없던 것의 자기 불연이요, '제법이 인연을
좇아 멸함' 즉 있던 것이 없게 됨은 바로 그 있던 법의 자기불연적 소치라 한다.
수운이 '무궁한 그 이치를 불연기연 살펴내어'라고 했던 것도 있던 것이 없게 되
고 없던 것이 있게 되는 연기성 자체로서의 이치라는 것이다. 諸法의 自己不然的
인 從緣起滅됨이 조화요 연기일진대 그러한 조화자성 즉 연기자성은 바로 이 불
연성이라고 할 수밖에 없다는 것이다(조용일, 『동학조화사상연구』, 동성사, 1988,
43·320쪽).

58) 박맹수, 「동학과 한말 불교계와의 교섭」, 『신인간』 500, 1991.11.

59) 조용일은 태극도 유가적 본체로 보지 않고 노자 도덕경의 無聲無臭, 형상없는 형

글이 대표적이다. 이외에 표영삼,[60] 최동희[61] 등이 있다. 최동희는 수운이
받았다는 天道는『중용』에서 말하는 천도와 다르다고 한다. 유가의 천도는
결국 대자연의 생성기능을 뜻하므로 이것에 따른다고 말할 수는 있어도
이것을 받는다느니 혹은 이것을 얻는다고 말할 수는 없기 때문이라는 것
이다.[62] 그리고 인격신적 개념을 동학에서 찾고자 하는 그는 의암이나 이
돈화가 수운의 사상을 비인격화했고 의암의 경우『覺世眞經』에서 시천주
를 시천이라 하여 主字를 붙이지 않은 것은 의지적 神을 없앤 것이라고 비
판했다.[63] 그러나 필자가 이해하기에는 수운 자신이 만물이 음양이고 귀신
임을 말하였고, 不然其然的 우주관을 말했기에 '시천주'와 '시천'이 수운의
사상을 달리 하는 것은 아니라고 본다. 즉 수운도 天이라 말하기도 하고
天靈, 天心이라 했지 반드시 天主之靈, 天主之心이라고는 하지 않았다. 그
리고 '臨死號天', '命乃在天' 등과 같이 천이라 한 곳도 있고 불연기연의 불
연을 본체로, 기연을 현상으로 파악하기도 했다. 그리고 천도교에 와서 한

상을 말한다고 하였다. 특히 그는 수운의 동학사상의 원류를 고운에서 찾는데 이
는 수운의 포함삼교가 고운 최치원의 난랑비서문에서 온 것이라고 생각하기 때문
이다. 수운의 接靈之氣나 접주제가 고운이 말한 接化群生에서, 그리고 동학의 包
가 포함삼교에서 나온 것이라 주장한다. 동학의 시천주 사상이야말로 민족 고유
의 전통적 한울님신앙을 계승한 것으로 화랑도의 영육일치사상이나 지행합일사
상 등 거족적 통일의식을 통하여 근대적인 종교형태로 심화 발전시킨 한국사상의
정수라 하였다. 그런 의미에서 그는 한국사상 곧 동학을 구분하되 상고시대의 한
울님 숭배사상을 고대 東學, 중고 삼국시대의 풍류도 즉 화랑사상을 중세 東學이
라 하고 또 수운에 의한 협의의 동학사상을 근대 東學이라고 지칭하였다(조용일,
「고운에서 찾아 본 수운의 사상적 계보」,『한국사상』9, 1968, 149·151·171쪽).
60) 표영삼은 한울님은 유일하고 모든 것을 알고 뜻을 지닌 인격적 존재이며, 자연의
질서와 생성변화를 부여하는 조화자이고, 초월적이면서 내재하는 절대자라 한다.
그러면서도 지공무사하면서 인간역사를 참되게 펴고자 애쓰는 과정에 있는 분으
로 요컨대 한울님은 우리 민족전래의 하느님으로 유일하고 인격적이며 초월적이
면서 내재적이며 역사창조 과정에 있는 神이라 했다(표영삼,「수운대신사의 생애」,
『한국사상』20, 1985, 106·108쪽).
61) 최동희도 수운의 상제를 유·불과 구분되는 하느님으로 古來의 고유적 하느님으
로 본다(최동희,『동학의 사상과 운동』, 성균관대학교출판부, 1980, 65쪽).
62) 최동희,「道의 의미와 그 한국적인 전개」,『한국사상』10, 1972, 90~91·96쪽.
63) 최동희,「천도교의 근대사상수용」,『한국사상』13, 1973, 285쪽.

울님이라 지칭되는 것을 동학사상이 변질된 것으로 볼 수는 없다. 수운도 "天心卽人心" 또는 "도가 있는 바를 알지 못하거든 내가 나를 위하는 것이요 다른 것이 아니니라(不知道之所在 我爲我而非他)"[64]하여 비인격적인 면모도 분명히 드러내고 있다.

끝으로 동학연구에 있어서 근대교육에 대해 동학이 소극적이었음을 비판한 논문으로는 윤건차,[65] 이인섭[66]의 글이 있고, 민중 경시와 기독교 우월주의에 입각해서 동학을 폄하한 글로는 각각 이능화[67]와 Benjamin B. Weems[68] 등의 글이 있다.

---

64) 『東經大全』 後八節.

65) 윤건차는 동학운동이 근대교육에 소극적이었다며 그 이유를 세 가지로 밝히고 있다. 첫째, 동학운동의 최종목적은 당시 봉건체제의 전면적인 타도를 의미했던 것이 아니라 봉건적 지배형태 중 개혁해야 할 것과 유지해야 할 것을 구분하여 밑으로부터의 체제재건을 의도한 것이라 하였다. 따라서 근대교육을 운운한 적이 있었다고 하여도 그것은 원래 서학에 대항하여 만들어진 것이기에 그 원칙을 고수하는 한 피할 수 없는 제약이 된다는 것이다. 둘째, 기독교 선교사의 침략적 저의를 공격하였던 것과 관련하여 근대교육에는 호감을 갖지 않았다는 것이다. 셋째, 양반계급의 사회적 특권을 부정하는 동시에 도덕적 수양에 의한 모든 인간의 '신선화'를 강조하여 일체의 권세와 학문이 부정되고 단지 관념적인 인간본성의 추구만이 문제로 되었다는 것에 있다. 그러나 그는 동학이 근대교육운동은 될 수 없었지만 그 이후의 근대교육 전개에 자극을 주었다고 말한다(윤건차, 심성보역, 『한국근대교육의 사상과 운동』, 청사, 1987, 90 · 92~94쪽). 윤건차는 동학이 서학과 대항하여 만들어진 것이기 때문에 근대교육에도 소극적일 수밖에 없다고 한다. 하지만 근대교육에 대한 서구의 표준에 따른 것이 아닌 조선 나름의 정의가 있어야 한다.

66) 이인섭도 윤건차의 입장을 그대로 반영하면서 동학이 근대교육에 적극적이지 않았고 어떠한 언급도 없었다고 말한다(한국교육연구소편, 『한국교육사』, 풀빛, 1993, 121쪽).

67) 이능화는 동학 당시의 상황을 목격하였는데 소장을 올리는 검게 끄른 농민들의 모습이 神術에 젖어 겁도 없이 방자하였다고 했다(이능화, 이종은역, 『조선도교사』, 보성문화사, 1977, 324 · 326쪽).

68) B. Weems는 3 · 1운동이 전국적인 비폭력적 독립봉기며 주로 천도교가 이 운동을 조직, 재정을 담당하였음을 밝히고 있다. 또한 儀式상에 있어 주문에 결부된 동학의 신비주의는 한국사람 대부분이 가진 미신적 성격에 매력을 던져 주어, 빈곤하고 무식한 농민들과 소외당한 양반계급에 매혹적이었다고 하였다. 그러나 최제우가 구상하고 설교한 동학은 기독교의 이상과 박애주의에는 따르지 못한다고

이상으로 볼 때 기존 연구에서 동학·천도교 교육사상에 대한 총체적이고 입체적인 접근은 이루어지지 않았음을 알 수 있다. 즉, 동학사상에서 제시된 교육철학의 체계적인 분석이 수행되지 않았으며 동학사상이 천도교로 계승되면서 어떠한 교육이론을 바탕으로 어떻게 실천되었는지 구체적이고 심층적인 고찰이 이루어지지 않았다. 따라서 본 연구는 동학·천도교 사상의 실체를 전통사상과 연맥하여 규명하고, 동시에 교육철학의 기본구조인 교육의 이념, 내용, 목적 및 방법과 이를 계승한 천도교 교육이론의 전개를 분석하였다. 특히 기존 연구에서 간과되어 왔던 동학에 나타난 불교적 영향에 주목하여 하날님을 도교나 무속으로만 이해하는 견해를 비판하고, 삼교합일의 관점에서 동학의 기본구조를 규명하고자 했다. 아울러 천도교에 와서는 한울님이라 명칭되는데 이는 의암에 와서 동학사상이 변질된 것이 아니라 시대에 맞게 동학을 계승 발전시킨 것임을 밝히고, 천도교의 교육운동을 실천적 면에서 심층 분석하였다.

다시 말해서 본 연구의 목적은 이러한 동학사상의 역사적 연원과 계승 및 그 시대적 실천양상을 구체적으로 분석함으로써 동학의 한국 교육철학에서의 위치와 역사적 의의를 밝히고자 하는 데 있다 하겠다.

첫째, 사상으로서 동학의 기본구조는 무엇인가? 동학을 이해함에 있어서 동학이 三敎合一의 무극대도라 할 때 그것이 어떻게 연맥되어 있는가? 그 연결구조는 무엇인가?

둘째, 수운의 사상의 탄생은 전통철학과 단절되는 것이 아니라 이를 토

말한다. 동학혁명 당시 그들 동학군들의 상소에는 외국인들과 기독교에 반대하는 항의가 들어 있고 미국 신교 건물에는 극히 반기독교적이며 배외주의적 격문이 붙여졌다고 말한다. 그가 인용하는 동학의 격문 일부를 옮겨 적으면 다음과 같다. "오호라 나의 자식들아 황송한 마음으로 이 게시된 글을 받아라. 확실히 우리 동방국은 수천년 예의와 범절의 나라였다. 예의 범절의 이 나라가 성장치 못하고 그 예의 범절의 실천조차 거의 이루어지지 못하였는데 그 他의 종교가 문제되느냐? 이들 종교의 교서들을 조사하고 그들이 가르쳐주는 교리를 검토한즉 소위 그들의 가르침은 한울님을 공경하는 듯이 되어 있으나 그것은 사실은 한울님을 배반하는 것이요 소위 인류를 사랑한다 함은 기만적 가식이며 인간의 정신을 빼앗으려는 것이다(B. Weems, *Reform, Rebellion, and The Heavenly Way*, The University of Arizona Press, 1964, ix · 11~12 · 26~28쪽)".

대로 발전할 수 있었음을 전제할 때 불교적 세계관과 수행론 및 성리학과 양명학, 실학 등이 어떠한 영향을 주고 있는가? 그리고 각 인물과 사상에 있어서 교육적 함의는 무엇인가?

셋째, 동학과 이를 계승한 천도교에 나타난 교육철학 및 교육론은 무엇인가?

넷째, 이러한 동학의 교육철학에 바탕하고 수운이즘을 표방하여 전개했던 천도교 교육운동의 시대사조적 배경과 실천은 어떤 것인가?

다섯째, 동학·천도교가 제시한 교육철학과 교육론은 현대교육의 전망에 따라 어떻게 이해될 수 있고 동시에 교육에 기여할 수 있는가?

이 책은 이와 같은 다섯 가지 점에 초점을 두어 근대문명의 황폐화를 진단하면서 탈근대교육의 방향과 현재의 분단과 통일의식, 그리고 우리가 지향해야 할 교육철학적 기초가 무엇인지를 전망해보고자 한다.

제2장 동학사상의 기본구조

1. 동학의 한울님과 三敎的 연맥

동학의 기본정신은 우리의 모든 전통사상의 진수가 하나로 엉기어 이루어진 결정체라고 할 수 있다. 특히 동학의 한울님관에 영향을 끼치고 있는 의식의 주요 구성요소는 태고로부터 내려오는 한민족의 한울님신앙, 풍류도의 신바람, 주기론적 신유학의 기철학, 대승불교의 화엄론적 연기관, 무교적 치병, 주술적 사상, 서구의 과학적 진화론과 진보사상 등 다양하게 설명되고 있다. 동학의 한울님은 한국인의 종교적 심성 속에 흐르던 인격적 한울님신앙이 지표를 뚫고 다시 솟구쳐 나온 것이라 말하기도 하는데, 수운의 '시천주' 사상은 분명 전통사상의 결정체라 할 수 있다.

그러나 동학의 한울님은 해월 자신도 말했듯이 삼교합일에서 그 이해가 시작되어야 한다고 본다. 이 삼교합일은 단순히 삼교에서 빌려와 섞은 것이 아니라 삼교의 본원을 찾은 무극대도이다. 도교의 미신성을 극복하고 유교의 계급성, 그리고 불교의 현실괴리를 비판하면서 각자의 가치를 긍정한 것이다. 그러면서도 그 중심에 있는 것은 시대에 부응하고자 한 민중적 성격이다.

1) 儒佛仙 합일로서의 한울님 이해

수운은 동학을 '무극대도'라 칭하였고, 유불의 도가 시운을 다하였다고 하면서도 유·불·선 삼도가 합일된 도라 하였다. 오지영은 『동학사』에서 유불선의 합일을 다음과 같이 말한다.

유불선 삼도 합일이란 동학의 도가 유불선 삼도를 주어 모아다가 만들
었다는 말이 아니고 사람의 자체 속에는 儒가 말하는 그 身邊의 윤리도
덕이 있고 佛이 말하는 그 心邊의 자비이성이 있고 仙이 말하는 그 氣邊
의 命途神化가 있는 것이다. 그리고 보면 儒가 그 사람의 身一邊을 偏主
하였다 함은 可커니와 사람이 그 儒의 身을 비러왔다 함은 불가한 것이
며 佛이 그 사람의 心一邊을 편주하였다 함은 可커니와 사람이 그 불의
심을 비러왔다 함은 불가한 것이며 仙이 그 사람의 氣를 편주하였다 함은
可커니와 사람이 그 선의 氣를 비러왔다 함은 불가한 것이다. 그리고 보
면 동학의 도는 그 사람의 신체, 사람의 심성, 사람의 기운 세 가지를 그
대로 다 찾아 한 것이라면 可커니와 儒의 身體, 불의 心性, 仙의 氣運을
骨董飯格으로 하였다 함은 불가하다.[1]

오지영은 유불선 각각이 身, 心, 氣에 편중된 부분으로서 현존한다면 동
학은 이들을 한 데로 섞은 골동반 즉 단순한 비빔밥이 아니라, 한 부분에
치우치지 않고 이들을 전체적으로 회통한 것이라고 한다.[2] 수운 자신은 이
에 대해 구체적으로 유불도 합일의 의미를 靈符로서 제시한 바 있다.

나에게 영부가 있으니 이름은 仙藥이요 그 형상은 太極과 같고 또 그
형상은 弓弓과도 같으니 나의 이 부적을 받아서 사람의 질병을 건지고 나
의 주문을 받아서 사람을 가르쳐서 나를 위하게 하면 너도 또한 장생하여
덕을 천하에 펴리라.[3]

여기서 수운은 자신의 도를 仙藥이라 하여 仙的으로 명칭을 표방하나

---

1) 오지영, 『동학사』, 1936, 3~4쪽.
2) 오늘날 다종교사회에 있어서 각기의 종교는 각자 배타적인 것 없이 상호 존중되
어야 한다는 입장이 크지만 수운은 이에서 더 나아가 각기의 종교는 타종교와 대
화를 해야 보다 온전한 진리를 터득할 수 있다는 입장이라 할 수 있다.
3) 『동경대전』 포덕문, "吾有靈符 其名仙藥 其形太極 又形弓弓 受我此符 濟人疾病
受我呪文 敎人爲我則 汝亦長生 布德天下矣".

그 모습과 형상은 유교요 불교라는 것이다. 해월은 궁궁을 '心'으로, 태극을 현묘한 '理'로 설명했다.[4] 여기서 太極은 유교를, 그리고 弓弓은 불교를 상징한다. 태극은 『易經』에서 언급된 것이고[5] 궁궁은 『정감록』에서도 보이지만[6] 수운 자신이 체험한 도를 형상으로 나타낸 것으로 心을 상징한다고 할 때 이는 불교를 지칭한 것이라 볼 수 있다.

오지영도 수운이 말하는 궁궁은 '心'자의 초서형을 본딴 것이라 하였다.

> 弓弓二字는 수운선생 득도 초 降筆로써 된 靈符에 나타나 있는 그림이다. 그 그림 형상이 天然 마음 心字의 草書形으로 되어 있어 마치 활 弓字와 방불하였다.[7]

또한 수운이 노래한 『용담유사』「몽중노소문답가」의 한 대목을 제시하면서 궁궁이 一心임을 말하고 있다. 불사약 즉 궁궁은 곧 자기 마음으로 사람이 그 마음 하나만 잘 찾으면 세상의 모든 악질은 스스로 없어진다 함인데 여기서 一心은 불교의 본체를 뜻하는 용어이다.

---

4) 『해월신사법설』靈符呪文, "弓乙其形 卽心字也 …… 太極 玄妙之理".
5) 『十三經注疏 1』, 「周易」 卷七, "是故易有太極是生兩儀 兩儀生四象 四象生八卦 八卦定吉凶 ……".
6) 정감록을 보면 '利於弓弓'이라는 말이 있다. 임진년에 섬 오랑캐가 나라를 좀먹으면 소나무와 잣나무 즉 이여송과 이여백에게 의지할 것이요 병자에 북쪽 오랑캐가 나라에 가득하면 산도 물도 이롭지 않고 오직 弓弓, 곧 평야가 이로울 것이라 했다(壬辰 島夷蠹國 可依松柏 丙子 北胡滿國 山不利水不利 利於弓弓). 김지하는 이 利於弓弓을 利在弓弓이라 표현하면서 이것이 바로 동학의 궁궁부적과 동질의 것이라 하는데(김지하, 『사상기행 1』, 실천문학사, 1999, 54쪽), 수운에 있어서 궁궁은 피난처라기보다 인간의 궁극적 본체를 상징한다고 본다. 물론 수운에게는 정감록의 영향이 보인다. '이씨조선 사백년에 운이 다했던가', 또는 '가난한 사람은 부자되고 부자는 가난하게 될 것'이라는 수운의 말들은 정감록에 보이는 말들이다. 그러나 수운은 분명 정감록을 괴이한 동국참서라 했고 利在는 오직 자신의 마음에 있음을 말하기에(『용담유사』 몽중노소문답가) 수운의 궁궁은 정감록과 같을 수 없다.
7) 오지영, 『동학사』, 1936, 2쪽.

선생은 말씀하되 사람이 그 마음하나만 잘 찾고 보면 세상에 모든 악질은 스스로 다 없어진다고 하였다. 세상 사람들은 불사약이 제 몸에 있는 줄 알지 못하고 그 살 길을 山에나 물에나 弓字만을 찾고자 하니 그것은 弓弓이 제 마음인 것을 깨닫지 못한 까닭이다.[8]

수운은 접신할 때 仙語를 들었다고 하여 仙敎의 많은 이름들을 사용하고 있지만, 그 형상 즉 사상과 내용은 유교와 불교로 채웠다고 볼 수 있다. 상제도 유교의 의미로서 상제를 말하며 부적의 효과도 한울님을 위하는 자만이 효과가 있다고 말하고 있다. 至氣나 鬼神 모두 仙敎의 통상적인 개념이 아니다. 至氣의 경우, 이는 만물을 간섭하고 주재하는 자로서 理神論的 의미마저 가지므로[9] 도교의 養氣와 다를 수밖에 없다. 神仙이라는 것도 입도하여 君子가 되면 그가 곧 地上神仙[10]이라 하였으니, 이 또한 그대로 도교라 할 수 없는 예가 된다. 도교의 신선은 현실을 떠나서 존재하기 때문이다. 따라서 수운은 민중을 향한 창도자였기 때문에 민중이 지닌 선교적 성향을 외피로 하여 그들이 쓰는 언어를 사용하였을 뿐, 방향성은 유·불의 道에 있었다. 수운이 말하는 上帝, 天, 鬼神, 불교의 一心 등은 궁극적으로 한울님이라 지칭되어 민중의 오랜 역사 속에서 계승된 天의 민중신앙과 호흡하였다.

이렇게 보았을 때 동학은 민간신앙적 차원인 도교로부터 보다 높은 종교적 영역에로 발전한 것[11]이 아니다. 동학의 중심은 수운 자신이 자라온 배경 속에 유가적 인간 이해와 불교적 사상 틀을 자리매김하고, 이를 바탕으로 자신의 새로운 도를 그 당시 통용되던 민중신앙적 언어인 仙語로 명칭하고자 한 데에 있다 하겠다.[12]

---

8) 오지영, 『동학사』, 1936, 2쪽.
9) 박선영, 「한국종교들의 인간관과 인격교육의 가치요소」, 『종교교육학연구』 4, 한국종교교육학회, 1997, 272쪽.
10) 『용담유사』 교훈가, "入道한 세상사람/ 그날부터 君子되어/ 無爲而化될 것이니/ 地上神仙 네 아니냐".
11) 안진오, 「동학의 발상」, 유병덕 편저, 『동학·천도교』, 시인사, 1987, 26쪽.
12) 한울님을 단순히 민간신앙의 도교개념으로만 본다면 인간 안에 내재하는 '內有神

(1) 동학의 상제와 仙敎

수운은 上帝와 天을 같은 의미로 병칭하고 있다. 상제나 천, 모두 한울님으로 불린다. 한울님을 공경의 대상으로 제시한 것은 원시유가의 상제개념과 불교의 恭敬眞性[13]사상에 근원한다.

기존 연구에서는 상제를 도교의 상제로 이해하는 입장이 지배적이다. 정재서는 수운의 상제인 호천금궐상제[14]는 도교의 최고신으로서 이미 우리 민족에 수용되어 있던 옥황상제라고 한다.[15] 특히 도교집단의 창시자들이 겪은 체험과 최제우의 체험이 비슷하고 부적을 사용한다는 점, 長生과 신선, 그리고 무위이화를 말한다는 점에서 그렇게 본다. 또한 신일철은 최제우의 체험을 至氣의 문제와 관련시켜 도교적 득도체험으로 해석한다.[16] 이외에 김한식[17]이나 윤석산[18]도 상제를 도교의 상제로 보고 있다. 수운의 상제를 도교로 보는 입장은 상제라는 이름이 신선, 영부의 등장과 함께 거론되어 도교의 옥황상제를 자연히 연결케 한다는 데에 있다. 원래 도교 이전의 도가에는 신개념이 없다. 도(一元氣) 하나로서 우주를 해석하는 자연주의적 입장이었다. 그러나 차츰 노자를 신격화하고 석가도 노자가 환생한 것이라거나 자신들의 神 가운데 공자와 안회까지 포함하는 등, 유교의 神이나 불교의 佛을 취해서 도교의 神으로 삼았다.[19] 그래서 일찍이 주자는 유교 제사에 있어서 최고신인 昊天上帝가 도교의 최고신인 원시천존의 하위에 놓여 있는 것은 부당하다고 하여 다음과 같이 비난한다.

靈 外有氣化'하는 侍天을 설명할 수 없다.
13) 이 책의 제4장 1절 참조.
14) 『용담유사』 안심가, "엎어지며 자빠지며 종종걸음 한창할 때 공중에서 외는 소리 勿懼勿恐 하여스라 昊天金闕 上帝님을 네가 어찌 알까보냐".
15) 정재서, 「한국민간도교의 계통 및 특성」, 한국도교학회편, 『한국도교문화의 위상』, 아세아문화사, 1993, 204~205쪽.
16) 신일철, 「동학사상의 도교적 성격문제」, 유병덕 편저, 『동학・천도교』, 시인사, 1993.
17) 김한식, 「상고시대의 신관과 수운의 신관」, 『제2회 천도교학술세미나 자료』, 1998.
18) 윤석산, 『도교사상의 한국적 전개』, 아세아문화사, 1989.
19) 酒井忠夫(1985), 최준식역, 『도교란 무엇인가』, 민족사, 1990, 127쪽.

도가의 학은 노자로부터 나왔지만 도교에 三淸이라는 것은 불교의 三身을 모방하여 만든 것에 지나지 않는다. …… 따라서 노자를 높여 삼청을 만들어 원시천존, 태상도군, 태상노군을 삼고 호천상제가 도리어 그 밑에 놓였다. 패려하고 참역됨이 이보다 심한 것이 없다.[20]

이렇게 볼 때 호천상제는 도교의 옥황상제가 아니라 유교의 최고신으로 이해할 필요가 있다. 호천상제는 『시경』 대아편에 보이는[21] 중국의 민족신앙에 있어서 최고신으로, 유교는 이를 天子의 제사에서 최고신으로 삼고 있다. 도교 자체가 유불을 바탕으로 형성된 것이고 다시 이 도교가 유·불에 영향을 주어, 서로 융섭되고 있음은 사실이다. 그러나 상제 또는 호천상제라는 용어만큼은 시경이나 서경에서 최초로 보이는 유교의 인격신적 개념이라 할 수 있다. 역사적으로도 도교가 성립된 것은 전한 초엽으로[22] 유교보다 훨씬 뒤의 일이다. 그리고 원래 중국에서 호천옥황상제가 성립된 것은 다음과 같은 사실을 수반하고 있다.

옥황전에 모셔져 있는 옥황대제(상제)는 중국 민간신앙의 여러 신 중에서 가장 높은 존재이지만 옥황이 이처럼 높이 받들어진 것은 송의 眞宗 이후의 일이다. 진종은 유명한 도교신자였기 때문에 그가 즉위한 함평 원년에 軒轅을 성조로 삼아 호천옥황대제라 부르기 시작했다. …… 옥황대천제와 호천상제가 동일체라는 것을 명시하기 위해 '太上開天執符御歷含眞體道昊天玉皇上帝'라는 존칭을 부여했다. 이 때부터 옥황의 지위는 여러 신 중에서 최고의 위치를 차지하게 된 것이다.[23]

위에서 말한 바와 같이 중국에서는 도교의 옥황상제와 유교의 호천상제를 결합하여 사용한 예가 있으나 한국에서는 옥황상제만이 쓰였다. 다시

---

20) 『주자어류』 권6, 辯異論, "道家之學出於老子 其所謂三淸 蓋倣釋氏三身而爲之爾 …… 逐尊老子爲三淸 元始天尊 太上道君 太上老君 而昊天上帝反坐其下 悖戾 僭逆 莫此爲甚".
21) 『詩經』 大雅, "昊天曰明 及爾出王".
22) 구노보리따다, 최준식역, 『도교사』, 분도출판사, 1990, 67쪽.
23) 酒井忠夫, 최준식역, 『도교란 무엇인가』, 민족사, 1985, 138쪽.

말해서 중국 도교 신에는 호천옥황상제라는 것이 보이지만 한국 민간신앙의 신으로는 옥황천존신, 옥황상제라는 이름뿐이지 호천옥황상제는 없다. 따라서 호천금궐상제가 도교신이라고만 보기 어렵다. 수운은 호천금궐상제라는 이름에 유교적 내용을 담으면서도 민중들 자신이 믿는 옥황상제와 같은 것으로 여겨지기를 기대했을 것이다. 그래서 도교 神名에서 보이는 金闕이라는 말이 호천과 상제 사이에 들어가 있는 듯 하다. 그러나 수운이 말한 상제는 민중들이 믿는 도교적 상제, 즉 옥경대에 계시는 상제와 일치하지 않는다.

　　무지한 세상사람 아는바 천지라도 경외지심 없었으니 아는 것이 무엇이며 천상의[24] 상제님이 옥경대에 계시다고 보는 듯이 말을 하니 음양이치 고사하고 허무지설 아닐런가 한나라 무고사가 아동방 전해와서 집집마다 위한 것이 명색마다 귀신일세 이런지각 구경하소 천지역시 귀신이요 귀신역시 음양인줄 이같이 몰랐으니 경전 살펴 무엇하며 도와 덕을 몰랐으니 현인군자 어찌 알리.[25]

『용담유사』 도덕가에 나오는 위의 내용은 수운이 말한 상제의 성격을 단적으로 드러내주는 것이라 생각된다. 그는 한나라의 무당풍속이 우리 동방에 전해와서 집집마다 귀신투성이니 한심한 일이 아니냐는 듯 말한다. 천지가 귀신이고 귀신이 음양인 것인데, 사람들이 천상의 상제가 옥경대에 있다고 믿으니 허무지설이 아니겠냐는 것이다. 이는 우주 간에는 천당도 없고 지옥도 없고 또한 인격적 상제가 없음을 한 마디로 道破한 것이다.[26] 수운은 궁극적으로 상제는 천상이든 옥경대든 인간 밖에 있는 것이 아니라 인간 안에 내재하는 것으로 이해했다. 때문에 상제란 유교의 상제도 도교의 상제도 아니다. 수운에 의해 새롭게 인간 내재적 상제가 이해되고 있음이다. 수운의 상제가 용어상 유가의 상제냐 도가의 상제냐를 구별하기는

---

24) 최동희는 이를 '천상에'라고 번역하였는데 목판본에는 '천상의'라고 되어 있다.
25) 『용담유사』 도덕가.
26) 이돈화, 「경전의 연구」, 『천도교회월보』 1920.3.

어렵지만, 수운이 뜻하는 전체 맥락으로 볼 때 삼교합일적 용어임을 알 수 있다. 즉, 도교의 주술적인 성향과 인간 초월적 성향을 타파하고 동시에 불교적 영향 아래 인간 안으로 유가적 상제를 끌어내린 삼교합일의 산물인 것이다. 그러면서도 수운이 호천금궐상제라 명칭한 것은 민중과 호흡하고자 한 강한 민중성에서 기원한다. 그러므로 이러한 수운의 상제에는 인격적 상제, 비인격적 상제, 인간으로서의 상제 세 가지의 맥락이 제시되고 있다. 처음에 수운은 접신할 때 초월적인 상제의 소리를 듣지만, 그후 상제는 비인격적 상제로서 허무지설이라는 일언 하에 인격적 상제가 파괴된다. 그리고 다시 인간 안에서 상제가 부활한다. 사람의 "수족동정이 귀신이요, 선악간 마음 用事는 기운이요, 말하고 웃는 것은 조화"[27]라는 것이다.

물론, 수운이 만난 상제가 선교적 맥락상에서 체험된 것도 분명하다. 그는 상제로부터 仙語를 들었고, 이름이 仙藥인 영부를 받아 사람들을 질병으로부터 구해주고 주문을 받아 사람을 가르치라는 말을 들었다.[28] 중국의 경우를 보면, 도교는 이상적 인간을 仙人 혹은 신선이라 하여 사실 그대로 선인의 세계를 문화로서 발달시키려 했고 종교로서 신앙하였다.[29] 수운도 이러한 이상적 인간을 지상에서 이루려고 하는 노력 속에서 지상신선을 추구했을 것이다. 전통적으로 한민족에게 있어 신선의 추구는 인간이 완전함에 이르고 하늘과 하나가 되고자 하는 하느님신앙에 대한 염원에서 형성된 것이다. 고대 이래의 하느님신앙은 하느님의 강림처로서의 산악에 대한 신앙을 낳고, 그 산악신앙은 산악에 강림해 있는 하느님 즉 神靈을 생각함으로써 산신신앙을 낳게 되었으며 인간 속의 신성과 그 실현을 생각함으로써 신선신앙을 빚어내게 되었다.

신선사상이란 인간이 인간 스스로가 개발한 신선방술에 의해 不死의 생명을 향유하는 동시에 신과 같은 전능의 권능을 보유하여 절대적 자유의 경지에 優游하는 존재가 될 수 있다고 믿는 사상이다. 도교의 내단술이 발달한 것도 사람이 천지에 충만한 기를 호흡하여 살아가는 존재이기 때문

<hr>

27) 『용담유사』 도덕가.
28) 『東經大全』 포덕문.
29) 이돈화, 「東學之人生觀(附)」, 『신인철학』, 1924, 248~249쪽.

으로, 그 기식 즉 호흡의 순리적 조화를 목표로 한다. 이 조화를 통해서 천
지와 사람이 그 기운을 같이하는 것이다.[30] 그것은 곧 인간의 神化를 생각
하는 사상이요, 인간세계의 낙원화를 지향하는 사상이다.[31] 그러므로 神仙
은 유교의 군자, 불교의 깨달음을 이룬 자와 다르지 않다. 수운도 이러한
측면을 강하게 계승하고 있는 셈이다. 이렇게 보면 수운에 있어서 선교적
맥락은 단순히 외피적인 것에만 머무르는 것은 아닐 수도 있다. 수운은 용
담가에서 '나도 또한 신선'이라 하였고 교훈가에서는 '입도한 세상사람 군
자되면 지상신선 네 아니냐'고 말한다. 그리고 '마음을 바로잡으면 은밀히
총명이 이루어져 신선이 스스로 출현하게 된다'[32]고 했다.

그러나 분명 기존의 선교적 의미의 신선과는 다르다. 그리고 선약이라는
것도 선교적 내용을 그대로 담고 있지 않다. 이름만 선약이지 모습은 앞에
서도 논한 바와 같이 불교적 궁궁이요 유교적 태극이다. 그러면서도 새로
운 도의 창도이다. 왜냐하면 수운의 도는 궁극적으로 기존의 것을 타파하
고 변혁하고자 한 개벽사상이기 때문이다. 도교는 원래 주술적인 장생술,
치료술 및 除魔術[33]이었기 때문에 사회변혁과는 무관한 것이다. 유교도
인의예지라는 천리에 순응하여 일치하고자 하는 것이지 무궁한 변화·생
성의 도는 아니다. 그러므로 수운의 역사의식은 시대의 상황에서 道를 성
립시키려는 불가 혹은 양명학적 패러다임에서 기인하는 것이다. 또한 수운
이 자신의 도를 심학이라 한 점을 볼 때 도교나 유교는 심학과 거리가 멀
다. 심학은 마음을 다스려 성인에 이르는 학이다.

도를 닦는 사람은 대개 그 흐름이 仙法에서 나온 것이기 때문에 몸을
단련하는 것을 최상으로 하며 부처를 숭상하는 사람은 그 근본이 마음의
가르침(神敎)에 있기 때문에 마음을 다스리는 것을 제일로 한다.[34]

---

30) 이능화, 이종은역, 『조선도교사』, 1977, 보성문화사, 11쪽.
31) 도광순, 『신선사상과 도교』, 범우사, 1994, 13~14·98쪽.
32) 『東經大全』歎道儒心急, "惟在正心 隱隱聰明 仙出自然".
33) 강영한, 「한국 근대 신종교운동의 성격과 사회변동」, 경북대학교 박사학위논문,
1994, 73쪽.
34) 계환역, 『홍명집』, 동국역경원, 1999, 434쪽.

　이 점에서 수운의 사상은 도교도 유교도 아니게 된다. 그러면서도 삼교를 계승하고 사상적 각 담론을 채용하고 있다. 앞에서 살핀 바와 같이 수운은 인간이 신선됨을 갈망하는 선교적 맥락을 지니면서도 그당시 민중들이 지니는 혹세무민적 귀신숭배, 또는 참서를 들고 궁궁촌을 찾아 다니는 것 모두를 비판한다. 특히 영부라는 것도 질병에 걸린 사람이 그것을 먹는다고 해서 낫는 것이 아니고 오로지 정성과 공경에 달려 있다고 하는 것이나, 呪文이라는 것도 주술적이라기보다 수운에게 있어서는 뜻을 지시하는 철학적 사유체계임을 볼 때 수운은 민중들에게 퍼져 있는 선교를 표방하여 유불을 통합하고자 한 것이다.

　이러한 측면은 그의 저술에서도 잘 나타난다. 그는 상제를 만났던 종교체험을 『동경대전』의 「포덕문」과 「논학문」의 두 부분으로 나누어 설명하고 있는데, 각기 상이한 표현을 쓰고 있다. 포교차원의 「포덕문」에서는 仙語, 상제, 선약, 주문의 표현을 들어서 체험을 설명하고 있는 반면, 「논학문」에서는 교학적으로 설명하고 있다. 즉, 「포덕문」에서의 '선어'가 「논학문」에서는 "밖으로는 신령한 기운이 접하고 안으로는 가르침의 말씀이 내리는" '降話之敎'로 표현된다. 「포덕문」의 '상제'는 「논학문」에서 '귀신'으로 표현되는데 "사람들이 천지는 알아도 귀신은 알지 못하는데 그 귀신이 바로 나다" 라고 하여 氣學의 음양적 귀신35)으로 설명하고 있다. 또한 "내마음이 곧 너의 마음(吾心卽汝心)", 즉 귀신의 마음이 곧 수운의 마음임을 제시하여 중생심이 곧 불성인 불교적 맥락도 동시에 나타내고 있다. 여기서 귀신이란 冤鬼의 귀신이 아니라 신령한 기운으로 氣의 양능과 다르지 않다. 그리고 「포덕문」에서는 '선약'이라는 이름의 영부로서 도가 제시되었던 것에 반하여 「논학문」에서는 '無窮한 道'로 표현되고, 「포덕문」에서는 呪文으로서 사람들을 가르치라 했지만 「논학문」에서는 制文 즉 도를 설명하는 글을 지어 사람들을 가르치라 하였다. 그리고 주문이라는 것도 보통 술가에서 도술을 쓸 때 외는 글이 아니라 '한울님을 극진히 위하는 글'36)로

---

35) 『용담유사』 도덕가, "천지 역시 귀신이오/ 귀신 역시 음양인 줄/ 이같이 몰랐으니", "사람의 수족동정/ 이는 역시 귀신이요".

36) 『동경대전』 논학문, "曰呪文之意何也 曰至爲天主之字".

서 21자에 지극한 도를 철학적으로 설명하고 있다.

따라서 수운에게 있어서 선교는 神人的 신선을 지향하면서도 불교와 유교를 선교라는 이름으로 통합해 낸 것으로 민중이 갖는 도교적 신앙과 다르다 하겠다. 요약하여 말하면 수운이 만난 상제는 도교적 상제로만 볼 수 없고 유가적 전통의 상제와 결합된 것으로 볼 수 있다. 그것은 단순히 원시유가의 상제가 아니라, 불교적 一心에 초월성을 부여한 인간 내재의 天(한울님)으로서 삼교적 개념을 복합적으로 갖는다. 즉 수운의 상제는 불교적 일심에 원시유가의 상제개념이 복합되어 자신 안에 초월적 대상으로 부여되면서 정성과 공경의 대상이 된다.

(2) 유교적 천의 두 가지 흐름과 그 수용

유교사상의 天 개념에는 두 가지 흐름이 있다. 하나는 원시유가의 상제를 계승한 것이고, 또 하나는 易經적 주자의 합리주의적 천을 계승한 흐름이다. 수운은 이러한 두 가지 유가적 전통을 하나로 회통하고 있다. 원시유가적 전통에서의 천은 하늘이 의지를 가져 선행을 한 사람에게 복을 주고 악행을 한 사람에게 재앙을 내리는 신령한 최고신으로서 제천의식의 대상이다. 『서경』[37]이나 『시경』[38] 등 원시 유가경전에서의 천은 인격화된 최고신으로 인간에게 명령을 내릴 수 있고 재앙이나 복록을 내릴 수 있는 것으로 인식되었다. 따라서 이러한 맥락의 천 개념은 인격신적으로 상제, 혹은 호천이라 불리운다.

한편 역경적 천은 자연법칙 및 도덕법칙으로 간주되어 '天理' 내지 '理'

---

[37] 『書經』周書, "나의 하는 것은 하늘의 부리심이니 나의 몸에 큼을 끼치시며 어려움을 던지시니 …… 감히 上帝의 命을 폐하지 못하노니 하늘이 寧王을 아름답게 하시어 우리 작은 周나라를 흥하게 하시므로……(已予惟小子 不敢替上帝命 天休于寧王 興我小邦周)".

[38] 『詩經』大雅, "크기도 하오셔라 상제의 덕은/ 해모양 환하니 임하시나니/ 천하 사방 두루두루 살펴보시고/ 구하시니 백성을 편안히 할 곳/ …… / 하늘의 노여움에 고개를 숙여/ 함부로 에라혜라 즐기지 말며/ 하늘의 슬기를 공경하여서/ 함부로 허랑방랑 노닐지 말라(皇矣上帝 臨下有赫 監觀四方 求民之莫 …… 敬天之怒 無敢戲預 敬天之渝 無敢馳驅)".

의 의미로 발전하였다. 천이 리의 의미로 규정된 것이 바로 성리학이다. 특
히 주자에 와서는 하늘을 천리, 리 혹은 太極으로 지칭하여 우주의 본체를
상징하는 것으로 삼았다.39) 공자를 비롯하여 조선 성리학자들은『역경』을
세계관의 근본바탕으로 하여 글의 서두마다 거의『역경』을 인용하였다. 수
운도『동경대전』첫머리에 자신의 인간관과 우주관을『역경』의 내용을 빌
려 말하고 있다.

　대저 아득한 옛날부터 봄과 가을이 어김없이 갈마들고 네 계절이 변함
없이 제 때를 만났다가 사라져 간다. 이 역시 한울님 조화의 자취가 천하
에 뚜렷하다는 본보기다. 그러나 어리석은 민중은 비와 이슬을 내려 주시
는 은혜를 알지 못하고 그저 저절로 그렇게 되어가는 것으로 알고 있다.
五帝 때로부터 성인들이 나서 해, 달, 별, 하늘, 땅이 운행하는 도수를 살
펴 책(문권)을 만들어 냈다. 이렇게 하여 천도의 변함이 없는 질서를 밝혀
놓았다. 한편으로 사람들의 모든 행동과 일의 성패를 오로지 천명에 맡기
게 하였다. 이것이 바로 천명을 공경하고 천리에 따르는 길이기 때문이다.
그러므로 사람들은 군자가 되었고 학문은 도와 덕을 잘 밝히고 닦았다.
그 도는 바로 천도였고 그 덕은 바로 천덕이었다. 천도를 밝히고 천덕을
닦았으므로 사람들은 곧 군자가 되었고 나아가서는 뛰어난 성인도 될 수
있었다. 어찌 부럽고 탄복할 일이 아니랴. 또 이 근래에는 온 세상 사람들
이 저마다 마음대로 하여 천리에 따르지 않고 천명을 돌아보지 않는다.
그리고 마음이 늘 두려움에 싸여 나아갈 바를 모른다.40)

　이와 같이 수운은 자신의 도를 말함에 있어 역경적 세계관을 인용하고
있다. 그러나 수운은 해와 달, 별, 하늘, 땅이 운행하는 변함 없는 질서는

───────────────
39) 풍우, 김갑수역, 『천인관계론』, 신지서원, 1988, 61·83쪽.
40)『동경대전』포덕문, "盖自上古以來 春秋迭代 四時盛衰 不遷不易 是易天主造化
　　之迹 昭然于天下也 愚夫愚民 未知雨露之澤 知其無爲而化矣 自五帝之後 聖人
　　以生 日月星辰天地度數 成出文卷 而以定天道之當然 一動一靜一盛一敗 付之於
　　天命 是敬天命 而順天理者也 故人成君子 學成道德 道則天道 德則天德 明其道
　　而修其德 故乃成君子 至於至聖 豈不欽歎哉 又此挽近以來 一世之人 各自爲心
　　不順天理 不顧天命 心當悚然 莫知所向矣".

한울님의 조화요, 비와 이슬을 내려 주시는 자 한울님인데 사람들이 그 은혜를 모른다고 말한다. 이는 그가 음양법칙적 합리주의를 인정하면서 동시에 인간이 공경해야 할 천명을 내리는 주재적 천이 공존함도 인정한다고 볼 수 있다.

> 저 역괘가 나타내는 '길이 변치 않는 이법'을 살피고 하·은·주 3대에 한울님을 공경하던 이치를 자세히 음미하여 본다. 이제야 비로소 옛 선비들이 天命에 따르고 있었음을 알게 되고 후학들이 한울님을 위하는 일을 까맣게 잊고 있음을 슬퍼하게 되었다. 내가 받은 도를 잘 닦고 익혀보니 자연의 이치 아님이 없다. 공자의 도를 깨달은즉 한 이치로 정한 바 되어 있다. 오직 나의 도를 논하면 공자의 도와 크게는 같으나 약간의 다름이 있다.[41]

수운은 주역의 '길이 변치 않는 이법'과 '三代에 한울님을 섬기던 이치'를 살피면서 옛 선비들이 모두 이를 따르고 있었음을 밝힌다. 하·은·주 3대에 한울님을 공경하던 이유가 모두 그 말씀에 따르고자 함이었는데 후대 사람들이 이를 까맣게 잊고 있다고 슬퍼한다. 그리고 수운은 한울님을 공경함으로 수련을 하니 이는 곧 자연의 이치와 합하는 것이라 하여 상제 천과 천리를 같은 연맥상에 놓는다.

> 만물을 낳고 키우고 이루고 거두는 것[元亨利貞]이 자연의 법칙이고 오로지 진실하여 치우침이 없는[惟一執中] 지선을 실행하는 것은 인간이 살펴야 할 일이다. 이 자연과 인간사회의 理法을 나면서부터 아는 것이 저 공자의 거룩한 재질이고 이를 배워서 아는 것이 과거의 선비들이 서로 전하여 온 배움의 길이다.[42]

---

41) 『동경대전』 수덕문, "察其易卦大定之數 審誦三代敬天之理 於是乎惟知先 儒之 從命 自歎後學之忘却 修而煉之 莫非自然 覺來夫子之道 則一理之所定也 論其 惟我之道 則大同而小異也".
42) 『동경대전』 수덕문, "元亨利貞 天道之常 惟一執中 人事之察 故生而知之 夫子之 聖質 學而知之 先儒之相傳".

수운이나 공자 모두 元亨利貞을 천도로 하는 자연의 理法을 말하고 있
다. 그러나 그 방법에 있어서 공자와 수운은 다를 수밖에 없다. 수운이 도
자체에 있어서 공자의 도와 조금 다르다 한 것은, 공자는 忠恕와 下學而上
達道를 말하지만 수운은 한울님을 섬기는 誠·敬·信을 말하기 때문이다.
공자는 다음과 같이 말한다.

　사람이 지켜야 할 도리를 힘쓰고 귀신을 공경하되 멀리 한다면 智라 말
할 수 있다. …… 공자는 괴이함과 용력과 패란의 일과 귀신의 일을 말하
지 않았다.[43]

공자는 사람이 천도에 따라 지켜야 할 도리를 힘쓸 뿐 귀신은 공경하되
멀리 하라 한다. 왜냐하면 귀신은 이치를 궁구함이 지극하지 않고는 쉽사
리 밝힐 수 없는 것이 있으므로 사람들이 믿으면 미혹되기 쉽고 믿지 않으
면 공경하지 않으니 다만 공경하되 멀리 하라 한 것이다. 이는 공자의 삶
의 양식이기도 하다. 그러나 수운은 성경신으로 한울님을 공경하는 것이
인간의 도임을 주장한다. 물론 공자도 성경을 말하지만 修身이지 恭敬이
아니므로 그 맥락이 다르다. 공자는 실천론에 있어서 '下學而上達'적 또는
합리주의적 관점을 취하지만 수운은 인간 근원성을 인간 내면의 초월적
존재로 위치시켜 이를 공경하고, 마음닦음을 통해 한울님 되게 하는 것에
서 도모한다.

(3) 易經과 다른 수운의 三才 이해

　한편 수운은 『역경』의 사상과 단절을 나타내고 있기도 한데 이는 대표
적으로 삼재를 들 수 있다.[44] 『역경』의 삼재[45]는 길흉이 극에 달해 변화와

---

43) 『論語集註大全』 卷6, "樊遲問知 子曰 務民之義 敬鬼神而遠之 可謂知矣 …… 子
不語怪力亂神".
44) 최동희는 동경대전을 번역하면서 수운이 삼재의 원리를 새삼 내세우는 목적이 과
연 무엇일까 自問하면서 다음과 같이 추정한다. "3재의 원리, 또는 8괘의 원리 같
은 종래 公認되어 온 것을 논거로 삼아 하느님의 존재와 권능을 논증, 즉 신의 존

진퇴를 순환하는 天·地·人으로서 각각의 陰陽, 柔剛, 仁義를 합한 육효의 운동이다.[46] 여기서 爻란 道의 변동을 말하는 것으로 효에는 음양, 귀천, 등급이 있다. 『역경』은 인간을 여기에 적용시켜 남녀를 乾坤과 음양, 尊卑로 결정짓는다.

하늘은 높고 땅은 낮아 건괘와 곤괘의 구별이 정하여졌고 낮은 것과 높은 것이 베풀어지니 귀한 것과 천한 것이 각기 자리 잡히고 움직이는 것과 고요한 것의 법칙이 있어서 강한 것과 유순한 것이 판단되고 …… 이것을 우뢰와 번개로 고동시키고 이것을 바람과 비로 적시고 윤택하게 한다. 해와 달이 운행하니 한 계절은 춥고 한 계절은 덥다. 乾의 법칙은 男을 이루고 坤의 법칙은 女를 이룬다.[47]

이는 육효의 성격과 움직임을 법칙화하고 있어 서열과 계급질서를 낳게된다. 이로부터 人道라 할 수 있는 仁義가 성립된다.[48] 그러나 수운의 삼재는 『역경』의 구절을 거듭 인용하면서도 그 정신은 판이하다.

하늘의 길은 모습이 없는 것 같으나 자취가 있으며 땅의 생김새는 넓고 크기만 한 것 같으나 방위가 있다. 그래서 하늘은 구성이 있어 땅의 구주

재에 관한 일종의 목적론적 증명을 시도했는지도 모른다"(최동희, 『한국의 민속종교사상』(세계사상전집 41), 삼성출판사, 1977, 93쪽). 그러나 『역경』은 합리주의적 우주론에 가까운 것으로 주자가 이로부터 자신의 학문을 체계화하였던 것을 본다면 神의 증명과는 거리가 멀다.

45) 三才에서 三은 天·地·人을 말하는 것이고 才는 시초, 또는 처음을 말한다. 天道는 陰陽으로 地道는 柔剛, 人道는 仁義로서 세운다. 삼재는 각기 두 개씩을 겸하므로 易은 六畫으로 괘를 이룬다.

46) 『周易』 繫辭下, "道有變動故曰爻 爻有等故曰物疏 道有變動故曰爻者 言三才之道 既有變化而移動 故重畫以象之而曰爻也 爻有等故曰物者 物類也 言爻有陰陽貴賤等級 以象萬物之類 故謂之物也".

47) 『周易』 卷7, 繫辭上, "天尊地卑乾坤定矣 卑高以陳貴賤位矣 動靜有常剛柔斷矣 …… 鼓之以雷霆 潤之以風雨 日月運行一寒一暑 乾道成男坤道成女".

48) 『周易』 卷1, "文言曰 元者善之長也 亨者嘉之會也 利者義之和也 貞者事之幹也 君子體仁足以長人 嘉會足以合禮 利物足以和義 貞固足以幹事 君子行此四德者 故曰元亨利貞".

에 상응하고 땅은 팔방이 있어 팔괘에 상응하여 차고 비워 갈마듦의 수가 있으니 움직임과 고요함이 바뀌는 이치가 없다. 八卦의 원리에 따라 음과 양이 서로 잘 어울려서 모든 만물이 하늘과 땅 사이에 화생하였다. 그러나 그 중에서 오직 사람만이 가장 신묘한 존재이다. 그러므로 하늘, 땅, 사람을 세 가지 근본존재로 삼는 원리가 세워지게 되었다. 이 원리로부터 오행의 원리도 만들어지게 되었다. 오행이란 과연 무엇일까? 하늘은 오행의 벼리로 삼는 것이고 땅은 오행의 바탕으로 삼는 것이며 사람은 오행의 기운으로 삼는 것이니 하늘, 땅, 사람 세 가지 근본존재로 삼는 원리가 근원적이라는 것을 알 수 있다.49)

수운의 삼재는 '천은 벼리[綱], 지는 바탕[質], 사람은 기운[氣]'이라 하여 근본[綱]과 질료[氣·質] 그리고 이에 능히 작용을 가하는 인간의 존재가 서로 일체를 이루는 삼재관이다. 이는 천도에 순응하여 존비, 서열이 정해지는 음양의 움직임으로써 인도가 정해지는 것이 아니라 솥의 세 발과 같이 삼재 세 가지가 서로 평등히 공존해야 천지만물을 조화할 수 있는 것으로 나타난다. 수운이 처음에 상제를 접했을 때 '나 역시 功勞가 없어 너를 세상에 낳게 하였으니 이 법을 사람들에게 가르치라'50) 한 것은 이러한 맥락에서 볼 수 있다. 천·지·인 중 어느 하나만으로 되는 것이 아니다. 수운의 삼재는 천을 중심으로 천도를 따르는 것이 인도임을 밝힌『역경』과는 달리 삼재가 모두 동등한 위치를 차지한다.

또한 인간이 最靈者51)임을 밝혀 삼재의 원리를 말하고 있는데, 이는 생성된 만물이 바로 인간에게 달려 있고, 인간이 없으면 아무런 氣化가 없게 됨을 뜻한다. 수운에게 있어서 人道도『역경』과는 달리 진실하고 치우침이 없는 至善을 주체적으로 실행하는 것에서 이룩된다.『역경』에서처럼 천도

49)『동경대전』논학문, "夫天道者 如無形而有迹 地理者 如廣大而有方者也 故天有 九星 以應九州 地有八方 以應八卦 而有盈虛迭代之數 無動靜變易之理 陰陽相 均 雖百千萬物 化出於其中 獨惟人 最靈者也 故定三才之理 出五行之數 五行者 何也 天爲五行之綱 地爲五行之質 人爲五行之氣 天地人三才之數 於斯可見矣".
50)『동경대전』포덕문, "余亦無功 故生汝間 教人此法".
51)『동경대전』논학문. "獨惟人 最靈者也".

를 따라 인의로서 부여되는 고정적 당위론이 아니다. 수운의 세계관은『역
경』과 달리 고정된 이치의 순환이 아니라 생생불식의 비고 신령한 생명적
우주관이다. 이러한 내재적 한울님을 진실함으로 공경하는 것에서 인간됨
이 비롯된다. 한울님을 모시는 정성이 없으면 사람은 본래의 타고난 한울
님 성품을 잃게 된다.[52]

　만물을 낳고 키우고 이루고 거두는 것[元亨利貞]이 자연의 법칙이고 오
로지 진실하여 치우침이 없는[惟一執中] 지선을 실행하는 것은 인간의 일
[人事]이다.[53]

　수운도 人事로서 惟一執中을 말한다. 유일집중[54]이란『中庸』[55]의 근본
정신으로, 天命의 주재적 천에 대한 성경을 근본 바탕으로 한다. 여기서 惟
一은 성리학적으로 이해하면 主一無適의 敬이요, 執中의 중은 誠이다. 성
은 본체로서, 경은 성을 발현하기 위한 것이다. 인간 스스로가 한울님(誠)
을 공경하고 몰입하여 마음을 지키느냐 못하느냐에 따라 한울님이 모셔질
수도 있고 잃을 수도 있는 人間道의 실현이 좌우된다. 여기에는 인간의 의
지와 주체성이 부여된다. 수운은 인의예지란 옛 성현의 가르침이요 守心正
氣는 자신이 새로 고쳐 정한 바라 하였다.[56] 수심정기는 곧 성경신으로 성
리학적 이기론을 탈피하면서도 수행론은 연맥되어 있다. 그러면서도 공경
의 개념이 가해지면서『중용』의 상제천에 가까이 간 것이다.

---

52) 노태구, 「동학과 신문명론」, 아름다운세상, 2000, 139쪽.
53)『동경대전』수덕문, "元亨利貞 天道之常 惟一執中 人事之察".
54)『中庸』中庸章句序에는 "惟精惟一 允執厥中者 舜之所以授禹也"라 하여 유일집
　　중의 사상이 三代 때로부터 전수받은 것임을 밝히고 있다.
55) 김용옥에 의하면 중용은 논어와 동시대가 아닌 전국 말이나 한대의 텍스트로 주
　　장된다. 그 이유는 유가의 원시경전에서는 볼 수 없는 본체적 우주론이 자주 언급
　　되기 때문이다(김용옥,『도올선생중용강의』, 1995, 통나무, 51쪽). 그러나 필자가
　　보기에 주자에 의해 본체적 해석이 가해져 읽는 이들도 그렇게 이해할 뿐 중용
　　자체가 본체론적 철학체계를 지니는 것은 아니라 생각한다.
56)『동경대전』수덕문, "仁義禮智 聖先之所敎 守心正氣 惟我之更定".

　　중용에 이른 말은 天命之謂性이오 率性之謂道요 修道之謂敎라 하여
誠敬 二字 밝혀 두고 我東方 賢人達士 도덕군자 이름 하나 無知한 세상
사람 아는 바 천지라도 敬畏之心 없었으니57)

　수운의 人道는 한울님을 성경하는 것으로, 이는 사람이 마땅히 행하여
야 할 人事다. 그는 세상이 한울님에 대한 경외지심이 없음을 한탄하여58)
인사는 아니 닦고 천명을 바라는 민중들을 향해 졸부귀불상이라 말한다.59)
이와 같이 수운에게는 『중용』과 『역경』의 사상이 계승되면서도 삼재사상
이 변화되고 한울님을 섬기는 도에 있어서도 『역경』과 다르며 공자와도
다른 양상을 보인다. 그리고 『역경』의 사상을 계승하여 우주론을 체계화한
주자학60)과는 천리의 계승이라는 입장에서 연맥되지만 수운의 삼재는 서
로 동등하고 한울님을 성경하는 道이기에 역시 다르다고 하겠다.
　한편 해월은 수운의 삼재를 三皇이란 용어를 써서 설명하고 있다.

　　성인이 처음 나시어 덕이 만방에 화하고 덕이 만방에 화하니 뭇 백성이
이에 화하도다. 이것이 누구의 덕인가. 한울의 은혜이다. 한울이 밝은 것
이 아니라 큰 성인이 밝은 것이니 넓고 넓은 한울님의 덕을 큰 성인이 밝
히었도다. 넓고 넓은 그 덕을 한울님이 아니면 누가 내리시며 밝고 밝은
그 덕을 성인이 아니면 누가 밝히겠는가. 넓고 큰 그 덕을 성인이 밝히었
도다. 높고 높은 천도를 큰 성인이 처음 밝히었으니 밝고 밝은 천지도 일
월이 아니면 밝지 못하고 밝고 밝은 큰 성인도 그 다음 성인이 아니면 밝

---

57) 『용담유사』 도덕가.
58) 『동경대전』 수덕문, "察其古今 則人事之所爲".
59) 『용담유사』 도수사.
60) 주자가 말한 태극의 理는 이전으로 거슬러 올라가면 易의 태극이다. 불교로부터
　　체용을 받아들이고 여기에 未發已發설을 부과하여 불교와는 또다른 理氣論의 體
　　用으로서 전개되었다고 볼 수 있다. 물론 주자학의 체용적 측면을 불교의 영향이
　　라 하지 않고 유교 내부에서부터 비롯된 것으로 이해할 수도 있다. 예를 들면 『역
　　경』 繫辭上에서 보이는 寂然不動과 感而遂通으로 체용적 의미를 부과할 수도 있
　　다. 그러나 역경주석 자체가 사람마다 달리 말하고 있어 이 역시 불교의 영향이
　　아니었다고 말할 수 없다. '無極太極說', '理氣不相雜 不相離'의 법칙과 작용으로
　　발전한 데에는 불교의 理事無礙的 화엄의 사유 틀이 수용된 것이라 볼 수 있다.

히지 못한다. 천지가 밝은 것이 아니라 일월이 밝고 밝은 것이오, 일월이
밝은 것이 아니라 천황이 그 밝은 것이다. 천황이 밝은 것이 아니라 지황
이 더욱 밝은 것이다. 천황의 도와 지황의 덕을 인황이 밝히나니 천황 지
황이 세상에 난 뒤에 인황이 세상에 나는 것은 이치의 당연함이다.[61]

　해월은 넓고 넓은 큰 덕은 한울이 내리지만 그 천도를 밝히는 것은 성인
에 있다고 한다. 이는 마치 밝은 천지도 해와 달이 있기 때문이고 大聖도
亞聖이 있기에 밝을 수 있는 것과 같다. 천의 도와 지의 덕은 사람이 밝게
하는 것이다. 천황의 도와 지황의 덕을 인황이 밝히기에 천황, 지황이 세상
에 난 뒤에 인황이 나는 것이다. 천황씨는 원래 천인합일의 명사이다. 수운
에게 있어 버리가 되었던 천이 해월에게서는 도로서 설명되고, 바탕으로
말해지는 지가 해월에게서는 덕으로 표현되며, 기운의 조화로 나타났던 인
간이 해월에게서는 도와 덕을 밝히는 자로서 명명되고 있다. 그러나 수운
의 삼재와 해월의 삼황은 모두 천지인이 하나로서 한울은 체가 되고 그 본
체에 따라 이루어진 것이 땅이며 이러한 천지의 이치를 깨달아 밝게 아는
것이 인간이라 한다. 수운이 역경적 세계관에 빗대어 인간의 위치를 종속
에서 대등으로 전환시켰다면 해월은 삼황을 가지고 보다 인간을 주체로
한 지기일원론을 설명하고 있다. 그의 역사관은 바로 人皇에 터해 세상을
밝히는 것이다. 그리고 이는 구체적으로 민중들로 하여금 '向壁設位'에서
'向我設位'로 전환하게 하여 우주의 영이 곧 인간 개체의 정신(spirit)임[62]
을 더욱 확고히 하였다.

---

61) 『해월신사법설』 吾道之三皇, "聖人首出 德化萬邦 德化萬邦 黎民是雍 是誰之德
　　天主之恩 非天之明 大聖之明 昊天之德 大聖明之 浩浩其德 非天孰降 明明其德
　　非聖孰明 蕩蕩其德 聖人明之 嵬嵬天道 大聖初明 明明天地 非日月不明 明明大
　　聖 非亞聖不明 天地非明 日月明明 日月非明 天皇其明 天皇非明 地皇尤明 天
　　皇道 地皇德 人皇明之 天皇地皇出世以後 人皇出世 理之固然矣".
62) 『해월신사법설』 向我設位, "父母之心靈 自天主幾萬代繼承而至我也 父母之死後
　　血氣存遺於我也 心靈與精神存遺於我也".

(4) 유불의 상호 연맥

수운은 어려서부터 전통 주자학에 대한 이해가 철저했고[63] 더구나 가계의 사상적 흐름이 주자학적 퇴계학풍을 이루고 있었다. 그러니 수운에게 주자학의 근본정신이 녹아들었음은 당연하다 하겠다. 수운의 사상체계에서 주자학이 차지하는 위치를 살펴보는 것도 바로 여기에 이유가 있다.

조선의 성리학은 불교적 체용론으로 기울어 가는 경향이 있었다. 이는 수운의 유불합일적 사상에 일말의 기여를 하였으리라 생각한다. 원래 주자는 불교에 영향을 받아 불교와는 지평이 다른 신유학의 사유체계를 세우지만 수운에 있어서는 유교와 불교가 동시에 공존하고 있다는 점이 다르다. 수운이 "온세상 사람들이 천리를 따르지 않고 천명을 돌아보지 않으며 마음이 늘 두려움에 쌓여 나아갈 바를 모른다"[64]고 비판한 것은 분명 원시유가적 상제천과 역경의 세계관을 수용한 것이다. 즉 수운은 역경의 천을 계승하여 天이 음양이요 귀신임을 말하고, 동시에 역경과는 달리 한울님(上帝)을 인간 안으로 끌어들여 초월성을 부여함에서 자신의 사상을 새롭게 구축했다. 더욱이 그 한울님은 불교의 본체 개념과 같이 불택선악의 비실체성으로서의 한울님이다. 다시 말해 수운의 상제는 원시유교의 인격적 상제만을 계승한 것이 아니라, 유교적 상제에 새롭게 불택선악하는 상제가 더해진 것이다.

---

63) 수운은 『용담유사』 몽중노소문답가에서 "팔세에 입학하여 허다한 萬卷詩書 무불통지 하여내니 생이지지 방불하다. …… 효박한 이 세상에 君不君 臣不臣과 夫不夫 子不子를 晝宵간 탄식하며……"라 하여 어려서부터 이미 주자학적 개념들을 편력하였고 그 배운 바대로 세상사람들이 실천하지 못함을 탄식하였다. 또한 『용담유사』 교훈가에서 후손들에게 교훈하기를 "왈이자질 아이들아 경수차서 하였어라 너희도 이세상에 오행으로 생겨나서 三강을 법을 삼고 五倫에 참여해서 二十살 자라나니 성문고족 이내집안 별수없는 너의거동 보고나니 경사로다 소업없이 길러내니 일희일비 아닐런가"라고 하여 오행으로 생성되고 삼강을 법칙으로 하며 오륜을 실천하는 주자학적 세계관을 표현하면서 그렇게 자라난 아이들이 20살이 되어 건강하니 경사라고 한다.
64) 『동경대전』 포덕문.

호천금궐 상제님도 불택선악 하신다네.65)

상제가 불택선악한다 함은 고정된 실재를 부인하는 것으로 無量無邊의 대덕과 변화를 지닌다. 이는 선악을 취하여 고정된 규범으로 형용할 수 있는 것이 아님을 뜻한다. 고정되고 명문화된 규범을 통하여 통치질서를 세우고자 했던 주자학과 이러한 객관적인 성리학적 규범을 理障으로 간주하여, 일심을 깨달으면 자연히 모든 것이 적절하게 될 수 있다는 불교의 입장을 상기시켜 보면 수운의 불택선악하는 상제는 분명 불교적 요소가 더해진 것이다. 도교나 유교의 상제는 모두 선악을 규정하는 존재들이고 특히 도교는 태평경이나 공과격에서 보여지는 바와 같이 철저히 善을 규정하고 있다. 인간의 악행과 선행에 대해 감독하는 천상의 관할기관까지 구성하고 있는 것이다.66) 이렇게 볼 때 수운이 말한 상제에는 불교적 성격이 공존한다.

수운의 天은 천리, 상제 또는 귀신인 동시에 불교에서 말하는 일심이기도 하다. 주자가 불교로부터 체용의 논리를 빌어와 역경의 태극을 理體, 氣用의 이원론으로 체계화시켰으면서도67) 불교를 배제하지만 理가 인간 안에 性으로 내재시킬 수 있었던 것은 불교의 영향이다. 수운은 불교의 일심

---

65) 『용담유사』 안심가.
66) 윤찬원, 『도교철학의 이해』, 돌베개, 1998, 112쪽.
67) 주자는 '太極動而生兩' 이하를 已發로 보고 '無極而太極'을 未發로 하였다. 그러나 연평은 未發已發을 一貫의 理라 보고 있다. 주자의 태극설은 이발미발설과 밀접한 연계를 가지면서 수립된다. 이는 결국 존재의 문제로 태극설에 이행되었음을 보는 것인데 易이 '一動一靜已發未發'을 겸하여 말한다든가 태극이 性情의 묘라든가 一動一靜未發已發의 理라고 말하는 것은 불교로부터 이행되는 과정을 말한다. 미발이발은 『중용』의 희노애락의 미발이발이고 주체인 심의식의 문제로 이해되었다. 태극은 『역경』 계사전에 '易에 太極이 있고 이는 양의를 생한다'라고 하였는데 주자가 주체의 양상을 미발이발의 수렴확산으로 설명하고 존재의 양상도 그와 똑같은 도식으로 음정양동의 수축발산으로 설명하여 의식의 문제가 존재의 문제로 이행된다. 주자는 의식과 존재의 수렴확산운동의 근거로 形而上의 太極을 세운 것이다. 이는 의식의 문제를 주로 하는 불교의 說을 초월하려는 노력이고 주렴계 이래 송학의 논리를 최고로 잘 체계화했다고 말할 수 있다(荒木見悟, 『佛敎と儒敎』, 京都 : 平樂寺書店, 1963, 148~175쪽).

을 그대로 계승하면서 인간 안에 천리를 공존시킨다. 불교와 주자학이 근본적으로 입장을 달리하게 되는 것은 천리를 규정하여 사회의 질서를 도모하느냐 아니면 변화와 無自性[68]의 논리로서 천리를 실체화하는 것 자체를 장애로 여기느냐에 있다. 그러나 수운은 상제에 대한 공경에서 천리와의 일치를 찾고 있고, 천리가 주자처럼 인의예지로 고정된 것이 아니라 무궁한 것으로, 한울님에 대한 공경 자체가 자연히 이법에 맞게 되는 것으로 이해한다. 그리고 그 공경의 대상인 상제는 인간의 참된 마음자리 곧 일심임을 깨우친다. 불교에서는 중생이 곧 부처라 하지만 수운은 인간을 侍天이라 하여 인간 자신이 한울님을 모셨다 한다. 불교의 '一切衆生悉有佛性'이라는 말은 수운적으로 해석하면 모두가 다 한울님을 모시고 있다 함과 상통하고 수운이 말한 일심이기도 하다. 따라서 유교의 상제천이나 성리학적 천이 수운에 와서 인간 안에 놓여지는 것 자체가 불교적이라 할 수 있다. 수운에게 나타난 일심에 대한 언급은 다음의 말에서 엿볼 수 있다.

> 괴이한 동국참서 추켜들고 하는 말이
> 已去 임진왜란 때는 利在松松 하여 있고
> 가산정주 서적 때는 利在家家[69] 하였더니 ……
> 우리도 이 세상에 利在弓弓 하였다네
> 매관매직 세도자도 일심은 궁궁이오 ……
> 유리걸식 패가자도 일심은 궁궁이라 ……
> 風便에 뜨인 자도 혹은 만첩 산중 들어가고
> 혹은 서학에 입도해서 각자위심 하는 말이
> 내 옳고 네 그르지 …… [70]

위에서 수운은 관직을 팔고 사는 권세가도 궁궁은 곧 일심이요, 전곡을 쌓아 두고 사는 부유한 첨지나 유리걸식하는 거지, 바람에 나부끼는 대로

---

68) 모든 것은 고정된 실체가 없다. 다만 연기의 법칙에 따라 생성과 소멸을 거듭할 뿐이다.
69) 變亂 때 사람들이 살 길을 찾았는데 그 방도로 집에 머물렀던 사람은 살았다.
70) 『용담유사』 몽중노소문답가.

사는 자, 모두가 일심을 갖고 있어 이 마음 하나만 잘 찾으면 이 세상의 모든 변란은 스스로 없어진다 말한다. 세상사람들이 살 길이 제 몸에 있는 줄 알지 못하고 첩첩 산중을 헤매거나 서학에 입도하여 弓字만을 찾으니 그것은 궁궁이 제 마음인 것을 깨닫지 못한 까닭이라는 것이다. 수운은 일심이 곧 민중이 찾는 궁궁이라 표현하면서 그 궁궁을 다른 데서 찾지 말고 모두 각자가 가지고 있는 마음에서 찾는 것이 인간의 살 길이라 하는데, 이는 불교에서 말하는 '直指人心 見性成佛'과 다르지 않아 보인다. 주자학의 천리가 밖으로부터 인간에게 부여된 것이고 그 천리를 인간에게 당위적으로 규범화한 것이 인의예지라면, 수운의 天은 불교와 같이 인간 안에서 비고 신령스러우면서도 작용하는 자이다.

여기서 짚고 넘어가야 할 것은 마음의 본체에 대한 입장이다. 원래 불교에서는 지눌의 경우, 眞心을 '空寂靈知'라 하였고 수운은 '心本虛 應物無迹', 해월은 '惺惺寂寂 虛靈不昧' 또는 '心是虛靈'이라 하였으며 의암은 '眞眞如如 空空寂寂'의 無體로 말했다.[71] 또한 수운이 접신하였을 때 상제로부터 들었던 '吾心卽汝心'도 불교와의 결합을 보여주는 대목이라 할 수 있다. 이는 상제=천리=심의 전형적인 표현으로 상제는 인격적 원시유가의 상제인 동시에 천리적 이법으로서 이해되는 것이고, 그 천리와 상제에 불교의 일심이 융합되는 것이다.

물론 이와 유사한 사례는 양명학의 良知에서도 볼 수 있다. 양지가 천리가 되는 사유의 전개는 심=천리=양지로서 불교의 일심, 그리고 유교의 천리가 양지 속에 心卽理로 결합된 예이다. 양지는 주자학적 천리를 버리지 않으면서도 불교의 일심을 보존하고 있다. 동학에 주자학과 불교가 공존할 수 있었던 것은 양명학적 선례에서 기인하는 것인지도 모를 일이다. 수운이 자신의 학을 심학[72]이라 했을 때는 결국 불교의 심학보다는 양명학적 심학에 더 가깝다 할 수 있다. 그리고 중국 근대사에서도 보면 양명학자들에게서 개혁자들이 나오는 것은 양명적 성격에 기인하는 것이고 더

---

71) 이 책의 제4장 2절 참조.
72) 『용담유사』 교훈가, "열석자 지극하면 만권시서 무엇하며 심학이라 하였으니 불망기의 하였어라".

구나 동학에 있어서도 후천개벽의 정신은 양명의 실천적 성향과 공통되는 것일 수 있다.[73] 왜냐하면 양지란 객관적으로 理를 인간이 구유하고 있다는 것이 아니라 그때 그때의 또는 장소 장소마다 時空的 조건에 의해서 형성되는 상황적 時中의 理로서, 그 理가 현재에 현실화되고 작용되는 행위 속에서 완성되는 것이기 때문이다. 동학의 제2세 교주인 해월이 이름을 최경상에서 崔時亨이라 고친 것도 이러한 맥락이라 할 수 있다.

2) 수운의 神觀 이해

수운의 천(한울님)이 삼교적 연맥과 상호 극복으로 형성된 것이라 할 때 그 한울님관 즉 神觀을 현대적으로 어떻게 이해할 수 있을까? 수운의 신관에 대한 기존 연구는 다양하다. 김경재는 '범재신론'[74]이라 하였고 황선희는 '범신론적 일신관'[75]이라 말했다. 소흥렬의 표현을 빌리면 '자연주의적 유신론'[76]이라 할 수도 있다. 혹자는 '지기일원적 범재신'[77]이라 한다. 여기서 공통적인 것은 분명 초자연적 초월신이나 창조주로서 인격신이 아님을 말하면서도 그것이 만물 혹은 인간 안에 내재함을 뜻하는 것이다.

김경재는 말하기를 '천도교의 신관에 있어 우주의 궁극적 실재는 창조적 주재자이면서도 무위이화하는 이법 자체'라고 한다. 즉 우주는 스스로 자기 조직해 가는 창조적 진화이면서 동시에 전능한 조물주의 창조행위라 한다. 천도교의 신관은 그 어느 한쪽의 끝을 붙잡고 편중하는 순간 그 생명력을 잃는다는 것이다. 그리고 이는 천도교뿐만 아니라 모든 고등종교의 가장 심원한 진리의 묘처라 김경재는 말한다.[78] 이는 서구적 인격신 개념에 스스로 자기 조직을 하면서 창조 진화하는 범신론을 결합하여 이해한 개념이다. 그러므로 그는 수운의 한울님을 조물주 神으로 이해하여 불교의

73) 이 책의 제3장 4절 참고.
74) 김경재, 「최수운의 신개념」, 『한국사상』 12, 1974, 46쪽.
75) 황선희, 『한국근대사상과 민족운동 I-동학·천도교편』, 혜안, 1996, 72쪽.
76) 소흥렬, 『자연주의적 유신론』, 서광사, 1992, 11쪽.
77) 동학혁명100주년기념사업회, 『동학백주년기념논총 上』, 태광문화사, 1994, 184쪽.
78) 김경재, 「최수운의 시천주와 역사이해」, 『한국사상』 15, 1977, 193쪽.

깨달음이나 샤마니즘적인 접신현상과 구분한다.[79]

　　수운의 시천주는 하느님을 몸으로 모심이다. 지적 이해나 교리적 수락
　이 아니다. 불교적인 覺의 현상이거나 샤마니즘적인 접신현상만도 아니다.[80]

　　그러나 동학의 神은 유불선 전통사상의 지나온 여정을 매개로 하여 성
립된 신관으로 조선인의 사유 틀을 담은 신관이다. 수운의 신관은 서구적
신 개념으로 표현하기 어려운 측면이 있다. 동학의 신관은 불교적 사유체
계가 깔려 있기에 서구의 신관으로 접근하게 되면 실재론을 전제하게 되
고 서양의 유신론적 범주를 탈피할 수 없다. 범재신론적인 입장도 결국 동
학을 실재론으로 만든다. 이렇게 본다면 기존 연구에 있어서 범재신론 혹
은 범신론적 일신관 등은 동학의 신관을 서구개념에 맞추는 노력 속에서
내려진 설명으로 동학 자체를 잘 드러내주는 표현은 아니다. 수운의 神觀
은 무자성의 무궁성을 기초로 하고 있기에 범재신론을 통해 보는 수운의
신개념은 모호하게 설명될 뿐이다.
　　수운은 불연기연을 통해서 화엄사상을 피력하여 세계관을 제시했고 원
시유가적 事天을 받아들여 새로운 무극대도의 수련을 말했다. 수운이 한울
님을 섬기고 모심도 인격적 대상이라기보다 본체적 개념이 강한 내면적
초월성을 띤다. 수운의 한울님은 불교의 비실체론에 터한 사고이기에, 의
암이나 이돈화에게 가서 불교적 무신론으로 접어든 것이 아니라 수운 자
체가 불교적 세계관에 기초하여 유불선을 결합하여 새롭게 창도한 것이다.
이는 유불의 결합 속에서 이루어진 통체적 전통사상의 계승이자 타파이기
도 했다. 한울님을 모신다는 것, 그리고 인간을 한울님처럼 섬기고 만물을
함부로 대하지 말라는 것은 우주를 한 몸으로 하는 人間神에 기초하고 있
기 때문이다.
　　수운의 표현 중에는 한울님을 초월적 인격신처럼 말하고 인간이 감히
알 수 없는 존재임을 피력한 곳도 있다. 그러나 이는 수운의 종교적 신앙

---

79) 김경재, 「최수운의 시천주와 역사이해」, 『한국사상』 15, 1977, 218쪽.
80) 김경재, 「최수운의 시천주와 역사이해」, 『한국사상』 15, 1977, 219쪽.

자세를 묘사한 것일 뿐 그의 신관은 만물내재적이다. 이돈화는 수운의 신 개념을 만유신적 일신론이라 한 바 있고 수운이 접령한 현상은 시공적 감 관을 초월한 순수신령적 靈覺의 경지라 하였다.

心寒身戰이란 것은 육체가 오관의 감각을 잃고 정신이 신령의 境涯에 들어서는 입문을 이름이다. 삼천세계가 다 空으로 돌아가고 일천사해가 妙法에 들어서는 입문이다. 大死一番을 앞에 놓은 정신상태이다. …… 우리의 오관적 인식이라는 것은 시간율, 공간율의 제한을 받은 인식이므로 시간 공간을 초월한 신령적 인식은 도저히 그로써 把持키 불능한 것이다.[81]

수운이 접신한 것은 오관의 감각을 떠나고 시공의 속박을 벗어난 空의 경지에서 대사일번한 정신상태를 경험한 것에 다름 아니다. 따라서 이돈화에 의하면 수운에게 나타났던 신비체험이라는 것은 초월적, 조물주로서의 神을 만났다기보다 오랜 구도적 갈망으로 나타난 일종의 시공 초월적 정신현상이라 할 수 있다. 보통 인간의 정신현상 중에는 보통현상과 非常현상이 있는데, 비상현상은 정신의 비상의 사고 혹은 비상의 경우에 부딪혔을 때 부지불식간에 일어나는 초월현상이다. 이것은 정신을 연구하는 자에게만 일어나는 것이 아니라 물질을 연구하는 자에게도 일어난다. 과학자가 장구한 사색으로 인하여 돌연히 창조적 발명을 하게 되는 것도 역시 정신의 비상현상으로 볼 수 있다. 세상에서 흔히 이적이라 하며 불가사의한 신비라 하는 것은 모두가 이 잠재의식의 표현이다. 그리고 그 이적이라는 것은 보통정신의 환경과 경우를 반영한다. 가령 서양인의 이적에는 천사의 강림설이 많고 동양인의 이적에는 異僧 혹은 신선설이 많은 것은, 정신적 비상현상도 환경에 따라 자기들의 역사적 경험 또는 신화적 來産을 배경으로 하여 일어나기 때문이다.

수운이 상제의 말을 들을 때 처음에는 말이 밖에 있었고 후에는 '內有降話之敎' 즉 말의 가르침이 안으로부터 밖으로 솟아 나온다 하였다. 이는 수운이 인격적 상제를 부인하고 인내천 신을 표명한 것이라 할 수 있다.

81) 야뢰, 「동경대전해설」, 『신인간』 157, 1941.7.

강화의 교라 함은 상제의 말을 수운 자신의 심령을 통하여 들었다 함이다. 이는 무의식적으로 신령한 예언적 훈교가 마음속에서 우러나와 입을 통하여 말이 된 것이다. 상제는 내재적으로 인정할 뿐이지 외재적으로 생각할 것이 아니다. 사람 심령의 깊고 깊은 奧底로 들어가서 그 밑에서 비로소 처음으로 신의 존재를 상상할 수 있는 것이다. 이점에서 사람을 떠나 따로 상제가 없고 상제를 떠나 따로 심령이 없다. 따라서 이돈화에게 있어서 수운이 받은 강화지교라는 것도 내면으로 있었다 하였음은 결국 수운이 무극대도의 원리를 자문자답한 것으로 보아도 무방하다.[82)

이돈화는 인간 본질에 있어 무궁에 대한 욕구로부터 인간의 무궁성이 표현된 것을 神이라 하고 佛이라 한다고 했다. 그러므로 神이란 무궁성, 혹은 사람성 자체의 반영에 불과한 것으로 사람성의 일부인 개체아가 사람성 중의 全我를 깨달아 이를 신앙하고 숭배하는 곳에서 全我는 점차 초월적, 인격적이 된다. 이돈화에 있어서는 인간이 자신의 무궁성을 추구하는 것이 신앙이요 자신의 무궁성을 실현해 가는 것이 곧 神이 됨이다. 그러므로 한울님을 모신다는 것은 자신의 무궁성을 실현하는 것이다. 이돈화도 신앙하고 숭배하는 과정을 무시한 것은 아니다. 그러나 神이라 佛이라 이름하는 것은 결국 인간성 무궁의 발현으로 '人間內在的 宇宙超越神'을 가리키는 것이다. 수운의 신은 인격신도 아니고 인간을 최령자로 하는 점에서 일반적인 범신론도 아니다. 또한 인격신론과 범신론 양자를 단순히 결합한 범재신론도 아니다. 이돈화는 양자를 모두 부정하면서 융합한다. 범재신론의 융합논리는 부정없는 융합이지만 이돈화가 말하는 수운의 신관은 양자의 부정을 통한 융합이다.

인내천의 신은 일신관과 같이 우주의 유일신을 인정함은 동일하나 神을 인격적으로 생각지 않음이 일신관과 다르며 범신관과 같이 天在萬物이 皆是神의 표현으로 생각함은 동일하나 天在萬物을 동일한 근저의 연속적 진화로 생각하여 인간성의 표현이 곧 神의 中樞的 결실이라 생각한 짐이 범신관과 다르니 인내천신은 사람성 무궁의 중에서 天在宇宙의 범

---

82) 이돈화, 『수운심법강의』, 천도교중앙총부, 1924, 13~14 · 20쪽.

신을 포용케 한 神의 관념이다.[83]

따라서 동학의 신관은 인간 초월적 인격신이 아니고, 천지만물이 모두 신의 표현임을 인정하면서도 인간을 최령자로서 신의 중추적 위치로 자리 매김하는 신이다. 즉 범신을 포용하는 사람성-무궁을 실현하는 신이다. 이를 굳이 줄여서 표현하면 '인간신론(인간내재적 우주신)'이라 말할 수 있겠다. 박선영은 수운의 신관이 '천심즉인심'이라 한 것을 지적하여 '神人一體'의 신관[84]으로 갈 가능성을 말하였다. 그러므로 수운의 신관은 끊임없이 변화와 생성을 거듭하는 생성신이요 '인간성-무궁신'이다. 한편 Herman Jacobi는 불교의 신관을 과정적 생성신으로 설명하고 있다. 이는 수운의 신관과 맥락이 다르지 않아 보인다.[85]

> 통불교에서는 인간의 영혼은 오온[86]의 화합으로부터 이루어지고 이것에 의해 물리적, 정신적 생명이 구성된다고 한다. …… 神이란 전생의 업보에 의해 높은 지위에 도달한 靈我라고 생각한다. 이론적 무신론은 전능의 창조자나 세계의 주재자되는 유일의 절대신, 즉 자재신의 존재를 인식하지 않는다.

불교는 인간과 세계가 하나임을 그리고 정신과 물질이 하나임을 오온을 통해서 설명한다. 인간의 영혼도 이 오온의 화합으로 이루어지는 것이고 이것에 의해 인간의 물리적 정신적 생명이 구성된다. 그리고 신이라는 것도 정신적 생명이 최고 지위에 도달한 것을 지칭하는 것이다. 야코비는 이를 靈我라 표현했다. 그에 의하면 불교에서 신이란 인간의 끊임없는 업보로부터 최종 높은 단계로 나간 상태를 말하는데 이는 계속 발전하는 과정

---

83) 김경재, 「최수운의 시천주와 역사이해」, 『한국사상』 15, 1977.
84) 한국종교교육학회편, 『한국의 종교와 인격교육』, 아름다운세상, 1998, 290쪽.
85) Herman Jacobi(1923), 山田龍城·伊藤和男 共譯, 『印度古代神觀史』, 日本 : 大東出版社, 1940, 42~44쪽.
86) 야코비는 五蘊을 色(일체의 물질적인 것), 受(고락으로서의 感受), 想(관념, 개념), 行(업, 활동에 관한 전기능), 識(의식)으로 설명하였다.

상에서 이루어지는 것으로 수운이 말한 인간 무궁성을 신이라 한 것과 상
통한다 하겠다.

2. 동학의 천주와 서학의 천주

수운은 서양의 힘을 무섭게 느끼면서도 그들이 가진 기독교적 세계관에
문제를 제기했다. 수운의 천주는 서학의 천주와 겉으로 보기에 명칭은 같
다. 그러나 서로가 의미하는 記意는 다르다. 서학에 있어 '천주'는 마테오
리치가 인격적 神을 중국의 사고와 접맥시키고자 유가의 상제를 天으로
하고, 주재의 의미로서 主를 따와 천주라 명칭한 것이다.[87] 반면 동학의
'천주'에서 主는 天을 높이는 말로 부모처럼 받들어 모시는 것을 뜻한다.[88]
主는 하나의 존칭어이다. 따라서 수운은 천주를 한글로 표기할 때 천을 '하
늘'로 주를 '님'으로 바꿔 하늘님[89]이라 명명했다. 그러므로 천과 주를 분
리하여 말할 수 있고 천이라고만 명명해도 의미에 그렇게 손상이 없다. 그
러나 서학의 천주는 천과 주의 합성어이기에 '주'를 뺄 수 없고 여기에 흔
히 '님'자를 붙여 천주님이라 한다. 품사적으로도 동학의 천주는 명사와 어
미의 결합이지만 서학의 천주는 '천'과 '주'가 모두 명사이다.

천주학이 조선에 들어왔을 때 서학의 천주는 스스로 존재하는 자존자로
서, 만물을 창조하고 자신의 형상대로 인간을 만든 창조신으로서 이해되었
다. 인간은 그의 은총에 의해 천국의 복락을 누릴 수 있다 하였다. 그러나
이를 가장 신랄하게 비판한 사람은 신후담이다. 그는 『서학변』에서 천주학
은 천당가기 위한 탐욕에 근거한 것으로 간주했다.

---

87) 신후담, 『서학변』, "彼以天主 當吾儒之所謂上帝 以亞尼瑪 當吾儒之所謂魂 夫上
    帝爲天之主宰 則天主之稱".
88) 『동경대전』 논학문.
89) 천주는 한울님, 하늘님 또는 하눌님 등으로 명칭되고 있으나 본고는 일반적 통례
    에 따라 한울님으로 표기하고자 한다(박선영, 「한국종교들의 인간관과 인격교육
    의 가치요소」, 『종교교육학연구』 4, 한국종교교육학회, 1997, 271쪽 참조).

오늘날 저들이 학으로 삼는 것은 복을 구하는 데만 뛰어나 성실하지 못함이 심하다. 오로지 이익을 추구하는 것으로 마음을 삼는다.[90]

이러한 맥락은 수운이 서학을 비판할 때 '천당가기 위해 各自爲身 하는 자들'이라고 비판한 것과 일치한다. 수운은 『동경대전』에서 서학이 사람의 본성을 표준한 도가 아니므로 형식만 있고 실제가 없어 천주를 위하는 듯하지만 제 몸을 위한 방도만을 빌 뿐이라 한다. 그러므로 그들에게는 인간 안에 기화하는 신령함도 없고 말에 모순이 많다고 한다. 즉, 천주와 사람을 달리 하는 까닭으로 몸에 기화하는 신령이 생기지 않게 된다. 그리고 무엇보다 서학의 세력은 타민족을 침략하는 제국주의로서 경계의 대상이었다. 그들의 근대문명과 종교란 결국 산업자본사회를 유지하기 위해 식민지를 개척하는 제국주의의 방편으로 동원되었다. 한편 이돈화도 그의 수운심법강의에서 동학이 서학과 다른 이유를 다음과 같이 말하였다.

西道는 神과 人의 대립상으로 인하여 신을 타력적으로 숭배케 되는 고로 그 신앙이 부득이 천주를 자성자심의 裡에서 분리케 한 결과는 천주는 신앙의 대상이 되고 자아는 그 대상의 우상물이 되게 되는 고로 필경 그 소위 위천주라 함은 신의 감화를 자신에서 얻지 못하게 되는 것이다.[91]

이돈화가 지적하는 서학과 동학의 큰 차이는 서학은 동학과 달리 神을 자신으로부터 분리시킴으로써 신의 감화를 자신에서 얻지 못하는 것에 있다고 하였다. 즉, 신과 인간이 대립하여 천주는 신앙의 대상이 되고 자아는 그 대상으로부터 소외되어 신성의 발현이 자신 스스로에게서 나오지 못한다는 것이다.

천주와 시천주 이 두 개의 개념은 一而二이며 二而一로 전자는 우주주

---

90) 신후담, 『서학변』, "今者 彼所以爲學者 特出於求福 則其亦不誠之甚 而專以利爲心也".
91) 이돈화, 『수운심법강의』, 천도교중앙총부, 1924, 150·163쪽.

재신이신 보편적 신령을 가르친 말이요 후자는 인간개체의 주재신인 영성적 내유신령을 이름한다. 시천주의 侍字 해석에서 侍는 내유신령이라 하였으니 시천주는 곧 자기자신의 주재신이 분명하고 서학과 天道를 대조해 말할 때에 서도는 神無氣化神이라 하였으나 천도의 교화에는 개체적 신에 기화의 신 즉 내유신령을 가졌다 말한 것이다.[92]

이처럼 서학의 천주는 인간을 초월하여, 인간 개체에 侍天하며 내유신령 외유기화하는 영성적 氣化神이 없기에 동학과 다르다고 이돈화는 말한다.

한편 마테오 리치의『천주실의』에서는 서양과 동양이 모두 마음도 이치도 같다[93]고 하였다. 왜냐하면 인간은 배우지 않고도 할 수 있는 마음의 양능이 있고 천하 만국의 모든 사람에게는 각기 스스로 우러난 誠情이 있어서 누가 일러주지 않아도 上尊(천주)을 공경하기[94] 때문이라는 것이다. 그러나 이는 포교 차원에서 천주신앙을 갖게 하기 위해 중국의 상제와 서학의 상제가 다르지 않다고 말하는 것일 뿐이다.

수운은 동학의 천주와 서학의 천주는 분명 이치에 있어 다르다 했다. 동학이 서학과 한울님을 위하고자 하는 道는 같으나 그 이치가 다르다는 것이다.[95] 동학의 天, 혹은 神은 변화하는 비실체로서 형용할 수 없고 자취를 알 수 없다. 다만 신령함으로 인간 안에서 기화한다. 인간 안에 있는 한울님을 지키고 그 기운을 받고 성품을 거느리며 한울님의 가르침을 받으면 사람과 한울님이 둘이 아니게 된다고 한다. 그러나 수운의 이해에 의하면 서학은 인간이 신으로부터 떨어져 신과 결합할 수 없는 존재로서 단지 신의 뜻에 복종해야 구원을 얻을 수 있는 존재이다. 인간이 신의 뜻을 안다는 것도 각자가 자기 중심으로 이해하기 때문에 천주를 위한다는 것이 各者爲身으로 돌아가게 된다. 따라서 형식은 있으되 허무한 道라고 수운은 말한다.

---

92) 이돈화,「천주·시천주에 대하야」,『신인간』152, 1941.1.
93)『천주실의』上, "東海西海 心同理同".
94)『천주실의』上, "吾不得學之能爲良能也 今天下萬國 各有自然之誠情 莫相告諭 而皆敬一上尊".
95)『동경대전』논학문.

제3장 東學의 전통철학적 연맥

동학을 창도한 수운 최제우는 자신의 도를 '博而略'이라 하여 동학 자체가 커다란 연원을 이루면서도 쉽고 간략하게 제시된 사상임을 밝혔다. 그의 道는 조선철학의 강줄기가 하나로 흘러 대해를 이룸과 같다. 따라서 동학의 교육철학을 고찰하기에 앞서 먼저 동학사상의 전통철학적 연맥을 추적해 보고자 한다.

한 사상의 비판과 창조는 기존의 것을 전제로 하는 것이고 기존의 것에 대한 철저한 이해 속에서 가능한 것이라 할 때, 수운의 사상도 전통철학과 무관할 수 없으며 오히려 이를 토대로 가능할 수 있었음을 감지한다. 그리고 그 변형의 뒤에는 항상 불교가 있어 긍정적이든 비판적이든 조선철학자들에게 영향을 미쳤음을 보게 된다.

조선철학은 이기심성론에 의한 세계와 인간이해가 주축을 이루고 있다. 인간은 세계를 이해함에 따라 삶의 방향이 정해진다. 따라서 교육에 있어서 세계관에 대한 이해는 가장 기본적인 문제가 된다. 조선철학자들의 이기논쟁도 결국 이러한 맥락에서 치열해진 것이라 볼 수 있다.

본 장에서는 몇몇 핵심인물들의 논점을 중심으로 수운사상이 기존철학의 흐름과 어떠한 연관을 갖고 있고 또한 어떠한 면에서 독자적인 사유체계를 갖고 있는지 검토하고자 한다. 수운의 '무왕불복'과 '불연기연' 사상이 원효나 의상에게서 볼 수 있는 화엄적 사유에 기초하고 있고, 수운의 수심체계에는 지눌의 수심결이 인용되고 있다. 보우와 허응당의 삼교합일 사상과 인즉천 개념도 수운사상에의 연맥을 볼 수 있게 한다.

한국불교는 화엄과 禪이 가장 큰 비중을 차지한다[1]고 하는데, 삼교합일을 이룬 수운사상에도 화엄적 세계관과 禪的 수행이 분명 녹아 있다. 또한 조선 성리학적 세계관과 실학적 전통에서도 수운사상과의 연맥을 찾아 볼 수 있다. 四端理發로서 독자적 해석을 부여한 퇴계, 이를 계승하면서도 성리학적 인간관을 거부한 다산 정약용, 수운의 부친으로서 역시 퇴계학파였던 근암 최옥 등을 통해 수운의 天觀을 이해하고자 한다. 그리고 이통기국의 일원화를 재현한 율곡, 퇴계와 율곡을 같이 비판하면서 천리와 氣를 하나로 생각하고 이를 鬼神이라 부른 노론의 녹문 임성주, 그리고 '性卽理'를 거부한 혜강 최한기2) 등을 통해 수운의 지기를 논하고자 하며, 소론에 있어서 양명학을 일으켰던 하곡 정제두를 통해서는 수운의 심학을 비교하고자 한다.

　수운 사상은 조선철학의 총결산이라 할 수 있고, 또한 1000년 가까이 불교이념 속에서 살아왔기에 조선이 유가통치이념으로 변화했다 하더라도 그 사상적 원형은 불교를 떠날 수 없다. 조선 성리학자들에서 보이는 이러한 경향은 앞으로 새롭게 연구되어야 하고 수운에 와서도 예외가 아님을 확인하게 된다. 성리학자들 모두가 불교를 비판하지만 그들의 이기일치적 일원화 작업은 불교를 바탕으로 가능했던 것임을 알 수 있다. 따라서 본 장에서는 조선철학에 나타난 불교적 영향을 밝히고, 각 인물의 본체관과 수행론을 살펴보아 동학과 연결시켜 보고자 한다.

---

1)『華嚴經疏』를 저술한 원효나『華嚴一乘法界圖』를 저술한 의상 모두 화엄사상을 기초로 하고 있고 지눌도 화엄학자인 규봉 종밀의 영향을 받아 선교일치를 말했다. 지눌은 이통현의『新華嚴經論』을 절요한『華嚴論節要』를 지어 이통현의 사상에 심취했음을 볼 수 있다. 또한 조선의 보우도『화엄경』의 사상에 따라 교종의 입장을 명확히 하면서 儒·佛일치, 禪敎융합을 주장한 바 있다. 휴정(서산대사) 역시 보조 지눌의 사상을 계승하면서 敎禪兼修와 삼교합일을 말했고 禪門의 중흥주라 불리운 亘璇 역시 화엄에 능통했음을 볼 수 있다(鎌田茂雄,『朝鮮佛教史』, 東京 : 東京大學出版會, 1987 참조).
2) 유봉학,『조선후기 학계와 지식인』, 신구문화사, 1998, 112쪽.

1. 불교사상과 동학

1) 화엄의 세계관과 동학

동학에 나타난 불교적 성격은 대표적으로『동경대전』에 보이는 '一心', '無往不復之理', '不然其然', '心兮本虛 應物無迹' 등의 말에서 찾아볼 수 있다.『해월신사법설』이나『의암성사법설』에도 불교사상이 많은 비중을 차지하고 있다.3) 이는 모두 불교의 화엄적 세계관으로 설명될 수 있다.

수운의 불연과 기연을 불교의 理와 事에 배대할 수 있고, 무왕불복은 의상이 말한 '無住의 去來'로 이해할 수 있다. 또한 마음을 本虛로 보면서도 사물에 응하여 자취가 없다는 수운의 一心觀은 그대로 화엄의 본체관과 상통하고 있다. 그러므로 삼교합일의 무극대도이면서도 화엄적 세계관을 바탕에 깔고 있는 수운의 세계관을 이해하기에 앞서, 원효와 의상을 통해 화엄의 세계관에 대한 이해를 좀더 넓혀 보고자 한다.

불교는 세계를 緣起로 본다. 고정된 실재나 불변하는 존재를 인정하지 않고 모든 것이 '이것이 있기에 저것이 가능하다'는 연기의 생성관계로 본다. 불교의 최고봉이라 할 수 있는 화엄사상은 이를 法界緣起로 설명하는데, 법계에는 四法界가 있다. 본체를 지칭하는 理法界와 차별의 현상세계를 말하는 事法界, 본체와 작용이 융섭하는 理事無礙法界, 事象과 事象이 교류·융합하는 事事無礙法界이다.

불교가 지니는 세계관은 서양의 본체관과는 달리 본체와 현상이 결코 분리되지 않는다. 현상을 초월한 세계에서 또는 현상 속에서 본체를 찾는 것이 아니라 현상이 곧 본체인 것이다. 이사무애법계란 바로 본체와 현상(작용)이 하나로 융섭됨을 의미한다. 이는 모든 존재가 空인 동시에 有하다는 無二, 그리고 모든 존재에는 고정된 자성이 없다는 無自性, 고정된 자성이 없기에 머무르지 않는 無住로 인하여 무애자재하다는 말이다.

원효(617~686)는 그의『華嚴經疏』에서 사람들로 하여금 세속이 無實임

---

3) 이 책의 제4장 참조.

을 깨닫고 無二의 진실된 세계로 들어갈 것을 말하고 있다. 그리고 無住임을 밝혀 이를 통해 참 진리의 세계가 영원히 생성을 거듭하고, 동시에 진리(法)는 유무를 떠나 있기에 실상은 늘지도 줄지도 않고 오고 감도 없는 것이라 하였다.

개체와 전체는 서로를 안고 기대고 있는 不離의 통일체라서 걸림이 없다는 관점에 설 때 존재와 미래에 대한 두려움이 없다. 존재 전체는 개체 가운데 구현되어 있는 까닭에 하나 속에서 무량한 전체를 볼 수 있고, 하나는 전체이므로 무량한 전체 가운데서 하나를 알 수 있다. 서로가 서로에 스며들 수 있는 인연이어서 흡사 여러 거울이 서로 다른 거울을 비추어 나타내는 것과 같다. 실체가 아니면서 생겨나는 까닭에 걸림이 없다는 것이다.[4]

원효는 인간주체와 세계는 고정된 실체가 아니라는 입장에서 중생을 교화했다. 인간 스스로가 이러한 진리를 깨쳐 번뇌를 떠나고 물든 대상세계를 떠나면 고통에서 해방된 힘이 자신과 세계의 사슬을 푸는 요체가 된다 하였다.[5] 有에도 걸리지 않고 空에도 집착하지 않아 제법을 평등하게 바라봄으로써, 일체의 지혜를 兼攝하고 가장 뛰어난 뜻을 성취하는 것이다.[6]

의상(625~702)도 그의 「華嚴一乘法界圖」에서 본체와 현상이 상즉하고 현상과 현상이 상즉할 수 있는 것은 理와 事가 명연히 분별이 없고 體와 用이 원융하여 항상 非有非無의 中道에 있기 때문이라 하였다.[7]

---

4) 『韓國佛敎全書』1冊, 496a~b, 「華嚴經疏」권3, "第一雙中初頌達俗無實 次頌入眞無二 第二雙者先明於人無住 後顯於法久得 第三雙者先明於法離有無 後顯於佛無減增 第四雙者先明人法無所得門轉化衆生 後顯一多無障礙門得無所畏 一切法入一法 故一中解無量 一法入一切法 故無量中解一也 所以能得互相入者 展轉互爲鏡影而生 非實而生故無障礙".

5) 『韓國佛敎全書』1冊, 496c, 「華嚴經疏」권3, "自覺離塵德 化他普起威 …… 無陰離苦威內解外脫德".

6) 『韓國佛敎全書』1冊, 497a, 「華嚴經疏」권3, "初中五雙 第一雙者大智自在大德成就 第二雙者覺性廣觀離相深樂 第三雙者於有無礙於空無著 第四雙者諦了差別樂觀平等 第五雙者攝一切智成就勝意 如是五雙十門方便 皆是自在智差別也".

7) 『韓國佛敎全書』2冊, 6a, 「華嚴一乘法界圖」, "理事冥然 一無分別 體用圓融 常在中道 自事以外 何處得理 …… 若依別敎一乘 理理相卽 亦得事事相卽 亦得理事相卽 亦得各各不相卽 亦得相卽 何以故 中卽不同故 亦有具足理因陀羅尼 及事因陀羅尼等法門故".

한편 의상의 제자 표원은 「五觀釋」을 지어 이를 의상에게 바쳐 인가를 얻었는데, 여기서 五觀이란 實相觀, 無住觀, 性起觀, 緣起觀, 因緣觀이다.[8] 첫째, 인연관이란 '나라는 것은 모든 인연으로 이루어진 존재이고 모든 인연은 나로써 통해 얻어 연을 이룬다(我是諸緣所成法 諸緣以我得成緣)'는 뜻이다. 결국 인간의 주관과 객관세계는 분리되지 않는다는 것이다. 기존세계의 모든 연이 나를 만들고, 나는 세계에 짓는 행위(業)를 통해 연을 짓고 세계를 만든다. 둘째, 연기관을 보면 '연으로써 나를 이루지만 나라는 것은 체가 없다. 또한 나로써 나를 통해 연을 이루지만 연에는 자성이 없다(以緣成我我無體 以我成緣緣無性)' 하였다. 이는 인간 자체가 연을 통해 이루어지고 연 또한 인간을 통해 이루어지지만 인간도 연도 자성이 없다는 것이다. 그러기에 셋째 성기관을 설명하면서 '모든 법은 있고 없음이 원래 하나이고, 있으면서 없는 모든 법은 본래 둘이 아니게 된다(諸法有無元來一 有無諸法本無二)' 하였다. 넷째, 무주관이란 '있음이라 할 때는 있음이 아니요 무로 돌아가는 것이고, 없음이라 할 때는 없음이 아니요 유로 돌아가는 것(有時非有還同無 無時非無還同有)'을 뜻한다. 이는 찰나에 머무는 것도, 三際에 머무는 것도 아니다.[9]

그러므로 다섯째, 실상의 세계는 '모든 존재가 본래 옮기워 움직임이 없는 것이며, 마음을 보면 이 역시 마음이 일어난 것이 아님을 알 수 있다(諸法本來不移動 能觀之心亦不起)'는 것이다.

또한 의상은 연기의 묘리를 설명하면서 '向上去, 向下來'의 두 가지를 말한다. 여기서 去來란 '그 스스로의 위치는 움직이지 않으나 항상 오고 가고 함'을 의미한다. 이는 연에 따르는 것으로, 거래는 곧 인연이란 말이다. 不動이란 근본으로 향한다는 뜻으로, 이도 곧 연기를 말한다.[10] 따라서 '舊來成佛', '舊來斷'이라는 말이 가능하다. 의상은 욕심에 사로잡힌 유정은

---

8) 『韓國佛教全書』 6冊, 775b~c, 「法界圖記叢髓錄」.
9) 『韓國佛教全書』 6冊, 777a, 「法界圖記叢髓錄」, "若假言者 非如有爲法利那不住 故云無住 非如無爲法三際不住 故云無住也".
10) 『韓國佛教全書』 2冊, 7a, 「華嚴一乘法界圖」, "自位不動 而恒來去 何以故 來去者隨緣義 卽是因緣義 不動者向本義 卽是緣起義".

아직 번뇌를 끊지 못했고 아직 福智를 이루지 못하였는데, 어떻게 옛부터 성불했단 말인가라는 질문에 다음과 같이 대답한다.11)

　번뇌를 아직 끊지 못하면 성불이라고 부르지 않는다. 번뇌를 끊어 버리고 복지를 이루고 난 뒤라야, 그때부터 舊來成佛이라고 하는 것이다.

인간이 번뇌를 끊지 못하면 성불하지 못한다. 그러나 번뇌를 끊으면 이미 오래전부터 성불해 있는 것이다. 斷惑이란 어떤 것인가라는 질문에 의상은 "허공과 같이 이렇게 끊는다. 아직 끊지 못하면 그런 것을 斷이라고는 부르지 않는다. 현재 끊은 것이 아니라 그 이전에 이미 끊은 것을 일컬어 舊來斷이라 한다"12)하였다. 이 모두가 무주의 실상관에서 비롯되는 설명이다.

법성은 眞과 妄에 통하고 원융함을 취한다. 이른바 의상이 법계도에서 '眞性之體甚深微妙'라 한 것은 眞性이란 自性을 두지 않은 갖가지 연으로써 성립되는 것이기 때문이다.13) 표훈의 뜻에 따르면 의상이 말한 진성의 眞이란 住함이 없는 本法이다. 그리고 性이란 本分의 씨이다.14) 불교의 세계관은 어느 것도 고정된 실체를 인정하지 않는 無住, 無自性, 無二, 無相의 본법으로부터 비롯되는 현상세계이다. 개체의 존재들은 상대의 존재를 자성으로 삼아 연을 따르는 것이기에 하나 속에 일체가 있고 일체 가운데 하나가 있는 것이다.

---

11) 『韓國佛敎全書』 2冊, 5c, 「華嚴一乘法界圖」, "問具縛有情永斷菩薩未成福智 以何義故 舊來成佛也 答菩薩未斷 不名成佛菩薩斷盡 福智成竟 自此已法 名爲舊來成佛".
12) 『韓國佛敎全書』 2冊, 5c, 「華嚴一乘法界圖」, "問斷惑云何 …… 如虛空 如是斷故 未斷已還 不名爲斷 現斷已去 名爲舊來斷也".
13) 『韓國佛敎全書』 6冊, 777b~c, 「法界圖記叢髓錄」, "法性卽通眞妄取圓融 …… 眞性卽是法性也 所謂眞性之體甚深微妙者 但以不存自性攬諸緣成故也 …… 則以緣前無法故 非先有眞性而隨緣性 且吾今日或爲水用 或爲石用 緣中法界諸法無遺頓起故也".
14) 『韓國佛敎全書』 6冊, 778a, 「法界圖記叢髓錄」, "訓德意則 眞者 無住本法也 性者 本分種也 本分種者 若指文處初會果地五海也".

무릇 연기의 법은 둘이 별개의 것이 아닌 것이 자성이요, 서로서로 상대되는 다른 것으로써 자성으로 삼는다. 언제나 연에 따르고 극단에 치우침이 없이 일어나는 까닭에 불수자성 다음에 일중일체 등의 뜻을 밝힌 것이다.15)

그러나 여기서 짚고 넘어가야 할 것은 모든 것이 인연으로 말미암는다면 緣 이전에는 法(존재)이 있을 수 없지만, 이를 性의 입장에서 보면 緣 이전에 性起의 법체가 있다 함이다. 즉 연기 무자성의 본체관을 말하면서도 이를 근거짓는 법체를 설정하고 있다는 점이다. 그러나 이는 어디까지나 性의 입장에서 보았을 때이다.

만약 연기법이 緣에 따라 일어나고 다른 것이 없는 것이라고 한다면 오직 이 연 앞에는 아무 법도 없다는 뜻인가? 연을 중심으로 이야기한다면 연 앞에 법이 없다. 性을 중심으로 말할 때는 연 앞에 법이 있다. 그 법이 무엇인가? 연을 중심으로 말할 때에는 오늘의 緣 속에 있는 오척의 몸에 나타나는 것이 연기의 本法으로 다른 것으로 세울 수 없다. 그러므로 연 이전에는 하나의 법도 없는 것이다. 그러나 성을 중심으로 말하자면 본래 性起의 법체가 있는 것이다.16)

『법기』에서는 이를 '緣起無性'과 '無性緣起'로 설명한다. "理事란 생사에 性이 없는 것을 열반은 성으로 삼고, 열반에 성이 없는 것을 생사는 성으로 삼는다. 그리하여 생사열반의 성이 없는 것을 理로 삼고 性이 없는 생사열반을 事로 삼는다. 그러므로 古人이 운위하기를 연기무성 무성연기라고 했던 것이다. 연기무성은 그것이 바로 理요 무성연기는 그것이 바로 事이다. 理 역시 眞性의 理요 事 역시 진성의 事이다."17)라고 하였다.

---

15) 『韓國佛敎全書』 6冊, 779b, 「法界圖記叢髓錄」, "凡緣起法二無別自性 互相以他而爲自性 方能隨緣無側而起 故不守自性之次明一中一切等義也".
16) 『韓國佛敎全書』 6冊, 779b, 「法界圖記叢髓錄」, "問若緣起法隨起無側者 唯是緣前無法之義耶 答就緣論之 緣前無法 就性論之 緣前有法 何者 就緣論時 現於今日 緣中之五尺 是緣起本法 無側而立 故緣以前無一法也 就生論時 本有性起法體也".

다시 말해서 理란 생사·열반 모두가 자성이 없음을 말하는 '무자성'을 말하는 것이고, 事란 무자성이기에 重重無盡하게 일어나는 생사열반 자체의 '법계'를 뜻한다. 즉 연기란 무성이요 무성이기에 연기인 것이다. 그러므로 위에서 말한 성기법체란 무자성의 理, 즉 空性을 법체로 법계를 일으키는 것을 말한다.

화엄불교가 가지는 세계관은 유형과 무형이 동시에 결합된 본체로서 有無中道觀을 갖고 있고, 본체란 무자성임을 제시하고 있다. 화엄에서 말하는 有無中道의 眞性은 곧 수운이 말하는 불연기연의 조물자이다. 불교가 恭敬眞性하여 무명을 굴복시켜 성불하듯[18]이 수운도 한울님을 성경신하여 한울님과 합일하는 유사한 연맥을 지닌다고 볼 수 있다.

2) 보조 지눌의 '定慧雙修'와 수운의 '誠敬信'

불교의 止觀 수행은 성리학의 공부법인 誠敬에 많은 영향을 주었다.[19] 지눌(1157~1210)의 정혜쌍수의 修心은 율곡이나 다산 그리고 수운의 글에서도 인용되는 경우가 있다. 이에 먼저 지눌의 수심체계를 살펴보아 동학과의 연맥을 이해하고자 한다.

지눌에 있어 수심의 목적은 본래성에의 복귀이다. 그 본래성인 자기 안의 眞心을 깨닫고 이의 막힘 없는 작용을 추구하는 것이라 할 수 있다. 진심이란 비어 있어 끊어지지도 변하지도 않는 것이다. 붓다나 祖師들은 사람들로 하여금 문자에 집착하지 않고 다만 마음을 쉬어 제 본심을 보라 했다. 인간이 깨달아야 할 진심의 '眞'이란 허망을 떠난 것을 이름하고 '心'이란 신령하게 보는 것을 말한다. 진심은 성인이나 범부에 있어서 동일하지만 범부는 망령된 마음으로 사물을 그릇 인정함으로써 깨끗한 자기의 성

---

17) 『韓國佛敎全書』 6冊, 785a, 「法界圖記叢髓錄」, "法記云 此中理事者 生死無性 以涅槃爲性 涅槃無性 以生死爲性 則生死涅槃之無性爲理 無性之生死涅槃爲事 故古人云 緣起無性 無性緣起也 緣起無性是理 無性緣起是事 理亦眞性之理 事亦眞性之事".

18) 『禪家龜鑑』, "禮拜者 敬也 伏也 恭敬眞性 屈伏無名".

19) 이 책의 제4장 1절 4)항 참조.

품을 잃어버린다. 진심을 드러내지 못하고 다만 어두움 속의 나무 그림자나 땅 속의 흐르는 샘물과 같이 그것이 있으나 알지 못할 뿐이다.[20] 따라서 망심이 없어지면 진심에 이르기에 진심이란 경계가 없는 평상심과 다르지 않은 것이며, 이는 앎을 겸한 믿음에서 얻어지는 것이요, 곧 空寂靈知의 마음을 지칭하는 것이다.

(1) 진심으로 들어가는 돈오점수의 방법적 원리

첫째, 진심은 앎을 겸한 믿음에서 얻어진다. 『화엄경』에 "믿음은 道의 근원이요 공덕의 어머니로 일체의 모든 선근을 길러낸다. 유식에서 말하기를 믿음은 물을 맑게 하는 구슬과 같아서 능히 흐린 물을 맑게 한다"[21]고 했다. 믿음이란 天眞의 諸性이 사람마다에 갖추어져 있음을 믿는 것이다. 이는 수운이 모두가 한울님을 모셨다 함과 다르지 않다. 眞心은 자신이 붓다임을 믿고 자기 안에 진리가 갖추어져 있음을 믿는 것에서 얻어진다.[22] 그리고 이 믿음은 앎을 겸한 것이어야 한다. 믿기만 하고 알지 못하면 무명이 더욱 자라고, 알기만 하고 믿지 않으면 삿된 견해가 더욱 자라기 때문이다.[23] 인간은 자기의 마음을 비추어 보고 '믿음'과 '앎'이 바르고 참되어야 斷常에 떨어지지 않는다.[24] 수운도 믿음이 먼저 있어야 誠이 가능함을 말했다.[25]

둘째, 깨달음은 空의 이치적 法에 의지한다. 깨달음에 이르기 위해서는 무엇을 하여야 하는가? 라는 과제에 대해 지눌은 '信解'를 말하고 있다. 앞

---

20) 『韓國佛教全書』 4冊, 717c, 「진심직설」, "曰眞心 聖凡同一 凡夫妄心認物 失自淨性 爲此所隔 所以眞心不得現前 但如暗中樹影地下流泉有而不識耳".
21) 『韓國佛教全書』 4冊, 715c, 「진심직설」, "信爲道源功德母 長養一切諸善根 又唯識云 信如水淸珠能淸濁水故".
22) 『韓國佛教全書』 4冊, 「권수정혜결사문」, "先須信解自身性淨妙心 方能依性修禪 是乃從上已來自修佛心 自成佛道之要術也".
23) 『韓國佛教全書』 4冊, 716a, 「진심직설」, "信而不解 增長無明 解而不信 增長邪見".
24) 『韓國佛教全書』 4冊, 「권수정혜결사문」, "先須返照自心 信解眞正 不落斷常".
25) 『동경대전』 수덕문, "先信後誠".

에서도 말한 바와 같이 眞心에는 믿음과 앎을 겸한 信解를 통해서 이른다고 하였다. 이를 구체적으로 살펴보면 여기에는 空觀적인 이해와 이를 의심치 않는 믿음을 깨달음의 기초로 삼고 있음을 알 수 있다. 이는 나(我)가 없음을 단박에 깨닫고 모든 것의 空性을 깊이 믿고 통달하는 것이어야 한다. 수운도 불교에서 공관의 이치를 의지하는 것과 같이 무왕불복의 이치26)를 믿고 따랐기에 한울님의 영기가 내렸다고 한다. 지눌은 『종경록』을 인용하면서 다음과 같이 말하고 있다.

　만일 그 마음의 경계가 진실이요 사람과 법이 空하지 않았다고 집착한다면 비록 만 겁을 지나면서 수행하더라도 마침내 道의 결과는 증득하지 못하겠지마는 만일 無我를 단박 깨닫고 物의 공함을 깊이 통달하면 능소가 함께 사라질 것이니 무엇 때문에 증득하지 못하겠는가27)

즉, 만법이 항상함이 없고 변화하며 모든 것이 하나의 전체를 이루는 空임을 알지 못하고 존재에 집착한다면 아무리 수행을 하더라도 소용이 없다. 따라서 나가 없음을 알아 모든 것의 무상함을 통달하여 체화해야 비로소 진심으로 돌아간다는 것이다. 즉 공의 이치28)를 알기에 마음 자체가 생각을 떠나고 생각을 떠나기에 모든 존재에 두루 할 수 있으며 법계가 한 모양이 될 수 있다.

이와 같이 깨달음은 우선적으로 空의 이치적 法에 의지하여 眞心을 깨닫는 것이고 망념의 마음자리를 비우는 것에서부터 마음닦음이 시작한다고 볼 수 있다. 따라서 수심자는 먼저 심성이 本淨하고 번뇌가 本空한 바

---

26) 이 책의 제4장 1절 2)항 참조.
27) 『韓國佛敎全書』 4冊, 761a~b, 「법집별행록절요병입사기」, "若執心境是實 人法不空徒經萬劫修行 終不證於道果 若頓了無我 深達物虛 則能所具消 有何不證".
28) 지눌은 또한 공의 이치를 '無理之至理'(『보조국사전서』, 「勸修定慧結社文」)란 표현을 빌어 썼다. 즉 지극히 이치가 없는 이치를 얻어 마침내 머무름이 없는 열반에 머문다고 했다. 지혜로운 사람의 관행은 밖으로는 온갖 이치를 잊고 안으로는 제 마음을 구하여 능히 이치가 없는 지극한 이치에 이를 수 있다. 이 '無理之至理'는 원효의 『대승기신론소별기』에도 나오는 말인데 지눌도 이를 여러번 언급하고 있다.

탕을 관조하라는 것이다. 심성이 본래 不淨하고 번뇌가 본디 있는 줄로 망각하면 악을 억지로 끊으려 하고 선을 일부러 닦으려 하여도 이는 그 名相에 집착되어 참된 修斷이 되지 못한다. 그러므로 '心本淨 妄本空'의 요체를 알고 닦으라 한다.[29] 수운도 "心兮本虛應物無迹"[30]을 말한다.

지눌은 깨달음이 공관에 의한 이해적인 차원에서 그치는 것이 아니라 이를 마음에 비추고 그 功에 의하여 마음의 본체를 증득하는 데까지 이르는 것을 말하고 있다.[31] 또한 공관의 信解에 터하여 알고 믿는다는 것은 이를 마음에 비추어 순간 순간의 망념을 제거하는 것이다. 즉 '나(我)라는 상에 집착하여 그 습기로 인해 장애를 일으키면 몸이나 마음이 사대와 오음의 인연을 따라 허깨비로 난 것으로서 거짓이요 진실이 아님을 관한다. 그런즉 무엇을 나라 하고 무엇을 남이라 하겠는가 라는 空觀으로 그 마음을 비추어 사된 견해를 부수는 것이다'[32] 그리고 점차 마음을 닦는 선정과 지혜에 힘입어 차츰 본래의 마음으로 돌아간다.

셋째, 깨달았으면 점차 닦아야 한다. 깨달은 후(頓悟) 점차 닦아 가는 漸修의 수행방법은 惺惺寂寂의 정혜쌍수다. 즉 理의 견지에서 돈오가 전부이지만 현실적인 事의 입장에서 보면 순간적인 돈오로서 모든 망상의 훈습이 일시에 사라지지 않기 때문에 점수의 점차적인 수행이 뒤따라야 한다. 그런 점에서 先頓後漸을 말한 지눌의 사상은 이론적 논리적인 깨달음이 선행되어야 그 다음에 점진적인 수행의 노력이 따르게 됨을 알린다. 돈오를 먼저 전제하지 않는 수행은 동기를 모르는 수행이 되어 맹목적인 고행에 빠지고 점수를 동반하지 않는 즉각적 깨침은 단순히 이론적 차원의 일시적 개입에 그쳐 곧 흐려지고 만다. 그래서 점수를 동반하지 않은 돈오

---

29) 이종익, 「정혜결사문의 사상체계」, 『보조사상』 5·6합집, 1992, 112쪽.
30) 『東經大全』 歎道儒心急.
31) 『韓國佛敎全書』 4冊, 763c~764a, 「법집별행록절요병입사기」, "當知 吾所謂悟 心之士者 非但言說除疑 直是將空寂靈知之言 有返照之功 因返照功 得離念心體者也".
32) 『韓國佛敎全書』 4冊, 704c, 「권수정혜결사문」, "以無始堅執我相 習氣偏重 致諸惑障 未能忘情者 且以空觀 推破自他身心 四大五陰 從緣幻出 虛假非實 猶如浮泡 其中空虛 以何爲我 以何爲人".

는 성불에의 길로 내면적 인격의 변화를 이루지 못하기에 공허해진다.[33]

　미혹에서 깨닫는 것이 돈오요 범부가 변해 성인이 되는 것이 점수다. 지
눌은 대혜의 말을 인용하면서 '이치인즉 돈오이어서 깨달음과 동시에 번뇌
가 녹여지지만 실제에 있어서는 한꺼번에 없어지지 않아 차례에 따라 없
어진다'[34]고 했다. 漸修란 비록 본래의 성품이 붓다와 다름이 없음을 깨달
았으나 오랫동안 익혀온 습기를 갑자기 모두 없애기는 어렵기에 점차 닦
는 것이라 말한다. 즉, 깨달음에 의지하여 닦아 점차로 익히어 공이 이루어
지고 오래오래 소질을 길러서 성인이 되기 때문에 점수라고 한다. 비유하
면 어린 아기가 처음 태어났을 때에 모든 기관이 갖추어 있음은 어른과 다
르지 않지만 그 힘이 충실치 못하므로 상당한 시간이 지나야 비로소 어른
이 되는 것과 같다.[35]

(2) 마음 닦음에 있어서 정혜쌍수와 無亂·無痴

　선정과 지혜 이 두 단어는 三學의 준말로서, 갖추어 말하면 戒律과 禪定
과 智慧이다. 계율이란 잘못을 막고 악을 고친다는 뜻으로서 三惡途에 떨
어짐을 면하게 하는 것이요, 선정이란 이치에 맞추어 산란한 마음을 거두
어 잡는다는 뜻으로서 여섯 욕심을 뛰어넘게 하는 것이며, 지혜란 법을 가
지고 空을 관한다는 뜻으로서 묘하게 생사를 벗어나게 하는 것이다.[36] 마
음을 깨친 후 습기를 닦음에 있어서 선정과 지혜를 겸하는 뜻을 지눌은 다
음과 같이 말하고 있다.

---

33) 이종익, 「정혜결사문의 사상체계」, 『보조사상』 5·6합집, 1992, 45쪽.
34) 『韓國佛敎全書』 4冊, 709b, 「牧牛子修心訣」, "理卽頓悟 乘悟併消 事非頓除 因
　　次第盡".
35) 『韓國佛敎全書』 4冊, 709c~710a, 「牧牛子修心訣」, "漸修者 雖悟本性 與佛無殊
　　無時習氣 難卒頓除 故依悟而修 漸薰功成 長養聖胎 久久成聖 故云 漸修也 比
　　如孩子初生之日 諸根具足 與他無異 然其力未充 頗經歲月 方始成人".
36) 『韓國佛敎全書』 4冊, 700c, 「권수정혜결사문」, "定慧二字 乃三學之分稱 具云戒
　　定慧 戒以防非止惡爲義免墮三途 定以稱理攝散爲義能超六欲 慧以擇法觀空爲
　　義妙出生死 無漏聖人因中修行 皆須學此 故名三學".

만약 법과 그 뜻을 말한다면 진리에 들어가는 천 가지 문이 모두 선정과 지혜 아님이 없다. 그 강요를 들면 단지 자기 성품의 본체와 작용의 두 가지 뜻에 불과하니 앞에서 말한 공적과 영지가 그것이다. 선정은 본체며 지혜는 작용이다. 본체가 작용이므로 지혜는 선정을 떠나지 않았고 작용이 본체이므로 선정은 지혜를 떠나지 않았다. 선정이 바로 지혜이므로 고요하면서 항상 알고 지혜가 선정이므로 알면서 항상 고요하다.[37]

즉 공관의 이치로 마음 안에서 진심(불성)을 깨달았으면 정혜로 점차 닦아 가는 수심을 요구하고 있는데, 그 定이란 마음의 본체요 慧는 그것의 작용이라 했다. 그러나 그 정혜는 마음의 산란함과 마음의 어두움을 없게 하는 데서 드러나는 것이지 서로 달리 따로 떨어져 있는 것이 아니다.[38] 마음에 어리석음이 없는 것과 마음에 산란이 없는 것 모두가 동시적이지 선후가 아니다. 산란하면 혼침한 것이고 혼침하면 산란하게 된다. 그러므로 定慧는 하나이다. 따라서 마음이 고요함을 잃고 혼침에 헤메일 때마다 정혜로 함께 닦으라는 말을 한다.

만약 망상이 들끓거든 먼저 선정의 이치대로 산란을 거두어 마음이 반연을 따르지 않고 본래 고요함에 계합하게 하며 만약 혼침이 더욱 많으면 지혜로써 사물을 판단하고 공을 관하여 미혹함이 없음을 비추어 보아 본래의 앎에 계합하도록 한다. 선정으로써 어지러운 생각을 다스리고 지혜로써 멍청함을 다스려 동요하거나 고요한 것도 끊어지고 대치하는 노력도 없어지면 경계에 대하여 생각생각이 근본으로 돌아가고 반연을 만나도 마음마음이 도에 계합하여 걸림없이 쌍으로 닦아야 일 없는 사람이 될 것이다. 만약 이렇게 하면 참으로 선정과 지혜를 평등히 가져 불성을 밝게 본 사람이라 할 수 있다고 한 것과 같다.[39]

---

37) 『韓國佛敎全書』 4冊, 711c, 「牧牛子修心訣」, "若說法義 入理千門 莫非定慧 取其綱要 則自性上體用二義 前所謂空寂 靈智是也 定是體 慧是用也 卽體之用 故慧不離定 卽用之體 故定不離慧 定則慧 故寂而常知 慧則定 故知而常寂".

38) 『韓國佛敎全書』 4冊, 748a, 「법집별행록절요병입사기」, "曹溪云 吾說一切法 不離自性 離體說法 迷却汝性 吾心地無非自性戒 心地無癡自性慧 心地無亂自性定 學道之人作意 莫言先定發慧 先慧發定 作此見者 法有二相".

그러므로 마음을 닦는 요체는 無亂, 無痴를 견지하는 것이다. 마음이 산란한 것은 마음이 어리석음에 편향되어 있다는 것임을 알아야 한다. 마음이 어둡기에 고요할 수 없고 고요하지 못하기에 어리석음에 휩쓸린다. 우리 마음이 어리석음에 치우쳐 있으면 곧 마음도 산란함을 안다. 그러므로 마음을 관하여 마음에 산란함과 어리석음이 있을 때마다 순간 순간 깨달음의 선정과 지혜로 들어간다는 것이 마음닦는 요결이다. 조계는 '마음에 산란 없음이 자기 성품의 선정이요 마음에 어리석음 없음이 자기 성품의 지혜이다'[40]라고 했다. 이렇게 마음의 산란함과 마음의 어리석음을 순간 순간 잡아 정혜로써 제거하고 空觀으로 미혹함을 거두어 가는 것이다.

이상과 같이 지눌의 수심체계를 고찰해 볼 때, 동학과 많은 연맥점을 암시받게 된다. 물론 수운의 사상이 유불선 합일의 담론체계를 담고 있어 지눌과는 거리가 있지만 수운의 불교적 바탕은 지눌과 비교할 수 있는 위치에 서있다. 지눌의 진심과 수운의 일심을 볼 때 지눌은 '부처는 곧 내마음'[41]이라 했고 수운에 있어서는 한울님은 곧 일심으로 병칭된다. 지눌의 진심이 허공과 같아서 끊어지지도 않고 변하지도 않듯이[42] 수운의 일심도 본래 비어 있는 것으로 無動靜變易하는 理[43]이다. 또한 지눌의 진심이란 공적영지를 말하며, 수운에게 있어서 一心은 '내유신령 외유기화'의 應物無迹[44]하는 자이다. 지눌이 평상심으로서 능히 보고 듣고 지각하는 것이 불성이라 하였듯이[45] 수운도 사람의 수족동정이 곧 귀신이요[46] 귀신은 일

39) 『韓國佛敎全書』 4冊, 712b, 「牧牛子修心訣」, "若掉擧熾盛 則先以定門 稱理攝散 心不隨緣 契乎本寂 若昏沈尤多 則次以慧門 擇法觀空 照鑑無惑 契乎本知 以定治乎亂想 以慧治乎無記 動靜相亡 對治功終 則對境而念念歸宗 遇緣而心心契道 任運雙修 方爲無事人 若如是 則眞可謂定慧 等持 明見佛性者也".

40) 『韓國佛敎全書』 4冊, 711c, 「牧牛子修心訣」, "如曹溪云 心地無亂自性定 心地無痴自性慧".

41) 『韓國佛敎全書』 4冊, 「수심결」, "佛卽是心".

42) 『韓國佛敎全書』 4冊, 「수심결」, "眞心如空不斷不變".

43) 『동경대전』 논학문.

44) 『東經大全』 歎道儒心急.

45) 『東經大全』 歎道儒心急, "能見聞覺知者 必是汝佛性".

46) 『동경대전』 도덕가.

심이라 하였다. 진심에 거하고 한울님과 합하는 수심의 요체는 깨달음에 있다. 따라서 지눌이나 수운 모두 '생각이 일어나는 것을 두려워하지 말고 오직 깨달음이 늦어질까 걱정하라'[47)]고 한다.

3) 득통 함허의 삼교합일과 허응당 보우의 人卽天 전통

수운의 시천주 사상에서 양천주, 인내천 사상으로 구체화되는 과정을 살펴보면 일찍이 보우(1515~1565)가 말했던 인즉천의 개념으로 거슬러 올라간다. 조선시대의 불교사상 자체가 유교와 무관할 수 없는 현실이었다. 중국이나 조선 모두 유교가 통치이념으로 채택된 상황과 위기 속에서 불교는 성리학을 인용하여 불교와 다르지 않음을 강조하거나 삼교합일 사상을 내놓았다. 중국의 경우 종밀이 그 대표적인 예이고 조선에서는 함허 기화나 허응당 보우 등이 대표적이다. 불교와 도교를 비판하는 입장의 독선적 주자학자들에게서는 이러한 삼교일치 사상이 나올 수 없음을 볼 때 수운의 삼교합일사상은 분명 불교적 전통이라 할 수 있다.[48)]

먼저 함허(1376~1433)의 유불관에 대한 인식을 살펴보자. 함허는 유불선 삼교 모두를 마음에 근본한 것으로 인식하면서 다만 유교는 자취를 전공하였고 불교는 참(眞)에 계합하였으며 두 사이를 제접하여 교정한 것이 도교라 하였다.

> 삼교의 도는 모두 마음에 근본하였다. 그러나 유자는 자취를 전공하였고 불자는 참에 계합하였으며 그 두 사이를 제접하여 교정한 자는 노씨의 도이다. …… 밝히고 깨우침을 참이라 말하고, 닦고 다스리는 것을 자취라 말한다. 자취라 하는 것은 形而下者로 情이니 격물치지, 성의정심하여 나아가 덕업을 닦음이 다 이것이다. 닦지 않고 다스리지 않는다면 수신, 제

---

47) 『보조국사전서』 수심결, "不怕念起 唯恐覺遲" ; 『동경대전』 좌잠, "不怕塵念起 惟恐覺來遲"(원출처는 「종경록」에 보인다. 『大正藏』 48, 638a, "不怕念起 唯慮覺遲").
48) 조용일은 동학이 일찍이 포함삼교적 특징의 풍류도를 계승한 것으로 보았다(조용일, 「고운에서 찾아 본 수운의 사상적 계보」, 『한국사상』 9, 1968).

가, 치국, 평천하의 효과에 이를 수 없으며 효과가 없다면 어지러워진다. 그러므로 성인의 가르침이 이보다 급함이 없는 것이니 그 까닭에 몸을 닦고 집안을 정제하여 천하가 평화로워지는 것이다. 참이라 하는 것은 형이상자로 性이니 그 본체는 끝이 없으며 그 밝음은 시작이 없다. 신령하여 다함이 없으며 오묘하여 작위함이 없이 삼제를 다하고 시방에 뻗혀 담연히 홀로 존재하는 것이다.[49]

함허에 의하면 유교는 닦고 다스리는 것에 힘써 '수신제가치국평천하'의 효과를 가져오는 것이다. 그 이룸의 효과를 보지 못하면 나라가 어지러워져 평화로울 수 없기에 이보다 더 급한 것이 없다고 한다. 불교가 그 초현실적 특성 때문에 비판받는 것에 반하여 현실적이고 합리적인 성리학의 특성은 인정해 주고 있다. 수운이 유불선의 합일을 이루고 대인접물의 맥락에서 성경신의 수행을 말하는 것도 유교의 현실적 관계에 바탕한 것이다. 또한 불교는 유교와 달리 밝히고 깨우치는 것에 목적을 두는데, 이는 신령하고 오묘한 性(본체)을 밝혀 깨닫기 위한 것으로, 그 본체는 끝이 없고 그 밝음은 시작도 없다 하였다. 신령하여 다함이 없고 오묘하여 작위함이 없이 삼제를 다하고 十方에 뻗쳐 담연히 홀로 존재하는 것이라 하였는데, 수운이 말한 至氣(天)도 虛靈蒼蒼, 無事不攝, 無事命이라 하여 본체적 개념을 나타내고 있다. '內有神靈 外有氣化'의 無爲而化는 스스로 함이 없이 이루는 造化[50]로, 이는 함허의 '신령하여 다함이 없으며 오묘하여 작위함이 없이 삼제를 다하는' 본체 개념과 유사하다. 물론 주자도 心을 虛靈不昧, 혹은 虛靈知覺이라 말하지만 이는 어디까지나 氣이기 때문에 본체일 수 없다.[51]

49) 『涵虛大師文集』 儒釋質疑論 卷上, "三敎之道皆本乎心 而儒者攻乎迹 佛者契乎眞 接於其兩間而爲之膠粘者 老氏之道也 何謂眞何謂迹 明之悟之之謂眞 修之治之之謂迹 迹也者形而後者也 情也格物致知誠意正心 而進修德業者皆是也 不修不治則無以致修身齊家治國平天下之效 無效則亂矣 故聖人之敎無急於斯焉 所以修濟而天下平者也 眞也者形而上者也 性也其體無極 其明無始 靈而無竭 妙而無爲 窮三際 亘十方湛然而獨存者也".

50) 『동경대전』 논학문, "氣者 虛靈蒼蒼 無事不涉 無事不命 然而如形而難狀 如聞而難見 是亦渾元之一氣也 …… 造化者 無爲而化也".

함허의 저술에는 삼교 각각의 특성을 구분지으면서도 삼교를 혼합하고 있는 대목이 많다. 붓다의 아버지인 정반왕이 아사타 仙人을 불러 태자의 상을 보게 하였다든가 태자가 곧 천상 인간의 스승으로 모든 기술과 전적 육예, 천문지리 모두를 태어나면서부터 알았다고 하여 붓다를 중심으로 해서 삼교를 아우르고 있다.[52] 수운도 지상신선, 성인군자, 궁궁일심이 병립하는 인간상을 제시한 바 있다. 그리고 함허는 더 나아가 불교와 유교의 사고체계를 혼합하여 본체를 眞空, 작용을 乾坤으로 설명하고 있는데, 이는 세계에 있어서는 成住壞空이 되고 시기에 있어서는 春夏秋冬이 되며 사람에게 있어서는 生住異滅이 되어 순환왕복하여 무궁하다 하였다.[53] 함허의 이러한 사고는 수운의 불연기연 사상 및 무왕불복의 역사관[54]과 연맥지을 수 있게 한다. 즉, 수운의 '不然'은 함허가 말한 본체로서 '眞空'에, 그리고 '其然'은 현상세계로서 '乾坤'에, '無往不復之理'는 함허가 말한 '성주괴공 · 생주이멸의 순환왕복'에 같은 맥락을 둘 수 있다.

또한 함허는 易을 緣起로 보아[55] 유교와 불교가 표리가 된다 하였다. 易의 도가 태극에 근원하였고 태극은 또 무극에 근본하였으니 무극은 곧 붓다의 법신으로 태극이 영묘함을 발동하여 양의를 이루는 것이라 하고 이를 붓다의 報身이라 하였다. 즉, 붓다의 三身이 易道에 합한다 하였다. 이는 연기론적 세계관의 바탕에 유가적 역사관을 재해석하여 서로 융합한 것이다. 그러나 함허에게 있어서 이른바 '근원으로 돌아가는 가르침'이란 情을 돌이켜 性에 들어가는 것이다. 정으로써 가르침을 삼는 자는 그 윤회의 도이며 성으로써 가르침을 삼는 자는 그 생사를 벗어나는 도인데, 유교

---

51) 송석구, 『불교와 유교 上』(현대불교신서 80), 1993, 141쪽.
52) 『涵虛大師文集』 儒釋質疑論 下, "父淨飯王 召阿私陁仚人 相太子 仙人見之 悲泣不已 王問仚人言 子何不祥 …… 對曰太子具足三十二相 在世卽爲轉輪聖王 出家成等正覺 爲人天師 轉大法輪 …… 白王言 太子乃天人之師 凡諸伎術 典籍 六藝 天文地理 實皆自然生而知之 我安可敎耶".
53) 『涵虛大師文集』 儒釋質疑論 下, "體則眞空 用則乾坤 …… 皆稟於五行之氣 乃得成形焉 雖大小延促之不同 而成壞之理則均也 在世界爲成住壞空 在時爲春夏秋冬 在人爲生住異滅 循環往復 窮未來際而無有已焉者也".
54) 이 책의 제4장 2절 참조.
55) 『涵虛大師文集』 儒釋質疑論 下, "易也者 緣起".

나 도교는 생사를 벗어나는 도에 이르지 못한다고 말한다.56) 함허는 이와 같이 불교를 중심으로 한 입장에서 유불선 삼교를 보고 있다. 그러나 기본 흐름은 삼교가 솥의 세 발처럼 모두가 서로를 세워주고 있는 합일적 삼교 관이다. 불교는 性體를 들어서 眞空이라 하고 도교는 변화를 가리켜서 谷 神이라 하며 유교는 사물을 의지해 이를 가리켜서 大本이라 하는데 이 모 두가 한 道라는 것이다.57)

한편, 허응당 보우 역시 조선중기에 억불정책이 지속되던 유가정치 하에 서 일시나마 불교를 부흥시킨 인물로 人卽天과 三敎一致 사상을 나타냈 다. 그의 유불일치 사상은 유가의 理障58)과 주자가 비판한 불교의 허무적 태도를 다 극복하고 원융시킨 사상이라 할 수 있고, 인즉천은 체용일체적 道(天)의 개념으로서 수운의 통합론적 사상의 단초가 되었다고 생각한다.

보우는 華法師에게 답하는 詩에서 체용으로서의 도를 다음과 같이 말하 고 있다.

이 세상에는 도교와 불교에 耽淫하여 임금과 아비를 버리는 자가 있는 데 한갓 허무만 일삼아서 임금과 신하, 그리고 아비와 자식의 도리가 큰 근본의 큰 用임을 알지 못한다. 또 공자와 맹자를 스승으로 하여 仁과 義 를 宗으로 여기는 자는 다만 忠과 恕만을 높여 숭상하고 그것이 진공, 적 멸의 理致여서 큰 用의 큰 근본임을 알지 못한다. 이러한 두 경우의 사람 들은 道가 體와 用임을 잘 모르는 것이요, 또 성현들이 혹은 權道를 하고 혹은 常道를 하면서 서로 接하여 일으키는 지극히 바르고 지극히 커서

56) 『涵虛大師文集』 儒釋質疑論 下, "情之爲末也 背眞流蕩 而紛擾不停 吸塵爲相 而混濁不淨 紛擾不停 故生滅相續 渾濁不淨 故物欲交蔽 物欲之感 苦惱繼之 生 滅之感 生死應之 斯其所以爲末也 以情爲敎者 其輪廻之道乎 以性爲敎者 其出 生死之道乎 心與性 儒老亦莫不言之 而其所言未至也 至之者 佛也".

57) 『涵虛大師文集』 儒釋質疑論 下, "通天下一道也 工變化一氣也 均萬物一理也 然 有淺奧之不同 故聖人之敎處三焉 釋曰眞空 擧性體而言也 老曰谷神 明變化而言 也 儒曰大本 依事物而言也".

58) 理障이란 天理에 근거하는 인간 본성으로서 인의예지를 규정하는 것 자체가 장 애 됨을 말하는 것으로 불교 측에서 비판한 것이다(荒木見悟, 배영동역, 『불교와 양명학』, 혜안, 1996, 66쪽).

둘이 아닌 큰 근원임을 알지 못하기 때문이다.59)

그는 도교와 불교가 한갓 허무만 일삼아서 도리의 用이 본체의 작용임을 알지 못하였음을 비판한다. 반대로 유교가 인의·충서만을 높이 숭상하여 형식화한 나머지 그것이 진공·적멸의 用임을 알지 못하였다고 주장한다. 道가 體와 用임을 알지 못하는 큰 무지를 한탄하면서, 존재하나 실체가 없는 체용일체의 도리를 알아야 한다고 말한다.

> 한 물건이 여기에 있으니
> 혼연하여 예와 지금을 관통하였고
> 體는 비어서 스스로 神靈하고
> 用은 實하면서도 그의 자취가 없소
> 구부리거나 우러러 보아도 玄玄하게 숨었고
> 보고 듣는 데 밝기가 역력히 밝아
> 음양과 사시에
> 운전하여 행하면서 잠시도 쉬지 않으니
> 유교에서는 이를 태초라 말하고
> 불교에서는 이를 圓寂이라고 말하네.60)

그 한 물건이란 道로서 본체는 비어서 스스로 신령하고 用은 현현하면서도 자취가 없으며 음양과 사시에 행하면서 잠시도 쉬지 않는 것이라 하였다. 이는 수운의 '內有神靈 外有氣化'의 '心本虛 應物無迹'하는 한울님61)과 상통함을 보게 된다. 또한 그는 말하기를 "음양 사시가 곧 법성으로서 부처의 몸이요 모두가 구극의 진리"62)라 하였다. 이는 유가 용어를

---

59) 『虛應堂集』, 詩, 次華法師軸韻, "夫世有淫老佛而舍君父者 徒事虛無而不知其君臣父子之道 是大本之大用 師孔孟而宗仁義者 但尊忠恕而不知其眞空寂滅之理 是大用之大本之二者 皆迷道之體用 而又不知聖之所以或權或常 而接武相興 以扶持夫至正至大無二之大源也".

60) 『虛應堂集』, 詩, 次華法師軸韻, "有物在於斯 渾成貫今昔 體虛而自神 用實其無迹 俯仰隱玄玄 視聽明曆曆 陰陽與四時 運行無暫息 儒稱此太初 佛言斯圓寂".

61) 『동경대전』 논학문.

통해 불교적 세계관을 담고 있는 것인데, 수운이 음양이 귀신이요, 귀신이
곧 상제(天)라 한 맥락을 이해할 수 있는 단서가 된다.

  불교에서 삼교합일의 회통적 사유가 나올 수 있었던 것은 이러한 화엄
적 사유체계에서 비롯된다. 본체와 현상이 相卽할 수 있기에 유가에서 말
하는 四時와 陰陽도 부처의 몸이라 할 수 있는 것이다. 수운의 표현으로
하면 음양이 곧 귀신이고 이 귀신은 곧 한울님(上帝)이며 비로자나불이 된
다. 상제를 공경하는 것은 이 一心을 깨닫는 것이기도 하다. 자취가 없는
본체의 작용이 곧 음양이요 귀신인 것이며 사시의 원형이정이 모두 부처
의 몸이다. 여기서 바로 인즉천의 개념이 형성될 수 있는 것이고 동학에
있어서는 人乃天, 事事天, 物物天의 시천주가 될 수 있었던 것이다. 다시
말해서 유불의 본체적 결합이 이루어진 것이다. 한편 윤사순은 하날님,·상
제, 천주를 음양 및 귀신과 동일시하는 사고는 일종의 무속적 사고경향에
속한다고 하였다.63) 그러나 하날님과 귀신이 곧 음양이라 불려질 수 있었
던 것은 위와 같이 불교적 전통에서 도출해 낼 수 있다.

  보우가 말한 인즉천은 곧 心卽天으로, 그는 불교의 일심과 유교의 천을
결합하여 새로운 세계관을 제시하였다. 그러므로 일심은 태극이요 음양은
귀신이며 귀신은 곧 한울님으로 일심과 한울님(天)은 다르지 않다는 수운
의 사상과 통한다. 보우는 그의 一正論을 통해 이를 구체적으로 전개하고
있다.

  一이란 하늘의 이치로 그 이치는 아득하여 아무 조짐이 없으나 만상을
  벌여 놓아 갖추지 않은 물건이 없다. ······ 그러므로 一氣가 활동하면 봄
  에는 만물이 나고 여름에는 자라며 가을에는 열매맺고 ······ 다 그 一을
  얻어 사는 것으로서 ······ 성실하여 허망함이 없다는 까닭이다. 正이란 치
  우치지 않고 삿되지 않으며 순수하여 섞임이 없는 것으로서 곧 사람의 마

---

62) 『虛應堂集』 懶庵雜著, 示小師法語, "所謂法性者陰陽四時 是此卽諸佛身無非第
   一義".
63) 윤사순, 「동학의 유학적 성격」, 영남대 민족문화연구소편, 『동학사상의 새로운 조
   명』, 영남대출판부, 1998, 103~104쪽.

음을 말한 것이다. 그 마음은 고요하여 생각이 없으면서 천지 만물의 이
치를 모두 갖추었고 신령하고 어둡지 않아 천지 만물의 일에 모두 응해주
되 …… 이치라 하고 마음이라 하여 그 이름과 마음은 다르지마는 하늘과
사람의 이치나 一과 正의 뜻은 다르지 않은 것이다. 그러므로 하늘이 곧
사람이요 사람이 곧 하늘이며 一이 곧 正이요 正이 곧 一인 것으로서 사
람의 몸은 천지의 몸이요 사람의 마음은 천지의 마음이며 사람의 기운은
곧 천지의 기운이다.64)

　우주의 체용을 나타내는 '一'과 인간 개체에서 체용을 나타내는 '正'은
하나이다. 一이란 하늘의 이치로 아득하여 아무 조짐이 없으나 만상을 갖
추고 있다. 正이란 삿되지 않은 순수한 인간 마음을 뜻한다.65) 이 마음 역
시 고요하면서 천지 만물의 이치를 갖추었고 신령하고 어둡지 않아 만물
에 응한다. 수운도 이러한 心을 앞에서 말한 것처럼 '심본허 응물무적'이라
한 것이다. 따라서 우주의 一과 인간의 正(마음)은 같은 것이다. 그러므로
一卽正, 心卽天, 人卽天이 되는 우주와 인간의 통일이 성립한다. 인간의
마음이 천지의 마음이요 사람의 기운이 천지의 기운이 되는 것이다. 이러
한 전체와 부분의 통일로서의 인즉천은 동학사상에 있어서도 人乃天으로
나타났던 것이다.

　보우 사상에서 핵심적인 것은 '도라는 것은 체용을 동시에 갖춘다'는 것
이고 체에서 발한 것이 用이요, 용 없이 체는 존재하지 않음을 주장하는
것이다. 그리고 아울러 인간 마음이 곧 우주의 본체임을 화엄론에 바탕하

---

64) 『虛應堂集』懶庵雜著, 一正, "一者 …… 天之理也 其理沖漠無朕 而萬象森然無
物不具然 其爲體則一而已矣 …… 是以一氣之行春生夏長秋實 …… 得其一以
生…… 而誠實無妄者也 正者不偏不邪 而純粹無雜之謂也 人之心也 其心寂然無
思 而天地萬物之理 無所不該 靈然不昧 而天地萬物之事 無所不應 …… 曰理 曰
心 雖有名言之有殊 其天人之理 一正之義 則未嘗有異 故天卽人人卽天 一卽正
正卽一 而人之體卽天地之體 人之心卽天地之心 人之氣卽天地之氣也".

65) 서윤길은 일정론의 一을 성리학의 근본사상인 理에 해당시키고 正을 氣에 해당
시킨다. 그는 一의 理에 다시 理氣의 원리가 혼연해 있고 正에서도 천지만물의
이치와 사단칠정의 기가 동시에 편재하고 있어 일과 정은 별립의 것이 아니라 하
였다(서윤길, 「보우대사의 사상」, 『한국사상논문선집』 48, 불함문화사, 1998, 96쪽).

여 유가적으로 해석하고 있다. 보우의 독특성은 화엄사상을 바탕으로 삼교합일을 통해 인즉천의 개념을 이끌어 낸 것에 있다. 그리고 이는 동학의 삼교합일과 인내천 사상에 전례가 되고 있음이다. 수운의 天은 바로 이러한 보우의 인즉천에서 이해되어야 한다.

2. 敬天의 교육전통과 동학

조선철학에 있어 퇴계와 그의 학풍을 계승한 다산, 근암으로 이어지는 天에 대한 이해는 유불합일의 기존 전통 없이는 불가능했다고 여겨지고 수운의 한울님관이 성립하기까지는 이들의 연맥에 많은 영향을 받았을 것으로 보인다. 흔히 수운의 사상이 仙敎的 민중사상으로 이해되고 있는데, 수운의 성장배경을 볼 때, 그는 정통 퇴계학파의 학풍에서 자랐음을 간과해서는 안 된다. 수운의 부친인 근암은 영남지방에서 알려진 퇴계학파였다. 따라서 事天을 통한 인간형성의 교육론은 연원적으로 퇴계와 다산으로부터 이어져 수운에게서 侍天의 형태로 재현되고 있다. 퇴계나, 다산,[66] 수운 모두 인간 내면의 초월자를 상제, 천명, 한울로 지칭하고 이를 공경과 섬김을 통해 발현하고자 하여 事天, 知天, 侍天의 수양방법을 제시하고 있는데 이 또한 敬天學의 공통점이라 할 수 있다.

1) 퇴계의 이기체용의 理發과 事天

조선의 득통 기화나 허응당 보우는 삼교합일과 인즉천 사상을 통해 유·불을 회통하고 있는 반면 퇴계(1501~1570)와 같은 성리학자들은 불교를 비판하면서 성리학과의 차이점을 부각시켰다. 그러나 그의 사상에도 불교의 흔적이 엿보인다. 특히 그의 理發說은 불교적 본체개념과 비교할 때 왜 그가 굳이 이기호발설을 주장하게 되는지 그 맥락을 보여준다. 또한 理

---

66) 다산의 사천학에 대한 고찰은 본장 5절에서 실학적 전통과 함께 다루었다.

가 인간 내면에 초월적 존재로 들어와 주재성을 띠는 것도 불교적 영향에서 비롯됨을 알 수 있다. 즉 天, 理, 上帝, 마음, 태극이 모두 본체개념으로 천이 곧 마음이 될 수 있는 것은 보우의 인즉천과 다르지 않다. 天과 理, 그리고 心과 태극이 같은 본체개념으로 병칭되는 것이 퇴계 이후 다산, 수운에게서 보여지는 특징이기에 그 연맥성을 살펴보고자 한다.

퇴계나 동학의 天은 주자학의 理개념과는 달리 인간내재적 초월성을 띠면서 공경과 섬김의 대상이다. 물론 퇴계는 인의예지의 규범을 理로서 설정하는 성리학자로서 불교가 인륜과 사물을 끊고 규범을 세우지 않는다고 보아 불교의 무규정성을 비판했고,[67] 불교가 적멸로 흘러 들어가는 것은 靜이 動에 골몰되는 것만 알아 마침내 動을 싫어하고 靜만을 구했기 때문이라 하였다.[68] 그럼에도 불구하고 퇴계의 사유체계에는 불교의 체용개념이 자리잡고 있음을 볼 수 있다. 이는 퇴계 자체가 불교에 영향을 받아서라기보다는 朱子의 理氣論 자체가 불교의 체용론을 통해 성립된 것이기에 주자를 해석하는 퇴계의 사상에도 불교적 면모가 나타나는 것으로 이해된다.

(1) 퇴계의 理發과 본연성

퇴계는 理를 이기체용의 一物로 전제하면서 理와 氣가 모두 발할 수 있음을 주장하고 현상의 운동(氣發)과 현상을 있게 한 본래적 理로부터의 발현은 다를 수밖에 없다고 한다. 그러나 이발이든 기발이든 발해진 것은 모두 氣[69]라 했고 情이라 했다.[70] 다만 情에 사단과 칠정의 나뉨이 있음은 性에 본연과 기품의 다름이 있기 때문이라 한다.[71]

그러므로 理가 발했다는 것은 理가 주인됨을 말할 뿐이지 氣를 떠나 있

---

67) 『퇴계선생문집』 권41, 雜著 三十, "顧不欲滅倫絶物 如釋氏所爲".
68) 『퇴계선생문집』 권42, 記 二十二, "往往亦流入於虛無寂滅而不自返何哉 知靜之泊於動 而遂乃厭動而求靜".
69) 『퇴계선생문집』 권7, 箚, "性本一因在 氣中有二名".
70) 『퇴계선생문집』 권16, 書 答奇明彦, "夫四端情也 七情亦情也 均是情也".
71) 『퇴계선생문집』 권16, 答寄明彦, "情之有四端七情之分 猶性之有本然氣稟之異".

음을 말하는 것이 아니다. 또한 氣가 발했다는 것은 기가 주인됨을 말할 뿐이지 理를 떠난 氣를 말하는 것이 아니다.[72] 퇴계의 본체는 이기체용의 일치적 理로서 사단은 理에서 발한다. 동시에 칠정은 氣가 주인되어 발한 상태의 체용이다. 그러므로 퇴계는 이발이든 기발이든 이기체용을 말하지만 氣가 주인되어 발한 상태는 理가 발한 상태와 달리 賤한 것이 되어 理貴氣賤[73]의 사상을 드러낸다. 하지만 사단이라는 것도 칠정 밖에서 나오는 것이 아니라 칠정 속에서 발하여 절도에 맞는 묘맥이라 퇴계는 말한다.

　대개 성이 잠깐 발할 때에는 기가 용사하지 않으므로 본연의 선이 곧장 이루어질 수 있는 것이니 이것이 바로 맹자가 이른바 사단이라 한 것이다. 이것은 진실로 순일한 천리가 발하는 것이지만 그렇다고 칠정 밖에서 나오는 것이 아니고 바로 칠정 속에서 발하여 절도에 맞는 묘맥이다. 그런데도 사단, 칠정을 상대시켜 들고 아울러 말하여 순리니 겸기니 해서야 되겠는가? 인심, 도심을 논한다면 혹 이와 같이 말할 수 있겠으나, 사단, 칠정을 논하는 데라면 이와 같이 말할 수 없을 듯 하다. 그 이유는 칠정을 오로지 인심으로 보아서는 안 되기 때문이다.[74]

다시 말해서 퇴계가 주장하는 四端理發이란 인의예지의 성에서 발하는

---

72) 『퇴계선생문집』 권16, 答奇明彦, "大抵有理發而氣隨之者 則可主理而言耳 非謂理外於氣 四端是也 有氣發而理乘之者 則可主氣而言耳 非謂氣外於理 七情是也".

73) 『퇴계선생문집』 권12, 與朴澤之, "사람의 몸은 理와 氣를 겸비하고 있는데 理는 귀하고 氣는 천하다. 그러나 理는 무위하고 기는 유욕하므로 이의 실천을 주로 하는 사람은 양기가 그 가운데 저절로 이루어지니 성현이 이러한 사람이다. 양기에만 기울어지면 賤性함에 이를 것이니 노장이 이것이다(人之一身 理氣兼備 理貴氣賤 然理無爲而氣有欲 故主於天理者 養氣在其中 聖賢是也 偏於養氣者 必至於賤性 老莊是也)".

74) 『퇴계선생문집』 권16, 書 附奇明彦非四端七情分理氣辯 十三, "蓋性之作發 氣不用事 本然之善 得以直遂者 正孟子所謂四端者也 此固純是天理所發 然非能出於七情之外也 乃七情中發而中節者之苗脈也 然則以四端七情 對舉互言 而謂之純理兼氣可乎 論人心道心 則或可如此說 若四端七情 則恐不得如此說 蓋七情不可專以人心觀也".

것을 말하고 七情氣發이란 외물에 사람의 형기가 접촉하여 마음이 움직임
에 따라 나오는 것이다.75) 즉 본연지성은 理에 근본을 둔 것이며 기질지성
은 理와 氣를 겸하여 하는 말이다. 情으로 말한다면 理를 따라서 발하는
情은 사단이며 理와 氣가 합쳐서 발하는 情은 칠정이다.76) 그러나 칠정이
라고 해서 인심만을 뜻하는 것이 아니며, 氣가 있으면 필연적으로 理가 있
음을 말했다.77) 理尊을 말하더라도 이기를 분리하여 氣를 비하하는 의미
에서가 아니라 이기체용으로서 단지 氣가 주인되어 理를 거스리는 인욕
(인심)을 제어하고자 함이다. 즉 이기체용적 태극의 주재성과 내재적 초월
성을 높여 인욕을 따르지 않고 본연성(天)을 따름으로써 절도에 맞는 칠정
을 추구하고자 한 것에 불과하다.

따라서 퇴계사상이 갖는 가장 큰 특징은 진리의 출처를 두 가지로 제시
하면서도 하나로 회통한 점이다. 하나는 순수한 理에서 발하는 인간 본연
성의 실현과 또 하나는 외부사물과의 교접 가운데서 인욕을 제어하여 절
도에 맞게 하는 길인데 이는 모두 본연성의 발현으로 서로 다르지 않다는
것이다. 이는 교육에 있어서도 직관적 사고와 객관적 경험을 하나로 회통
하여 교육을 바라 볼 수 있는 중요한 시사점을 제공한다. 물론 기일원론적
입장에 서 있는 율곡은 퇴계가 진리의 출처를 두 가지로 나누었다는 점에
서 비판한 바 있다.

퇴계에 있어서 理에서 발하는 사단은 선하지 않음이 없으므로 인간은
꺼릴 것이 없지만 기에서 발하는 칠정은 선악이 있으므로 인간의 극기와
절도에 맞도록 하는 노력이 필요하다. 이러한 노력의 제어가 있어야 理發
과 같은 것이 될 수 있다. 그러므로 이발만 사단이 되는 것이 아니라 기발
에도 사단이 있을 수 있다.78) 이는 퇴계가 세계를 보는 눈이다. 그는 항상

75) 『퇴계선생문집』권16, 書 答奇明彦 九, "惻隱羞惡辭讓是非 何從而發乎 發於仁
義禮智之性焉爾 喜怒哀懼愛惡欲 何從而發乎 外物觸其形而動於中 緣境而出焉
爾".
76) 『퇴계선생언행록』권3, 類編, "本然之性 主於理而言 氣質之性 兼理氣而言 以情
言之 則循理而發者 爲四端 合理氣而發者 爲七情".
77) 『퇴계선생문집』答李公浩問目, "氣質中必有所以然之理 是性也".
78) 『퇴계선생문집』권17, 書 答奇明彦, "四端七情之說前此 認得七情之發而中節者

근신하여 氣를 제어하고 理를 살펴 순간 순간에서 理發의 氣가 되도록 하는 事天의 공부를 제시한다. 퇴계의 사천은 이러한 맥락에서의 尊理로부터 나온 것이고 사천을 통해 천리를 발현하고자 하는 것이다. 퇴계가 사단과 칠정이 발하는 출처를 구분하는 것은 氣를 性으로 논하고 인욕까지 합하여 천리로 여기는 병통을 막고자 함[79]에 있다. 특히 퇴계가 삼가하고자 하는 것은 칠정 중에서도 분냄과 같은 것이다. 理란 억제할 필요가 없으나 氣는 쉽게 발하고 억제하기 어렵다. 그러므로 氣에서 분냄이 발할 때 理를 살펴 기를 제어하라고 말한다. 인간이 분한 마음을 낼 때 그 理의 是非를 보면 바깥의 원인을 미워할 것이 못됨을 말한다.[80] 이는 불교에서 貪·嗔·癡가 일 때마다 空觀으로 망념을 제거함과 서로 통하는 맥락으로 보인다. 수운도 매사에 공경과 정성을 다하면 한울과 합할 수 있음을 말하는데 이 모두가 참된 이치, 혹은 한울을 공경하면 인간 마음이 본연성을 다시금 찾아가기 때문이라 한다.

(2) 퇴계의 天觀

『중용』에서 '天命之謂性'이라 했을 때 성리학자들은 천명을 천리로서

與四端不異 故有疑於理氣之分屬 以爲情之發也 兼理氣有善惡 而四端則專指其
發於理 而無不善者言之 七情則固指其兼理氣 有善惡者言之焉 若以四端屬之理
七情屬之氣 則是七情理一邊 反爲四端所占 而有善惡云者 似但出於氣此於語意
之間 不能無可疑者也 …… 孟子論四端以爲 凡有四端於我者 知皆擴而充之 夫
有是四端 而欲其擴而充之 則四端 是理之發者 是固然矣 程子論七情 以爲情旣
熾而益蕩 其性鑿矣 故覺者約其情 使合於中 夫以七情之熾而益蕩 而欲其約之以
合於中 則七情是氣之發者 不亦然乎 以是而觀之 四端七情之分屬理氣 自不須疑
而四端七情之名義 固各有所以然 不可不察也 然而七情之發而中節者 則與四端
初不異也 蓋七情雖屬於氣 而理固自在其中 其發而中節者 乃天命之性 本然之體
則豈可謂是氣之發 而異於四端也".
79) 『퇴계선생문집』 권16, 書 十二, "氣論性之蔽 而墮於認人欲作天理之患矣".
80) 『퇴계선생문집』 권16, 書 答奇明彦, "定性書曰 人之心 易發而難制者 惟怒爲甚
第能於怒時遽忘其怒 而觀理之是非 亦可見外誘之不足惡云云 夫所謂易發而難
制者 是爲理耶 爲氣耶 爲理則安有難制 惟是氣故汰驟而難馭耳 又況怒是理發
則安有忘怒而觀理 惟其氣發故云忘怒而觀理 是乃以理御氣之謂也 然則滉之引
此語 以證七情之屬氣何爲而不相似乎".

보았다. 그러나 퇴계는 인간에 부여된 초월적 천명이 인간 안에 구비되어
있음을 알아 덕성을 높이고 자기 안의 천명을 믿고 따르라 한다.[81] 거기에
인극이 있고 천지의 화육에 참여하는 길이 있다 한다. 즉 천명은 초월성을
띠면서 더불어 공경의 대상이 된다는 것이다.

퇴계가 말하는 理發은 氣와 분리된 이발이 아니라 理氣體用的 이발이
자 천명이요 마음이다.[82] 이는 상제가 명령한 본성으로서의 천명과 같은
의미로 쓰인다. 퇴계의 이러한 사고는 수운이 천명과 천리를 하나로 하면
서 "인간이 천리를 따르지 않고, 천명을 돌아보지 않는다"[83]고 비판한 것
과 일정 부분 연맥을 보여 준다. 수운이 사람들을 향해 천명을 돌보지 않
는다고 한탄한 것은 자기 안에 내재된 초월성을 받들지 않는다는 것이다.
수운이나 퇴계에 있어서 천명은 분명 내재적 초월성은 띠지만 외부적 초
월자를 상정하는 것은 아니다.

퇴계에 있어서 태극, 천명, 리, 마음, 상제, 이기묘합 등은 모두 상통하는
개념으로 이 모두가 스스로 운동하고 만물을 화생하며, 이기가 합하여 物
을 명령하는 주재이지 이를 벗어나서 따로 시키는 초월자가 없는 것이
다.[84] 수운이 말한 상제도 <侍天主>, <人乃天>으로 인간에 自在된 한울
님이지 인간 밖에서 명령하는 초월적인 상제가 아니다. 그리고 수운은 영
부를 태극과 일심의 궁궁으로 그 형상을 말한 바 있다. 태극은 유가의 본
체를 대표하는 것이고 일심은 불교의 본체개념을 대표하는 말이라 할 수
있다. 퇴계도 마음이 곧 태극이라 하여 태극과 일심이 같음을 나타낸다. 주

---

81) 『퇴계선생문집』 권41, 雜著 天命圖說後敍, "誠能知天命之備於己 尊德性而致信
順 則良貴不喪 人極在是而參天地贊化育之功 皆可以至之矣 不亦偉哉".
82) 『퇴계선생문집』 권41, 雜著 十七, "滉聞程子曰 心一而已 有指體而言者 有指用
而言者 今既指其有體用者爲心 則說心已無餘矣".
83) 『동경대전』 포덕문.
84) 『퇴계선생문집』 권13, 書 答李達李天機, "太極之有動靜 是天命之流行 止理爲之
主 而使之流行歟 太極之有動靜 太極 自動靜也 天命之流行 天命之自流行也 豈
復有使之者歟 但就無極 二五妙合而凝 化生萬物處看 若有主宰運用 而使其如此
者 即書所謂 惟皇上帝 降衷于下民 程子所謂 以主宰謂之帝 是也 蓋理氣合 而
命物 其神用自如此耳 不可謂天命流行處 亦別有使之者也 此理極尊無對 命物而
不命於物故也".

자는 心의 理를 태극85)이라 했지 퇴계처럼 心 자체를 태극86)이라 하지 않았다. 여기에 주자와 퇴계의 분명한 차이점이 보인다.

퇴계는 마음이 고요할 적에는 태극의 體가 갖추어 있고 마음이 움직일 적에는 태극의 用이 행해지기 때문에 마음이 곧 태극이라 하였다.87) 心의 虛靈을 理와 氣에 분속하고 理는 虛하여 상대가 없다고 했다.88) 그리고 이러한 허령은 마음의 본체이지만 지각은 사물에 응접하는 작용이라 하였다.89) 즉 퇴계에 있어서 마음은 몸을 주재하지만 그 본체의 허령함은 족히 천하의 理를 총괄한다.90) 그러므로 태극은 곧 이기체용의 虛靈知覺한 마음이다. 그러나 주자에 있어서 허령지각은 氣이다. 이 역시 퇴계와 주자의 차이점이다.

퇴계는 맹자가 이미 발하는 것을 心이라고 하였으니 그렇다면 心은 진실로 理氣가 합해진 허령지각이라 했다.91) 사람의 마음은 허하고(理) 또 신령(氣)하여 理와 氣의 집이 된다는 것이다. 이와 같이 퇴계는 理를 불교의 본체개념으로 사유한 흔적을 보인다.

> 사람들이 理를 말하면서 …… 진실로 형체가 없고 진실로 갈래가 없고 진실로 안팎이 없고, 진실로 대소가 없고 진실로 精粗가 없고, 진실로 물아의 구별이 없고, 진실로 허하면서 실하고, 진실로 없으면서 있는 것이라는 것을 알기가 어려운 것이다. 이 점이 바로 내가 평소에 항상 '理'자를 알기가 어렵다고 말하는 이유이다.92)

---

85) 『주자어류』 권5, 性理 二, "心之理 是太極".
86) 『퇴계선생문집』 권24, 書 答鄭子中, "心爲太極 卽所謂人極者也 此理無物我 無內外 無分段 無方體 方其靜也 …… 及其動而應事接物 事事物物之理 卽吾心本具之理 但心爲主宰 各隨其則而應之 豈待自吾心".
87) 『퇴계선생문집』 권37, 書 二十三, "心靜而太極之體具 心動而太極之用行 故云心爲太極".
88) 『퇴계선생문집』 권16, 書 答奇明彦, "且如心之虛靈 分屬理氣 理虛無對等語".
89) 『퇴계선생언행록』 권3, 類編, "虛靈心之本體 知覺乃所以應接事物者也".
90) 『퇴계선생언행록』 권4, 類編, "心雖主乎一身 其體之虛靈 足以管乎天下之理".
91) 『퇴계선생문집』 권16, 書 答奇明彦 九, "惻隱羞惡辭讓是非 何從而發乎 發於仁義禮智之性焉爾 喜怒哀懼愛惡欲 何從而發乎 外物觸其形而動於中 緣境而出焉爾 四端之發 孟子旣謂之心 則心固理氣之合也".

일반적으로 성리학에 있어서 理란 곧 性으로, 이는 인의예지라 명칭된
다. 이와 달리 퇴계의 理는 본래 虛하면서 實한 것으로 말해지는데, 이는
불가의 일심과 유사하다. 그러면서도 퇴계는 일상을 떠나 적멸에 들고자
하는 불교를 비판하여 선험적인 본체관을 전제한다.[93] 퇴계가 이해하고 또
비판하는 불교란 寂滅의 도로써 선험적 理를 규정하지 않고 사물과 일상
생활 속에 천리가 들어 있음에도 불구하고 일상을 단절한다는 것에 있다.
그러나 퇴계가 말하는 心과 理는 불교의 본체와 가까이 있다. 마음은 체용
을 갖추고 있고 寂感과 動靜을 두루 통하여 사물에 느끼지 않을 적엔 적
연부동한 상태에서 뭇 이치를 다 갖추어 마음 전체가 보존되지 않음이 없
으며 그러다가도 사물이 와서 느껴 통하게 되면 모든 품절이 어긋나지 않
아 마음의 큰 작용이 행해지지 않는 것이 없다. 그러므로 靜하여 적연한
것을 未發이라 하고 動하여 느끼는 것을 已發이라 한다.[94] 이 미발과 이발
은 허령과 지각에 대응하는 말로 불교의 허령불매 혹은 眞空妙有와도 통
한다.

주자에게 있어서 태극이란 우주 본체를 뜻하는 것이지 작용까지 포함한
것이 아니었다. 그리고 주자의 마음은 氣로서의 마음이 움직여 이치가 나
타나는 실질적 마음이지 본체개념 또한 아니다. 주자는 마음을 신뢰하지

92) 『퇴계선생언행록』 권1, 教人, "上天之載 無聲無臭 而實造化之樞軸 品彙之根柢
蓋理雖無形 而至虛之中 有至實之體 …… 凡人言理 …… 其實無形體 實無分段
實無內外 實無大小 實無精粗 實無物我 實爲虛而實 實爲無而有者爲難 此某所
以平日每云 理字難知者也".
93) 『퇴계선생언행록』 권4, 類編, "釋氏 …… 其學 知有心而不知有理 …… 朱子曰
…… 夫道之體用 固無不在然 鳶而必戾于天 魚而必躍于淵 是君君臣臣父父子子
各止其所而不可亂也 若如釋氏之云 則鳶可以躍淵 而魚可以戾天矣 …… 且子思
以夫婦言之 所以明人事之至近而天理在焉 釋氏則舉此而絕之矣".
94) 『퇴계선생문집』 권19, 書 答黃仲舉, "人心備體用該寂感貫動靜 故其未感於物也
寂然不動 萬理咸具 而心之全體無不存 事物之來 感而遂通 品節不差 而心之大
用 無不行 靜則寂而未發之謂也 動則感而已發之謂也 人之所以參三而立極者 不
出此兩端而已 故來喩所謂未接物前 不起不滅之時 所謂虛靈之地 炯然不昧 所謂
喜怒哀樂之未感 思慮云爲之未擾 皆屬之寂然而靜 即所謂未發也 所謂纔思時 所
謂思索時 所謂窮格時 所謂思慮紛紏時 所謂事物應酬時 皆屬之感通而動 即所謂
已發也".

않았다. 다만 우주의 본성이 인간에게 부여되어 있음을 인정할 뿐이고, 그
것을 仁義禮智라 명명했다. 주자의 경우 性은 理요 心은 氣인 것이다. 그
러나 퇴계는 心과 性을 같은 이치로 보고 있다. 心이 性이요 理로서 모두
가 전적으로 긍정되고 있다.[95] 퇴계는 심과 성이 같다고 보는데 심은 곧
천명이고 상제며 태극이다. 그의 心體用과 理發說도 이로부터 나온다.[96]
퇴계가 이발을 고수하는 것은 체용으로서 본체(理)를 뜻하는 것이고 본체
가 죽은 물건 같이 작용이 없는 것이 아니라 신묘한 작용임을 주장하여 理
의 발현을 인간에게 바라기 때문이다. 결국 퇴계의 이발은 태극인 心의 체
용을 말하려는 것이기도 하다. 퇴계는 마음에 체와 용이 있다는 것을 다시
금 다음과 같은 논거에 따라 주장하고 있다.

> 선유의 '마음은 체와 용이 있다'는 것으로써 설명하려 한다. 선유의 이
> 말이 모두 소종래가 있으니 고요한 것과 느끼는 것으로 체와 용을 삼은
> 것은 주역에 근본하였고 움직임과 고요함으로 체와 용을 삼은 것은 戴記
> 에 근본하였고 미발과 이발로 체와 용을 삼은 것은 자사에 근본하였고 性
> 과 情으로 체와 용을 삼은 것은 맹자에 근본하였는데 모두 마음의 체와
> 용에 대한 것이다.[97]

한편 배종호는 그의 연구에서 퇴계가 말한 心無體用辯에 근거해 주자의

---

95) 『퇴계선생전서유집』 권7, 記, "大學言心而不言性 中庸言性而不言心 論語不兼言
性命仁義 而孟子又兼言而詳說之 又何也 盖心性一理也 自其稟於天而言謂之性
自其存諸人而言謂之心".
96) 『퇴계선생문집』 권18, 書 答奇明言 三十一, "理雖散在萬物 而其用之微妙 實不
外一人之心 初不可以內外精粗而論也 其小註 或問用之微妙 是心之用否 朱子曰
理必有用 何必又說是心之用乎 心之體 具乎是理 理則無所不該 而無一物之不在
然其用實不外乎人心 蓋理雖在物 而用實在心也 其曰理在萬物 而其用 實不外一
人之心 則疑若理不能自用 必有待於人心 似不可以自到爲言 然而又曰理必有用
何必又說是心之用乎 則其用 雖不外乎人心 而其所以爲用之妙 實是理之發見者
隨人心所至 而無所不到 無所不盡".
97) 『퇴계선생문집』 권41, 雜著 心無體用辯, "先儒心有體用之說明之 而其說皆有所
從來 其以寂感爲體用 本於大易 以動靜爲體用 本於戴記 以未發已發爲體用 本
於子思 以性情爲體用 本於孟子 皆心之體用也".

'居敬致中和' 사상이 왕양명의 '心無動靜說'과 이로부터 유래한 이연방(서화담의 제자)의 '心無體用說'의 선구를 이룬 것이라 하는데[98] 이는 잘못된 이해이다. 이연방은 주자나 양명과 달리 체와 용이 없음을 주장하는 것으로 퇴계 역시 이연방의 '心에 體用이 없다'는 심무체용설을 비판하고 '마음은 하나로서 체와 용을 가리켜 심'이라 하여 心體用을 옹호한 것이다.[99] 이연방은 體는 象에서 나오고 用은 動에서 나왔다 하는데 이는 다만 사물의 체와 용으로서 아래쪽에만 떨어져 있는 형이하를 말했을 뿐이요 실제는 충막하고 조짐이 없어 체와 용이 하나의 근원인 형이상의 묘함을 버렸다는 것이다.[100] 그러므로 퇴계는 沖漠無朕의 심체용을 말한다. 충막무짐의 심체용이란 지극히 虛하고 고요하면서도 만 가지 用이 구비되어 있어 사물에 발현되는 妙이다.[101] 여기에 본체에 있어서 虛라는 비실체적인 개념이 가해지면서도 동시에 작용이 있는 妙有가 나타남을 볼 수 있다.

퇴계가 심체용의 理發을 주장하는 가장 큰 이유는 주자가 『語類』 중의 여러 설에서 費와 隱을 모두 道자, 理자로 말한 데에 있다. 주자는 어떤 단락에서는 '費는 형이하의 것이요 隱은 형이상의 것'이라고 하기는 하였지만 그 아래의 혹설에 답한 데서는 '이것은 고정하여 말할 수는 없고 그 의미로 보아서 알아야 할 것이니 費라는 것은 道의 用이요 隱이라는 것은 道의 所以然이라고 볼 수 없는 것'[102]이라 하였다는 것이다.

98) 배종호, 『한국유학사』, 연세대학교출판부, 1974, 55쪽.
99) 『퇴계선생문집』 권41, 雜著 心無體用辨, "今蓮老之言 曰心固有體用 而探其本則無體用耶 滉聞程子曰 心一而已 有指體而言者 有指用而言者 今旣指其有體用者 爲心 則說心已無餘矣 又安得別有無體用之心 爲之本而在心之前耶".
100) 『퇴계선생문집』 권41, 雜著 心無體用辨, "蓮老所謂 體起於象 用起於動 只說得形而下事物之體用 落在下一邊了 實遺卻形而上冲漠無朕 體用一源之妙矣".
101) 『퇴계선생문집』 권41, 雜著 心無體用辨, "嗚呼冲漠無朕者 在乾坤則爲無極太極之體 而萬象已具 在人心則爲至虛至靜之體 而萬用畢備 其在事物也 則卻爲發見流行之用 而隨時隨處無不在".
102) 『퇴계선생문집』 권25, 書 答鄭子中, "費隱 以道言 乃形而上之理也 以其顯而言則謂之費 以其微而言 則謂之隱 非有二也 故曰 體用一源 顯微無間 …… 今專以形而下爲道之用 則便是以衣食作息視聽擧履爲道 而不知其義理準則之爲道 豈子思朱子之意乎 故語類中 朱子諸說 費隱 皆以道字理字言之 其中一段 雖云費是形而下者 隱是形而上者 而其下答或說曰 這箇也硬殺裝定說不得 須是意會可".

이를 근거로 퇴계는 理란 나타남(費)과 숨음(隱)이 하나로 있어 나타나면 작용으로서 理發인 것이고 나타나지 않으면 본체로서 말하는 것인데 무조건 나타남을 형이하로서만 규정한다면 체용이 나뉘어 분리되는 것이라고 반박한다.103) 또한 오로지 형이하만을 가지고 氣發이라 한다면 형이상의 리가 나타난 것은 알수 없게 된다는 것이다. 퇴계는 주자가 작용을 형이하의 것이요 본체는 형이상의 것으로 말하기는 했지만 이를 자신의 입장으로 해석하여 주자도 氣(형이하)를 작용으로 理(형이상)를 본체로 볼 수 없는 것이라 했다고 말한다.

원래 隱費의 논리는 불교에서 따온 것이다.104) 이는 화엄의 이사무애로 설명되어지는 것이기도 하다. 문제는 불교에서의 체용이란 항상 함께 하는 것으로 본체와 작용이 분리되지 않고 융섭·상즉한다. 성리학은 불교의 禪과 화엄의 영향을 받아 성립된 것이지만, 그러나 주자학은 理를 실재로서 고정시키고 절대화시킴으로서 체용이 융섭될 수 없고 분리되게 되었다. 주자가 理氣의 '不相雜 不相離'를 말하지만 두 개로 나뉠 수밖에 없는 것이다. 이것이 주자학의 모순이자 한계이다.

또한 퇴계의 理發은 화엄의 性起개념을 연상시킨다. 물론 퇴계의 이발은 연기를 전제한 성기와는 다를 수밖에 없다. 퇴계의 이발은 형이상의 理가 나타난 것으로 연기와 무관하다.

불교에 있어서 모든 법은 性起와 緣起 두 가지로 표현된다. 성기는 연기의 근저가 되고 연기는 성기로부터 진실의 근거를 얻는다. 그리고 성기는 연기에 의하여 그 내용을 더욱 풍부하게 한다. 그러므로 연기와 성기는 다른 것이 아니라 一法上의 양면이다.

다시 말해서 모든 현상은 무자성의 성인 성기를 근저로 하여 현현하고 성기는 그 현현한 것 가운데 참된 준거를 부여하며 성기는 이로부터 내용

矣 以物與理對言之 是如此 只以理言之 是如此 看來 費是道之用 隱是道之所以然而不可見處".

103) 성리학에 있어서 이기론은 理氣不相雜 不相離를 전제한다. 체용이 나뉘어 둘로 분리되면 不相離를 성립시키지 못한다.

104) 友枝龍太郎,『朱子の思想形成』, 春秋社, 1982.

을 풍부하게 변화시켜 간다. 또한 연기는 모든 인연이 모여 이루어지는 것
이므로 그 인연이 떠나 흩어지면 곧 소멸되므로 '起而不起'라 한다. 그러나
성기는 자체성이 나타나 일어나는 것이므로 인연의 집산에 하등 관련이
없다.[105] 그러므로 '不起而起'를 성기라고 한다.

법장『탐현기』에 의하면 10가지 범주(十門)로 나누어 性起를 설명한다.
첫째 범주인 分相門에서는 다시 성기를 세 가지로 나누었다. 性에는 理·
行·果 세 가지가 있는데 理性은 因을 얻어 나타나고 行性은 진리를 들음
으로부터 果를 발생시키며, 果性은 이성과 행성에 수행이 합해져 또 다른
果位에 이름을 말하는 것이다.[106]

다른 범주로서 染淨을 가지고 말하면, 성기는 반드시 연기성에 의하여
현현하나 그 성기는 性에 수순하는 까닭에 성에 위배되는 연기의 染法에
속하지 않고 淨法緣起에 속하는 것이다. 그러나 염오는 진여의 체를 떠나
지 않으므로 중생이 곧 진여요 중생 및 번뇌가 모두 성기이다.

또한 事理를 가지고 말하면 性起는 唯理性에 통한다고 한다. 하지만 그
理는 事에 卽한 理요 그 事는 理에 즉한 事이므로 事와 理가 별존하는 것
이 아니라 서로 融通無碍하고 相卽相入[107]하는 것이다. 설사 이 두 起를
상대해서 말하더라도 연기는 무자성으로서 그 무자성의 理性을 근본으로
하여 擧體起用하는 것이 性起이다. 연기는 염정에 통하나 성기는 오직 淨
에 국한되고 연기는 事理一切에 통하나 성기는 오직 理에 국한하고 연기
는 因果에 통하나 성기는 오직 果에만 국한한다. 다시 말해서 성기는 오직
불과에 의지하여 일어난다. 그러면서도 불과는 중생의 몸 안에도 있기에
중생 역시 성기에 거두어진다. 만약 그렇지 않다면 다만 성품일 뿐이지 일
어남의 뜻은 없게 될 것이다.[108]

---

105) 김잉석,『화엄학개론』, 법륜사, 1986 ; 해주스님,『화엄의 세계』, 민족사, 1998 참고.
106)『探玄記』권16, 大正藏 35, 405a, "初分相者 性有三種 謂理行果 起亦有三 謂理
性得了因顯現名起 二行性由待聞薰資發生果名起 三果性起者 謂此果性更無別
體 卽彼理行兼具修生至果位時 合爲果性 應機化用名之爲起".
107) 두 개의 事象이 융합해서 무차별한 일체가 되고 서로 화합하는 것을 말한다(圓
融·融通이라고도 함).
108)『探玄記』권16, 大正藏 35, 405a, "衆生身中亦有果相 若不爾者則但是性而無起

퇴계의 理發의 경우 화엄의 성기와 비교할 때 위와 같은 설명체계는 볼 수 없지만 유사한 측면을 찾을 수 있다. 퇴계는 理란 진실로 형체가 없고, 대소가 없고, 진실로 허하면서 실하고, 진실로 없으면서 있는 것인데 이는 알기 어려운 것이라 했다.[109] 화엄 십지품에서도 허하면서 실하고 없으면서 있는 이치를 안다는 것은 매우 어렵기에 難勝이라 표현했다. 화엄의 성기는 오직 理에 국한되고 淨에 국한되는 것이기에 퇴계의 순수한 이발의 四端과 닮았다. 그리고 염정과 사리일체에 통하는 연기는 퇴계의 선악과 理氣兼備로 말해지는 氣發七情과 유사하다. 그러나 衆生身에 佛果가 있고 중생심이 여래이기에 理事가 상즉하는 개념이 퇴계에서는 제시되지는 않는다. 물론 퇴계도 기질상에서 이발이 가능함을 말했지만 동격으로 설명되지는 않는다. 더구나 화엄에서 性은 무자성 空이기에 不起而起라 하는데 퇴계에서는 이러한 설명이 없고 화엄적 표현으로 하자면 퇴계는 오직 染淨연기를 떠난 眞如의 발현에 주목한다. 그러나 화엄이 性起라 할 수 있는 진여의 발현이란 현세에서 진리의 법을 듣고, 수행을 통해서 가능하기에, 이러한 전제 없이 선험적 理發을 말하는 퇴계의 입장과는 다르다.

따라서 퇴계가 理에서 발한 사단의 도심을 주장하는 것은 불교의 진실한 본성을 따라 현현하는 성기와 유사하다 할 수 있지만 근본적으로 괴리가 있다.

(3) 敬과 事天

퇴계는 초월적 천명관에 따라 敬의 수양법을 제시하고 있는데, 이는 마음을 흩어지지 않게 하고 하나로 모으는(主一無適) 방법이다. 퇴계의 敬은 불교에서 止·觀의 수행을 제시한 것처럼 몰입과 올바른 앎이 함께 있는 개념이다. 그는 敬을 動(觀)과 靜(止)이 겸비된 개념으로 말한다. 즉 程朱

義".

109) 『퇴계선생언행록』 권1, 類編, "凡人言理 …… 其實無形體 實無分段 實無內外 實無大小 實無精粗 實無物我 實爲虛而實 實爲無而有者 爲難此某所以平日每云理字 難知者也".

가 敬을 쓰고 靜을 쓰지 않는다 하는데 이것은 사람들이 잘못 禪의 길에 들어갈까 하기 때문에 이 말을 하는 것이지 靜을 위주로 한다는 것이 그른 것이 아니라 한다. 동시에 박문약례의 번거로움을 싫다고 하여 독거로써 靜을 주로 하는 것도 부당하다고 말한다.[110] 敬은 靜과 動을 하나로 본 것이기에 動·靜을 敬과 상대시켜 나누어서는 안 된다.[111]

또한 퇴계는 윤화정이 말한 정제엄숙과 사상채가 말한 상성성이 敬을 이루는 안팎의 관계로 이 역시 분리될 수 없다고 말한다.

> 鄭子上이 묻기를 和靖은 敬을 논함에 있어 整齊嚴肅으로써 하였으나 전적으로 안에 있는 것을 위주로 하였으며 上蔡는 구체적인 사물에 대한 공부를 전적으로 하였으므로 이를 常惺惺法이라고 했다 한다. 나는 말한다. 두 설을 안과 밖으로 나누는 것은 곤란하다. 모두 마음에 대한 공부이다. 구체적인 사물에 관한 것이라 하여 어떻게 정제엄숙하지 않을 수 있으며 고요한 곳(靜處)이라 하여 어찌 항상 惺惺하지 않을 수 있단 말인가?[112]

퇴계는 마음을 존양하고 단정하게 앉아 있는 것이 곧 居敬이지만 기거와 행사에 마음을 하나 같이 하는 것 또한 敬으로 動靜과 知行을 포함한다. 즉, 배우는 사람은 고요한 가운데서도 반드시 마음을 존양하고 단정하게 앉아서 공부해야 하지만 움직이는 곳에 더욱 힘을 써야 한다. 이 일을 만나면 이 일에 마음을 쓰고 저 일을 만나면 저 일에 마음을 쓴 뒤에야 敬이라고 할 수 있다.[113] 즉 퇴계의 敬 공부는 정제엄숙의 靜과 常惺惺의 動

---

110) 『퇴계선생문집』 권28, 書 與金而精, "又有用敬不用靜之說 此乃恐人之誤入故 發此以捄之 非以主靜爲不可也".
111) 『퇴계선생문집』 권37, 書 二十八, "敬自兼動靜 不當與靜對分動靜 靜則雖本是對動之名 然今旣云與敬爲一 則亦不當對敬而分動靜也".
112) 『퇴계선생전서유집』 권9, 日錄, "鄭子上問 和靖論敬以整齊嚴肅 然專主於內 上蔡專於事上作工夫 敬云常惺惺法 口二說難分內外 皆心地上工夫 事上豈可不整齊嚴肅 靜處豈可不常惺惺乎".
113) 『퇴계선생문집』 권32, 書 十四, "存心端坐 固爲居敬 起居行事心專一 則亦豈非居敬者乎 …… 文淸此說 偏及於靜而不及於動 何也 …… 學者靜中固當存心端

이 함께 한 개념으로 불교의 定慧와 상통된다 할 수 있다. 원래 惺惺은 불교에서 온 말이다.

또한 퇴계는 불교적 맥락에 더하여 戒愼恐懼의 자세를 가하고 있다. 즉 모든 생각과 행동에서 언제나 마음속에 상제를 모시고 살듯이 조심하고 삼가고 거짓이 없도록 살피며 두려워하여 스스로를 경계하라는 것이다. 따라서 퇴계가 말하는 인간 내재의 천명에 대한 敬의 수양법은 수운의 侍天에 대한 공경과 맥락이 같다. 퇴계는 敬을 풀이하여 하늘을 섬기는 일이라고 밝혔다.[114] 퇴계는 天에 대해 인간이 두려움(恐懼)을 갖지 못하면 간사하고 편벽된 감정이 강의 둑을 터뜨린 것처럼 풀려나올 것이라며 경계시킨다. 즉, 퇴계는 "부모를 섬기는(事親) 마음으로 天을 섬기는(事天) 道를 온전히 실현할 것이며 모든 일에 수양 성찰하고 어느 때나 두려워하라"[115]고 가르친다. 이는 수운이 侍天主에서 主를 부모 모시듯이 한울님을 공경한다는 의미로 풀이한 것[116]과 연관이 있다. 퇴계는 부모를 섬기듯이 극진한 敬과 誠으로 상제를 모시는 것에서 모든 도리를 다할 수 있다고 말한다.[117] 또한 극진한 敬과 誠으로 상제를 밝히 모시면 그 도를 다할 수 있다[118] 하였다.

성경으로 상제를 모신다는 것은 마음을 잡아 본체를 보존하는 것과 같다. 오직 잡는 것이 오래되고 또 익숙하여져 자연스럽게 義理에 편안하여 망령되이 행동하지 않으면 이른바 寂然이라는 것은 마땅히 살피거나 기억할 필요가 없이 저절로 드러난다는 것이다.[119] 마음을 잡는다는 것은 主一

　　坐 而動處尤當致力 遇這事而心在這事 遇那事而心在那事 然後可謂敬矣 ……
　　以敬兼知行貫動靜言 則如公說".
114)『퇴계선생문집』권7, 經筵講義, "仁人之事親也如事天 事天如事親".
115)『퇴계선생문집』권6, 戊辰六條疏, "伏願 殿下推事親之心 以盡事天之道 無事而
　　不修省 無時而不恐懼".
116)『동경대전』논학문.
117)『퇴계선생문집』권7, 經筵講義, "事天如事親"(이 말은『예기』哀公問篇에 보이는
　　말이다).
118)『퇴계선생문집』권6, 戊辰六條疏, "克敬克誠以昭受上帝者 無不盡其道矣".
119)『屛銘發揮』, "操之而存則只此便 是本體不待別求 惟操之久 而且熟自然安於義
　　理 而不妄動 則所謂寂然者 當不待察識 而自呈露矣".

無適이나 禮가 아니면 움직이지 않는 것으로 인간 내면 가운데 주재가 있으면 마음은 저절로 보존된다.[120] 마음을 보존하고 성을 기르는 것은 곧 하늘을 섬기는 것이다.[121] 그러므로 맹자는 그 마음을 다하는 사람은 그 性을 알고, 그 性을 알면 그 하늘을 안다 하였다. 그 마음을 보존하고 性을 기르는 것은 하늘을 섬기는 것이라고 말하였다. 따라서 하늘과 사람 그리고 성명은 모두 하나의 이치이다.[122] 이는 다산이 주장했던 '하늘을 공경할 줄 알아야 인간이 된다'는 말과 정성과 공경으로 한울님을 모심에서 인간 道를 찾는 수운의 사고와 방법적으로 다르지 않다. 그리고 퇴계 역시 誠·敬을 통한 事天에서 수양법을 찾았던 것이다.

2) 수운의 가계적 사상연맥

수운(1824~1864)의 사상은 가깝게는 자신의 가계로부터 멀리로는 조선 사상의 연맥에서 가능한 것이라 할 때, 수운의 아버지인 최옥(1762~1840)과 먼 숙부되는 최림(1779~1841), 이 두 인물은 수운의 사상을 고찰하는 데 시사하는 바가 크다. 물론 이들이 수운처럼 전통 성리학에 대한 혁명적 사상을 담고 있는 것은 아니지만 수운의 사상을 형성하는 데 많은 영향을 주었을 것이라는 점이다.

최옥이나 최림은 정약용이나 홍경래와 같은 시대의 인물이었다. 이들도 역시 몰락한 사대부의 불리한 처지 때문에 고난을 겪어야 했고 그 나름대로 사상적 대결도 꾀했다. 최옥은 퇴계학풍을 계승하였으며 그의 문집에는 퇴계의 사상들이 보인다. 즉, 앞에서 살펴본 퇴계와 다산의 본체관과 경천 사상은 최옥에게서도 보여지고 있다.

근암 최옥은 가정적으로 사회적으로 불우한 선비였다. 그는 수운을 애지중지했음에도 불구하고 시대적 신분관계에 종속되었다. 그 당시 신분차별

---

120) 『屛銘發揮』, "亦曰主一無適 非禮勿動 則中有主而心自存耳".
121) 『屛銘發揮』, "存其心養其性 所以事天也".
122) 『屛銘發揮』, "故孟子曰 盡其心者 知其性也 知其性則知天矣 存其心養其性 所以事天也 是則天人性命 豈有二理哉".

의 억압은 수운의 성장과정에서도 한탄으로 나타난다. 그러나 한편 근암은 과부의 개가를 허용하고 개가한 여자가 낳은 아들을 천대하지 말아야 한다고 주장할 정도로 완고하지는 않았다.123) 최옥은 性理書를 탐독하며 유학의 바른 길을 밝히려고 애썼다. 퇴계의 사칠변을 엄격하게 따르면서 정통을 숭상하고 이단을 배격하고자 했다. 주자의 가르침에 따라 가훈을 지었는데, 유학으로 자식을 가르치고 집안의 화평을 이루며 재물보다는 도리를 존중하라는 등, 誠·敬을 강조하였다. 또한 不惑左道라는 항목을 두어서 이단에 유혹되지 말 것을 역설했고, <罷科擧私議>라는 글에서는 과거제 혁파를 주장했다. 그 이유는 과거제는 삼대의 법이 아닐 뿐만 아니라 행실은 묻지 않고 격식화된 글만 취하니 마땅한 것이 아니라는 것이다.124)

최옥은 처음에 호를 삼갈 근자를 붙여 謹庵이라 하였다가 뒤에 가까울 근자인 近庵이라 고쳤다 한다. 이 두 가지 호는 근암의 성격을 대표적으로 나타내는 것이 된다. 그는 말과 행동을 삼가고 홀로 있을 때를 삼간다는 삼갈 謹字와 性情의 묘를 몸 가까이서 취하고 修性의 요체를 가까이서 취하는 것이 모두 가까울 近자에 있다. 이전의 삼간다는 謹자도 이를 벗어나지 않는다고 한다.125) 또한 근암은 허령지각의 마음을 본체로 삼아 인심 도심이 모두 이로 말미암는다고 하여 인심과 도심을 나눌 수 없다 하였다.

허령지각의 허령은 도심에 속하고 지각은 인심에 속함이 어떻게 같은가? 허령지각은 마음의 본체이므로 인심도심이 모두 이 허령지각 가운데서 말미암인즉 인심과 도심을 서로 나눌 수 없다. 앞서 말했듯이 허령지각은 하나일뿐이요 또한 둘이라 함은 마음 가운데 섞여 있음이다. 앞에서 하나 또는 둘이라 한 것은 무엇인가. 이 두 가지 마음이 또한 둘이 아니라 함은 무엇인가. 하나는 마음의 본체요 둘은 마음의 작용이다. 인심이 바름을 얻으면 도심인즉 두 가지로 나누어 말할 필요가 없다. 하나인즉 둘이요 둘인즉 하나라 함과 같다. …… 주자는 말하기를 그들이(佛) 받드는 것

123) 표영삼, 「수운대신사의 생애」, 『한국사상』 20, 1985, 96~97쪽.
124) 조동일, 『민중영웅이야기』, 1992, 130~131쪽.
125) 『近庵遺稿』卷4, 近庵記, "謹者謹言謹行謹獨之謹 …… 性情之妙者易繫近取諸身也 次論修者之要者需論之能近取譬也".

은 우리의 치지와 같고 그들의 止觀은 우리의 극기와 같다. 이 모두 이치
에 가까우나 우리가 말하는 虛는 비었으나 有하고 저들이 말하는 허는 비
었으면서 無이다. 우리가 말하는 바 寂은 고요하면서 감응하고 저들의 寂
은 고요하면서 滅한다. 우리의 도는 체용을 겸한 동정이지만 저들은 체는
있으나 용이 없으니 고요함을 좋아하나 행동이 그르다. 이 어찌 이치에
가깝지 못하고 진리를 어지럽히는 것이 아니겠는가?[126]

주자학에 있어 허령지각의 心은 氣에 해당되지만 근암은 이를 바꾸어
체용의 본체개념으로 사용하고 있다. 퇴계의 학풍을 이어 받고 있는 근암
에게서도 역시 퇴계에서 볼 수 있었던 이기체용의 이기일물적인 사고체계
를 볼 수 있는데, 특이한 것은 인심과 도심이 하나임을 제시하고 있다는
점이다. 인심이 바르면 도심이지 인심과 도심이 따로 있는 것이 아니라는
것이다. 허령지각은 본체요 작용이기에 이기일물인데 인심과 도심을 하나
로 보는 것은 불교에서 一心을 二門, 즉 마음을 진여문과 생멸문으로 보는
구조와 유사하다. 퇴계의 이발도 이러한 맥락을 말했지만 근암처럼 도심과
인심이 '一而二 二而一'로 제시된 것은 아니었다. 수운도 본체인 마음을
'心本虛應物無迹'[127]이라 표현했고 해월은 '心是虛靈'[128]이라 했다. 이는
분명 불교적 일심을 계승한 것이라 할 수 있다.

근암이, 주자의 말을 빌어, 불교의 수행을 비판함은 불교의 사고체계를
수용하지만 적멸의 방법은 비판하는 것이다. 이는 조선 유학자들의 공통된
성향이다. 원래 근암은 불교에 대한 이해가 많았고 그들과 자신들의 道가

---

126) 『近庵遺稿』 권2, 書 答或人, "虛靈知覺愚以爲虛靈屬道心知覺屬人心似此有如何
靈知覺心之本體也 人心道心皆是虛靈知覺 中所由主則分屬人與道恐不然 旣曰
虛靈知覺一而已 美又曰 二者雜於方寸之間 旣曰一 而又曰二者何也 旣曰二者
決是有兩心 而小註曰 非有兩心者 又何也 一者心之體也 二者心之用也 人心之
得其正者 爲道心則不必作兩載看 猶言一而二二而一者也 …… 朱夫子曰 彼之奉
請 猶吾所謂致知彼之止觀 猶吾所謂克己 此之謂近理 而吾所謂虛虛而有 彼所謂
虛虛而無 吾所謂寂寂而感 彼所謂寂寂而滅 吾道卽兼體用該動靜 而彼則有體而
無用 好靜而惡動 玆豈非近理亂眞之明驗也".
127) 『동경대전』 歎道儒心急.
128) 『해월신사법설』 天地人・鬼神・陰陽.

이치에 가깝다고 말하였다. 그러나 불교는 체는 있으나 용이 없다는 점을 비판하면서 체용이 함께 하고 인심과 도심이 하나인 허령지각의 마음임을 피력하여 이기체용, 도심인심의 일원론을 펴고 있다. 이러한 맥락은 이미 퇴계나 다산에게서도 보여지는 이기결합적 발현을 주장하고 있음이다.

또한 근암은 인간에게 마음속에 갖추어 모신 천군을 섬기고 형기에 이끌리지 않게 하면 자연 마음이 바로 되고 몸이 닦여짐을 말하는데, 이는 퇴계의 지천과 수운의 시천처럼 인간 안에 한울이 있음을 깨달아 이를 섬기는 것에서 도를 찾은 것과 연맥이 닿는다.

> 대개 천지의 도는 나에게 갖추어 있나니 마음속에 모신 나의 天君을 섬겨 형기의 부림에 골몰하지 말게 한 연후에야 자연 마음이 바로 되고 몸이 닦이는 법이다.129)

한편 안진오는 근암이 誠箴에서 '성의 幾微에 그림이 있으니 태극이 그 뿌리가 된다'130)고 한 말을 성리학적 체계로 보아 성의 기미는 장차 태극이 움직이려는 찰나요 그 뿌리가 되는 태극은 만물조화의 樞紐로서 인간으로 말하면 진실된 본연의 마음이라 해석하였다. 수운이 한울님의 조화를 지닌 이러한 마음의 모양을 태극으로 형용한 것은 아마 근암의 誠箴에서 암시받은 것일 수 있다고 추측을 하였다.131)

수운에게 영향을 미친 또 다른 인물로서 숙부뻘 되는 최림이 있는데 최옥이 세상을 떠난 바로 다음해에 삶을 마감한다. 그가 세상을 떠났을 때 암자에서 도를 닦던 수운은 신통하게도 그의 죽음을 알아 하산하였다. 최림이 죽을 때 수운은 18세였다. 수운이 현실을 비판하고 새로운 사상을 전개하기까지 가장 깊은 영향을 받았던 사람이 최림이라고도 한다. 그러나 최림은 왕권을 회복해서 나라의 근본을 더 튼튼하게 해야 한다고 한 반면,

---

129) 『近庵遺稿』 권7, 雜著 從子濟運字說, "盖天地之道具在我 方寸之事我天君 勿爲形氣之○○後 自然心正身修止一身之經倫也".
130) 『近庵遺稿』 권4, 誠箴, "人可言誠幾有圖 太極爲根".
131) 안진오, 「동학의 發祥」, 유병덕 편저, 『동학·천도교』, 시인사, 1993, 46~49쪽.

수운은 조선왕조는 운수가 다했다고 하면서 새로운 시대의 도래를 예언하고 촉진시키고자 한 점에서 차이가 있다.[132]

산사에 은둔한 산림처사로서 최림이 저술한 『외와집』에는 이기일치적 사고가 강하게 표현되고 있다.

> 천지만물이 본래 나와 일체로 나의 마음이 바르고 中에 이르면 천지의 마음 역시 바르다.[133]

우주의 본체가 곧 나로서 나의 마음이 바르고 中에 이르면 천지가 바르게 되니 이러한 성인이 곧 상제요 하늘인 것이다. 즉, 최옥이 천을 마음속에 모신 天君이라 말했던 것처럼 최림도 '인간의 마음이 바르고 中에 이르러 성인이 되면 곧 天心과 다름없게 된다'[134]는 것이다. 인간의 희노애락의 모든 작용이 인심에 구비된 것이라 말하지만 실은 모두 천지본연의 묘로부터 나온 것[135]이라 하여 최림 역시 인심과 도심을 구분하지 않는다. 그는 또한 天과 인간이 하나의 理요 한 氣임을 말하여 그 역시 이와 기를 하나로 보고, 하늘과 인간이 하나의 理로 통달하며 인간 마음의 공경(敬)이 곧 천인으로 합해지는 길임을 말한다. 최림은 天人一氣, 天人一理[136]를 주장하고 천, 제, 귀신, 기, 리, 신을 하나로 말하고 있다. 퇴계나 다산에게 있어서는 천, 귀신, 상제, 천명, 심, 태극 등이 하나의 개념으로 병립했다면 율곡, 녹문, 혜강과 같은 기철학자들에게는 본체가 氣로서 氣則天이 된다. 최림도 천인일기, 천인일리를 말한 바 있는데 수운에게 와서 천과 氣가 합해지는 단초를 최림도 보여주고 있다 하겠다.

132) 조동일,『민중영웅이야기』, 문예출판사, 1992, 155~156쪽.
133) 『외와집』권5, 雜著 十一, "蓋天地萬物本吾一體 吾之心正-致中- 則天地之心亦正矣".
134) 『외와집』권7, 九, "聖人之動 無非天也".
135) 『외와집』권13·14, "喜怒哀樂之用 雖曰具於人心 而實出於天地本然之妙也".
136) 『외와집』, "程子曰 天人一理 要不分別浩然之氣 乃吾氣也 …… 天人一氣 …… 天人一理 通達無間 民心所存 卽天理之所在 而吾心之敬 是又合天人 而一之者也 有天下者 可不知所以敬之哉".

3. 傳統氣學과 동학의 至氣

1) 氣철학의 전통

氣사상의 역사를 거슬러 올라가면 기는 원래 생명력, 활동력, 힘의 근원
이 되는 것이라 생각되었고 물질의 근원이라고는 생각하지 않았다. 기가
천지간이나 사람의 체내에 가득 차 있다는 생각은 일찍부터 있었다. 기가
천지를 만든다는 사상도 『회남자』에서 분명해졌는데 우주 만물이 모두 氣
에 의하여 생겼다고 하는 사고방식은 그다지 명확하게는 성립하고 있지
않았다. 그것이 물질의 소재로서 존재론 중에 위치를 점하게 된 것은 송학
에서이고, 張載(＝張橫渠, 1020~1077), 二程에게서 시작되어 주희에 의하
여 이론적으로 정착된다.[137] 장재는 기에 의한 생성론을 수립하였는데 그
는 만물의 생멸을 기의 취산에 의하여 설명하였다. 程顥는 '氣가 性, 性이
곧 氣'라 하여 氣를 본체적 개념으로 썼다. 그는 氣보다 선행하거나 氣를
규정하는 理를 인정하지 않았고, 氣는 理에 선행하고 理는 氣에 즉응하여
서만 존재할 수 있다고 하였다.[138] 조선의 녹문이나 혜강 그리고 하곡도
이러한 장재나 정호의 글을 많이 인용하고 있다.

한편 주자가 氣를 理에다 종속시켰다면 陽明은 '理는 기의 條理'라고 하
여 주자와 반대로 理를 氣에 종속시켰다.[139] 양명에 있어서의 理氣의 관계
는 理는 良知의 조리이고 氣는 양지의 작용이라고 말할 수 있다. 이는 양
지 각각의 측면을 이기로 놓는 理氣一體의 관계다. 그의 제자 왕기에 있어
서도 神은 氣에 依하고 氣는 神에 따르는 것이었다. 서로 떨어져 나갈 수
없는 것이다.[140] 원래 양명은 양지를 이기일체의 것이라고 했는데 양지를
설명할 때는 오로지 리로 설명하고 있다. 그것에 상대해서 왕기는 리가 아
닌 靈氣로 양지를 설명하고 있는데, 즉 "천지의 靈氣가 凝結하여 心으로

---

137) 小野澤精 外편, 전경진역, 『氣의 思想』, 원광대학교출판국, 1987 참고.
138) 小野澤精 外편, 전경진역, 『氣의 思想』, 원광대학교출판국, 1987.
139) 윤남한, 「한국의 氣思想과 氣學」, 『세계의 대사상』 33, 휘문출판사, 1974, 19~21쪽.
140) 『왕용계전서』 권8, "孟子告子之學 理氣一體".

된다"[141]하였다. 천지를 꿰뚫는 영기가 응결하여 心으로 된 것이 양지라는 것이다. 영기는 천지만물을 꿰뚫는 것이며 만물일체의 근거다. 神氣일체라고 했을 때의 기는 양지의 작용면에 대하여 말한 것이지만, 이 영기는 만물의 근원으로서의 一氣라는 생각을 다시 더 발전시켜 적극적으로 주장한 것이라고 할 수 있다.[142]

또한 조선의 화담 서경덕은 理는 氣 중에 내재하고 氣 외에는 理가 없다고 하였다. 화담의 기학에서 태허는 우주생성의 근원이요 원리이면서도 理氣를 통일한 유일의 실재자다. 그 본체를 先天이라 하였고 그 운동이나 형상을 後天이라고 하였으며, 先後天을 연결하는 것은 '氣一而分殊說'이었다. 그는 또한 우주간에 가득 찬 一氣를 湛然淸虛하고 無窮無外하며 無始無滅한 것으로 보아 一氣恒存論을 정립하였는데, 이를 인간에 적용할 때에도 一氣의 취산으로 설명하였다.[143]

율곡 이이는 이기일원론적 입장에서 퇴계 이황이 이기를 互發로 보는 것에 반대하여 理는 氣에 의거해서만 나타날 수 있음을 강조하고 인간의 본연성을 기질지성에 포함시켰다. 율곡 역시 퇴계처럼 진리의 두 출처, 즉 본연지성과 기질지성을 인정하지만 퇴계는 이를 理로서 통일시키려 했다면 율곡은 氣로써 통일시키려 한 점에서 주기론자라 할 수 있다. 主理論者로서 퇴계나 主氣論者로서 율곡 모두 이기결합을 전제한다. 본체란 이기결합체로서 퇴계는 이를 理라 하고 율곡은 이를 氣라 달리 명칭한 것이다. 또한 율곡은 이통기국을 말하여 理通은 氣에 국한됨을 강조하고 공부방법에 있어 교기질을 주장하게 된다.

율곡을 계승한 녹문 임성주는 그의 이통기국을 비판하면서 더욱 철저한 기일원으로 나아갔다. 그는 理氣一致의 입장에 서서 이를 神(귀신)이라는 개념으로 명칭하고 이일분수와 기일분수가 하나임을 말했다. 또한 그는 율

---

141) 『왕용계전서』 권5, 南雍諸友鷄鳴憑虛閣會語.
142) 小野澤精 外편, 전경진역, 『氣의 思想』, 원광대학교출판국, 1987, 50쪽.
143) 『화담집』 雜著, "太虛湛然無形 號之日先天 其大無外 其先無始 其來不可究 其湛然虛靜 氣之原也 …… 其湛然之體曰一氣 無外曰太虛 無始曰氣 虛卽氣也 …… 人之散也 形魄散耳 聚之湛一淸虛者 終亦不散".

곡의 이통기국론을 비판하여 그가 남긴 문제점들을 더 명확히 했다. 그는 율곡이 이통기국의 논리에 있어서 氣로써 萬殊에 돌리고 담일청허한 氣는 있지 않은 데가 많다고 한 것이 완전치 못하다고 했다. 율곡이 비록 '理의 본원은 하나일 따름이요 氣의 본원도 하나일 따름이다'라고 하였고 또 道心으로써 본연의 氣라고 한 것으로 보면 틀리지 않으나 그 귀결하는 곳을 보면 결국 理와 氣를 서로 다른 두 물건으로 나누었다는 것이다. 율곡은 이통을 말하여 理의 一은 말하면서도 氣局이라 하여 氣의 편벽성에 의한 본연성이 가려짐을 말하였는데 녹문은 氣의 一이 아니면 理一도 알 수 없다하여 불교 화엄에서 말했던 通局개념에 더 가까이 다가갔다.

혜강 최한기는 運化氣를 본체로 삼아 인간의 기운은 대기운화로 말미암았고 그 대기운화는 인간에 이르러 一身運化가 된다고 하였다. 이것이 곧 天人運化이다. 또한 그는 氣體의 通變을 전제로 한 철학적 기반 위에서 그의 인식론이라고 할 수 있는 추측론을 폈다. 추측이란 推氣測理 즉 기를 미루어서 리를 헤아린다는 것을 축약한 것으로, 이를 확대하면 情을 미루어 性을 헤아리며 動을 미루어 靜을 헤아리고 나를 미루어 남을 헤아리며, 物을 미루어 일(事)을 헤아린다는 것이다.

수운은 至氣를 "비어 있으면서도 신령함이 창창하고 모든 것에 간섭하지 않음이 없으며, 일에 명령하지 아니함이 없으나 모양이 있는 것 같으면서도 형상하기 어렵고, 들리는 듯하나 보기는 어려운 것으로 이 역시 渾元一氣"[144]라 설명하였다.

> 氣는 지극히 虛하고 지극히 신령하며 일에 간섭하지 않음이 없고 일에 명령하지 않는 것이 없는 것으로 사람도 그 氣로써 生하고 만물도 기로써 생하나 형용코자 하여도 형용할 수 없고 듣고자 하여도 들을 수 없고 보고자 하여도 볼 수 없는 것이니 이것을 일러 渾元一氣라고 하는 것이며……[145]

144) 『동경대전』논학문, "虛靈蒼蒼 無事不涉 無事不命 如形而難狀 如聞而難見 渾元一氣".
145) 오지영, 「동학사」, 『동학사상자료집 1』, 아세아문화사, 1979, 363쪽.

여기서 혼원한 一氣란 천지에 가득한 기운을 뜻하는 것으로 만물을 태어나게 하는 변치 않는 본바탕의 기운이다. 따라서 모든 만물이 음양의 작용으로 기작용이 곧 음양작용이라 보는 주자학의 일면을 수운이 받아들인 것은 분명하지만 주자학 氣論의 그대로가 아니다.146) 수운의 지기가 기존 성리학과 달리 하는 것은 氣가 理를 포함하여 지칭되면서 주재적 성격을 지니고 있음이다. 표영삼은 수운의 氣가 본체론적이라 하였는데147) 이는 본체로서의 一心에 대응된다. 수운의 至氣는 한울님 즉, 天과 같이 공경의 대상이 된다. 이렇게 볼 때 수운에게 있어 지기, 天(한울), 心(마음)은 같은 것이다. 지기는 우주 자연의 본체를 말한 것이라면 이것이 인간에 적용될 때 侍天이 되고 一心이 된다. 그리고 그 지기란 고정된 순환론적 변화가 아니라 무한한 생성과 변화를 전제한다. 이러한 수운의 지기개념이 형성되기에는 전통철학의 연맥이 있었기에 가능하다 할 수 있다.

기존 연구에 의하면 수운의 기는 흔히 도가적 기로 이해되는데148) 수운의 至氣를 도교적 또는 민간신앙적인 기원으로 보면서 다룬 신일철의 논문이 가장 돋보인다.149) 도교에서의 기에 대한 논리는 세계의 궁극적 조물자인 氣가 만물에 내재하는 것이며 그것에 의하여 기의 보편성, 기와 만물과의 일체성이 현현된다고 하는 것이다. 그러므로 기를 보전하는 것이 도를 얻는 것이라고 하는 養生論이 나온다. 先秦시대에 있어서의 道家의 氣論은 세계의 시작, 천지의 개벽과 만물의 생성을 氣에 의하여 설명하려는 우주생성론적인 것과 천지 우주간 생을 받은 인간의 養生, 혹은 양성론적인 것의 두 가지로 구분된다. 그리고 그 근저에 있어서는 상호연관적인 관계를 가져 궁극적으로는 일체라고 하는 것에 도가 기론의 특징이 있다.

그러나 수운의 至氣는 理개념이 포함된 이기일치의 주재적 성격과 더불

---

146) 표영삼, 「대신사의 氣論」, 『신인간』 445, 1986.12, 6쪽.
147) 표영삼, 「대신사의 氣論」, 『신인간』 445, 1986.12.
148) 원용문 등이 編한 『동경대전연의』에서는 수운이 말한 氣를 自然之氣며 天地廣大의 氣로서 무극의 기운이라 설명하고 있다(元容文 等編, 『東經大全演義』, 동학협의회, 1975, 79쪽).
149) 신일철, 「동학사상의 도교적 성격문제」, 유병덕 편저, 『동학·천도교』, 시인사, 1987, 521~535쪽.

어 인간내재화, 그리고 우주에 충만해 있는 에테르적인 기개념이 복합되어
있다. 즉 수운의 지기는 귀신, 음양, 상제와 같은 것으로 그 연결태를 녹문
과 혜강 등이 시사하고 있다. 녹문과 혜강이 제시하는 氣의 의미는 우주만
물의 주재자이면서 인간에게 부여된 천리이며 性命이다. 이를 녹문은 神
이라 하였고 혜강은 神氣, 혹은 運化氣라고도 하였으며 수운에 와서는 至
氣로 새롭게 정립되는 것이다. 따라서 인간이 자기 안에 부여된 性命을 誠
敬으로 키우고 보존하면 곧 天人의 氣요 天人의 理로 합일되고 우주 만물
을 양육하는 조화에 참여하게 된다. 수운의 표현으로 말하면 인간은 우주
만물에 통하고 간섭하지 않음이 없는 지기로부터 생겨나 이를 모시고 있
음이 侍天이고 이 한울님을 모셨음을 깨달아 誠敬으로 마음을 지키면 한
울님과 합하여 천지조화에 참여하게 된다. 상제천이 명령한 천명이 본성이
되며 그 본성을 지키고 키우는 것이 한울님의 섬김이고 한울님 됨이다. 수
운에게 있어 至氣와 한울님(天)은 분리해서 사고할 수 없다. 至氣와 天은
궁극자의 양면으로서, 이 양자의 올바른 통전이 동학의 세계관을 이해하는
길이다. 지기를 통해서 우주와 인간이 하나로 통전되고 인간이 곧 우주표
현임을 끌어내고 있다.

2) 율곡의 '理通氣局'과 '矯氣質'의 수양론

율곡(1536~1584)은 이통기국의 세계관에 따라 性이라는 것도 본연지성
과 기질지성이 별개의 것이 아님을 말한다. 율곡은 기질 상에 있어서 그
理만 홀로 가리켜 본연의 성이라 하고 이기를 합하여 기질의 성이라 한다.
그러므로 칠정이라는 것은 인심, 도심, 善惡의 총명이다. 즉 사단과 칠정
모두 氣에서 발하며 氣에 의해 선악이 비로소 나뉘지만 그 근본은 모두가
천리이다.

또한 율곡은 다른 성리학자들과 같이 천리를 보존하기 위하여 誠敬의
수양론을 제시하는데, 이는 기질을 바로잡는 것에 초점이 맞추어져 있다.
보통 사람들은 기질에 구애되기 때문에 마음이 혼매하고 산란하다. 그러므
로 대본이 서지 못하여 中을 잡을 수 없다. 그러나 物은 편색되면 다시 이

것을 변화시킬 방법이 없으나 오직 사람은 청탁과 수박이 다르더라도 마음이 허명하여 가히 변화시킬 수 있다고 하였다. 인간의 기질을 바로잡는 것이 敬이다. 그리고 실리이자 실심으로서 誠을 얻는 것은 먼저 뜻을 세우는 立志가 전제된다.

율곡의 立志와 수운의 信은 같은 맥락이라고 할 수 있다. 즉 수운도 '옳은 바 진리를 믿는 것에서 깨달음도 있고 誠도 있다' 함과 맥락이 같은 것이다. 퇴계의 敬이 본연성을 기르는 것에 초점이 맞추어져 있다면 율곡의 誠敬은 기질을 바로잡는 것이 본연성의 회복임을 강조한다. 퇴계는 천명을 알고 섬기기 위해 誠敬의 수행을 말하지만 율곡은 본성을 국한시키는 탁한 기질을 바로잡기 위해 誠敬을 말한다.

(1) 율곡의 체용론과 '이통기국'

율곡은 만 가지로 나뉘어 서로 다른 만물이 모두 한 근본으로 아무런 조짐이 없고 소리도 없으며 냄새도 없는 것이 太虛[150]라 했다. 그러나 태허는 실제 虛한 것을 말하는 것이 아니라 妙有를 운용하고 무형을 유형에서 드러내는 이치다. 태허는 형상을 빌어 이치를 밝게 드러낸다.[151]

율곡이 갖는 본체관은 體用과 動靜이 일체이고 無가 妙有를 함축하며 有가 眞無를 나타내는 태극이다.[152] 이는 불교의 승조가 말한 不眞空論[153]을 연상케 한다. 율곡이 말하는 묘유와 진무는 이기체용의 태극을 설

---

150) 『율곡전서』 권1, 賦 十四~十六, "廓遊心於物初兮 悟萬殊之一本 儼太虛之無朕兮".

151) 『율곡전서』 권1, 賦, "繄太虛之寥廓兮 運妙有而不測 諒厥虛之不虛兮 理假象而昭晰 …… 形無形於有形兮 理何隱而不彰 無聲無臭 是易之實體兮 絶思慮於太極 一動一靜 是易之妙用兮 設機關於蓋闢".

152) 『율곡전서』 권1, 賦 十四~十六, "泯聲臭於混沌 一生兩而之四兮 蓋與闢其相因 爰成象而效法兮 沕藏用而顯仁 …… 一元之往復舒慘兮 序四時而錯行 一氣之屈伸消長兮 判鬼神於幽明 …… 陰根乎動 陽本乎靜 動靜一體 孰分二義形資黃矩 氣始玄規 乾坤異用 孰貫乎一 一故神妙 兩故化物 無涵妙有 有著眞無 道非器外 理與物俱 敦化無窮 川流不息 孰尸其機 嗚呼太極".

153) 僧肇, 『肇論』, 不眞空論 第二, "있음도 없음도 아닌 것으로써 不眞空의 의미를 해석하여 本無의 허망을 파한다. 有로써 空을 밝히니 이를 妙空이라 하고 空으로

명하는 표현으로 이는 色인 동시에 空을 뜻하는 것이다. 그러므로 모든 존재는 색도 아니고 공도 아니다.

율곡은 어느 禪僧과의 대화에서 솔개가 하늘을 날고 물고기가 연못에서 뛰는 것이 色이냐, 空이냐고 물었다. 율곡의 물음에 선승은 色도 아니고 空도 아닌 것이 眞如의 본체로 율곡 당신의 詩와 비교함에 족할 수 없다고 했다.[154] 그러나 결국 두 사람은 서로가 통하는 생각을 갖고 있음을 확인하고 헤어지는데 율곡은 다음과 같은 詩를 남겼다.

> 물고기 뛰고 솔개 나는 것 위 아래가 한 가지라
> 저것은 色도 아니고 空도 아니로세 ……[155]
> 세인들은 다만 찼다가 이지러지는 현상만 볼 뿐
> 달바퀴가 밤마다 둥근 줄을 모르네 ……[156]

모든 현상은 色도 아니고 空도 아니다. 마치 반달이 반쪽만 보이지만 밤마다 둥근 것과 같음이다. 일찍이 불교에서는 법장이 이러한 반달의 비유로 화엄사상의 이치를 측천무후에게 설명한 바가 있다. 이는 본체와 현상이 함께 하는 이사무애의 사유체계이다. 또한 율곡은 불교에서 말하는 空瓶의 메타포를 빌려 元氣의 묘용을 설명한다.[157]

이렇게 볼 때 율곡의 사상은 화엄사상에 영향을 받고 있음을 볼 수 있다. 율곡의 이기상보적 관점에서 氣觀은 불교 화엄의 통국의 논리와 비교될 수 있기에 율곡의 철학적 사유에 미치고 있는 불교적 영향에 주목하게

써 有를 밝히니 이를 妙有라 한다(非有非無 以釋成不眞空義 以破本無之妄計也 盖卽有以明空 是爲妙空 卽空以明有 是謂妙有)".

154) 『율곡전서』권1, 詩, "僧不肯良久 乃曰非色非空 何等語也 余曰此亦前境也 僧哂之 余乃曰鳶飛戾天 魚躍于淵 此則色也 空也 僧曰非色非空 是眞如體也 豈此詩之足比".

155) 『율곡전서』권1, 詩上 二十一, "魚躍鳶飛上下同 這般非色亦非空".

156) 『율곡전서』권1, 詩上 二十三, "世人只見盈還缺 不識氷輪夜夜圓".

157) 『율곡전서』권10, 書 二, "元氣何端始 無形在有形 窮源知本合 沿派見群情 水逐方圓器 空隨小大瓶(小註 : 理之乘氣流行參差不齊者如此 空甁之說 出於釋氏 而其譬喩親切 故用之)".

된다.158) 율곡이 말하는 理通은 본체상에서 말하는 것으로 본체를 떠나 발현하는 것은 없다고 말한다. 불가에서도 性通을 말하는데 이 역시 본체상에서 일어나는 性起를 설명하는 말이다. 성기란 無性의 體가 인간마음에 발현하는 것을 말한다.

> 진리를 如라 하고 性이라 하며 작용을 나타내는 것을 起라 하고 來라고 하니 곧 如來가 性起이다.159)

화엄에서 말하는 性通과 율곡의 理通은 일체에 통한다는 의미에서 맥락이 같다. 그러나 율곡이 말한 氣局의 局과 불교의 局은 그 맥락이 다르다. 화엄에서의 局은 성기가 오직 佛果에 의거함을 지칭하여 사용한 말로 번뇌가 없는 無漏에 국한하여 性通할 수 있음을 설명하는 것이다. 그러나 중생심에 성기(보리)가 있을 수 있는 것은 불과에 모든 중생과가 포함되기 때문이다. 그러므로 화엄에서 通과 局은 동시적이다. 한편 율곡의 기국은 순수한 기뿐만이 아니라 선악을 포괄하는 모든 氣에 국한되는 것으로 이통을 결정짓는 독립변수다. 불교에서 局은 性通을 가능하게 하는 조건으로서 의미이지만 율곡의 局은 理通이 가능할 수 없는 이유를 의미한다.

> 理는 통하고 氣는 국한된다(理通氣局)는 것은 요컨대 본체상으로부터 말한 것이요 본체를 떠나 따로 유행함을 구하지 못한다. 사람의 성은 물의 성이 아니니 이것은 기의 국한된 것이요 사람의 이가 곧 물의 이이니 이것은 이의 통한 것이다. 모나고 둥근 그릇은 서로 같지 않으나 그릇 가운데 물은 한 가지요, 크고 작은 병은 같지 않으나 병 가운데의 빈 공간은 한 가지요, 기의 근본이 한 가지인 것은 이가 통한 때문이요, 이가 만 가지로 나누어진 것은 기가 국한된 때문이다.160)

---

158) 황의동, 『율곡사상의 체계적 이해』, 서광사, 1998, 150~151쪽.
159) 『華嚴經探玄記』 性起品, 大正藏 35, 405a, "眞理名如名性 顯用名起名來 卽如來 爲性起".
160) 『율곡전서』 권10, 書, "理通氣局 要自本體上說出 亦不可離了本體 別求流行也 人之性 非物之性者 氣之局也 人之理 卽物之理者 理之通也 方圓之器 不同 而

율곡은 화엄적 사고로 理氣의 개념을 이해하면서 道가 형상 밖에 있는
것이 아니고 理가 氣(事)와 함께 존재함을 말하고 있다. 理一分殊는 곧 氣
一分殊로 근본에 있어서는 동일한 태극이요 기운이 된다.[161] 태극과 一氣
(元氣)는 무형을 유형에서 드러내는 理氣妙用의 본체적 개념이다. 유형의
음양이 생기지 않고서 태극이 홀로 존립할 수 없다.[162] 태극은 음양의 근
본이라 하지만 실상에 있어서 음양이 생기지 않고는 존립하지 못하고 一
氣라는 것 또한 근원은 담연 청허하지만 오직 음양의 동정에 따라 혹 상승
하고 혹 하강하여 드디어 고르지 못하게 된다.[163] 도심을 발하는 것도 氣
이지만 性命이 아니면 도심이 나지 못하고 인심의 근원도 理이지만 형기
가 아니면 인심이 나지 못하는 것과 같다.[164]

이와 같이 율곡의 본체관 역시 체용일치적으로 理氣가 겸해 있음을 강
조한다. 理는 천지와 사람, 만물에 통하지 않는 곳이 없다. 이를 '統體太極'
이라 하는 것이다. 이는 마음의 통체이기도 하다.[165]

또한 율곡은 선승과의 변론에서 불교는 오랑캐의 가르침이기 때문에 시
행할 수 없는 것이라 하였다. 이에 선승은 舜은 東夷 사람이요 공자는 西
夷 사람으로 모두가 오랑캐임에는 매한가지라 응수한다. 선승은 다시 '유
가에도 마음이 부처'라는 말이 있느냐 묻는데, 이에 율곡은 맹자도 性善을
말할 때마다 堯舜을 말하였으니 곧 마음이 부처라는 말과 다르지 않다고

器中之水 一也 大小之瓶 不同 而瓶中之空 一也 氣之一本者 理之通故也 理之
萬殊者 氣之局故也".
161) 『율곡전서』권14, 雜著 一, "嗚呼 一氣運化 散爲萬殊 分而言之 則天地萬象 各一
氣也 合而言之 則天地萬象 同一氣也".
162) 『율곡전서』권9, 書 一, "嗚呼 陰陽無始也 無終也 無外也 未嘗有不動不靜之時
一動一靜 一陰一陽 而理無不在 故聖賢 極本窮源之論 不過以太極 爲陰陽之本
而其實本無陰陽未生 太極獨立之時也".
163) 『율곡전서』권21, 聖學輯要 三, "臣按 一氣之源 湛然淸虛 惟其陽動陰靜 或升或
降 飛揚紛擾 合而爲質 遂成不齊".
164) 『율곡전서』권13, 雜著, "故發道心者 氣也 而非性命 則道心不生 原人心者 理也
而非形氣 則人心不生 此所以或原或生 公私之異也者 道心 純是天理 故有善而
無惡 人心也有天理 也有人欲 故有善有惡 如當食而食 當衣而衣 聖賢所不免 此
則天理也 因食色之念而流而爲惡者 此則人欲也".
165) 『율곡전서』권9, 書, "且未發之中 只是吾心之統體 一太極也".

대답한다. 맹자가 말한 性善과 불교의 佛性은 다르지 않고 붓다와 요순은
모두 聖人으로서 서로 상통하는 것이다. 그러나 율곡이 불교와 다르게 유
가가 단지 實理를 얻은 것이라 한 것은 각 사물에 스스로 있는 時中의 中
을 잡는 修道에 있기 때문이라 하였다. 사물과 일을 떠나지 않고 때와 상
황에 맞는 합당한 행위로서 적절한 時中을 얻고 기질을 교정하여 이로부
터 구애됨을 벗어나는 것166)이 율곡이 이해한 바 불교와 다른 점이다.

(2) 율곡의 기질지성과 '氣發一途說'

율곡에 있어서 본연지성과 기질지성은 별개의 것이 될 수 없다. 본연지
성은 理만을 오로지 말하고 氣에는 미치지 아니한 것이요 기질지성은 理
氣를 겸해 말하는 것으로 理가 氣 가운데 포함되어 있는 것이다. 그러므로
주리와 주기의 설로써 이기를 양변으로 나눌 수 없다. 만약 본연지성과 기
질지성을 양변으로 나눈다면 두 가지 性이 있게 되기 때문이다. 그러므로
율곡은 사단을 主理라 함은 옳으나 七情을 主氣라 함은 옳지 않다고 하였
다.167) 율곡은 기질지성 안에 본연지성이 있는 것으로 본연지성은 理만을
말하는 것이고 기질지성은 기를 겸하는 것으로 말한다.168)

---

166) 『율곡전서』 권1, 詩上 二十~二十一, "余曰 浮屠 是夷狄之教 不可施於中國 僧
曰 舜東夷之人也 文王西夷之人也 此亦夷狄耶 余曰 佛家妙處 不出吾儒 何必棄
儒求釋乎 僧曰 儒家亦有卽心卽佛之語乎 余曰 孟子道性善 言必稱堯舜 何異於
卽心卽佛 但吾儒見得實".

167) 『율곡전서』 권10, 書二 七~八, "本然之性 則專言理 而不及乎氣矣 氣質之性 則
兼言氣 而包理在其中 亦不可以主理主氣之說 汎然分兩邊也 本然之性 與氣質之
性 分兩邊 則不知者 豈不以爲二性乎 且四端 謂之主理 可也 七情 謂之主氣 則
不可也 七情包理氣而言 非主氣也".

168) 『율곡전서』 권10, 書, "雖曰一理 而人之性 非物之性 犬之性 非牛之性 此所謂各
一其性者也 …… 夫人也 禀天地之帥以爲性 分天地之塞以爲形 故吾心之用 則
天地之化也 …… 人生而靜 天之性也 感於物而動 性之欲也 感動之際 欲居仁 欲
由義 欲復禮 欲窮理 欲忠信 欲孝於其親 欲忠於其君 欲正家 欲敬兄 欲切偲於
朋友 則如此之類 謂之道心 感動者 固是形氣 而其發也 直出於仁義禮智之正 而
形氣不爲之揜蔽 故主乎理而目之以道心也 如或飢欲食 寒欲衣 渴欲飲 癢欲搔
目欲色 耳欲聲 四肢之欲安佚 則如此之類 謂之人心 其原雖本乎天性 而其發也
由乎耳目四肢之私也 非天理之本然 故主乎氣而目之以人心也".

理는 無爲요 氣는 有爲이므로 情이 본연성에서 나와 형기의 가리운 바 되지 않은 것은 理에 속하고 情이 당초에는 본연성에서 나왔더라도 형기에 의해 가려진 것은 氣에 붙는 것이다.[169] 그러므로 칠정이라는 것은 인심, 도심, 善惡의 총명이다. 맹자는 칠정 중에서 선한 일면만 적출하여 사단이라고 이름지었을 뿐으로 사단은 곧 도심인 동시에 인심의 선한 부분이다.[170] 즉 사단과 칠정 모두 氣에서 발하며 氣에 의해 선악이 비로소 나뉘는 것인데 '善은 淸氣가 발한 것이요, 惡은 濁氣가 발한 것'이다. 그러나 그 근본은 모두가 천리이다. 程子는 '善惡이 다 天理이다' 하였으며 주자도 '천리로 인하여 인욕이 있다' 하였다. 그러므로 율곡은 '지금 학자들은 선악이 氣의 청탁에 말미암은 줄 알지 못하고 理發은 善이 되고 氣發은 惡이 된다' 하여 이와 기가 서로 떨어진 것처럼 되었으니 이는 밝지 못한 것이라 하였다.[171] 율곡이 퇴계의 '이기호발설'을 반대하는 것은 이기의 발함이 서로 혼동되고, 또한 사단 이외에 칠정 가운데도 善한 情이 있게 되어 두 가지 길로 나눠지기 때문이다.[172] 그러므로 율곡은 그것을 나눌 것이 아니라 다만 사단과 칠정을 다 情의 테두리 안에 두고서 '사단은 칠정 중 理의 일변에서 발한 것을 말함이요, 칠정의 규범에 맞지 못한 것을 기가 지나치거나 미치지 못하여 악으로 흐른 것이다' 하면 理와 氣의 발함이 혼동됨도 없고 두 길로 나뉘게 될 염려도 없다는 것이다.[173]

---

169) 『율곡전서』권10, 書, "但理無爲而氣有爲 故以情之 出乎本然之性 而不揜於形氣者 屬之理 當初雖出於本然 而形氣揜之者 屬之氣 此亦不得已之論也".

170) 『율곡전서』권14, 雜著, "卽人心道心 善惡之摠名也 孟子就七情中剔出善一邊 目之以四端 四端卽道心及人心之善者也".

171) 『율곡전서』권14, 雜著, "善者 淸氣之發也 惡者 濁氣之發也 其本則只天理而已 …… 程子曰 善惡皆天理 朱子曰 因天理而有人欲 皆此意也 今之學者 不知善惡由於氣之淸濁 求其說而不得 故乃以理發者爲善 氣發者爲惡 使理氣有相離之失 此是未瑩之論也".

172) 『율곡전서』권9, 書, "且退溪先生 旣以善歸之四端 而又曰 七者之情 亦無有不善 若然則四端之外 亦有善情也 …… 情雖萬般 夫孰非發於理乎 惟其氣或揜 而用事或不揜 而聽命於理 故有善惡之異 以此體忍 庶幾見之矣".

173) 『율곡전서』권10, 書, "則不當分開 但以四七 俱置情圈中 而曰四端指七情中理一邊發者而言也 七情不中節 是氣之過不及而流於惡云云 則不混於理氣之發 而亦無分開二岐之患否耶".

율곡은 기질상에 있어서 그 理만 홀로 가리켜 본연의 성이라 하고 이기를 합하여 기질의 성이라 했다.174) 따라서 율곡은 '발하는 것이 正理에서 바로 나오고 氣가 용사하지 못하면 도심이니 곧 칠정의 선한 일변이요 심이 발할 때 기가 이미 용사하는 것은 인심이니, 칠정의 선과 악을 합한 것'이라 한다. 또한 이 때에 기의 용사를 알고 잘 살펴서 正理에 따르게 하면 인심이 도심의 명령을 들을 것이요, 만일 잘 살피지 못하고 되는 대로 방임하면 情이 이기고 欲이 아주 성하여 인심은 더욱 위태롭고 도심은 더욱 희미하여짐을 경계한다. 율곡은 사람의 마음이 본연의 正理에서 나왔어도 이를 인간이 善으로 완성시키지 않으면 인심으로 떨어지고 반대로 사람의 마음이 형기에서 나왔더라도 이것이 正에 어긋나지 않도록 바로잡으면 곧 도심이 된다 하여 善을 결정하는 것은 氣를 바로잡는 것에 있음을 주장한다.175)

(3) 율곡의 儒·佛결합적 성경신 이해와 矯氣質

율곡은 '이통기국'의 논리에 따라 '物은 편색되면 다시 이것을 변화시킬 방법이 없으나 오직 사람은 청탁과 수박이 다르더라도 마음이 허명하여 가히 변화시킬 수 있다'176)고 말하였다. 物과 달리 사람은 氣局을 변화시킬 수 있다. 理가 氣에 국한되지만 氣가 변화되면 理 역시 통할 수 있기 때문이다. 맹자가 사람마다 모두 요순이 될 수 있다고 말한 것도 이러한 맥락이라는 것이다. 즉, 기가 맑고 바탕이 순수한 사람은 知行을 힘쓰지 않더라도 능하여 더할 것이 없고, 氣가 맑으나 바탕이 탁박한 사람은 알 수

---

174) 『율곡전서』 권10, 書, "特就氣質上單指其理 曰本然之性 合理氣而命之 曰氣質之性耳".
175) 『율곡전서』 권10, 書, "今人之心 直出於性命之正 而或不能順而遂之 間之以私意 則是始以道心而終以人心也 或出於形氣而不咈乎正理 則固不違於道心矣 或咈乎正理而知非制伏 不從其欲 則是始以人心而終以道心也 蓋人心道心 兼情意而言也 不但指情也 七情則統言人心之動有此七者 四端則就七情中擇其善 一邊而言也 固不如人心道心之相對說下矣".
176) 『율곡전서』 권21, 聖學輯要 三, "物之偏塞 則更無變化之術 惟人則雖有淸濁粹駁之不同 而方寸虛明可以變化".

는 있어도 능히 행할 수 없는 것인데, 만일 궁행에 힘써서 독실하면 행실
이 이루어져 유약한 사람이라도 강하게 될 수 있다. 또한 바탕이 순수하나
氣가 탁한 사람은 능히 행동할 수는 있으나 잘 알 수는 없다. 그러나 만일
묻고 배우는 데 힘써서 성실하고 정밀하게 하면 지식을 통달할 수 있어,
결국 우매한 자라도 명석하게 될 수 있다[177]는 것이다.

① 율곡의 성경과 유불적 결합
가) 敬

율곡에 의하면 보통 사람들은 마음이 혼매하고 산란하여 대본이 서지
못하기에 中을 잡을 수 없다. 이는 기질에 구애되기 때문이다.[178] 인간이
기질에 구애되어 혼매하고 산란해지는데 이를 바로잡는 것이 敬이다. 율곡
에 있어서 敬이란 마땅히 머물러야 할 때 머무르는 것으로 일 없이 정좌하
였을 때는 마음을 살펴 이치를 밝게 하는 것을 말한다. 이는 動靜에 모두
통용된다.[179] 고요할 때에는 잡념을 일으키지 말고 고요하되 또렷해서 어
둡지 않아야 하고 움직일 때에는 일에 임해서 오로지 한 가지만을 하여 이
것저것을 생각지 말아서 조금도 잘못이 없어야 한다.[180]

율곡에 있어서 主一의 마음은 敬의 體요 움직이는 가운데 온갖 변화에
대응하면서 그 주재를 잃지 않는 것은 用이다. 그러므로 敬의 至善이란 이

---

177)『율곡전서』권21, 聖學輯要 三, "故孟子曰 人皆可以爲堯舜 豈虛語哉 氣淸而質
粹者 知行不勉 而能無以尙矣 氣淸而質駁者 能知而不能行 故勉於窮行 必誠必
篤 則行可立而柔者强矣 質粹而氣濁者 能行而不能知 若勉於問學 必誠必精 則
知可達而愚者明矣".
178)『율곡전서』권9, 書一 三十八, "衆人之心 不昏昧 則必散亂 大本不立 故不可謂
之中也 幸於一瞬之閒 或有未發之時 則卽此未發之時 全體湛然 與聖人不異矣
惟其瞥然之際 還失其體 昏亂隨之 故不得其中耳 其所以昏且亂者 由其拘於氣質
故也".
179)『율곡전서』권21, 聖學輯要 三, "學者 須是恒主於敬 頃刻不忘 遇事主一 各止於
當止 無事靜坐時 若有念頭之發 則必卽省覺所念何事 若是惡念 則卽勇猛斷絶
不雷毫末苗脈 若是善念 而事當思惟者 則窮究其理 了其未了者 使此理豫明".
180)『율곡전서』권5, 萬言封事, "居敬通乎動靜 靜時 不起雜念 湛然虛寂 而惺惺不昧
動時 臨事專一 不二不三 而無少過差".

러한 체용이 떠나지 않는 상태를 말한다.181) 이는 지눌이 定慧를 설명한 부분과 구도적으로 유사하다. 즉 지눌은 定이란 마음의 체요 慧는 그것의 작용이라 했다. 그러나 그 정·혜는 마음의 산란함과 마음의 어두움을 없게 하는데서 드러나는 것이며 서로 달리 따로 떨어져 있는 것이 아니다. 마음에 어리석음이 없는 것과 마음에 산란이 없는 것 모두가 동시적이지 선후가 아니다.182) 산란하면 혼침한 것이고 혼침하면 산란하게 된다. 그러므로 정·혜는 하나이다. 따라서 마음이 고요함을 잃고 혼침에 헤메일 때마다 정·혜로 함께 닦으라는 말을 한다. 율곡의 시에서도 이러한 맥락이 다음과 같이 드러난다.

중심이 한결같지 않으면	中心不專一
사특한 생각이 기회를 엿보아	邪思所窺覦
어지럽게 일어났다가 꺼졌다 하는 사이에	擾擾起復滅
불꽃처럼 사납고 말처럼 신속하므로	火炎兼馬駛
앞뒤 즈음을 딱 잘라 버리고	載斷前後際
우뚝 서서 의심치 않아야 하네 ……	卓立恒勿貳
다만 먼지만 씻어 없애면 그만	但使泥塵盡
거울은 원래 더러움이 없다네 ……	水鏡元無累
망념된 생각이 본래의 밝음 침식하여	妄念蝕本明
처음엔 미세타가 나중에 더욱 거세어지네	始微終轉熾
마치 나무들이 도끼와 자귀에 시달리듯	山木困斧斤
천진이 사욕과 허위에 빠져 ……	天眞泊私僞
만약 敬을 주로 삼는다면	若使敬爲主
오염된 마음 어디서 침입하랴 ……183)	染心安所自

181) 『율곡전서』 권9, 書一, "蓋靜中主一無適 敬之體也 動中酬酢萬變而不失其主宰者 敬之用也 非敬則不可以止於至善 而於敬之中 又有至善焉 …… 體用不離者 乃敬之至善也".
182) 『韓國佛教全書』 4冊, 711c, 「牧牛子修心訣」, "定是體 慧是用也 卽體之用故 慧不離定 卽用之體故 定不離慧 定則慧故 寂而常知 慧則定故 知而常寂".
183) 『율곡전서』 권1, 詩上.

```
도를 배우니 집착이 없구나          學道卽無著
인연 따라서 어디든지 노니네184)      隨緣到處遊
```

율곡에 있어서 敬이란 망념이 본래의 밝음을 침식하지 않도록 하여 중심이 한결같도록 하는 것이다. 원래 마음의 본체는 밝으니 거울에 먼지가 끼면 씻어내기만 하면 된다. 敬은 주일무적의 專—로서 사특한 생각이 일어나면 敬으로써 이를 잘라 곧바로 본성을 찾는 것이다. 율곡은 잡념이 일고 삿된 마음이 일 때마다 그것이 천리인가 인욕인가를 살펴보라 한다. 불교에서 마음을 살펴 산란심과 치심이 일 때마다 정혜로 다스리라 함과 유사하다. 불교에서 망념과 분별을 떨치지 못하면 성불할 수 없는 것과 같이 율곡은 편벽된 사심을 털끝만큼이라도 떼어버리지 못한다면 요순의 도에 들어가기 어렵다고 말한다.185)

불교에서 지눌은 산란심과 치심이 이는 것은 집착과 망념에 사로잡힌 결과라 간주하는데 율곡은 마음이 혼매하고 산란해지는 까닭이 기질에 구애되는 까닭이라 하여 표현을 달리 한다. 율곡에 있어서도 혼매와 산란을 떨칠 때 中의 대본에 선다. 이와 같은 율곡의 표현은 불교적 세계를 떠올리지 않을 수 없다. 불교에서 지관을 통해 산란심과 癡心(昏沈)을 다스리면 신령한 앎을 얻는 것과 같이 율곡은 『중용』의 正心을 中虛라 하여 산란심과 혼침에 가려지지 않는 마음의 본체임을 말한다. 이러한 본심은 공경을 主로 삼아 私邪를 다 없애면 본체는 곧 완전하게 된다 하였다.186)

율곡은 마음의 올바른 작용을 방해하는 병통을 昏과 亂이라 하였다. 昏의 병통에는 다시 두 가지가 있는데 하나는 智昏이고 또 하나는 氣昏이다.

---

184) 『율곡전서』권1, 詩上 二十三.
185) 『율곡전서』권5, 疏箚三, "玉藻九容仔細體認 念頭之發 審其天理人欲之幾 如人欲也 遏絶於未形 如天理也 善推而充廣 放心必求 已私必克 衣冠必正 瞻視必尊 喜怒必愼 辭令必順 以盡誠正之功焉 所謂去偏私 以恢至公之量者 矯治病痛之說 略陳於前矣 惟是偏私一事 …… 若偏私之念 一毫未除 則難入於堯舜之道矣".
186) 『율곡전서』권21, 聖學輯要 三, "程子曰 思無邪 毋不敬 …… 程子曰 思無邪者 誠也 …… 人不能復其本.心者 由有私邪 爲之蔽也 以敬爲主 盡去私邪 則本體乃全".

지혼이란 궁리를 못하여 시비에 어두운 것이고 기혼은 게으르고 방일하여
잠잘 생각만 하는 것을 말한다. 또한 亂의 병통에도 두 가지가 있는데 하
나는 惡念이고 또 하나는 浮念이다. 악념이란 외물에 유혹되어 사욕을 일
으키는 것이고 부념이란 생각이 산란하게 끊임없이 일어나는 것이다.[187]
  한편 정심은 中虛이면서도 주재함이 있는 것이라 했다. 본체적 개념인
정심이 곧 불교의 일심으로서 율곡 역시 진공묘유적 성격을 갖고 있음을
볼 수 있다. 즉 율곡은 지눌의 마음닦음에 있어 散亂心과 痴心의 문제를
유가적 패러다임으로 풀어놓은 것에 불과하다. 지눌은 散亂心이 일 때마
다 定으로 마음을 모으고 慧로써 치심과 혼침을 다스려 항상 공적영지한
진심에 거하도록 하는 정혜쌍수의 수행법을 말하였다.[188] 율곡은 바로 이
러한 불교의 정혜쌍수의 수행법을 誠敬에 옮겨 誠은 불교의 진심(一心)과
같은 본체로서, 그리고 敬은 定과 慧의 맥락을 결합하여 수용하였다 할 수
있다. 이는 물론 율곡에 와서 결합을 이룬 것이라기보다 성리학 자체가 불
교를 떠나서 성립될 수 없었음을 말하는 것이기도 하다.

  나) 誠

  율곡이 말하는 誠은 하늘에 있어서는 實理로써 化育하는 공을 이루고
사람에게 있어서는 實心으로써 감통하는 효험을 이룬다. 이른바 實理와
實心이라는 것은 誠에 불과하다는 것이다.[189] 『중용』의 執中의 道는 율곡
과 수운에게도 나타나며, 또한 지눌의 진심과 율곡의 中(誠), 그리고 수운
의 한울님이 일정한 연맥을 갖고 있음을 본다.
  율곡의 誠은 불교의 진심과 같은 궁극적 본체로서의 의미를 지닌다고
할 수 있다. 스스로 되는 것은 天道이고 해서 되는 것은 인도이다. 또한 진

---

187) 『율곡전서』 권21, 聖學輯要 三, "心之本體 湛然虛明 如鑑之空 如衡之平 而感物
    而動 七情應焉者 此是心之用也 惟其氣拘而欲蔽 本體不能立 故其用或失其正
    其病在於昏與亂而已 昏之病有二 一曰智昏 謂不能窮理 昧乎是非也 二曰氣昏
    謂怠惰放倒 每有睡思也 亂之病有二".
188) 『韓國佛教全書』 4冊, 「牧牛子修心訣」.
189) 『율곡전서』 권6, 雜著, "對天以實理 而有化育之功 人以實心 而致感通之效 所謂
    實理實心者 不過曰誠而已矣".

실무망은 천도이고 그 진실무망하고자 하는 것은 인도이다. 實理를 뜻하는 誠은 곧 體로서 원형이정은 하늘의 誠이요 인의예지는 인성의 誠으로 誠이 없으면 物도 없다[190]는 것이다. 그러나 율곡은 어디까지나 성리학자로서 理를 불교처럼 무자성으로 보지는 않는다. 다만 불교의 본체관에 영향을 입어 성리학적 사유를 분명히 했을 뿐이다.

다) 立志와 信

한편 율곡에 있어 실리이자 실심으로서 誠을 얻는 것은 먼저 뜻을 세움에 있다. 율곡의 立志와 수운의 信은 같은 맥락이라고 할 수 있다. 즉 수운도 옳은 바 진리를 믿는 것에서 깨달음도 있고 誠도 있다 함과 맥락이 같다. 율곡에 있어 '이른바 뜻을 세운다는 것은 마음을 전일하게 하여 뜻을 정성스럽게 하고 善을 택하여 굳게 지키는 것이다.'[191]

율곡에 있어 뜻이 전일하면 기가 동하지 아니함이 없는데 배우는 이가 종신토록 글을 읽어도 성공하지 못하는 것은 다만 그 뜻이 서지 않은 까닭이라 한다. 『중용』에서도 보면 "성실히 하려는 자는 善을 택하여 이를 굳게 잡는 자이다"[192]라 하였다. 성하려는(誠之) 자는 먼저 善을 택하여 이를 옮기지 않는 것에서 먼저 시작해야 한다는 점이다. 주자는 『중용』의 擇善固執을 해석하여 말하기를 "善을 택함은 배워서 아는 것을 말함이요, 굳게 잡음은 이롭게 여겨 행하는 것을 말한다."[193]했다. 誠之란 이러한 택선과 고집을 말하는 것으로 택선을 위해서 박학, 심문, 신사, 명변의 방법을 제시한 것이다. 일단 널리 알고 생각함이 있어야 선택할 그 무엇도 있다. 인간은 인식된 것 중에서 진리를 선택할 뿐이다. 인식되지 않은 것은 진리로 성립되지 않는다. 그리고 선택된 진리를 고집하기 위해서는 이를 믿고 다른 데로 옮기지 않는 專一의 敬이 요구된다.

---

190) 『율곡전서』권6, 雜著, "嗚呼誠之爲體 至微而至妙 誠之爲用 至顯而至廣 體乎萬物 而爲物之終始 故元亨利貞 天地誠也 仁義禮智 性之誠也 二氣無此誠 則不可以竝運 四時無此誠 則不".
191) 『율곡전서』권20, 聖學輯要 二, "所謂定志者 一心誠意 擇善而固執之也".
192) 『중용』, "誠之者 擇善而固執之者也".
193) 『중용장구』, "擇善 學知以下之事 固執 利行以下之事也".

이렇게 볼 때 성리학이 갖는 수양법은 도문학과 존덕성, 즉 택선과 고집의 수양법으로 제시되는 것이고 이는 율곡에 있어서 궁리, 거경, 역행으로 말해지기도 한다. 이는 한 마디로 성지 혹은 경이라고 부를 수 있다. 단지 율곡을 비롯하여 성리학자들이건 불교건 간에 먼저 진리에 대한 선택(앎)과 믿음이 모든 수행에 있어서 우선되고 있을 뿐이다. 지눌의 信解와 『중용』의 택선고집, 그리고 율곡의 信·知·勇을 뜻하는 立志와 수운의 信이 그러하다.

율곡은 흔히 사람들이 뜻을 세우지 못하는 것에는 까닭이 있는데 여기에는 세 가지 병통, 즉 <不信>, <不知>, <不勇>이 있기 때문이라 했다. 율곡에 의하면 원래 信이란 성현이 후학에게 명백하고도 간절하게 가르쳐준 바를 말에 따라 순서대로 하여 성인도 되고 현인도 되는 이치의 당연함이다. 그러나 不信하는 이는 성현의 말이 사람을 권유하기 위하여 만들어 놓은 것이라 생각하고 다만 그 글만 음미할 뿐 몸으로 실천하지는 않는다. 이것이 불신이다. 不知라는 것은 인생의 기품이 만 가지나 되어 같지 않지만 힘써 알고 행하면 성공하는 것인데도 자기의 소질이 불미하게 태어났다고 하여 퇴보를 만족하게 여기고 한 걸음도 나아가지 아니하는 것을 말한다. 성인도 되고 어리석은 자도 되고, 어질지 못한 자도 되는 것은 모두 자기의 소위인 줄을 알지 못함이다. 이것이 부지이다. 不勇이라는 것은 사람들이 성현의 말씀이 인간을 속이지 아니한다는 것과 기질을 변화시킬 수 있다는 것을 알면서도 태만하게 안주하여 분발하고 진작하지 않는 것을 말한다. 따라서 불용한 자는 개혁과 개조를 꺼려한다. 읽는 것은 성현의 글이지마는 만족하게 여기는 것은 케케묵은 관습이다. 사람들에게 이 세 가지 병통이 있기 때문에 군자가 세상에 나오지 못하고 六籍은 빈말이 된다[194]는 것이다. 따라서 배우는 이는 먼저 그 뜻을 세우는 공부로 시작하

---

194) 『율곡전서』 권20, 聖學輯要 二, "臣按志者 氣之帥也 志一 則氣無不動 學者 終身 讀書 不能有成 只是志不立耳 志之不立 其病有三 一曰不信 二曰不智 三曰不勇 所謂不信者 聖賢開示後學 明白諄切 苟因其言 循序漸進 則爲聖爲賢 理所必至 爲其事而無其功者 未之有也 彼不信者 以聖賢之言 爲誘人而設 只玩其文 不以 身踐 是故所諫者 聖賢之書 而所蹈者 世俗之行也".

라고 율곡은 말한다.195)

至善한 바를 알고 나서야 善으로 향한 定한 방향이 있게 되고 定한 방향이 있고서야 靜하여 마음이 동요되지 않아 마음이 항상 편안하고 고요하여 사물에 응함에 태연하다. 태연함에 처해 사물을 궁구하니 그쳐야 할 곳을 얻게 된다. 다시 말해서 자신의 삶을 던질 참된 진리에 대한 앎과 믿음이 없으면 자유함도 實心도 없다. 모든 생각과 언행이 모두 그 뜻을 믿고 뜻을 이루는 실심에서 나오도록 하는 것에서 誠을 발현시키는 것이 인간완성의 핵심이 된다. 『대학』의 8조목에 있어서 격물, 치지, 성의, 정심, 수신, 제가, 치국, 평천하를 향한 인간수양의 과정도 보면 格物致知가 우선되는 것이다. 여기서 격물치지란 물리의 지극한 곳에 이르러 자신의 아는 바가 극진해지고 이로부터 뜻이 성실해지고 마음이 바로잡히는 것이다.196)

② 矯氣質(기질을 바로잡는 방법)

퇴계의 敬은 본연성을 기르기 위함에 초점이 맞추어져 있다면 율곡의 誠之는 본연성을 가리는 기질을 바로잡는 것이 본연성 회복임을 주목한다. 퇴계는 천명을 알고 따르기 위한 事天으로서의 수행을 말하기에 敬을 강조하지만 율곡은 본성을 국한시키는 탁한 기질을 바로잡는 교기질을 중시하기에 誠을 강조한다. 율곡에 있어서 교기질은 곧 誠을 드러내는 것이기 때문이다. 그러므로 퇴계와 율곡의 수행론은 수행의 대상이 다르다는 점에서 차이가 있다. 율곡에 있어 인간의 도문학과 존덕성은 기질을 바로잡아 본연성을 회복하기 위함이다.197)

---

195) 『율곡전서』권22, 聖學輯要 四, "朱子曰 止者 所當之地地 即至善之所在也 知之則志有定向 是非明白 必向善而背惡 靜謂心不妄動 是非旣定不爲他岐所動心常寧靜也 安 謂所處而安 正我權度 有以應事 隨時隨處 無不泰然 慮 謂處事精詳 事物到來 更須硏幾審處 得 謂得其所止 行之而得止於至善".
196) 『율곡전서』권20, 聖學輯要 二, "程子曰 誠敬固不可以不勉 然天下之理 不先知之 亦未有能勉以行之者也 故大學之序 先致知而後誠意 其等有不可躐者 苟無聖人之聰明睿知 而徒欲勉焉 以踐其行事之 跡則亦安能如彼之動容周旋 無不中禮也哉 惟其燭理之明 乃能不待勉强 而自樂循理爾 夫人之性 本無不善 循理而行 宜無難者".

학문을 하는 데는 모름지기 그 기질에 따라서 그 편벽된 것과 그쳐야 할 곳에 그치지 못한 것을 살펴서, 그중 가장 절실한 것을 택하여 자기의 힘을 기울여야 한다. 비유하면 약을 쓰는 것과 같은 것인데, 옛사람의 약방문은 그 대법만을 말해 놓았을 뿐이다. 그러므로 병의 증세가 여러 갈래일 때에는 증세에 대응하여 좋은 약방문을 신중하게 택하는 것과 같이 해야 한다.198) 따라서 기질이 같지 않으므로 그것을 교정하는 데도 각각 방법이 다르다. 여기에는 세 가지 방법이 행해진다. 즉 正直, 剛克, 柔克의 三德이다. 여기서 강극은 강경한 수단으로써 극복하는 것이고, 유극은 부드러운 수단으로써 극복하는 것을 말한다. 克은 다스린다는 뜻인데, 기질이 침잠한 자는 마땅히 굳센 것으로써 다스려야 하고 기질이 고명한 자는 마땅히 부드러운 것으로써 다스려야 한다 함이다. 세상이 평안하고 건전한 자에게는 정직한 것으로 다스리고 깊이 잠긴 자에게는 강경한 수단으로써 다스리며 高明한 자에게는 부드러운 수단으로써 다스려야 한다. 왜냐하면 침잠한 자는 깊이 가라앉아서 中에 미치지 못하는 것이요, 고명한 자는 높고 밝은 데 지나친 자이다. 그러므로 평안하고 건전한 자에게는 정직한 것으로써 한다는 것은 고치고 버릴 것이 없다는 것이요, 깊이 잠긴 자에게는 강한 수단으로써 다스린다는 것은 굳센 것으로써 부드러운 것을 다스린다는 것이다. 또한 고명한 자는 부드러운 수단으로써 다스린다는 것은 부드러운 것으로써 굳센 것을 다스린다는 것이다.199) 유가의 수행체계인 도학문과 존덕성은 율곡에 있어 이러한 기질을 바로잡기 위한 것으로 力行과 敬은 존덕성의 방법에 해당하고 입지는 도학문의 방법인 격물치지에 해당

197)『율곡전서』권21, 聖學輯要 三, “朱子曰 學乃能變化氣質 若不讀書窮理主敬存心 而徒切切計較於昨非今是之間 恐亦勞而無補 …… 臣按 旣誠於爲學 則必須矯治 氣質之偏 以復本然之性 故張子曰 爲學大益 在變化氣質 此所以矯氣質”.
198)『율곡전서』권21, 聖學輯要 三, “爲學須隨其氣質 察其所偏與其所未至 擇其最切 者 而用吾力 譬如用藥 古人方書 亦言其大法耳 病證多端 則亦須對證 而謹擇之 也”.
199)『율곡전서』권21, 聖學輯要 三, “三德 一曰正直 二曰剛克 三曰柔克 平康正直 沈 潛剛克 高明柔克 蔡氏曰 沈潛者 沈深潛退 不及中者也 高明者 高亢明爽 過乎 中者也 平康正直 無所事乎矯不也 沈潛剛克 以剛克柔也 高明柔克 以柔克剛也”.

한다.200) 결국 기질을 바로잡는다는 것은 자기를 이겨 禮로 돌아감이다. 극기란 성질이 편벽되어 이기기 어려운 것으로부터 이겨나감을 말한다. 조금이라도 자기에게 사사로운 뜻이 있는 것을 깨달으면, 곧 그것을 이겨야 한다. 인간의 사사로운 성질 즉, 편벽과 감각의 욕망과 남과 나 사이를 꺼리고 이기려는 사욕 등을 바르게 고쳐나감이다. 그러므로 일푼의 인욕을 극복하면 일푼의 천리가 회복되어 온다201) 하였다.

③ 대인접물에서의 실천

율곡은 곧 현실에서 이루어지는 인륜의 도를 필요로 했다. 그렇기 때문에 불교의 정혜쌍수를 계승하면서도 불교를 탈피하여 궁극적으로 대인접물에서 발휘되는 誠의 실현을 중요시했고 '不誠이면 無物'202)이라는『중용』의 사상을 계승한다. 이렇게 율곡의 立志와 誠敬, 그리고 수운의 성경신은 모두 유·불결합적 맥락에서 이해될 수 있다. 그러나 불교와 달리 유가적 면모를 그대로 보이는 것은 불교와 같이 일상생활을 떠나 도를 구하고자 함이 아니라 대인접물에서 도를 실현하고자 함에 있다. 유가는 일상생활을 떠나서 道를 구하지 않는다. 일상을 떠난 도는 없다. 율곡도 일과 사물에 접해서 性을 구현하고자 한다.203)

그러므로 마음을 텅 비워 사물에 응하고 일에 부딪히는 대로 합당하게

---

200)『율곡전서』권5, 疏箚 三, "力行在於克己以治氣質之病 柔者矯之以至於强 懦者矯之以至於立 厲者濟之以和 急者濟之以寬 多欲則澄之必至於淸淨 多私則正之必至於大公 乾乾自勗 日夕不懈 此是力行之要也 窮理 乃格物致知也 居敬力行乃誠意正心修身也 三者俱修竝進".

201)『율곡전서』권21, 聖學輯要 三, "謝氏曰 克己 須從性偏難克處克將去 此言如人色欲重則先節其色 利欲重則先絶其利之類 此是勇猛克己之要法 朱子曰 己之私有三 性質之偏一也 耳目鼻口之欲二也 人我忌克之私三也 仔細體認 覺得才有私意 便與克去 薛氏曰 私無大小 覺則克去 又曰 禮是自家本有底 所以說箇復 不是克了己 方去復禮 克得那一分人欲去 便復得這一分天理來".

202)『中庸章句』, "誠者 物之終始 不誠無物 是故君子誠之爲貴".

203)『율곡전서』권1, 詩上, "吾家自有眞樂地 不絶外物能養性 求高立異總非中 反身而誠可醒聖".

하면 정신이 이지러지지 않아 안이 지켜질 터인데 뜻이 어찌 흔들려 밖으로 달리겠는가204)

율곡은 외부의 물을 끊지 않고도 능히 본성을 기르고 마음을 비워 사물에 응하며 일에 부딪히는 대로 합당하게 하면 뜻이 흔들리지 않고 온전히 마음이 지켜진다고 말한다. 율곡이 불가보다 유가가 실리를 얻은 것이라 하는 그 까닭은 유가가 외부의 物을 끊지 않고 본성을 기르는 것에 있기 때문이라는 것이다. 따라서 율곡이 이해하는 바 불교는 작용을 모두 性으로 생각하여 함부로 방자히 날뛰고 있다 했고 동시에 性을 악으로 보는 순자와 양웅의 입장도 비판했다.205)

율곡에 있어 성인에 이르는 길은 불교처럼 마음을 전적으로 신뢰함에 있는 것이 아니라 마음이 기질에 국한됨을 알아 이를 극기함에 있다. 이는 사물과 일을 떠남이 없이 사물에 응하고 일에 부딪힘에서 기질을 합당하게 하는 것이다. 이는 인간 관계 속에서, 그리고 일에 부딪혀서야 가능한 것이지 인연을 끊고자 하고 세인을 떠나서 합당한 도의 현현이 이루어지는 것이 아니라는 것이 율곡의 견해다. 왜냐하면 인륜에 있어서 합당한 도는 실제의 관계와 상황 속에서 이루어지는 것이기 때문이다.206)

율곡은 대상과 상황을 떠나서는 본성이 발하였다고 말하지 않는다. 성인의 마음이라는 것도 외물에 접하여 합당한 행위로 표현될 때 성인의 도를 나타내는 것이지 외물과 무관하게 마음 자체에 있는 것이 아니다. 만약 있

---

204) 『율곡전서』 권1, 拾遺 賦, "是故 虛心應物 觸事得宜 神不虧而乃守 志豈動而外".
205) 『율곡전서』 권9, 書一, "理一分殊四字 最宜體究 徒知理之一 而不知分之殊 則釋氏之以作用爲性 而猖狂自恣 是也 徒知分之殊 而不知理之一 則荀揚以性爲惡 或以爲善惡混者 是也".
206) 『율곡전서』 권10, 書, "易曰寂然不動感而遂通 雖聖人之心未嘗有無感而自動者也 必有感而動而所感 皆外物也 何以言之 感於父則孝動焉 感於君則忠動焉 感於兄則敬動焉 父也君也兄也者 豈是在中之理乎 天下安有無感而由中自發之情乎 特所感有正有邪 其動有過有不及 斯有善惡之分耳 今若以不待外感由中自發者 爲四端 則是無父而孝發 無君而忠發 無兄而敬發矣 豈人之眞情乎 今以惻隱言之 見孺子入井然後 此心乃發 所感者孺子也 孺子非外物乎 安有不見孺子之入井 而自發惻隱者乎 就令有之 不過爲心病耳".

다 하면 그것은 心病에 불과할 뿐이라 한다.

3) 녹문 임성주의 理氣妙合的 鬼神論과 敬개념의 변화

녹문 임성주(1711~1788)의 사상에 대한 연구는 그동안 본체론과 인성론 및 귀신관 등의 다양한 접근으로 많은 성과를 이루어 왔다고 본다.[207] 따라서 본고에서는 그 동안 다루어지지 못한 부분으로서 녹문이 율곡의 사상을 계승하여 불교와 어떠한 관련 하에서 氣論을 전개시켰는지 그리고 이로부터 유출되는 교육의 방법론인 敬과 교육목적의 통일이 어떻게 제시되고 있는지 보다 세밀히 고찰하고자 한다.

물론 녹문 역시 불교를 비판하고 있다. 하지만 녹문의 사상은 율곡이 그러했듯이 理事無碍의 화엄적 사유의 전개로서 율곡보다 한 걸음 더 나가 있다. 또한 녹문의 본체관은 理氣가 무애하게 일체가 되면서 동시에 理, 元氣, 鬼神, 心, 性 등이 하나의 개념으로 병칭되는 특징을 갖는다. 특히 녹문이 본체로 삼는 이기묘합적 귀신(神)은 수운의 귀신이 한울님과 같이 본체개념으로 불리게 되는 설명을 제공한다. 동학의 일원적 지기와 귀신은 녹문의 이기일체적 氣사상과 귀신관을 견주어 볼 때, 서로 무관하지 않음을 볼 수 있다. 양자 모두가 현상이 곧 본체로 즉할 수 있는 화엄적 사고체계를 보이고 있다. 수양론에 있어서도 녹문의 敬은 곧 誠의 발현으로서 수행과 완성이 동시적임을 나타낸다. 이는 수운도 한울님을 정성으로 공경할 때 한울님을 모신 것이 되듯이 한울님됨과 한울님 되기 위한 수양은 둘이 아닌 것이다. 녹문은 수행을 본체와 통일하여 일원화시켰던 것이다.

207) 대표적으로 다음과 같은 연구물이 있다. 배종호,「奇蘆沙와 任鹿門의 철학 비교」, 『연세논총』7, 1970 ; 유명종,「任鹿門의 唯氣說과 羅整庵의 氣哲學」,『철학연구』17, 1973 ; 유정동,「鹿門 性理說에 관한 고찰」,『민태식고희기념논문집』, 1973 ; 심재룡,「鹿門 任聖周의 氣哲學 序說」,『동양문화국제학술회의논문집』2, 1980 ; 정인재,「任鹿門의 氣學」,『한국사상』17, 1980 ; 김낙필,「鹿門 任聖周의 氣철학」,『철학논구』9, 1981 ; 허남진,「朝鮮後期 氣哲學의 性格 : 鹿門任聖周의 경우」, 『한국문화』11, 1991 ; 김현,『임성주의 생의철학』, 한길사, 1995.

(1) 녹문의 '이기일치의 체용론'과 수운의 귀신

① 녹문의 理氣統體로서의 귀신

녹문이 주장하는 본체관의 특성은 본체를 理만으로 해석하거나 명명할 것이 아니라 살아 있는 생생불식의 도로서 理氣가 겸한 본체로서 불러야 함을 강조한 것에 있다. 그러므로 그는 이 이기일체의 개념을 神(鬼神)으로 다시 그 명칭을 설정하게 된다. 녹문에 있어서 귀신은 곧 본체와 상즉하는 개념으로 종래의 성리학에서 음양의 공용으로 혹은 형이하자로 보았던 개념과는 판이한 것이다. 녹문이 말하는 귀신은 체와 용을 함께 일컫는 말이다. 즉 형이상자와 형이하자를 함께 묶는 개념이다. 이 理氣一物 혹은 이기묘합적 실체가 귀신이다. 동학의 지기도 바로 본체와 작용이 통체적으로 현현함을 표현한 것으로 내유신령하면서 외유기화하는 天이요 귀신으로 녹문의 본체개념과 상통한다. 수운의 귀신 역시 불교에서 말하는 중음신이나 도교에서 말하는 잡신도, 성리학에서 말하는 형이하자의 개념도 아니다. 수운의 귀신이나 지기도 본체를 일컫는 하나의 개념이라 할 때 녹문의 귀신관은 수운에 앞서 선례가 되고 있다.

녹문의 귀신개념을 더 자세히 보면 이는 천지자연의 모든 운화현상과 천지만물의 양육, 그리고 인간이 일신을 주재하고 만 가지 변화에 대처하는 것 이 모두가 바로 귀신이다. 그는 귀신을 神으로도 지칭하는데 이는 자연의 모든 생명현상을 주관하는 주재적 존재이다.[208]

녹문이 말한 神은 천지만물에 없는 곳이 없어 만물을 낳고 기르며 주재한다. 『역경』의 三才가 天을 중심으로 天에 종속되는 天→地→人의 삼재관과는 달리 天↔(地)↔人의 대등한 관계를 보여준다.[209] 그러므로 녹문의 삼재는 수운이 天을 剛, 地를 質, 人을 氣라고 했던 것과 상통하는 면이 있다. 즉 하늘은 만물을 낳는 근본이 되고 地는 만물을 기르는 바탕과 재료가 되어 人이 이를 주재하는 천지조화의 주체자로 서게 되는 데는 녹문과

---

208) 『녹문집』 권4, 書, "天地人物 只是一箇神耳 在天則其能運行不息發生萬物者此也 在地則其能順承天施養育萬品者此也 在人則其能主宰一身酬酢萬變者此也".
209) 『녹문집』 권4.

같은 삼재사상이 재현되었다고 볼 수 있다. 또한 녹문은 상제가 임하니 인간의 마음과 둘이 아니요 이는 곧 天의 귀신이다 했고, 이용출입하는 백성들의 움직임이 백성의 귀신이요 적연하여 움직이지 않으면서 느껴 통하는 것이 '나의 鬼神'이라 하여 모든 것이 오직 귀신이라 하였다.210)

　수운의 귀신 역시 천지요 음양이며 인간과 모든 만물이 그로부터 나왔으며, 인간의 수족동정은 귀신이요 선악간 마음 쓰임은 氣運이며 말하고 웃는 것 역시 조화라 한다. 그러므로 귀신은 곧 지기요 상제가 된다.

　　　이런 지각 구경하소
　　　천지 역시 귀신이오
　　　귀신 역시 음양인 줄
　　　이같이 몰랐으니 ……
　　　천리야 모를쏘냐 사람의 수족동정
　　　이는 역시 귀신이오 선악간 마음용사
　　　이는 역시 기운이오 말하고 웃는 것은
　　　이는 역시 조화로세 그러나 한울님은
　　　지공무사 하신 마음 불택선악 하시나니
　　　효박한 이세상 동귀일체 하단말가211)

　　　내 마음이 너의 마음이다.
　　　사람은 천지는 알아도 귀신은 모른다.
　　　귀신이 나다.212)

　수운에게 체험되었던 상제(天)는 곧 귀신으로 진리의 본체와 그 현존성이 강조되고 있다. 귀신은 음양이요 천지이다. 수운은 천지는 알면서도 귀신은 모르느냐고 반문한다. 또한 상제가 '나의 마음이 곧 너의 마음'이라

---

210) 『녹문집』 권19, 雜著, "上帝臨汝 毋貳爾心 天之神也 …… 利用出入 民咸用之 民之神也 寂然不動 感而遂通 我之神也 惟神也".
211) 『용담유사』 도덕가.
212) 『동경대전』, "吾心卽汝心也 人何知之 知天地而無知鬼神 鬼神者吾也".

함은 귀신이 곧 인간이요 인간이 한울됨을 언명하는 것이다. 그 한울(귀신) 또는 지기는 이기묘합적 이기일물로서 이돈화의 표현으로 하면 물심일치 적인 것이다. 의암은 '귀신이란 음양의 변화요 性心이라 했고 총괄하여 말 하면 氣가 理를 포함하고 동시에 理가 氣에 부여된 것으로 설명하여213) 性心, 動靜, 이기일체를 말했다. 해월 또한 인간의 屈伸動靜이 곧 理氣라 하였다.214) 또한 손병희가 '한울과 마음과 기운이 어떻게 구별되느뇨?' 하 고 물었을 때 손천민은 다만 至氣의 활동뿐이라고 대답한 것을 보아도 한 울, 마음, 기운, 귀신은 모두 하나로 통함을 알 수 있다. 녹문 역시 귀신을 그 體에 있어서는 天, 元氣, 浩氣, 太虛라 하였고 그 德은 生意라 하고 천 지의 마음이라고도 하였다. 귀신뿐만 아니라 氣나 天, 理도 본체와 작용을 함께 일컫는 총칭이다.

　이러한 맥락에서 天, 태극(理), 神(귀신), 元氣, 命, 自然 등은 하나로 상 통되는 궁극자 개념이 된다. 그 유행하여 쉬지 않는 것은 道라 하고 乾이 라고도 하며 그 측량할 수 없는 것은 神이라 하며 실상은 모두 하나로 命, 또는 帝라 하고 또한 태극이라 하였다.215) 그러므로 녹문의 귀신은 元氣 요, 생의요, 태극이며 神이다. 이와 같이 녹문이 여러 말을 하나의 개념으 로 병칭시키는 것은 이 모든 것이 氣의 能임을 설명하고자 함이다. 氣의 能이란 天에 있어서는 神이라 불리우고 인간에게 있어서는 心이라 부르는 것이다.216) 인간의 지각하는 것은 우주에 있어서 良能과 같다. 그러므로

---

213) 『각세진경』, 589~590쪽, "鬼神者何也이니까 陰陽之變化謂也니라 鬼神論之 則 陰鬼陽神이오 性心論之 則性鬼心神이요 動靜論之 則動神靜鬼니 總而論之 則 氣抱理理賦氣 而無依無立之環也니라".
214) 『해월신사법설』天地理氣 ; 같은 책, 其他.
215) 『녹문집』권19, 鹿廬雜識, "生意流行 不測其則 曰天曰元氣曰浩氣曰太虛 其生 意則 曰德曰元曰天地之心 其流行不息則 曰道曰乾 其不測則 曰神 其莫之然而 然則 曰命曰帝曰太極".
216) 『녹문집』권2, 書, 答渼湖金公 三, "夫在天曰神 在人曰心 其實一箇能而已 故以 天言之則生長收藏者氣也 而能生能長能收能藏者則神也 以人言之則喜怒哀樂者 氣也 而能熹能怒能哀能樂者則心也 是以氣有偏正 而所謂神者則未嘗有偏正也 氣有淸濁 而所謂心者則未嘗有淸濁也 主宰乎一氣之原而偏體乎萬物之中 昭著 乎方寸之內而流行乎".

우주의 鬼神과 인간의 心은 하나일 뿐이다. 그러나 인간에게는 혈기운동
이 있는 고로 마음의 지각은 影象이 있어 찾을 수 있는 것과 같으나 天은
혈기운동이 없는 고로 귀신의 양능이라 하는 것이다.[217]

  기존 성리학에서는 이와 기를 나누면서도 理를 태극의 통체개념으로 사
용했다. 그러나 녹문은 이기를 통칭하여 이기체용으로서 귀신개념을 다시
설정하는데 이는 불교의 사유체계에 다가서는 것으로 보여진다. 원래 주자
가 화엄의 이사무애사상을 '이기불상잡불상리'로서 표현하고 불교와 구별
을 두어 자신의 이기론을 정립하여 갔지만 결국은 이기가 분리되어 후학
들에게 많은 혼란을 주었다고 본다. 퇴계는 理發을 말하여 이기체용의 현
현을 말했지만 이 역시 理氣를 혼돈하게 하여 많은 논쟁을 일으킨 바 있
다. 그러나 녹문은 불교에서 이법계와 사법계의 통칭으로서 법계를 말한
것같이 유사한 맥락을 말하고 있고, 또한 기신론에서 진여문과 생멸문을
통칭하여 일심을 말하듯이 녹문은 이와 기를 통칭하여 귀신이라 말하고
있는 것이다.

  ② 虛靈不昧로서의 체용론

  우주로 말하면 만물을 생성, 收藏하는 것이 氣인데 이를 능히 생성, 수
장하게 하는 것은 神이다. 사람으로써 말하면 희노애락이 氣인데 능히 희
노애락하게 하는 것이 心이다. 氣에는 편정이 있지만 神에는 편정이 없고
氣에는 청탁이 있지만 心에는 청탁이 없다. 물론 心은 氣質 밖의 것이 아
니며 양능으로서 無形이지만 볼 수 있고 無聲이지만 들을 수 있는 <虛靈
不昧>한 것으로 기질에 구애되지 않는다.[218] 녹문이 해석하는 허령불매에
서 허령의 虛는 미발과 이발에 통하는 말이다. 虛靜의 虛는 오직 미발의
때만을 말하는 것으로 虛靈의 虛와는 다르다고 하였다. 녹문이 뜻하는 虛

217) 『녹문집』 권2, 書 答渼湖金公 十一, "人之知覺卽 天之良能也 天之鬼神 卽人之
　　心也 知覺與良能 心與鬼神一而已 然人有血氣運動 故心之知覺 似有影象之可尋
　　天無血氣運動 故鬼神之良能".
218) 『녹문집』 권2, 書 答渼湖金公 三, "心雖不外乎氣質 而旣曰良能則無形可見矣 無
　　聲可聞矣 虛靈不昧矣 神明不測矣 則亦豈氣質所得以囿者哉".

字는 허정을 말하는 것이 아니기에 허령과 허정을 함께 말하지 않는다. 따라서 虛는 비고 통한다는 것이 바른 해석이라 그는 말하였다. 비고 통하기 때문에 체와 質 및 방소가 없고 무체 무질 무방소이기에 비고 통하는 것이다.[219] 이는 불교에서 無自性이기에 모든 것이 변화할 수 있고 有無가 통할 수 있음을 말하는 것과 같다. 또한 불매에서 불매의 體는 고요하여 만가지 이치가 찬연한 것을 말함이요 불매의 用은 움직여 사단이 나타나는 것을 말한다.[220] 이는 불교에서 본체를 '허령불매'라 설명함과 역시 유사하다.[221]

　녹문에 있어서 氣의 能이란 인간과 만물을 생성하고 조화를 만들어 내는 자이다. 자취가 없으면서도 작위를 일으키는 것이 이기묘합이요 나누어 말하면 기의 靈이요 理의 妙인 것이다. 이는 율곡이 말한 '無가 묘유를 함축하고 有가 진무를 나타내며, 道는 형상의 밖에 있는 것이 아니고 이치는 物과 함께 존재한다.'[222]는 말과 연맥되고 있다. 녹문이 설명하는 본체는

---

219) 『녹문집』 권4, 書 答宋時偕 九, "虛靈之虛 通未發已發而爲言者也 虛靜之虛 獨指其未發之時而爲言者也 此其所異 特在於所指之或偏或全耳 非虛字之義 以此而有二也 盖毋論虛靈與虛靜 未發與已發 空通云者 卽其正釋也 無體質方所云者 所以反說而發明之者也 然其實空通 故無體質方所 無體質方所 故空通 要其歸則亦未嘗不同也".

220) 『녹문집』 권2, 書 答渼湖金公 六, "虛靈不昧四字 …… 靜而萬理燦然者 不昧之體也 動而四端昭著者 不昧之用也".

221) 『淨土生無生論』, 大正藏 47, 383a, "虛靈不昧 이는 내 마음이 스스로 空함이다. 사물이 와서 마음에 응하니 이는 내 마음이 스스로 있음이다. 空과 有는 상즉하니 이는 내 마음이 스스로 中한 것이다. …… 닦는다는 것은 본성을 비추어 아는 것을 말한다. 그러므로 이 마음을 체달하면 텅 비어서 한 물건도 없다. 이를 空이라 말한다. 이 性을 비추어 본즉 만법이 내 마음에 구족된다. 이를 假라 한다. 이 두 가지를 융통하여 하나가 아니면서도 다르지 않으니 이를 中이라 한다. 그런즉 虛靈하나 사물에 응하는 것이다. 즉 '應物而虛靈'이다. 空은 假·中이요, 假는 空·中이며, 中은 곧 空·假다. 三諦者眞俗中也 三觀者空假中也 忘情絶解莫尙乎眞 隨緣應用莫尙乎俗 融通空有莫尙乎中 虛靈不昧 此吾心自空者也 物來斯應 此吾心自有者也 空有相卽 此吾心自中者也 …… 修之者稱性照之也 故體達此心空洞無物 謂之空 照了此性具足萬法 謂之假 融通二邊不一不二 謂之中 然則卽虛靈而應物也 卽應物而虛靈也 空卽假中也 假卽空中也 中卽空假也".

222) 『율곡전서』 권1, 賦 十四~十六, "故神妙 兩故化物 無涵妙有 有著眞無 道非器

능함으로 스스로 그 주재를 세우고 그 기질을 변화시키는 것이 생생불식
하는 본연의 체이다. 이것이 혼연히 나에게 전체로서 부여됨이니 유형이란
방소가 있고 체가 있음을 말함이요 방소가 있고 체가 있음으로 인해 국한
시킴이 정해져 바꿀 수 없는 것이 된다. 국한됨이 정해져 바꿀 수 없기에
만물이 같지 않다. 유형과 달리 無迹은 방소가 없고 체가 없은즉 신묘하고
예측할 수 없는 것이다. 그러나 妙氣는 氣를 간섭하지 못한다. 물에 있어
서는 物에 구애되고 그 체가 된다. 그러나 이 모두가 하나로써 '能'이라 말
하는 것이다.[223]

　能을 理라 하면 理란 작위가 없기에 적절하지 않고 그렇다고 氣라 하면
氣는 흔적이 있고 能은 흔적이 없기에 이 역시 적절하지 않다. 그러므로
녹문은 能을 <氣의 靈>이요, <理의 妙>라 한다. 녹문은 이 能이야말로
모든 조화를 만들면서 인간과 만물이 생성하는 기틀이 되고 기처럼 작용
을 하면서도 理처럼 자취를 남기지 않는다 했다.[224] 그리고 녹문은 이것을
총칭하여 <神>이라 했던 것이다. 녹문에게 있어서 귀신은 단순히 형이하
적인 존재에 그치는 것이 아니라 형이상적인 理의 성격을 포함한 존재이
다. 이는 다산의 귀신관과도 통하는 입장이라고 할 수 있다.[225] 수운도 본
체를 '虛靈蒼蒼'[226]이라 하였다.

　또한 녹문이 본체를 '莫之然而然'이라 설명하는 것과 수운의 '불연기연'
은 상통하는 것으로 보인다.

外 理與物俱".
223) 『녹문집』권2, 書 答渼湖金公 九, "以自立其主宰 以變化其氣質 則所謂生生本然
　　之體 渾然復全於我矣 蓋有形者有方有體 有方有體則 局定而不可易矣 局定而不
　　可易則有萬不同矣 無迹者無方無體 無方無體則神妙而不可測矣 神妙而不可測
　　則妙氣而不涉於氣 在物而不囿於物 而其爲體也 一而已 此乃理之必然者也 然則
　　所謂能者 果可得以等分之乎".
224) 『녹문집』권2, 書 答渼湖金公 三, "日用之間 因依乎有淸濁偏正之裏 而超脫乎無
　　淸濁偏正之表也 無非所謂一箇能也 然則能者果何物也 謂之理耶則理無爲而能
　　有爲也 謂之氣耶則氣有迹而能無迹也 謂之非理非氣耶 則理氣之外 未別有物也
　　然則所謂能者 果何物也 不過曰氣之靈而理之妙也".
225) 『丁茶山全書』권1, 中庸自箴.
226) 『동경대전』논학문.

그렇지 않으면서 그러하며(莫之然而然) 스스로 비어 있으면서도 원만
히 성대한 물건을 이루니 峽然하며 호연하여 안과 바깥이 없으며 나누임
도 없고 제한도 없으며 시작도 끝도 없다. 그러면서도 전체가 밝고 융화
하며 다 생생하는 뜻이어서 유행하여 쉬지 않으며 물을 생성함을 이루 헤
아릴 수가 없다. 그런데 그 체는 天이라고도 하고 元氣라고도 하고 活氣
라고도 하고 천지의 마음이라고도 하며 그 유행하여 쉬지 않는 것은 道라
고도 하고 乾이라고도 하며 그 측량할 수 없는 것은 神이라고 莫之然而
然인즉 命이라고도 하고 帝라고도 하고 太極이라고도 한다. 요컨대 이것
은 다 허하고 둥글고 성대한 물건에 대하여 이것저것 분별해서 이름을 세
운 것이나 그 실상은 하나다. 그렇지 않으면서 그러하다는 것(莫之然而)
은 곧 이른바 자연을 가리키는 것이다.227)

녹문은 '막지연이연'이기에 태극이라 하고 명이라 하고 제라 한다고 했
다. 이는 비어 있으면서도 원만히 物事를 이룬다. 天, 元氣, 天地之心, 道,
神, 태극 등으로 병칭되는 다양한 명칭들은 虛하면서도 妙有가 있어 만물
을 생성시키는 것을 말한다. 이들은 이것저것 분별해 이름하는 것에 지나
지 않는 것으로 실상은 하나다. '그렇지 않으면서 그러한 것'은 곧 허령이
요 자연을 가리킨다. 수운의 불연기연도 여기에 배대시킬 수 있다.228) 녹문
에게 있어 自란 무형의 소이연, 소당연을 뜻하는 말이요 然이란 유형의 氣
를 뜻하는 말이다. 수운에게 있어서도 불연이란 무형의 본체요 기연이란
유형의 작용(物)이다. 녹문은 理자의 본래 뜻은 '自然' 두 글자로써 이를
氣라고 해도 무방하다 했다. 왜냐하면 이 자연(당연) 또한 별다른 경계가
있는 것이 아니고 다만 이 氣字 위에서 말한 것이기 때문이다.229) 自와 然

227) 『鹿門集』권19, 雜著 鹿廬雜識 一, "莫之然而然 自有一箇虛圓盛大底物事 峽然
浩然 無內外無段 無邊際無始終 而全體昭融 都是生意 流行不息 生物不測 其體
則曰天曰元氣曰浩氣曰太虛 其生意則曰德曰元曰天地之心 其流行不息則曰道曰
乾 其不測則曰神 其莫之然而然則曰命曰帝曰太極 要之皆就這虛圓盛大物事上
分則立名 其實一也 莫之然而然 卽所謂自然也".
228) 본 연구에서 불연기연은 불교 화엄사상에 그 바탕을 두고 있음을 살폈다(이 책의
제4장 1절 참조).
229) 『녹문집』권19, 雜著 鹿廬雜識 二~三, "嘗思理字之義 須自然二字乃盡 如當然

은 '막지연과 이연'으로 수운의 '불연과 기연'처럼 체용을 겸해서 하는 말이
라 할 수 있다. 녹문에게 있어 自와 然이 하나이듯이 氣와 理가 하나이고
氣를 理라 하여도 무방하다. 수운의 표현으로 하면 불연이 기연이요 기연
이 불연이다. 이는 화엄에서 말하는 이사무애와 상통하는 것이다.

③ 이통기국 비판과 통국론의 전개

또한 율곡이 화엄의 통국에서 이통기국의 이론을 정립했다면 녹문은 율
곡이 남긴 문제점들을 더 명확히 했다고 볼 수 있다. 그는 율곡을 평하기
를 '지극히 밝고 투철하며 그 논설이 지극히 아름답고 빛나 주자 이후에
이만한 경지에 도달한 사람이 없다.'[230]고 했다. 그러나 氣의 本一處에 있
어서 완전히 밝지 못한 것이 있으니 그것은 이통기국의 논리에 있어서 氣
로써 萬殊에 돌리고 또 담일청허한 氣는 있지 않은 데가 많다고 한 것에
있다[231]고 하였다. 율곡이 비록 '理의 본원은 하나일 따름이요 氣의 본원
도 하나일 따름이다'라고 하였고 또 道心으로써 본연의 氣라고 한 것으로
보면 또한 강론하여 궁구하지 않았다고 하지는 못할 것이나 그 귀결하는
곳을 추구하여 보면 결국 理와 氣를 서로 다른 두 물건으로 나누었다는 것
이다.'[232] 따라서 녹문은 결코 그렇게 말해서는 안 된다고 말한다. 왜 그런
가 하면 '비록 편벽되고 질색하여 막히고 악하고 탁한 곳이라도 이 氣만은
통수하여 들어가지 않음이 없고, 다만 형상과 기질에 국한되어 능히 드러
내어 밝게 행하지 못할 따름이기 때문이다.[233]'

所以然 要其歸皆自然也 …… 此乃氣之性情 出於自然而爲當然之則者也 卽此當
然處 聖人又名之 曰道曰理 然而其所謂自然當然者 亦非別有地界 只是就氣上言
之 然字正指氣 而自字當字不過虛設而形容其意思而已 苟能識得此意思則雖或
指氣爲理 亦未爲不可也".

230) 『녹문집』 권19, 雜著 鹿廬雜識 六, "栗谷先生於理氣源頭 深造獨得 見得極明 透
說得極玲瓏 朱子以後殆未有臻斯理者也".

231) 『녹문집』 권19, 雜著 鹿廬雜識 七, "獨於氣之本一處 猶或有未盡塋者 …… 而乃
於理通氣局之論 專以氣歸之萬殊 又以爲湛一淸虛之氣 多有不在".

232) 『녹문집』 권19, 雜著 鹿廬雜識 七, "其曰理之源一而已 氣之源亦一而已 又以道
心爲本然之氣者 亦不可謂不講究到此 …… 究其歸 終未免於二物之疑".

233) 『녹문집』 권19, 雜著 鹿廬雜識 四, "盖雖偏塞惡濁處 此氣則無不透 特被形氣所

通局이라는 두 글자는 반드시 理와 氣에 분속시킬 것은 아니다. 대개 그 일원처라는 데서 말한다면 다만 理의 一뿐만은 아니고 氣도 또한 一이니 一은 곧 通이요 그 만수처라는 데로부터 말한다면 곧 다만 氣의 萬뿐만은 아니고 理도 또한 萬이니 萬은 곧 局이다.[234]

녹문은 통국을 理와 氣에 분속시켜서는 안 되는 일원처임을 말하고 通은 理一, 氣一을 뜻하며, 局은 理殊, 氣殊를 뜻하는 것이라 하였다. 理만 통하고 氣는 국한되는 것으로 나누어 말해서는 안 된다는 것이다. 녹문은 율곡의 이통기국을 더 철저히 화엄적으로 해석하고 있다. 물론 녹문은 불교가 一과 分을 구분하지 않고 작용이 곧 불성이라 한다고 비판하지만 정작 자신이 주장하는 것이 불교의 근본적 의미와 다르지 않은 것이다. 불교에서 결코 작용을 곧 불성이라 하는 것은 아니기 때문이다.

청일담허한 氣는 존재하지 않는 데가 없다. 녹문은 담일청허한 氣가 곧 天이라 한다. 天은 존재하지 않는 곳이 없다. 사람의 性이 善한 것은 그 기질이 선한 것이기에 기질 이외에 특별히 선한 性이 있는 것이 아니다. 기질이 곧 性이다. 기질이 비록 악하여도 성은 스스로 선하다는 것은 理와 氣를 쪼개어 두 물건으로 만든 것이다. 기질과 성은 하나다. 기질이 탁하고 잡된 사람이라도 그 본체의 湛一한 氣는 곧 같다.[235] 그러나 탁하고 잡된 것은 그 정기 중의 찌꺼기일 따름이니 찌꺼기가 무거우면 곧 본체가 은폐되는 것이다.[236]

局塞 不能呈路而顯行焉爾".

234) 『녹문집』 권19, 雜著 鹿盧雜識 七, "通局二字 不必分屬理氣 盖自其一原處言之 則不但理之一 氣亦一也 一則通矣 自其萬殊處言之 則不但氣之萬 理亦萬也 萬則局矣".

235) 『녹문집』 권19, 雜著 鹿盧雜識 五, "湛一淸虛之氣 非他也乃天也 天豈有不在者 乎 栗谷說終覺可疑 人性之善 乃其氣質善耳 非氣質之外別有善底性也 故曰人無 有不善 水無有不下 又曰成賊人以爲仁義 但說人字水字 更不擧性字 其意可見 故孟子說性善 至說浩氣 其義乃明 明道所謂孟子夫其中發揮出浩然之氣 可謂盡 矣者 正以此也 今人多分人與性爲二 以爲氣質雖惡 性自善 是理與氣判作兩物而 性之善者 味足爲眞善也 或疑如是則氣質濁駁者 當何區處".

236) 『녹문집』 권19, 雜著 鹿盧雜識 五, "曰雖氣質之濁駁者 其本體之湛一則無不同

사람의 선한 것이 마치 물이 내려가고 화기가 올라가는 것과 같은 것인데, 사람의 氣는 惡하고 그 性은 그것대로 스스로 선하다고 한다면 이는 오히려 물은 올라가고 불의 성은 내려간다고 하고 불은 내려가고 물의 성은 올라간다는 것과 같으니 이렇다면 과연 어떤 의미의 말이 성립될 수 있겠느냐[237] 라는 것이다. 그러므로 성은 곧 형색일 수밖에 없다. '횡거선생이 이르기를 사람의 강하고 유하고 느즈러지고 급박하며 재주가 있고 재주가 없는 것은 기의 편벽됨 때문이라 했다. 天은 본래 參和(서로 참여하여 화합한 것. 天, 地, 人의 삼위가 화합한다는 뜻)하여 편벽되지 않으니 그 기를 길러서 본체에 돌이켜서 편벽되지 않으면 곧 性을 다한 天인 것이다. 기의 편벽이라는 것은 말류의 찌꺼기를 가리켜서 말한 것이요 本이라는 것은 氣의 본체를 이른 것이다. 그 기를 길러서 그 본체를 돌이키면 곧 性이 그 가운데 있다. 그러므로 성을 다한 것을 天이라고 한 것이니 천은 편벽되지 않은 것이다. 氣도 또한 天이요 性도 또한 天이다.'[238]

그러므로 人과 物은 性을 달리하는데 그 가운데서도 담일청허한 기는 없지 않은 곳이 없다. 녹문이 율곡의 이통기국론이 완전하지 못한 것이 있다 함은 앞에서도 말했듯이 氣를 만수에 돌려 담일청허한 기가 없는 곳이 많다 함이다. 그러나 나중에 녹문은 율곡이 말하는 바가 해석하기에 따라서는 잘못됨이 없는 것이라고 말한다. 율곡이 이기를 둘로 나누어 理는 一原에 붙이고 氣는 分殊에 붙인 것이 아니라는 것이다. 理通이라고 하더라도 氣가 그 가운데 있고 氣局이라 하더라도 理가 그 가운데 있음을 말했다는 것이다.[239]

……　若其所謂濁駁者 乃其正氣中渣滓耳　渣滓重則本體隱焉者".

237) 『녹문집』 권19, 雜著 鹿廬雜識 五, "人之善 猶水之下火之上 今謂人之氣惡而其性自善 是猶言水則上而水之性則下 火則下而火之性則上 果成何等說話乎".

238) 『녹문집』 권19, 雜著 鹿廬雜識 五, "橫渠先生曰 人之剛柔緩急才不才 氣之偏也 天本參和不偏 養其氣 反之本而不偏 則盡性而天矣 氣之偏 指末流渣滓而言 本謂氣之本體 養其氣以反其本體 則性在其中 故曰盡性而天矣 天卽上文所謂參和不偏者 氣亦天性亦天也".

239) 『녹문집』 권19, 雜著 鹿廬雜識 二十四, "栗翁理通氣局一語 心常疑之 更思之 此非判理氣爲二物 一屬之一原 屬之分殊也 只是一原則主乎理而言之 故曰理通而氣在其中 分殊處則主乎氣而言之 故曰氣局而理亦在其中 觀於所謂氣之一本者

④ 理氣一致의 화엄적 전개

이와 같이 녹문의 사상은 율곡의 이통기국에서 사유전개를 발전시켜 보다 이사무애에 가깝게 전개되었다고 본다. 물론 녹문은 자신의 사상을 철저히 유가적 전통에서 규명하고 있음을 본다. 먼저 그는 이기체용의 일치를 주자의 말에서 근거를 찾고 있다.[240] 녹문은 주자가 天을 理라고 한 것은 일음일양을 가지고 道라 한 것과 같다고 해석하지만 이는 어디까지나 녹문 자신의 자의적인 해석이라 할 수 있다. 주자에게 있어 道와 器는 어디까지나 형이상자와 형이하자의 관계이다. 기존의 성리학에서는 이기가 둘로 나누어져 담일청허氣와 理를 구분하고 氣 중에서도 담일청허氣와 濁駁한 氣를 구분하며 氣와 性을 구분하였다. 그러나 녹문은 萬理는 곧 萬象이요 태극은 곧 원기니 이일분수는 곧 기일분수와 다르지 않다고 주장한다.[241]

녹문은 사람들이 주자가 말한 '決是二物'이라는 말만을 믿고서 理氣를 두 개의 物事가 있는 것으로 여기고 심하면 대본[242] 위에다 기질의 탁박을 안배해서 氣의 악한 것이 性의 善에 해로움이 없다 하니 진실로 슬픈 일이라 통탄한다. 그리고 그는 사람들이 이일분수를 말하여 理는 한 가지이지만 氣는 다르다고 하는 것은 理의 一이라는 것이 氣의 一에 즉하여서만

理之通故也 理之萬殊者 氣之局故也 云云者 可見其本意(朱子所謂 理同氣異亦然) 至於謂湛一淸虛之氣 多有不在 恐亦只如程子所謂三見 則一二亡者 非謂氣外有物也 但句語間或不無成語病者 讀者詳之而活看焉可也".

240) 『녹문집』 권19, 雜著 鹿廬雜識 二, "朱子訓天以理 正如以一陰一陽爲道 正所以發明器亦道道亦器之妙 而昧者不知 及謂蒼蒼者非天 而蒼蒼上面別有所以然之理爲天 虛莫甚焉 原來天只是蒼蒼者 而蒼蒼者便是理 陰陽只是陰陽 而陰陽便是道 知者自當默識之 中庸二十九章章句云 天地者道也 其意亦同".

241) 『녹문집』 권19, 雜著 鹿廬雜識 三, "朱子決是二物之語 往往眞以理氣爲有兩箇物事 甚至大本上安氣質駁濁字 以爲氣之惡 無害於性之善 良亦可哀也 夫萬理萬象也 五常五行也 健順兩儀也 太極元氣也 皆卽氣而名之者也 今人每理以一分殊 認作理同氣異 殊不知理之一 卽夫氣之一而見焉 苟非氣之一 從何而知其理之必一乎 理一分殊者 主理而言 分字亦當屬理 若主氣而言則曰氣一分殊 亦無不可矣".

242) 대본이란 理氣一物을 지칭하는 것으로 理와 氣는 본래 一物인데 그 대본은 담연청허함, 즉 이기가 혼전한 일체인 때의 본체를 말한다.

나타난다는 것을 알지 못하기 때문이라 하였다. 율곡은 理通을 말하여 理의 一은 말하면서도 氣局이라 하여 氣의 편벽성에 의한 본연성이 가려짐을 말하였는데 녹문은 氣의 一이 아니면 理一도 알 수 없다 하여 화엄에서 말했던 통국개념에 더 가까이 가 있다. 즉 불교가 佛果에 국한하여 性起할 수 있음을 말했듯이 理一도 氣一일 때 가능함을 말하고 있는 것이다. 그러므로 이일분수라는 것은 理를 주로 해서 말한 것으로 만약 氣를 주로 해서 말한다면 곧 기일분수라고 해도 그르지 않다는 것이다.[243]

녹문이 말하는 一과 萬은 화엄에서 말하는 一과 多에 배대할 수 있다. 그러므로 녹문이 말하는 이일분수란 하나인 동시에 만을 의미하는 '一卽多多卽一'에 지나지 않는다. 이일분수란 하나의 가운데 萬者가 갖추어 있고 萬 가운데 一者가 싸여 있어서 본래부터 두 가지가 아니라 하는데 이는 불교의 화엄을 말하고 있는 것이다.

告子가 生을 性이라 한다고 한 것은 무방하니 무릇 천지가 생한 物은 모름지기 性이라고 한다. 성이라고 하면 곧 그 속에서 도리어 모름지기 소의 성이다 말의 성이다 하여 분별하여야 한다. 이를 단지 도는 일반이라 하여 釋氏와 같이 굼틀거려 움직이며 영기를 머금은 것이 다 佛性이 있다고 말하는 것은 옳지 않다. 이는 나뉨이 다름을 말한 것이다. 또 이르되 만물이 다 나에게 갖추어져 있고 홀로 사람뿐이 아니고 물도 다 그러하지만 단지 이 物은 능히 미루지 못하고 사람은 능히 미루어 가는 것이니 이것은 理의 일로서 말한 것이다. 어찌하여 分이 다르다고 하는가? 하늘의 도가 변화함에 각각 性命을 바로 한다는 것이며 개의 성이 소의 성이 아니며 소의 성이 사람이 성이 아니고 附子와 大黃이 각각 이 一性이라는 것이 이것이다. 어찌 理一이라고 하는가? 오행은 한 음양이요 음양은 한 태극이며 개와 소와 사람이며 부자와 대황이 모두 한 성이라 함이 이것이다. 대개 이르되 분수라 하고 리일이라 하여 좇아 말한 것이 비록

243) 『녹문집』 권19, 雜著 鹿盧雜識 四, "則萬物之理 各隨其形色而異者 亦豈不較然乎 今人每以性卽理三字 證性之同 而今以此二章觀之 所謂所得以生之理 所謂自然之理者 與性卽理之理 有何別乎 則少尉性卽理者 何獨爲同之證 而不可爲異之證也 盖理者一而萬者也 一則同矣 萬則異矣".

다르다 하여도 그 실상은 하나의 가운데 萬者가 갖추어 있고 萬의 가운데 一者가 싸여 있어서 본래부터 두 가지 일이 있는 것이 아니다.[244]

고자가 生을 性이라 한 것처럼 천지의 物은 性이라 해도 틀리지 않다고 녹문은 말한다. 인·물의 형색이 다르기에 性도 다른 것이고 소의 성이 다르고 말의 성이 다르므로 분별하여야 한다. 그러나 釋氏는 이를 구별하지 않고 모두가 불성이 있다고 하는 것은 옳지 못하다고 하면서 인·물이 모두 하나의 性이라 한 것은 理一이기 때문이고 인·물의 성이 다름은 분수이기 때문이라 하였다. 그러나 화엄에서도 理와 事를 구분하고 있고 그러면서도 <一卽多 多卽一>의 이사무애를 말한다. 녹문도 <一卽萬 萬卽一>을 말하는데 녹문과 화엄에서 말하고자 하는 본체관의 설명은 상통되고 있다. 궁극적으로 녹문이 주장하는 바는 理는 一이요, 神 또한 一이기에 一物의 理는 곧 천지의 理요 一物의 神은 곧 천지의 神으로 본래 二物이 아니라는 것이다. 그러나 物物의 形氣가 이미 다르면 곧 이에 있는 理와 神이 자연히·그 형기에 따라 크고 작은 것이 달라지며 편벽되고 온전한 것이 달라지고, 통하고 막히는 것이 달라지지 않을 수 없으니 이것을 이른바 理는 一이로되 나누임은 다르다고 하는 것이다.[245] 만물이 일체이므로 一物 가운데 만물의 理가 있고 만약 품부한 것을 논한다면 곧 마땅히 이와 같이 말하지 못한다.[246] 그러므로 화엄에서 '一卽多 多卽一'을 말했듯이

244) 『녹문집』 권19, 雜著 鹿廬雜識, "告子云 生之謂性則可 凡天地所生之物 須是謂之性 皆謂之性則可 於中却須分別牛之性馬之性 是他便只道一般 如釋氏說蠢動含靈 皆有佛性 如此則不可 此以分之殊而言也 又萬物皆備於我 不獨人爾 物皆然 只是物不能推 人則能推之 此以理之一而言也 何謂分殊 乾道變化 各正性命 犬之性非牛之性 牛之性非人之性 附子大黃 亦皆各是一性是也 何謂理一五行一陰陽 陰陽一太極 犬牛與人 附子與大黃 都是一性是也 盖曰分殊曰理一 所從言雖異 其實一之中萬者具焉 萬之中一者包焉 初非有二事也".
245) 『녹문집』 권19, 雜著 鹿廬雜識 二十三, "理一也 神亦一也 故一物之理 卽天地之理 一物之神 卽天地之神 固非有二物也 然而物物之形氣旣殊 則理與神之在是者 自不得不隨其形氣而大小異言 偏全異焉 通塞異焉 此所謂理一而分殊者也".
246) 『녹문집』 권19, 雜著 鹿廬雜識 十八, "皆惟萬物一體 故一物之中 萬物之理存焉 正以其理之一而言之耳 若論所稟則不當如此說".

녹문은 '一卽萬 萬卽一'을 말하고자 한다.

(2) 녹문의 心·性·色 일치론과 교육

『중용』에서 교육이란 性을 따르도록 인간을 수양시키는 것을 의미한다. 녹문에게 있어서 인간이 性대로 따른다는 것은 마음의 能을 따르는 것이다. 이 역시 그의 이기일체의 본체관에 따라 神과 心이 그리고 心과 性이 일치함에 따라 나오는 사유방식이다.

> 명도 선생이 이르되 '천지 사이에 홀로 사람만이 지극히 신령한 것이 아니라 자신의 마음이 곧 이 초목과 새와 짐승의 마음이지만 다만 사람은 천지의 中을 받아서 태어났을 뿐이다'라고 하였다. 자신의 마음이 바로 이 草木 鳥獸의 마음이라는 것은 곧 理의 一이요 사람은 그 中을 받았으나 物은 그 편벽된 것을 얻는 것은 分의 다르게 나누어짐이다(分殊). 靈이라 하고 心이라 하고 中이라 하여 혼륜히 말하여 다시 분별하지 않음이니 心이 곧 性이요, 性이 곧 心이어서 두 가지 物이 아니다.[247]

인간의 마음이 바로 草木, 鳥獸의 마음으로 곧 理一이지만 사람만이 中을 받았고 物은 편벽된 것을 얻었기에 分의 나뉨이 있다.

또한 性이라는 것은 형색과 다르지 않다.[248] 예를 들면 '소는 멍에를 매어서 부리고 말을 사람이 타는 것은 다 그 성에 인하여 한 것이니 어찌 소를 타고 말을 멍에 씌우지 않는가. 그것은 理가 옳지 않기 때문이다.'[249] 만약 소나 말의 形色인데다 사람의 性을 갖추면 곧 性이 형색이 아니며 사람의 性인데 소나 말의 道가 있고 소나 말의 敎를 베푼다면 곧 道는 性

---

247) 『녹문집』권19, 雜著 鹿廬雜識 二十三, "明道先生曰 天地之間 非獨人爲至靈 自家心便是草木鳥獸之心 但人受天地之中以生爾 自家心便是草木鳥獸之心 則理之一也 人受其中而物得其偏則分之殊也 曰靈曰心曰中 渾淪言之 不復分別 則心則性性卽心 無二物也".

248) 『녹문집』권19, 雜著 鹿廬雜識 二十一, "盖形色天性也".

249) 『녹문집』권19, 雜著 鹿廬雜識 二十一, "明道先生嘗曰 服牛乘馬 皆因其性而爲之 胡不乘牛而服馬乎 理之所不可".

에 좇은 것이 아니며 性을 다한 교육이 아니다. 소에 멍에를 씌우게 하고 말을 타게 하는 것이 敎다.[250] 따라서 교육은 인간이 자신의 性을 파악하여 천성을 극진하게 하도록 해주는 것이다.[251]

또한 인간이 그 性을 천리대로 순행하여 해치지 않고 잘 기르는 것은 바로 하늘을 잘 받들어 섬기는 것이다. 형색은 천성으로 오직 성인이라야만 천성을 궁구하여 극진하게 할 수 있고 그 형색의 본분을 천리대로 수행한다. 문제는 인간이 알고 보존해야 하는 性이란 녹문에게 있어 편색, 탁박되지 않는 '空通'의 의미로서 담일한 본체에서 나온다. 공통은 곧 正通을 의미하는 것으로 바르게 통하려면 비어 있어야 가능하다. 공통은 편벽됨 없이 두루 통할 수 있음을 뜻하기에 바르게 통할 수 있음을 의미한다.[252] 이는 혜강이 말한 神氣通과 같다.

녹문은 담일한 본체를 <空通>한 것이라 한다. 이는 곧 호연지기로 사람이 선할 수 있는 것도 이에서 기인한다. 이는 마치 불교에서 자성이 없기(無自性)에 만물이 서로 상즉하고 넘나들 수 있다함과 같다. 인간이 망념의 때가 끼어 불성이 발휘되지 못하는 것과 같이 녹문에게 있어서도 기의 찌꺼기가 쌓여 있어 본성이 통하지 못하게 된다. 불교에서 번뇌를 떠나면 불성을 이루듯이 녹문에게 있어서도 渣滓(찌꺼기)를 헤쳐 나오면 仁義의 性이 나타나는데 이는 서로 유사한 구도를 보인다.[253] 인간이 性을 따르기

250) 『녹문집』 권19, 雜著 鹿盧雜識 二十一, "盖形色天性也 牛可服馬可乘者形也 卽形卽性 卽性卽道 更無層截 更無說話 其服之乘之則敎也".
251) -『녹문집』 권19, 雜著 鹿盧雜識 二十七, "如曰盡其心者 知其性也 知其性 則知天矣 存其心養其性 所以事天也 曰形色天性也 唯聖人然後 可以踐形".
252) 『녹문집』 권19, 雜著 鹿盧雜識 二十九~三十, "人得其正且通者以生而方寸空通 卽此空通 湛一本體 便已通然 更無堯桀之別 此卽所謂浩然之氣 而人性之所以善 正在於此 特其正通之中 或不能無濁駁之雜 而所謂濁駁 亦有多少般樣 多之至而至於跙躇則似乎 全是濁駁 不復可見其本體之湛一 然究其實則亦只是正通中渣滓 如淸水之爲泥沙所混耳".
253) 『녹문집』 권19, 雜著 鹿盧雜識 三十, "是故一或有孺子入井之類 瞥來感觸則藹然善端 便卽闖發 而其發也非乘濁氣也 亦非理之有造作也 依舊是仁義之性 自乘了本然湛一之氣 闢坼了渣滓而出來耳 如此然後方見性之眞箇至善 而渣滓之濁駁 無與於本體之湛一也".

위해서는 이를 막는 사재와 같은 편색, 탁박한 기질을 변화시켜야 하는데
녹문의 수행 역시 율곡처럼 기질을 바로잡기 위한 것에 수행의 초점을 두
고 있다. 추상적으로 인간의 善性을 믿고 이에 주력하기보다는 인간 실제
의 삶에 있어 탁박하고 편색된 氣가 발현될 때마다 이를 바로잡아 제어하
고 나오는 것이 곧 善性 자체가 되는 길이다.254)

(3) 녹문의 수양론 : 본체와 공부의 통일로서의 敬

녹문은 '다만 신명 담일이 주가 되면 방촌이 밝아져 渣滓가 물러나 복종
하고 사재(찌꺼기)가 주가 되면 방촌이 혼탁해져 신명 담일한 그 본체의
모습을 잃게 된다.'255)고 했다. 녹문이 말하는 사재는 선악이라는 이분법적
인 사고에서 생각할 수 있는 악의 원인이 아니며 인간 기품의 다양성을 지
적하는 말일 뿐이다.256) 사재는 악이 아니다. 이는 인간 안의 만상이라 할
수 있다. 만상은 편색탁박의 편벽성을 갖는다. 인간 마음이 이러한 만상에
이끌리지 않고 항상 무애자재하게 통하면 인간은 항상 담일한 본체를 발
현할 수 있다. 그러므로 이 사재를 헤쳐 나오는 것이 敬의 수양목표로 율
곡이 기질을 바로하는 것에 초점둔 敬과 유사하다. 그리고 녹문도 율곡이
말한 立志를 말하는데 입지란 명백하고 고명한 것을 세워 초탈을 이루는
것이다. 이는 고요히 관찰하고 밝히 보는 힘이 오래되어 깊이 있는 것을
얻은 연후에 가히 입지를 말할 수 있다. 그런즉 성현의 가르침에 합하지
못할 것을 두려워하는 것으로 입지란 분연히 확연하고 용맹 독실하여 가
르친 바 진리를 염두에 두고 싫어하지 않는 것을 말한다. 그러므로 녹문도
입지가 먼저 있은 뒤에 견고하여 옮기지 않는다고 하였다.257)

---

254) 『녹문집』권19, 雜著 鹿盧雜識 三十, "今若謂性善爲主 所乘之氣雖或濁駁 無害
於善情之發 則是全然歸中於理 而氣之清濁 都不關係無事乎 變化氣質之功也 又
況氣之濁者 雖或發善情亦不能 不發惡情 則其於理之有時而不可恃何哉 而又安
用夫性善之爲主乎".
255) 『녹문집』권4, 答李白訥 二十五, "故神明湛一爲主 則方寸瀅然 而查滓退聽 查滓
爲主則 方寸泊亂而神明湛一 失其本體明道".
256) 김현, 『임성주의 생의 철학』, 한길사, 1995, 167쪽.
257) 『녹문집』권4, 書 答孟成伯 十一, "所喩立志之說 明白警切 有以見高明所造超脫

그러나 녹문이 율곡과 다른 것은 敬공부 자체가 곧 본체와 하나가 된다
는 점이다. 이것이 율곡에게서 볼 수 없는 점으로 이는 氣철학의 발전이라
하겠다. 녹문에 있어서 이와 기가, 그리고 性과 形이 분리되는 것이 아니므
로 경이라는 수양 자체도 이미 경에 들어서면 도를 발휘하는 것이 된다.
이는 불교에서 말하는 '처음의 發心이 곧 깨달음'[258]이라는 말과 통한다.
敬이라는 공부 자체가 어떤 한 단계에 머무르는 것이 아니라 이미 본체의
발현(誠)이 된다는 것이다.

녹문은 정명도의 말을 인용하여 敬의 의미를 새롭게 제시하고 있다. 공
부와 본체는 둘이 아니다. 본체 가운데 공부가 있고 공부 가운데 본체가
있는 것이다. 녹문에 의하면 학자의 수양 공부를 가리키는 경은 그 자체가
본체가 됨을 뜻한다. 그러므로 공부(敬)와 본체(誠)는 하나이다. 또한 敬은
곧 主一을 뜻하는데 여기서의 一은 體인 誠으로 敬하면 곧 誠이 나타나는
것이다. 즉 誠과 敬은 하나로서 다만 능소의 구별이 있을 뿐이다. 이는 천
기를 누설한 것이라 할 정도로 탁견임을 나타내고 있다.[259]

또한 一은 平常의 체를 뜻하는 것으로 마음의 일이 없는 것을 말한다.
이 역시 지눌이 말한 평상심을 떠올릴 수 있는데 평상심이란 분별 경계가
없는 마음을 말한다. 이는 곧 녹문이 말한 '일이 없다' 함과 맥락이 통한다
고 본다. 왜냐하면 녹문도 분별의식을 나타내면 一이 아니라 했기 때문이
다. 이는 선불교의 돈오돈수와 돈오점수의 통합을 떠올리게 한다. 공부 자
체가 본체이고 본체 자체가 공부이기에 돈오돈수라 할 수 있고 이러한 돈

非昏淺所可及也 甚盛甚盛 然其中所謂察之精見之明力之久得之深 然後可以立
志云者 則恐或不合於聖賢之訓 …… 大抵立志云者 只是 奮然確然勇猛篤實 如
朱子所謂念念在此 爲之不厭者 是也 …… 而高明乃欲懲此 而反以見明得深 置
之於立志之先 則又顚倒錯亂 而非聖人之本意也 若曰見之明得之深 則志益堅固
而無移動撓奪之患 則可 若曰見之明得之深然後 方可以立志云 則不可".
258)『韓國佛教全書』2冊, 7b,「華嚴一乘法界圖」, "初發心時 便成正覺".
259)『녹문집』권20, 記, 50b~51b, "天地設位 易行乎其中 只是敬 此又言敬之與天一
也 心也性也氣也木體也天人固一也 若夫敬則工夫也 天亦有工夫乎 曰本體工夫
元非二事 卽本體而工夫在其中 卽工夫而本體亦在其中 …… 程子表章敬字爲聖
學本領 其功固已盛矣 若其論敬之說則主一一語至矣 然此語然後乃見其超脫
微妙道體躍如 而主一之旨亦因而昭晳無餘 其亦可謂太漏洩天機者矣".

오돈수가 삶 가운데 계속 행해지는 것이 돈오점수이며 궁극에 가서는 평상에 이르러 깨달을 것도 닦을 것도 없게 되는 것이다. 그러나 녹문은 禪家의 정좌법과는 구분한다. 단지 양계가 말한 정좌설을 수용하여 평상대로 묵묵히 고요함을 유지하는 것으로서 靜坐개념은 긍정한다. 이 평상 자체가 바로 性體요 敬이자 誠으로서 一에 전력하는 것은 배움의 시작이자 끝이다.260)

한편 녹문은 誠敬뿐만 아니라 存遏에 있어서도 같은 이치를 적용하고 있다. '遏人欲 存天理'에 있어서도 存과 遏이 두 가지가 아니라는 것이다. 욕심에 있어서는 遏하고 理에 있어서는 存하는 것이지만 공부하는 것은 하나이다. 인욕을 제거하는 공부와 천리를 보존하는 공부가 두 가지가 아니다. 인간이 삿됨을 쉬면 誠이 스스로 보존되고 자기를 이긴즉 저절로 禮로 돌아가는 것과 같다. 存과 遏을 나눌 수 있으나 '存理遏欲'은 두 가지가 아니다. 불교의 정혜쌍수에 있어서도 定하여 마음이 산란하지 않으면 惺惺한 지혜가 있는 것이고 慧하여 어리석음이 없으면 마음 또한 고요하다. 理를 함양하고 인욕을 성찰하는 것은 같다. 함양은 존리요 성찰은 알욕이라 할 수 있다. 이는 체용이 서로 함께 하는 공부이지 나누이는 것이 아니다.261) 그러므로 녹문에 의하면 理는 곧 현실이다. 녹문은 자칫 추상적이고 死物化될 수 있는 理를 생생불식하여 살아 움직이고 능히 현현하는 본체개념으로 주장하여 세계와 인간을 이해한 것이다. 그렇게 할 때 평상이 도가 되고 음양이 理가 되어 추상화되거나 현실과 괴리되는 일이 없게 된다. 따라서 인간 모두가 경으로써 자신을 수양하는 것이 백성을 편안하게 하는 것이요 그 공경을 두텁게 함에 천하가 평안해 진다. 이것이 실리를 몸에 체화하며 호순한 기를 통달하는 도리로서 총명하여 깊이 통하는 성

---

260) 『녹문집』 권26, 詩 心性雜詠, "梁溪靜坐說略曰 靜坐之法 不容一毫安排 只平平常常默然靜去 此平常二字 不可容易看過 卽性體也 …… 所謂敬者此也 所謂仁者此也 所謂誠者此也 是復性之本色也".

261) 『녹문집』 권4, 書 答宋時偕 十, "存遏元非二事 在欲爲遏 在理爲存 而其爲工夫則一也 …… 存遏固可謂一事 亦不可不謂之二事 如閑邪則誠自存 克己則禮自復之類是也 分存遏而兩觀之則存理遏欲 不容不二 如靜而涵養 動而省察 涵養者存理也 省察者遏欲也 …… 體用相涵之工夫".

인의 지혜가 다 이것으로 말미암아 나온다. 이것이 하늘을 섬기는 것이며
상제에게 제향을 드리는 것이다. 즉 하늘을 섬기며 상제에 제향드리는 것
과 백성을 평안하게 하는 것이 다 이 誠敬이니 이것은 또한 神의 조화이
다.262) 따라서 녹문의 사상적 의의는 본체관 및 심성론에 있어서 완전한
체용의 일치와 수행론에 있어 단계와 도달점에 있어서 완전한 동시적 합
일을 본 것에 있다.

4. 수운의 심학과 양명학

수운은 자신의 學을 心學이라고 하였다.263) 원래 심학의 원조는 禪이지
만 보통 심학은 양명학을 지칭하는 개념으로서 이해한다. 최동희 역시 수
운의 심학을 양명의 심학과 같은 것으로 보았다.264) 그러나 조선철학자들
중에 다산 정약용은 불교를 지칭하여 심학이란 용어를 썼다.265) 심학이라
고 해서 반드시 양명학을 뜻한다기보다는 불교를 지칭하여 쓰인 경우도
많다. 한편 성리학도 격물치지나 궁리 이전에 居敬의 마음수양을 강조하고
性情을 통치하는 주재자로서 마음을 내세우기에 심학적인 측면이 전혀 없
는 것도 아니다. 퇴계는 진덕수의 『心經』을 읽고 나서야 비로소 심학의 연
원과 심법의 정미함을 알게 되었다266)고 하였다. '孔門에서 심학을 말하지
는 않았지만 심학이 그 가운데 있다'267)는 것이다. 이렇게 볼 때 넓은 의미

---

262) 『녹문집』 권19, 雜著 鹿廬雜識 十三, "程子曰修己以敬 以安百姓 篤恭而天下平 惟上下
一於恭敬則天地自位 萬物自育氣無不和 四靈何由不至 此體信達順之道 聰明睿
智 皆由是出以此事天饗帝 …… 此語元來事天饗帝與安百姓 摠只是一箇誠敬 亦
只是一箇神造".
263) 『용담유사』 교훈가, "심학이라 하였으니 不忘其意 하였어라 현인군자될 것이니
道成德立 못미칠까".
264) 최동희역, 『동경대전 外』, 삼성출판사, 1974, 566쪽.
265) 정약용, 이을호역, 『대학공의』, 한국자유교육협회, 1974, 66쪽.
266) 『퇴계선생언행록』 권1, 類編, "先生自言 吾得心經而後 始知心學之淵源 心法之
精微".
267) 『도산선생자성록』, "故孔門未嘗言心學 而心學在其中".

에서 심학이란 어떤 학파의 전유물이 아니다.

그러나 불교나 양명의 심학은 마음이 곧 우주와 理의 본체가 되는 것이지만 성리학에서는 마음이 존천리이자 알인욕의 대상이 되어 마음의 순선성에 있어 제한을 두게 된다. 즉 주자에 있어 마음은 허령지각으로 불리지만 氣로서 본체개념이 아니다. 마음에는 인욕이 섞여 있어서 본체나 理가 될 수 없는 것으로 그 중에 오직 性만이 理가 된다. 따라서 性卽理라 하지 양명처럼 心卽理라 하지 않는다. 심학과 이학의 구별은 바로 마음을 본체로 보느냐 아니냐에 있다. 불교나 양명의 심학은 마음이 곧 우주의 본체로서 불성이며 양지이어서 일체의 모든 것이 마음에 의한다. 수운도 분명 마음을 본체로 하고 있고 심학이라 말했다.

또한 心學과 理學의 구분은 객관적 규범을 인정하느냐 하지 않느냐에 있다. 불교는 객관적 규범마저도 理障이라 하여 고정시키는 것 자체를 비판한다. 단지 마음 하나만 깨달으면 깨달음에서 오는 모든 행위가 그대로 진리의 현현이라는 것이다. 그러나 주자학자들은 객관적 理가 규정되어야 治民이 되고 천하가 평안할 수 있다는 주장을 편다. 주자는 禪學에서와 같이 마음만 확립되면 그것으로 족한 것이 아니라 마음이 理를 찾아내고 理에 따라 움직일 때 비로소 그 주재성이 올바르게 유지될 수 있다고 한다. 따라서 주자학에 있어서 가장 중요한 실천적 수련은 사물과 일에 접하여 그 이치를 궁구하는 이른바 격물치지란 것이 중요시된다.[268]

그러므로 수운의 심학은 자기 마음의 한울님을 깨닫는 각성에서 侍天이 되므로 불교적 심학이라고도 할 수 있겠지만 이에 더하여 면벽·좌선이 아닌 대인접물에 있어서 성경을 제시하고 있기에 양명학적 심학을 염두에 두어 이해하고자 한다. 또한 수운은 주자학적 격물치지나 만권시서의 탐독을 통한 이치의 추구보다는 자기 안에 모셔진 한울님을 깨달아 한울님을 위하는 성경신을 제시한다. 이 성경신은 곧 守心正氣로써 심학이라 지칭되는 것이었다.

---

268) 아라키 겐고, 『불교와 양명학』, 혜안, 1996, 60쪽.

1) 양명학의 심학

양명의 심학은 정해진 이치도 없고 다함도 없는 이치로서 心이 곧 理와 상즉하고 어떤 객관적 규범을 고정시키지 않는다. 이러한 양명적 심학의 견해는 불교의 중중무진한 변화생성의 세계관을 영향받아 나타나는 것으로 良知란 곧 易이라 했다. 易이란 자주 변화하여 가만히 있지 않고 변동하며 일정치 않은 것이다.[269] 만약 理를 객관적으로 정립하고 이를 습관적으로 받들어 따르면 理는 생명을 잃고 마음은 활력을 빼앗긴다. 이것이 양명 심학이 주장하는 바의 특징이다.

> 中이란 바로 천리이며 바로 易인 것이다. 그것은 수시로 변화되고 있는데 어떻게 잡고만 있겠는가? 반드시 그때 그때의 사정에 따라 알맞게 처리해야지 미리 한 가지 규칙을 정해 놓고 있기는 어려운 것이다. 예를 들면 후세의 유학자들은 도리에 대하여 일일이 빈틈 하나 없이 해설함으로써 어떤 격식을 세워놓으려 하는데 이것이 바로 한 가지를 고집하는 것이다.[270]

양명학은 불교와 같이 고정된 실체가 아닌 변화의 도 즉, 상황에서 이루어지는 도를 주장한다. 천리란 수시로 변화하는 것으로 상황과 때에 따라서 이루어지는 것이기에 이를 빈틈하나 없이 해설하여 격식으로 설정해 놓으면 理는 死物化된다. 원래 理를 창조하는 것은 다른 사람이 아니라 자기 자신이고 주객일체, 물아일여인 마음이 아니면 안 된다는 것이 선학의 입장이다. 양명은 이에 영향받아 이학으로부터 심학으로 전환한 것이다. 그러나 양명의 심학은 禪의 재탕이 아니라 인륜에 밀착된 理를 파악한 심

---

269) 『전습록』卷下, "良知卽是易 其爲道也屢遷 變動不居 周流六虛 上下無常 剛柔相易 不可爲典要 惟變所適 此知如何捉摸得 見得透時 便是聖人"; 智旭, 『靈峰蕅益宗論』권2 五, "不復生有邊無邊諸戱論哉 易曰範圍天地之化 而不過曲成萬物 而不遺通乎 …… 神無方而易無體 夫易旣範圍曲成矣 何無體旣無體欠 以何物範圍天地曲成萬物".

270) 『전습록』卷上, "中 只是天理 只是易 隨時變易 何如執得 須是因時制宜 難預先定一箇規矩在 如後世儒者 要將道理一 一說得無罅漏 立定箇格式 此正是執一".

학이다.271) 양명의 심학은 대인접물에 있어서 도를 떠나지 않는다. 그런 의미에서 양명은 유교적 특징을 아울러 갖추고 있다.

또한, 양명의 심학은 이기묘합의 특징을 갖는다. 양명의 양지는 조화적정령이고 이 정령이 하늘을 낳고 땅을 낳으며 귀신을 이룩하고 한울님을 이룩한다. 모든 것이 이로부터 나와 만물과 함께 있으며 대립되어 있지 않다.272) 즉 양명에 있어서 양지(理)란 이기일물이다. 양명 이전의 육상산에 있어서도 음양은 주자학처럼 형이하학적인 氣가 아니라 道이다. 나옴과 들어감, 나아가서 일을 행함과 물러나서 숨음, 어느 하나 일음일양이 아닌 것이 없으며 무한히 변화한다. 따라서 道는 자주 옮겨다니고 변동하여 머물지 않는다. 육상산이 말하는 음양은 곧 형이상학적인 도로서 주장되며 거슬러 올라가면 장횡거나 정명도, 주렴계의 주장이었다. 이기묘합을 주장하는 녹문이나 최옥, 최림에게서 정명도나 주렴계의 주장이 자주 보이는 것은 이러한 맥락에서이다. 즉, 형이상학과 형이하학이 통일되고 음양이 도와 하나로 되어버린 개념은 점차 기철학이 되고 '理는 기의 조리이며 기는 이의 운용(理氣之條理理氣理之運用)'이라는 소위 이기묘합적 명제가 가능하게 된 것이다. 理를 고정시키지 않고 수시로 변화하는 것으로 이해하는 사유방식엔 시대의 흐름과 변혁에 민감해질 수밖에 없음을 뜻한다. 양명학자들이나 이들에 영향받은 이들이 근대개혁사상가로 많이 배출되는 것은 이러한 사유체계에서 기인한다고 하겠다.

양명의 양지는 인간 자신의 준칙이 된다. 일에 대하여 그것이 옳으면 곧 그것이 옳다고 알고 그것이 그르면 곧 그름을 앎으로써 조금도 속여 넘길 수가 없다. 인간이 오직 그것을 속이려 들지 말고 실제로 하나하나 그것을 따라 행동한다면 선은 곧 보존되고 악은 곧 제거된다.273) 사람이 만약 이 양지의 묘결을 알면 그에게 어떠한 사악한 생각이나 그릇된 욕망이 일어

---

271) 아라키 겐고, 『불교와 양명학』, 혜안, 1996, 83~87쪽.
272) 『전습록』卷下, "良知是造化的精靈 這些精靈 生天生地 成鬼成帝 皆從此出 眞是與物無對".
273) 『전습록』卷下, "爾那一點良知 是爾自家底準則 爾意念着處 他是便知是 非便知非 更瞞他一些不得 爾只不要欺也 實實洛洛 依着他做去 善便存 惡便去".

난다 하더라도 양지가 이것을 자각하기만 하면 모두가 스스로 녹아 없어
진다. 이는 마치 영약(靈丹) 한 알만 쇠에다 넣어도 금이 된다는 격이다.[274]
　　양지는 모든 것의 근원이며 절대적인 존재이다. 양지에 의하여 천지만물
은 물론 귀신이나 하느님조차도 이루어진다. 인의예지도 양지가 겉으로 드
러난 덕이요 본성은 하나다. 그 형체에 대하여 말할 적에는 天이라 하고
그 주재자에 대하여 말할 적에는 帝라 하며 두루 움직이는 것에 대하여 말
할 적에는 天命이라 하고 사람에게 주어진 것에 대하여 말할 적에는 性이
라 말하며 몸에 주인이 되는 것에 대하여 말할 적에는 마음이라 한다.[275]
인간의 마음이 하늘과 땅의 마음이요 이 마음은 영명한 기능(양지)을 가진
것이다. 이는 하늘과 땅과 귀신의 주재자이며 따라서 인간이 없으면 하늘
도 땅도 귀신도 없다. 왜냐하면 인간이 하늘과 땅과 귀신임을 알아 더불어
작용을 일으킬 수 있기 때문이다.

　　선생님께선 사람의 마음은 물건과 같은 본체라 하셨습니다. 저의 몸 같
　　으면 피와 기운이 거기에 유통되고 있어서 같은 본체의 것이라 할 수가
　　있겠습니다. 그러나 남이 되고 보면 곧 본체가 달라집니다. 새, 짐승이나
　　풀과 나무는 더욱 멉니다. 그런데 어떻게 그것들을 같은 본체라고 말씀하
　　십니까? 선생님께서 말씀하셨다. 오직 감응하는 빌미로부터 봐야 한다.
　　어찌 새, 짐승이나 풀 나무뿐이겠는가? 비록 하늘과 땅이라 하더라도 우
　　리와는 같은 본체의 것이며, 귀신까지도 우리와 같은 본체인 것이다. ……
　　그러나 나의 영명한 마음은 바로 하늘과 땅과 귀신의 주재자이기도 한 것
　　이다. 하늘도 우리의 영명한 마음이 없다면 누가 그것을 높다고 우러르겠
　　는가? 땅도 우리의 영명한 마음이 없다면 누가 그것을 깊다고 굽어보겠는
　　가? 귀신도 우리의 영명한 마음이 없다면 누가 그것이 길흉과 화복을 내
　　려 주는 것이라 분별하겠는가? …… 이렇게 되면 곧 한 가지 기운으로 유
　　통되고 있는 것임을 알 것이다. 어떻게 그들 사이를 격절시킬 수가 있겠

---

274) 『전습록』卷下, "人若知這良知訣竅 隨他多少邪思枉念 這裏一覺 都自消融 眞箇
　　是靈丹一粒 點鐵成金".
275) 『전습록』卷上, "仁義禮智也 是表德 性一而已 自其形體也 謂之天 主宰也 謂之
　　帝 流行也 謂之命 賦於人也 謂之性 主於身也 謂之心".

는가?276)

양명에 의하면 하늘과 땅 그 중간에 오직 이 영명한 마음이 있어 만물을 주재한다. 그는 영명한 기능으로부터 모든 만물이 성립되고 본체가 같으므로 우주가 한 몸이라는 논리를 편다. 이는 수운이 모든 만물이 지기로부터 비롯되고 이 지기가 인간에 있어 시천이 되고 인간이 이 한울을 공경하고 氣化함에서 스스로 주재자가 됨과 같다. 인간은 곧 우주로서 인간의 영명한 마음이 없으면 그의 하늘과 땅이나 만물 또한 존재하지 않게 되는 불교적 一切唯心造를 재현하는 듯하다. 양명에 있어서 마음은 본래가 천연의 리로서 깨끗하고도 영명한 기능을 한다. 고요하고 밝아 염착되지 않음인데 단지 이는 無我일 뿐이다. 무아는 스스로 능히 겸손할 수 있고 모든 善의 기초가 된다. 거기에는 전혀 나라는 생각이 없다.277)

이상과 같이 양명의 심학이 갖는 몇 가지 특징은 곧 수운의 심학을 설명할 수 있는 관점을 제공한다. 즉, 양명학이 갖는 심학의 특징을 살펴볼 때 수운의 심학도 다음과 같이 말할 수 있다.

첫째, 수운의 心(天)은 정해진 이치도 없고 다함도 없는 무궁한 이치로서 心이 곧 理요 한울님이다. 수운은 인의예지로 性을 고정시킨 성리학과는 달리 양명학처럼 어떤 객관적 규범을 고정시키지 않는 守心正氣를 말한다. 즉, 수운의 심학도 양명학과 같이 대인접물의 상황에서 이루어지는 道로서 인간이 성경신을 행할 때 한울님과 합합이 되어 한울님되는 것이지 인간 안밖에 객관적으로 존재하여 저절로 되는 것이 아니다. 앞에서도

276) 『전습록』卷下, "問 人心與物同體 如吾身 原是血氣流通的 所以謂之同體 若於人 便異體了 禽獸草木 益遠矣 而何謂之同體 先生曰 你只在感應之幾上看 豈但禽獸草木 雖天地也與我同體的 鬼神也與我同體的 …… 我的靈明 便是天地鬼神的主宰 天沒有我的靈明 誰去仰他高 地沒有我的靈明 誰去俯他深 鬼神沒有我的靈明 誰去辯他吉凶災祥 天地鬼神萬物 離卻我的靈明 便沒有天地鬼神萬物了 我的靈明 離卻了天地鬼神萬物 亦沒有我的靈明 如此便是一氣流通的 如何與他間隔得".
277) 『전습록』卷下, "人心本是天然之理 精精明明 無纖介染著 只是一無我而已 胸中切不可有 有卽傲也 古先聖人許多好處也 只是無我而已 無我自能謙 謙者 衆善之基 傲者 衆惡之魁".

말한 것처럼 理를 정립하고 理를 창조하는 것은 자기 자신이기 때문이다.

둘째, 수운의 심학도 이기묘합의 특징을 갖는다. 수운의 심(天)은 이기일 치이다. 한울, 일심, 지기, 음양, 귀신이 모두 하나의 본체로서 형이상학과 형이하학이 통일되고 음양이 도와 하나로 되어버린 개념이다.

셋째, 수운의 한울(一心) 역시 양명의 양지처럼[278] 인간 자신의 준칙이 되어, 한울님을 위하는 것에서 준칙을 찾는다. 인간이 오직 성경신을 통해 한울님(一心)과 합한 행동을 한다면 선은 곧 보존되고 악은 곧 제거된다.

2) 하곡 정제두의 심학

한국의 전통사상이 제시하는 교육철학은 인간본연성에 대한 물음과 함께 이를 기르고자 하는 것에 초점이 맞춰져 있다. 인간이 자신에게 부여된 형식으로서의 본질성에 관심갖지 않고 세상의 명리와 외면적 지식만을 갖는다는 것은 본말이 전도된 것이라 말한다. 지식이란 지혜와 수반될 때 의미가 있게 된다. 심학으로 표현하면 인간의 본질이란 마음을 기르는 것으로부터 생겨난다. 그러므로 지식을 인간 스스로가 주재하고 확장시켜 善을 구축하기 위해서는 주재자로서의 마음을 기르지 않으면 안 된다. 즉 조선 철학에 있어서 교육이 추구하는 근본핵심은 인간본연성과 지식을 결합하면서도 인간본연성에 바탕하지 않은 지식은 무의미하다고 판단하면서 이 본연성을 기름에 역점을 둔다. 이 본연성(마음)은 흔한 말로 良心이라고 할 수 있지만 보다 정확하게 말하면 良知, 良能, 道心이라 할 수 있다. 이는 인간 내면을 두드리고 인간을 유도하는 것으로 배우지 않고도 할 수 있고 생각하지 않아도 알 수 있는 인간본연성을 일컫는데, 이는 힘써 기르지 않으면 기질에 막혀 발휘되지 않는 것이다.

근대교육은 외부적인 대상적 지식만을 강조했지 이를 주재하고 조리할 수 있는 마음에 관한 교육은 도외시 해왔다. 조선의 전통철학은 바로 이 마음을 기르는 것을 주된 핵심으로 삼는데, 이것이 心學이다. 이 심학은 인

---

278) 『전습록』卷下, "爾那一點良知 是爾自家底準則 爾意念着處 他是便知是 非便知 非 更瞞他一些不得 爾只不要欺也 實實洛洛 依着他做去 善便存 惡便去".

간이 인간되기 위해서 반드시 길러야 하는 學이요 교육의 핵이다.

(1) 하곡의 본체관

① 理氣統體로서의 본체관

수운은 '열세자 지극하면 만권시서 무엇하며 心學이라 하였으니 불망기의 하였어라 현인군자 될것이니 도성입덕 못미칠까'279)라고 했다. 이 맥락에서 보면 수운이 말하는 심학은 분명 양명학적 심학임을 볼 수 있다. 양명학 자체가 불교의 유가화라 할 만큼 불교적 성향을 지니는 유불결합의 산물이다. 수운이 유불선 합일을 말하는 것도 새로운 것이라기보다는 기존 철학에서 이미 그 바탕을 깔아놓고 있었음을 볼 수 있다.

조선 철학사에서 하곡 정제두(1649~1736)는 양명학파를 조선에 성립시킨 인물이다. 조선이라는 한 공간에서 시대적 차이는 있다 할지라도 수운과 하곡은 접점을 형성하고 있다. 물론 정제두의 양명학적 영향은 양명학파가 아닌 다산이나 혜강에게서도 보이므로 수운에게만 보이는 전유물은 아니다. 하지만 수운은 다산과 달리 자신의 학이 심학이라 선포한다. 이것이 하곡의 심학을 살펴 수운의 심학을 이해하고자 하는 이유이다.

하곡은 우주생성의 근원자를 大氣, 혹은 元神으로 보는데 이는 활발하게 生全하고 충만함이 끝이 없으며 그 신묘함은 헤아릴 수 없다고 한다. 그 유동과 변화가 끊임없이 생성되니 이것이 하늘의 본체인 것이요 命의 근원 주재가 되는 것이다. 하곡이 대기와 원신이 곧 하늘의 본체요 命의 주재자라고 한 것은 수운의 至氣와 귀신의 관계를 파악하게 해준다. 원신(大氣)은 본래 理體로서 이것이 형체에 국한되면 氣라 지칭된다. 활발하게 생전하고 끝없이 충만한 대기(元神)는 우주 전체의 궁극자를 말함이요 아직 형체가 있기 전을 말한다. 형체가 있은 뒤에 국한되는 것이므로 개체에서 이를 일컬을 때 氣라 이름한다. 즉 氣는 형체에 국한됨을 가리키는 말이다. 그러나 그 순수한 氣는 변함이 없다. 하곡은 태아를 예로 들어, 어린아이가 뱃속에 있을 때를 일컬어 순수한 기라 하고 이것이 理의 體요 神의

---

279) 『용담유사』 교훈가.

主라 한다. 또한 사람의 맥을 들어 이것이 혈기의 妙요 神의 主로서 곧 理의 형체임을 말한다.[280] 이러한 이기묘합의 우주본체는 인간 마음에 부여된 것으로 인간 脉과 같은 것으로 설명된다.

이로부터 볼 때 수운이 말한 지기와 귀신도 왜 하나로 통일되어 병칭되는지 그리고 우주와 인간이 하나되어 인간을 侍天으로 설명하는지 그 논리를 이해할 수 있다. 하곡에게 있어 心은 우주로부터 부여받은 천성이고 천성은 인간 몸을 낳아준 생명의 근원이다. 그 영통함과 묘용이 있고 주재하는 것이 마음의 체이다.[281] 따라서 '사람이면 모두 요순이 될 수 있다고 하는 것도 이 때문이고 노자가 죽지 않는다는 것이나 붓다가 멸하지 않는다고 한 것 모두 이 때문이다.'[282] 그러므로 이 본래 마음은 인간에 부여된 우주본체로 이 마음을 통해 우주를 주재할 수 있다. 인간이 이를 본받지 않을 때는 이로움도 취할 수 없고 삶도 가질 수 없다. 理는 마음의 신명이요, 태극이고 상제. 그러므로 하곡은 이것이 '心之理'라 말한다.[283]

하곡은 주자가 자연법칙적 理를 설정한 것과 달리 인간 마음에 理, 태극, 상제, 천성을 병칭하여 우주와 인간을 내재적으로 통합시키고 인간에 주재성을 부여했다. 하곡은 理와 氣가, 그리고 心과 理가 상호 융섭되어 통체로 말해진다.[284] 또한 理란 氣가 영통한 곳을 일컫는 것으로 神이라

---

280) 『하곡집』 存言中, "大氣元神活潑生全 充滿無窮 神妙不測 而其流動變化 生生不已者 是天之體也 爲命之源主者 是氣也形而後有局 其未有形之時是爲元氣 元氣者無所局 其未有形之時 所謂元氣本一理體 而已及其有形 而後始謂之氣謂之器 有形而後局則 錐天地亦照矣 …… 嬰兒在母腹 只是純氣有何知識 是一點純氣只是生理 是其爲精神眞氣 是理之體神之主也 …… 是先天一氣先天之靈 人之脉者是血氣之妙神之主也 醫經曰心主脉脉舍神 又曰一息不運則機緘窮一毫不續則穹壤判 是先天一氣先天之靈 人之脉者是血氣之妙神之主也 是理之形體也".

281) 『하곡집』 存言上, "一團生氣之元 一點靈昭之精 其一箇生理者宅竅於方寸 團圓於中極 其植根在腎 開華在面 而其充卽滿於一身 彌乎天地 其靈通不測妙用不窮 可以主宰萬理 眞所謂周流六虛 變動不居也 其爲體夜 實有粹然本有之衷莫不各有所則 此卽爲其生身命根 所謂性也".

282) 『하곡집』 存言上, "人之皆可以爲堯舜者 卽以此也 老氏之不死 釋氏之不滅亦皆以此也".

283) 『하곡집』 存言上, "然惟其本有之衷爲之命元 故有不則乎此也 則生亦有所不取利亦有所不居 …… 理者心之神明神明者太極上帝 是心之理也".

하며 氣가 조리 있게 통하는 것을 말한다. 즉 理란 추상적 초월적 법칙이
아니라 살아서 움직이고 작용하는 것이다. 따라서 주자가 말하는 理는 비
록 사물에 두루 통하였다고 하더라도 物의 헛된 조목이요 공허한 道에 불
과하다고 하곡은 비판한다. 하곡이 주자를 비판하는 것은 理란 氣가 영통
함을 말하는 것으로 理氣를 통체로 하여 일컫는 것인데 주자는 氣가 조리
있게 통할 뿐으로 理와 氣를 분립시킨다는 데 있다. 주자의 理는 生理도
없고 실체도 없어서 죽은 물건과 그 體를 같이하는 것에 불과하다.[285) 따
라서 성인은 氣의 주재하는 明體를 理라 하여 능히 인의예지를 할 수 있
게 하는 것이지 인의예지의 조목 자체를 말한 것이 아니라 주장한다. 즉
하곡은 체이면서 동시에 묘용이 있는 신명한 본체를 강조한다.[286) 종래의
주자학이 형기 혹은 심지는 氣요, 성명은 理라 하여 나누었지만 하곡은 종
래에 氣라고 지칭했던 형기도 理요 七情 또한 理이며 心知도 理라 말한
다. 理라 했던 性命은 곧 氣로 이기는 나눌 수 없는 것이다. 칠정과 형기는
인심이라고 할 수 있는 것인데 형기와 칠정이 발하는 것이 저절로 도에서
나온 것이라면 형기와 칠정은 이미 인심이라고만 지적할 수는 없는 것이
다.[287) 사단과 예의는 도심이라고 할 수 있는데 예의와 사단 가운데에도

---

284) 『하곡집』存言上, "心之知在形之用物之體 物之體形之能 皆出心之知 心之知理
也 無耳目鼻口形質之用 無聲色臭味物相之體 不淂以有其知有其理 …… 理之體
出心之用 而心之用卽理之體也 心無用則 理無體矣 理無體則心無用矣 理卽心心
卽理也".

285) 『하곡집』存言上, "理者氣之靈通處神是也 氣者氣之充實處質是也 一個氣而其能
靈通者爲理 凡其充實處爲氣 又凡氣之有條通 亦是此理以其靈通者 實有是條通
故也 然若其氣道之條通而已者 則雖其無靈通而至粗頑者 亦皆有之益有物則皆
有之矣 但是爲其各物之條貫而已非所以爲統體本領之宗主者也".

286) 『하곡집』存言上, "夫聖人以氣主之明體者 爲之理其能仁義禮智者是也 朱子則以
氣道之條路者爲之理 氣道之條路者 無生理無實體 與死物同其體焉 苟其理者不
在於人心 神明而只是虛條 則彼枯木死灰之物 亦可以與人心神明同其性道 而可
以謂之大本性體者歟 可以謂之人之性 猶木之性木之理猶心之理歟".

287) 『하곡집』存言下, "夫形氣性命者 大體小體之謂也 於二者俱有理氣 非人心道心
之謂也 非理氣之分也 若以理氣形氣固氣也 心知亦是氣也 性命旣理 而形氣亦無
非理也 謂形氣無理而爲氣發 謂性命非氣而獨理在也 是本末橫凌而理氣具二心
乎 …… 若以理氣以純於性者爲四端 而性亦在氣以雜於氣者爲七情 而氣亦是理

또한 인심에 섞인 것이 있다면 예의와 사단에는 또한 오로지 인심이 없다고 할 수는 없는 것이다.[288]

이는 다산이나 녹문에게서도 理氣가 서서히 통일되는 움직임이 보이지만 하곡은 이미 이들에 앞서 양명학을 통해 이기묘합을 명료히 드러내고 있는 것이다. 理가 곧 氣요 氣가 理라는 것은 결국 불교의 체용론을 말하는 것이고 이사무애의 화엄과 상통한다.

② 虛有統體로서의 본체관

양명학이 불교적 패러다임에 있는 이유는 바로 心을 虛寂한 것으로 보았다는 데 있다. 주자는 性을 인의예지로 규정했지만 불가에서는 이를 '理의 장애'로 여겨 理를 고정시키지 않았다. 이를 계승한 양명과 하곡 역시 理 혹은 性과 神은 만들어지는 것이지 처음부터 부여된 실체가 아니라 한다.

하곡은 장횡거를 비판하면서 자신의 虛有統體로서의 본체론을 분명히 하였다. 횡거가 태허와 氣化를 합하여 性이라 이름하고 性과 知覺을 합하여 心이라 이름하는데 이 주장대로 한다면 性은 虛요 心은 지각이 되고, 나누게 되어 틀리는 바가 있게 된다 하였다.[289] 理體란 空寂한 것만이 아니다. 그 형상과 바탕이 이루어지지 않아도 그 음양의 근원이 유행하고 그 형상과 바탕이 이미 나타난 뒤에도 그 神志의 체는 또한 고요할 수 있다. 따라서 본체를 오직 虛, 또는 氣만을 가지고 말할 수 없다.[290] 性은 實이

也 七情而純於理則是亦可以爲四端 而徇於氣則是亦所謂七情之從氣而已 四端亦有氣 七情亦有理也".
288) 『하곡집』存言上, "分而細言則七情也形氣也 固可以謂人心而形氣七情之發 自有出於道者 則形氣七情已不可以專指爲人心也 四端也禮義也固可以爲道心 而禮義四端之中亦有雜乎 人心者則禮義四端 又不可謂之專無人心".
289) 『하곡집』存言中, "言性於氣外者 理氣之支貳也 心理也性亦理也 不可以心性岐貳矣 橫渠曰由太虛有天之名 由氣化有道之名 合虛與氣有性之名 合性與知覺有心之名 今當爲說曰由虛之稟有性之名 由性之知覺有心之名矣 以正焉雖然性者心之本體 心者性之主宰皆ization理耳 不可以心言氣性言虛以分理氣也 其以性虛之說 如言人生而靜以上不容說之類 其性命爲虛體者 亦不過以形氣未成未用事以前故也".

되고 心은 虛가 된다.[291] 그 體는 허다한 조화가 있고 무궁무진하기에 空空으로 그치는 것은 아니다.[292] 횡거처럼 性을 理라고 하는 것은 體가 없는 것을 말하여 성을 理라 하는 것이다. 그러므로 곧 그 성은 空을 붙잡게 되고 정은 氣에서 사역되는 것이며 理는 義에 엄습당하게 되고 心은 物을 따르게 되는 것이다.[293] 虛體를 理로 삼고 性으로 삼으며 實物을 氣로 삼고 心으로 삼아 虛와 實物을 둘로 나누는 것은 본말을 둘로 만드는 것이다. 이는 비단 본말뿐만이 아니라 마음과 사물, 知와 行, 志와 物을 둘로 하여 안과 밖이 나뉘게 된다. 이러한 이해는 정당한 본체의 이해가 아니라는 것이다.[294]

하곡에 의하면 虛와 有는 心體에 일관되게 있는 허령한 본체이다. 본체는 도리어 실지로 있는 것이라고 생각하였으나 그 實狀을 똑바로 한다면 '虛者爲宗'이다. 따라서 하곡은 율곡이 理를 無爲로 보는 것은 옳지만 동시에 實有임을 간과하고 실지로 쓰임에 있어 나뉘게 된다고 비판했다. 이통기국이라 하여 본체의 理와 형기에 치우친 氣로 나누어 본체가 순수한 氣, 순수한 理의 통체임을 은폐했다는 것이다. 그러므로 하곡이 주장하는

---

290) 『하곡집』 存言中, "然是理體也 其形質未成 而其陰陽之源流行 則有之其形質旣著之後 其神志之體則亦寂然而已 不可淂以專以氣言也 其爲性命者 於前後一也 非可單指其虛無者爲理".

291) 『하곡집』 存言中, "方可謂之氣已然亦只是理之失其體 而已非別爲氣也 故性爲實也心爲虛也".

292) 『하곡집』 存言中, "其爲體也眞有許多造化 信無窮盡 不可徒以空空而止也".

293) 『하곡집』 存言中, "後之以性爲理也 無所體而言性理也 故卽其性爲捉空 而情爲氣役 理是義襲 而心是逐物".

294) 『하곡집』 存言中, "以虛體爲理爲性 實物爲氣爲心 氣發心用爲氣用爲情爲用 而曰理與氣 理與心 性與氣 性與心 性與氣質 性善氣質性 志與氣 心與情 體與用而爲二 是本末之二也 又以心體物用 而曰心與事 志與物 知與行而爲二 是內外之二也 又以虛勢爲理 實體爲心 而曰理與心 以實體爲心 虛勢爲理而曰心與理 是心理知行之二也 此則皆其流弊者也 不知其爲流弊也 便以實體之正當者何也 盡未有見於本體者故不淂已 而以其虛者爲之宗 又以其流弊者指之爲實體云耳 惟其以虛者爲宗也 彼虛也 不實於其心體 則其於內外不淂不分而爲二矣 見其內外之分 如此不知其流弊也 而便以爲實體之當然 遂以此爲道理之本然功夫之正當 則於道體遠矣(강조는 필자)".

본체는 虛와 實有를 총칭하는 통체(空空)인 것이다.

　　율곡이 理는 본래 하는 것이 없다고 생각한 것은 (이것은 그 본체를 가
지고 말한다면 이와 같은 것이 옳지만 이제 본체는 도리어 실지로 있는
것이니 지금 똑바로 實狀을 짓는다면 이렇게 空空이 되는 것이다) 그 통
체하는 곳은 큰 바다와 같고 하나의 하늘과 같아서 하나의 무극이라 이르
는 것이며 그것이 각각 갖추어진 곳에는 물은 모나고 둥근 그릇을 따르고
빈 공간은 크고 작은 병을 따르는 것이니 이것을 물리라고 이르는 것이라
하여, 理와 氣가 떨어지지 않는다고 말하는데 이것은 그 理가 空에 매어
달렸다는 것과 실지로 쓰이는 것이 구별된 것을 볼 수 있는 것이니 이것
이 그 理로 삼는 것을 같지 않게 하는 所以는 이와 같은 것이다.[295]

　또한 하곡은 退溪를 비판한다. 퇴계는 氣가 용사하지 않고 靜할 때를 理
라 말하는데, 이는 옳지 못하다는 것이다. 氣가 발하지 않았을 때는 사욕이
없다 할 수 있지만 근본이라 할 수 없다는 것이다. 퇴계처럼 본다면 개의
새끼나 소의 새끼도 갓 태어나서는 욕심이 있지 않을 때이므로 큰 근본이
라 할 수 있다는 것이다. 따라서 理란 靜한 데에만 있고 動한 데에는 없는
것이 아니고 氣 또한 靜한 데에는 없고 動한 데에만 있는 것이 아니다.[296]
　이와 같이 하곡은 율곡의 이통기국과 퇴계의 理靜을 비판한다. 그러므
로 氣는 理와 더불어 체를 같이 하는 것이며 천하의 큰 근본이 이것이라
하였다.[297] 담일하고 청명한 체와 유행하고 恰好한 用은 이기가 합일된 것

---

[295] 『하곡집』 存言中, "栗谷以爲理本無爲 是以其本體言之 如是可也 今本體則反以
爲實有 今正作實狀 爲如是空空焉 其統體處 如大海如一天 謂一無極 其各具處
水遂方負器 空隨大小甁 謂物理也 言理氣不離 此其爲理之懸空 與其爲實用者之
所別可見 此其所以爲理之不同者如此".
[296] 『하곡집』 存言上, "退溪與南時甫書曰 …… 然則理非靜有而動無氣 亦非靜無而
動有明矣".
[297] 『하곡집』 存言上, "虛靜微妙者 氣之湛寂而先天之體也 生動充滿者 氣之流行而
後天之用也 顧其所以能湛寂能流行者 豈無所本而然哉 强名之曰理 然則所謂理
者 只是玄虛不顯之妙 則無處尋覓乎 曰不然只於氣之恰好處見之 氣之湛寂理與
之同체 天下之大本是也".

이 아님이 없다.298) 이기가 두 가지가 아니라면 비록 기가 용사하지 못한
다 하더라도 그 기는 일찍이 순정하고 정결하지 못하고 병의 뿌리가 감춰
져 있는 것이니 그것이 용사하지 않는다고 해서 바로 理体라고 이를 수 없
는 것은 분명한 것이다. 따라서 하곡이 말하는 理(性)란 虛를 바탕으로 하
는 虛有統體이기에 고정된 것이 아니다. 이는 마치 거울과 같은 것이다.
거울이란 사물에 잘 응하되 머물러 있지를 않는다. 物이 올 때면 응하고
물이 떠나면 비는 것으로 거울에 고정된 실체가 있는 것이 아니다.

③ 無善無惡으로서의 본체

心(理)이란 본래 허적한 것으로 고요하여서 그 체가 있지 않으니 至善
이라 한다. 여기서 至善이란 선악에 대비되는 개념의 도덕적 선을 말하는
것이 아니라 궁극적 진리를 가리키는 말이다. 그러므로 선한 것도 없고 악
한 것도 없는 것은 理의 靜인 것이요 선한 것도 있고 악한 것도 있는 것은
氣의 動인 것이다. 따라서 虛寂한 靜體를 이름할 때는 선악을 말할 수 없
다. 선과 악에는 정해진 형체가 없는 것이다. 그 본연의 理에 따른 것을 善
이라 이르고 氣에서 動하여 일에 쓰이는 것을 惡이라고 이르는 것인데, 그
행하는 것이 비록 善하다 하더라도 진실로 氣에서 동한 것이 있다면 善의
근본은 아닌 것이다.299) 그런 까닭에 善이란 것은 일정한 것을 가지고 선
이라고 할 수가 없다. 여기서 지선과 성선은 본체개념으로 선악의 상대적
선의 개념이 아니다. 상대적 선은 일정하게 이름할 수 없는 것이기에 無善
이라고 말하는 것인데 無善이라는 善字는 이 이름만을 정해 둔 善字이며

298) 『하곡집』存言上, "湛一淸明之體流行恰好之用 莫非理氣之合一者也".
299) 『하곡집』存言中, "心理本虛寂然 是靜無有其體 謂之至善 易所謂寂然不動 記所
謂人生而靜 周子所謂太極本無極 誠無爲爲幾德之本惟是理也 實爲生理而源其
所出是命也 而其所爲命者是仁也 易所謂乾元 子思所謂天命率性 孟子所謂仁義
性善是也 是從頭上說者也 是至善之寂然者而已 至其發用處也 不動於氣則亦
至善而已 誠無爲者也及其乘於欲而動乎 氣則始爲有善惡皆是所謂氣也 周子所
謂好惡形形天理人慾分也 又所謂幾善惡者也 動也氣也而凡所以論性之善惡者
皆在此也 無善無惡理之靜 有善有惡氣之動也 是名其靜體也 只當曰寂曰虛 則無
善惡之可言可知也".

至善의 善字는 아닌 것이다.300)

양명은 『전습록下』에서 '性無定體 論亦無是體'라 하였고 맹자의 성선설은 본체상에서 그리고 순자의 성악설은 유폐된 기질 위에서 말한 것일 뿐이라 했다. 하곡에 있어서 선악은 '무선무악 심지체', 혹은 '性無善無惡'이라 말한다. 무선무악의 천리란 성의 정체가 없고 定質이 없는 양명설의 원류가 되는 것이다. 원래 '性은 善도 不善도 없다'는 것은 곧 杞柳, 湍水의 설이다. 그러나 고자가 생을 성이라 하고 食色은 性이다 한 것은 본래 인의의 성을 가진 것이 아니라 性을 밖에서 얻게 되는 것으로 본 것이다. 하지만 이는 인간의 본연성과 생리를 둘로 나누게 되는 것으로 본체를 말한 것이 아니게 된다. 안과 밖을 나누게 되는 것이다. 성은 선을 할 수도 있고 불선을 할 수도 있다.301) 심체에 선악이 없다는 것은 태극이 무극이 되는 것이다.302) 따라서 선과 악에는 정해진 형체가 없다. 하곡에게 있어서도 심리는 본래 허적한 것으로 허적이기에 선악을 말할 수 없는 것이다.303) 선악이 성립되는 것은 그 욕심을 따라서 나오는 것이다. 주자가 이른바 好惡라는 것은 천리와 인욕의 분계를 형용한 것이며 또 이른바 선하고 악하다란 動이요 氣인 것이니 무릇 性의 선악을 논하게 되는 것이 모두 여기에 있는 것이다. 수운도 '불택선악'하는 상제를 말한 바 있고, 다산의 성기호설의 경우도 그렇다. 理는 선도 악도 없고 선이기도 하고 악이기도 하다. 性은 오직 虛하면서도 오직 靈한 것으로 善惡은 결정된 것이 아니다.

---

300) 『하곡집』 存言中, "善惡無定形 以其循本然之理者謂善 動於氣而用事者謂惡 其行雖善苟有動於氣 則非善之本也 故善不可以一定爲善 故不過以循理者謂之至善性善而已 實無善之可定名 故曰無善然 則無善之善字 是定名之善字也 非至善之善字也".

301) 『하곡집』, 孟子 生之謂性章解, "性無善無不善 此卽杞柳湍水之說也 其生之謂性食色性之謂也 以義爲外者也 盖其所謂性者 以指生之實 而言之故以仁義爲非性善爲外爲而謂非其有也 故其說有如此耳 是爲生之說非以性之質也 是其作貳者也外義者也, 若其不有內外 直言至善之本體 則如此說亦未爲非也".

302) 『하곡집』 存言中, "心體之無善惡者 太極之爲無極也".

303) 『하곡집』 存言中, 心理本虛寂, "心理本虛寂 …… 只當曰寂曰虛 則無善惡之可言可知也".

④ 생생지리의 현실성

하곡의 본체개념인 理란 허적함과 영통함이 통칭되는 개념이고 그 근본
에는 스스로 참된 體가 있지만 生理, 生神 가운데에서 성립된다. 그러므로
그는 理 가운데서 生理를 주장하고 생리 가운데서 그 참된 理를 선택해야
만 理가 될 수 있다고 말한다.

> 理, 性이란 것은 生理일 뿐이다. 대체로 生神이란 것을 理라 하고 性이
> 라고 하는 것이니 그 性의 근본에는 저절로 참된 體가 있는 것을 性이라
> 하고 理라 하는 까닭에 生神 가운데에 그 참된 것이 있고 망령된 것을 분
> 별하여 그 참된 體를 주장하게 할 수 있다면 이것이 性을 높이는 학문이
> 되는 것이다. 그러므로 무릇 理 가운데서 生理를 주장하고 生理 가운데서
> 그 참된 理를 골라야만 理가 될 수 있다. …… 생기 가운데 理體가 있
> 다.304)

주자는 태극은 理라 하고 양명은 태극을 생생하는 理라 하였다. 생생지
리란 사물화된 것이 아닌 이기체용의 발현이자 현실에서 구체화되는 氣
가운데의 理이다. 하늘이 인간에게 부여한 命을 받아 이를 지닌 것을 性이
라 이른다. 그러나 그 性(理)은 하는 일에서 나타난다.305) 일에 나타난 理
란 결국 형기에 따라 달라지기 마련이다. 생리의 체가 비록 한 근원이지만
각각 그 형기에 따라서 받는 바가 다르기에 사람과 만물이 달라서 천성의
理가 다르다. 근원에서는 사람과 만물의 理가 같고 氣가 같지만 태어남에
따른 형기가 다르므로 理가 다르다.306) 사람과 物이 각각 다른 것은 태어

---

304) 『하곡집』存言上, "理性者生理耳 益生神爲理爲性 而其性之本自有眞體焉者 是
其性也理也 故於生神中辨其有眞有妄淨 主其眞體焉 則是爲尊性之學也 故於凡
理之中主生理 生理之中擇其眞理 是乃可以爲理矣 …… 生氣之中 理體存焉".
305) 『하곡집』經學集錄中, "又曰天之付與之謂命 禀之在我之謂性 見於事業之謂理".
306) 『하곡집』存言上, "生理之體雖本一原 各隨其形氣而所禀有不同 此所以爲人物之
異 而賦性之理有不同者也 若以其生質之血氣 則無論人與物惡有性之謂哉 蓋人
與萬物理同 其本然之體一矣 而其性情 有偏正通塞而貴賤者不降 故其人義禮智
之粹物不淂有 氣同 其生理之純一矣 而其生禀 有偏全粹駁 而美惡者不同 故其
聖知通明之秀 物不能淂有 生同 其血氣之質同 而形氣異 其生之本一 而生之禀

날 때의 형기가 다르기에 性이 달라지기 때문이다. 그러나 사람과 物이 한결같이 같은 것은 이 모두가 하늘의 性이기 때문이다. 정자는 논하기를 개나 소의 기질이 다른 것은 형체에 기인하기에 형체를 性이라고 일렀다. 형체를 변화시켜 그 性과 같게 하지 못하는 까닭에 그 태어난 性은 각각 다르고 같이 할 수 없는 것이다.307) 그러므로 氣가 性이 되고 형색이 천성이 된다.308) 인간의 性은 보편적 추상적 개념이 아니라 인간이라는 형색에서 그 본체를 온전히 하는 가운데서 성립되는 것이다. 그러므로 형색을 입고 태어난 바 그대로를 성이라 하는 것도 틀린 것은 아니나 다만 그 본체를 온전히 하고 眞과 妄을 구분할 때 비로소 얻어지는 것임을 강조한다. 그러므로 理라는 것은 物을 접함에서 얻고 알게 되는 것이지 본래 가지고 있는 것이 아니다. 인간의 양지도 접물상에서 밝히고 확충시켜야만 얻을 수 있다.

이른바 理라는 것은 곧 책과 물에 있어서 아는 것이다. 지의 밝은 것이나 理의 얻는 것은 양지에 있지 않고 또한 물이나 책을 기다려서 구한 뒤에야 있을 수 있는 것이니 어찌 그 양지에 있어서는 사람이 본래부터 가지고 있는 것이라고 하겠는가? 혹자는 그 자기의 마음 가운데에 기품이 이를 얽매고 사욕이 가리며 습염이 어둡게 하기 때문에 비록 지극히 넓고 지극히 밝은 체가 있다 하더라도 능히 이것을 밝히고 확충시키지 못하는

<hr/>

則異 其生者同而其生之體不同 故論理體之原 則必以其生之本 而不以其生稟之異論 人性之殊者 以其生之體之不同可也 以其生之同者則不可".
307) 『하곡집』存言下, "人物之各異者生之性 一同者天之性 …… 生之謂性有二 人稟之昏明剛弱者氣也 氣之謂性也 程子論犬牛之異質者形也 形之謂性也 告子主此氣者 可變而通其性體 故一主其性 而不拘其生稟形者 不可變而同其性 故其生性各異而不可同".
308) 『하곡집』孟子說, "形色天性也 形色之中天性存焉 得其本體者是天性也 天性不外於形色 而卽此形色之中天性無不在矣 惟全其形色之本體則踐形矣 其若以天性爲所具之理則虛矣 口之於味此卽形色天性者也 得其本體則無非天性矣 …… 色之得其體者是爲性 非於形色之外別有性在也 然則謂之生之謂性本未非也 但不就其中指其本體 直不分眞妄 而以爲猶白羽白雪之白 犬牛之性 則乃非也 …… 若只以性爲本無善無不善 而其情則以爲可以爲善 故自然順爲仁義也云 則亦未爲非也 然乃專以性爲無善無不善 元無善之可爲 只有善惡任於其外 則乃非也 今以若乃其情則 可以爲善觀之 其體之難以善名 亦可知矣".

것이다.309)

이와 같이 하곡에 있어서 理, 性이란 것은 生理 즉 생겨나는 理일 뿐이다. 사람이 理를 얻는 것은 사람이 본래부터 가지고 있는 양지에서 얻어지는 것이 아니고 책과 사물을 기다려 알 수 있는 것이다. 주자학처럼 처음부터 고정되어 객관에 존재하는 것도 아니다. 다만 가능성으로서의 양지를 부여받을 뿐이다. 즉 그 생성되는 理 가운데에서 그 참된 것을 분별하여 그 참된 체를 주장하게 하는 것이 理를 보존하고 性을 높이는 학문이 된다.310) 이를 혜강은 추측지리의 공부원리로 표현하게 된다.

(2) 수행론으로서의 심학

하곡은 성인의 학이 곧 심학이라 한다. 心이란 모든 사람이 지닌 것으로 心의 본체를 실현하는 것이 성인되는 길이기에 심학이라 말한다. 심학은 곧 수행론으로 천리, 즉 마음의 본체를 간직하고자 하는 것이다.

> 성인의 학은 心學인 것이니 心이란 것은 사람마다 모두 지닌 것이다. 어떻게 하면 聖人이 되는 것인가? 말하자면 성인의 학은 性學인 것이니 性이란 것은 심의 본체이며 이른바 천리인 것이다. 성인의 학은 그 마음의 천리를 간직하는 것이니 本體나 천리는 사람마다 모두 지니고 있는 것이다. 성인의 학은 도리를 주로 삼는 것이다. 그러므로 도심은 오직 은미하다고 하였는데 도심이란 것은 사람 마음의 본체가 되는 것이니 이른바 천리인 것이다.311)

309) 『하곡집』 存言上, "然則所謂理者 卽在於書與物而知矣 知之明理之淂 不在於良知矣 又待於物與書 而求之後可有之矣 惡在其良知人所固有者乎 或者無乃以其自心之中 氣禀拘之私欲蔽之習染昏之 雖有至廣至明之體 而不能明之而充之".

310) 『하곡집』 存言上, "理性者生理耳 蓋生神爲理爲性 而其性之本自有眞體焉者 是其性也理也 故於生神中辨其有眞有妄 得主其眞體焉 則是爲尊性之學也 故於凡理之中主生理 生理之中擇其眞理 是乃可以爲理矣".

311) 『하곡집』 存言下, "聖人之學心學也 心者人皆有之 何爲則爲聖人 曰聖人之學性學也 性者心之本體也 所謂天理也 聖人之學存其心之天理者也 本體天理人皆有之 聖人之學以道理爲主 故曰道心惟微 道心者爲人之心之本體者 所謂天理也".

이 심학의 뜻을 맹자의 표현으로 하면 '存心養性'이 된다. 마음의 본체를 보존하고 그 性을 기르는 것이 심학인 것이다. 한편 하곡은 불교도 마음을 밝히는 법이 있다고 한다. 그러나 이는 허령지각의 어둡지 않는 것만을 지킬 뿐이지 천리의 전체는 끊어버리는 것이라 한다. 여기서 천리의 전체란 생으로부터 부여받은 모든 형기(物) 가운데서의 公私와 의리의 분별을 살펴 본심과 천리를 이루는 것을 말한다.312)

하곡이 주장하는 심학이란 불교와 같이 일상을 끊어 靈覺을 지키는 것이 아니라 인륜과 일용접물에 있어서 수행을 쌓는 것이다. 또한 그가 주자를 비판하는 것은 그가 외부의 物에서만 理를 구함에 있는 것이고 양명을 비판하는 것은 그가 마음자체를 理로 삼아 情과 欲을 멋대로 할 병폐가 있음을 지적하는 것이었다.313) 하곡에 있어 학문이란 理를 안에서만 구할 뿐이고 밖에서는 구하지 않는 것이지만 그렇다고 안에서 理를 구한다는 것은 반대로 안으로만 살피는 것을 보고서 밖의 물을 끊는다는 것은 아니라 했다. 오직 안에서 스스로 만족할 것을 찾는 것이고 다시는 밖에서의 득실을 일삼지 않는 것이며 오직 그 心의 是非를 다할 것이고 다시는 남의 시비에 따르지 않는 것이다. 사물의 근본에서 그 참됨을 이루고 자취를 얻기 위해 사물에 구애되지 않는 것으로 학문은 오직 자신의 마음속에 있을 뿐이다.314)

---

312) 『하곡집』存言下, "佛氏亦有明心之法 然徒守其明明昭昭之靈覺不昧者 而遏絶其天理之全體 則是雖有其心體之空寂而 亡於性道之統體 …… 今聖人之心學 有是道義而爲之主 則是出於天命之性 而爲人心之衷者耳 聖人之道無他 惟是彝倫名敎禮法之事也 故學問之事無他 亦惟在於日用人情事物之間 而已惟常於父子兄弟夫婦長幼親戚朋友之際 君臣上下邦國民物之中 作止語嘿視聽云爲日用飲食之間 察其公私義利之辨 致其本心天理之體 盡其仁義禮智之性而已".

313) 『하곡집』存言下, "朱子以心爲身之主宰 性爲理而謂理在事事物物上 事事物物各有當然之則 皆求盡其當然之則 …… 王氏以心爲理卽良知也 心之良知爲體 凡事物作用爲用 而謂事物之理 理皆具於心 心自有良知 未有不知之理 但泊於私欲故有昏愚者 致良知復其性 窮心之理盡心之性 則於五倫於心性於事物 無非天理 …… 自吾身至事物以至天下萬物 只是一以貫之而已 故以天地爲一體 天下爲一家 雖欲不治不可得也 …… 王氏致良知之學甚精 抑其弊或有任情縱欲之患".

314) 『하곡집』存言下, "吾學求諸內 而不求諸外 所謂求諸內者 非反觀內省而絶外物

양명은 '마음이 부정함을 버리고 본체의 바름을 온전히 한다면 어느 때
에나 어느 곳에서나 곧 천리를 간직하는 것'이라 하였다. 심신과 사물이 모
두 나의 理인데 주자처럼 사물의 理가 밖에 있다고 생각하면 性은 안이 되
고 사물은 밖이 되게 된다. 따라서 義는 안이 되고 理는 밖이 되어 근본이
둘이 되게 된다315)고 주자를 비판했다. 하곡 역시 양명의 입장을 이어받아
성리학을 비판한다.

　　퇴계가 이강이의 물음에 답하여 이르기를 '왕양명이 말하는 충효의 理
　　는 君父에서는 이를 구할 수 없고 다만 이 마음에 있는 것이라는 것과 같
　　은 따위가 이것이다'라고 하였다. 살펴보건대 만약에 참으로 충효의 理가
　　안에는 있지 않고 君父 위에 있다면 이것은 맹자가 논변했던 것이니 맹자
　　는 이르기를 '長者가 義이겠는가? 장자라고 하는 것이 義이겠는가?'라고
　　하였으니 그 뜻은 이미 밝혀지지 않았던가? 군부의 理가 理가 되는가? 충
　　효의 마음이 理가 되겠는가? 그 理의 소이연과 소당연이 되는 것은 또한
　　다를 것이 없는 것이다. 그러나 물에 즉한 주장은 소이연과 소당연의 理
　　를 각각 물에 있다고 하였으니 이것은 본령이 없는 것이다.316)

　하곡은 그 마음을 다하면 그 性을 알고 마음이 밝으면 誠하고 성하면 밝
아진다317) 하였다. 능히 그 마음과 性을 다한다면 사람의 性이나 물건의
性을 다할 수 있으며 천지와 함께 참여한다고 하였지 먼저 천지만물의 性
命을 다한다고는 말하지 아니하였던 것이다.318) 성을 다하면 사람의 性과

　　也 惟求其自慊於內 不復事於外之淂失 惟盡其心之是非 不復徇於人之是非 致其
　　實於事物之本 不復拘於事爲之迹也 在於吾之內而已 豈與於人哉".
315)『하곡집』存言下, "有以爲事物在外 事物之理爲在外也 何也曰心身事物 皆吾理
　　也 謂性爲內而事物爲外 是義爲內而理爲外也 理義不是一性 而內外爲二本耶".
316)『하곡집』存言中, "退溪答李剛而問曰 如王陽明謂忠孝之理 不可求之於君父 只
　　在此心之類是也 按若眞以忠孝之理不在於內 而在君父上 則是孟子之所辨也 孟
　　子曰長者義乎 長之者義乎 其意不已明乎 君父之理是理乎 忠孝之心是理乎 其理
　　之爲所以然所當然者 亦無異者 然卽物之說 以其所以然所當然之理 爲各在於物
　　是則無本領也".
317)『하곡집』存言上, "盡其心知其性矣 明則誠矣 誠則明矣 焉有待於求之物理 而後
　　淂者乎".

物의 性이 다하지 않는 것이 없으며 천지가 자리잡고 만물이 길러진다. 따라서 하곡에 있어 理는 物理에서 구하는 것이 아니다.[319] 이 理는 곧 양지, 양능으로 먼저 양지에 이르러 천리를 간직하는 것이다. 양지는 체용을 겸비한 것으로 이는 모두 마음의 知에서 나온다. "사람이 배우지 않고도 잘하는 것은 양능이요 생각하지 않고도 아는 것은 양지인 것이다."[320] 이는 수운이 말한 불연기연에서처럼 갓난 어린아이가 그 어버이를 알아보는 것과 같은 것이다. 맹자는 어린아이가 어버이를 사랑할 줄 모르는 것이 없고 그 자람에 이르러 그 형을 공경할 줄 모르는 자가 없는 것 이것이 곧 양지, 양능이라 하였다.[321] 한편 혜강은 어린아이가 어버이를 사랑하는 것은 경험에서 오는 것이지 배우지 않거나 경험하지 아니하고 아는 선험적인 양지, 양능은 아니라 하였다. 그러므로 혜강은 양명의 지행합일과 자신의 입장이 다르다 했다. 즉, 양명은 지와 행이 합일한다 하여 선후의 차서를 분별하지 않는데 혜강은 行이 먼저 있고 知가 뒤에 오는 것으로 말했다. 여기서 行이란 미루어 헤아리는 것을 말하고 知란 헤아려 미루는 데에 이르는 것을 말한다. 그러나 결국 미루어서 헤아리는 것은 곧 행하여 아는 것이요, 헤아려서 미루는 것은 곧 알아서 행하는 것이므로[322] 혜강에 있어서도 지행병진이 이루어지고 있음을 볼 수 있다.

다시 하곡으로 돌아가서 보면 그는 주자와 이천이 知와 行을 둘이라고 한 것은 용렬한 사람들에 있어서 본체를 얻지 못한 이를 말한 것이고, 또한 知와 行을 하나라고 한 것은 곧 본체를 가지고 말하였기 때문이지, 사

---

318) 『하곡집』存言中, "故中庸以爲至誠者 爲能盡其性 能盡其性則 可以盡人之性物之性 而與天地參云 其本末之序如此 未嘗言先盡天地萬物之性命".

319) 『하곡집』存言上, "己之性盡 而人之性物之性無不盡 天地位焉萬物育焉 此其爲學有何不足 而反以求於物理乎".

320) 『하곡집』學辨, "曰人之所不學而能者其良能也所不慮而知者其良知也".

321) 『하곡집』詩誦, "孟子曰人之所不學而能者其良能也 所不慮而知者其良知也 孩提之童無不知愛其親也 及其長也無不知敬其兄也".

322) 『명남루전집』推測錄 권1, 推測制綱, "古人論知行處 多先知後行 謂其先自測而推 後至測而推也 王陽明 知行合一之論 蓋以行有所知 知有所行 雖不分先後之序 然今所言推測 與知行之義稍殊 推而測者 卽行而有知 測而推者 卽知而有行也".

람마다 모두 이미 본체를 얻은 것으로 여기고서 이른 말은 아니었다고 말한다. 즉, 퇴계가 마음의 의리는 知하고도 行해야 한다고 한 것은 본체의 참된 것을 가지고 말하였기 때문이지 사람마다 처음부터 모두 본체를 얻어서 이와 같다고 여기고서 이른 말은 아니라는 것이다. 그리고 '아는 것이 어려운 것이 아니라 행하는 것이 오직 어려운 것이다'라고 말한 것도 역시 時俗의 사람들이 본체에 밝지 못한 것에 대하여 말한 것이라 했다.[323] 그러므로 心과 理가 밝아야만 천지만물의 性도 밝게 할 수 있고 심과 물을 格하여야만 천지만물의 理도 얻을 수 있다. 技術도 역시 그러하고, 心과 體가 밝아야만 고금 事變의 條目도 모두 가릴 수 있을 것이며 심체를 얻어야만 예악과 형정의 마땅한 것을 얻을 수 있다.[324]

따라서 심학이란 심체를 보존하여 그 성을 기르는 것으로 그 방법은 하늘을 섬기는 것이다.[325] 하늘은 곧 마음이기에 이 마음을 극진히 공경하는 것이 곧 性을 알고 하늘을 아는 것이다. 이는 마음에서 알아 취할 것이지 다시 밖에서 구할 수 없는 것이다. 그 마음을 크게 하려면 천하의 만물을 체험해야만 한다. 세상 사람들은 보고 듣는 것이 좁은 데 그칠 뿐이지만 聖人은 性을 다하며 보고 듣는 것으로 그 마음을 얽매이게 하지 않으므로 그 천하를 보는 데에는 한 가지의 물건에도 내가 아닌 것이 없다. 맹자가 '마음을 다하면 성도 알고 하늘도 안다'고 이른 것은 이 때문[326]이라 하였다.

---

323) 『하곡집』 存言中, "朱子伊川以知行爲二 以庸人之不淂本體者言也 以知行一者直 以本體言也 非謂人人皆已淂本體然也 退溪以心之義理 爲不能如血氣 以庸人流 蔽處言也 如以爲心之義理 知而行者以本體之眞言也 非謂人人初皆淂本體如此 矣 …… 傳說知之匪難 行之惟難 亦就其俗人不明本體者言也".

324) 『하곡집』 存言中, "心理明而天地萬物之性皆可明矣 格心物而天地萬物之理無不 淂矣 術技亦然 心體明而古今事變之目皆可辨矣 淂心體而禮樂刑政之宜 無不淂 矣書史亦然".

325) 『하곡집』 經學集錄上, "存其心養其性 所以事天也".

326) 『하곡집』 經學集錄中, "程子曰只心便是天 盡之便知性知天 當處便認取 更不可 外求 …… 程子曰心也性也天也一理也 自理而言謂之天 自禀受而言謂之性 自存 諸人而言謂之心 …… 張子曰大其心 則能體天下之物 物有未體則心爲有外 世人 之心之止於見聞之狹 聖人盡性不以見聞梏其心 其視天下無一物非我 孟子謂盡 心 則知性知天以此".

5. 동학의 실학적 전통

기존 연구에 있어서 실학에 대한 평가는 대체적으로 실학을 역사적 관점에서 파악하여 '근대 지향 의식과 민족 의식을 갖는 개신유학'이라 정의하고 그 계파를 경세치용학파, 이용후생학파, 실사구시학파의 세 파별로 구별하고 있다. 반면, 철학계에서는 실학의 성격을 사상적인 측면에서 고찰하여 실학을 반주자학으로 이해하는 입장과 반주자학적인 것으로 보지 않고 주자학의 체계를 계승하면서도 주자학의 한계를 인식하고 이를 극복하는 사상으로 이해하는 입장, 그리고 실학을 정통 주자학의 분파로 보아 주자학의 내재적 극복과정으로 이해하려는 입장도 있다.[327]

실학은 분명 성리학과 사상적으로 차별성이 있고 실학의 개혁성을 주목한다면 동학사상의 변혁성에는 이러한 실학의 개혁성과 반주자학적 성향이 녹아 있다. 수운은 인의예지가 아닌 성경신을 말하고 동시에 수심정기하여 인의예지를 지킬 것을 말하는데[328] 이는 기존 성리학이 인의예지를 태어날 때부터 가슴속에 돌멩이처럼 가지고 태어나는 것으로 말하는 것과 구분된다. 수운의 이러한 말의 맥락은 다산의 실학적 전통과 가까워 보인다. 수운이나 다산 모두 기존의 성리학을 극복하고 있다.

신일철은 실학에서 발상된 이상사회상은 첫째, 시무책적 경세적인 덕치사회로서 지상에 그것을 실현시키려는 경세학적인 현실주의적 성격, 둘째, 관료에서 소외된 독서인들이 부랑화하여 농민대중의 귀농정착적 성격을 가지므로 庶類的 유토피아적 성향, 셋째, 서류가 군림하는 덕치왕국으로서의 농민 유토피아의 성격을 들면서 이것이 동학의 후천개벽적 이상향을 형성하는 데 배경적 역할을 하였다고 말한다.[329] 실학을 '소외계층의 기능회복을 위해 주도계층 중심으로 그 사회구성원 모두가 추구하는 일련의 논리적 변혁사상 또는 주장'[330]이라고 했을 때 실학의 연계선상에서 동학

327) 송석준,『한국 양명학과 실학 및 천주교와의 사상적 관련성에 관한 연구』, 성균관대학교 박사학위논문, 1992, 46쪽.
328)『용담유사』도덕가.
329) 신일철,「崔水雲의 歷史意識」,『韓國思想』12(崔水雲研究), 韓國思想研究會, 1974.

을 바라 볼 수 있다는 것이다.

또한 김한식은 동학의 역사의식의 발현에 배경이 되는 실학의 인식을 개체와 관련시켜 세 가지를 들고 있다. 첫째는 개체를 평등한 관계로 보기 시작했다는 점, 둘째는 개체를 다원화시키고 세분화하기 시작했다는 점, 셋째는 개체간의 연결을 종래의 위계질서로서 보는 것이 아니라 기능상의 상호보완관계로 보기 시작했다는 점이다. 개체에 대한 이러한 새로운 인식이 실학자들을 통하여 동학 이전에 이미 잘 준비되어 있었고 근대 민주의식으로 민중의 자기인식의 틀이 되기에 충분하였다는 것이다.331)

수운은 유교적 질서 즉 地閥·文閥의 철폐를 주장한 바 있다. '우습다 저사람은 지벌이 무엇이게 군자를 비유하며 문벌이 무엇이게 도덕을 의논하뇨'332)라 하여 지벌이나 문벌은 군자나 도법과 인연이 먼 것으로서 말하고 있다. 새로운 군자, 새로운 도덕개념은 시천주라는 보편자의 개인적 내재화로서 가능하고 그러면서 '도가 무엇인지 알지 못하겠거든 내가 나를 위하는 것이고 다른 것이 아니니라'333)라고 해서 근대적 자기의 個我的 자각을 일깨우고 있다.334)

한편 실학은 사상적으로 정약용의 단계에 이르면 이제 주자학에 대한 회의와 비판의 단계를 지나 그것을 대체할 수 있는 새로운 패러다임을 완성한다.335) 이러한 실학과 동학의 사상적 연맥을 보면 첫째, 홍대용, 정약용, 최한기와 같은 실학자들이나 수운 등은 모두가 인간주체에 의해 형성되는 '궁극적 존재원리'를 제시하지 처음부터 절대적으로 본유적으로 실재하는 천리를 부인했다는 점이다. 정약용은 성기호설을, 최한기는 추측지리를, 그리고 수운 최제우는 무왕불복지리를 말하여 본유적 理를 거부하고, 인간주체가 대인접물에서 性을 발현하는 과정에서 善도 되고 理도 됨을 주장했다. 다시 말해서 정약용은 선을 지향하는 성의 기호를 통해서, 그리

330) 김한식, 『실학의 정치사상』, 일지사, 1980, 63~69쪽.
331) 김한식, 「동학과 실학과의 관계」, 『동학혁명백주년기념논총 下』, 태광문화사, 1994.
332) 『용담유사』 도덕가.
333) 『東經大全』 後八節.
334) 신일철, 「崔水雲의 歷史意識」, 『韓國思想』 12(崔水雲硏究), 韓國思想硏究會, 1974.
335) 홍원식, 『실학사상과 근대성』, 예문서원, 1998, 17쪽.

고 최한기는 경험과 추측을 통한 리의 축적에서 기학적 성현을 이루고자
한다. 최제우는 성경신에 의해서 한울님과 합했을 때 시천을 말한다. 이는
모두 보편적 천리, 본유적 천리를 거부하는 것이다. 물론 다산도 본체로서
天命을 말하고 혜강은 神氣를, 그리고 수운은 한울님을 말하지만 이는 모
두 인간주체에 의해서 그리고 현실에서 구현되는 것이다.

둘째, 실학과 동학은 모두 性보다 心에 비중을 두어 心을 大體로 삼는
다. 홍대용은 性을 '一身之理'로 말했고[336] 心을 理와 같은 것으로 설명한
다. 정약용은 心을 대체로 삼아[337] 성리학의 四端으로서의 性개념을 부정
하였다. "심은 인간의 대체를 말하기 위하여 빌린 이름이고, 성은 마음이
기호하는 바"[338]라는 것이다. 그리고 다산에게 있어 사단은 다섯도 될 수
있고 여섯도 될 수 있고 일곱도 될 수 있고 여덟도 될 수 있는 것이지 본시
일정한 수효가 있는 물건이 아니다. 맹자는 여러 마음 중에서 단지 그의
넷만을 뽑아서 썼을 따름이라는 것이다. 이 마음의 본체는 하나가 만 가지
에 대응할 수 있는 것이지 넷이 네 가지만에 응한다고 해서는 안 된다는
것이 다산이 주장하는 바다. 그러므로 그는 인성 가운데 네 가지 물건이
있다고 하는 것은 이치를 모르는 것이라 하였다.[339] 최한기에 있어서도 이
제까지 天이라 하고, 道라 하며 또한 性이라 하고 心이라 하였던 용어는
모두 '신기'라고 인식하여야 하며 또한 古文의 字意에 얽매이면 氣化를 見
得할 수 없다고 하였다.[340] 최제우도 인의예지가 아닌 성경신을 말하고 一

---

336) 『湛軒書』 內集 권1, 心性問, "此性者一身之理 而理無聲臭矣 心者 神明不測之物
也 無形狀無聲臭 善惡二字 將何以着得也".

337) 『丁茶山全書』 心經密驗, "今人以心性二字 作爲大訟 或云心大而性小 或云性大
而心小 謂心統性情 則心爲大 謂性是理而心是氣 則性爲大 以心爲大者主神形妙
合 只有一心而言之也 以性爲大者 把此性字以爲大體 法身之專稱也 然若必欲假
借一字 以爲大體之專名則 心猶近之性則 不可性之爲字 當讀之如雉性鹿性草性
木性 本以嗜好立名 不可作高遠廣大說也".

338) 『丁茶山全書』 孟子要義, "心者吾人之大體之借名也 性者心之所嗜好也".

339) 『丁茶山全書』 書, "虛靈不昧具衆理 而應萬事 此所謂應也 若如來敎 …… 所謂
四端 亦可五可六可七可八 本是活動 不定之物 孟子於諸心之中 抽取其四以用之
耳 …… 大凡此心之體 一可以應萬 四不可以應四".

340) 『人政』 권11, 文字解義, "心字以神氣認之 …… 勿以古文之字義 障弊於究索 方

心을 한울님과 병칭한다. 일심은 한울이요 비어 있으면서도 사물에 응하나 자취가 없는 대체로서 설명하고 있다. 이외에 일심은 궁궁이라든가, 영부의 형상이라 하여 일심은 본체적 개념을 나타내고 있다.

셋째, 인간은 물질과 정신의 양면적 존재라는 특성을 나타낸다. 다산은 인간을 신형묘합의 존재341)로서 혜강은 감각과 습염의 존재342)로서 설명하고 동학·천도교 역시 일상생활의 생활세계적 존재로 말한다.343)

넷째, 선악문제에 있어서 고정된 선악을 부정한다. 홍대용은 性이 인간에게는 한 몸의 리로서 일종의 구체적 사실을 설명하는 법칙이라고 할 수 있지만 실재하는 실체는 아니라고 하였다. 그는 선악을 선험적으로 내재하는 관념이라고 보기보다는 구체적 행위와 연관된 가치판단이기 때문에 선악개념을 성의 범주에 내포시킬 수 없다고 하였다.344) 또한 정약용에 의하면 인간의 선악은 그가 소유한 육체나 본성에 의해 결정되는 것이 아니라 그가 감관으로부터 정보가 들어왔을 때 대체를 따르느냐 어기느냐에 있다. 인간이 인의예지의 성을 실현하고 못하고는 감관을 통하여 인식되는 것 가운데 마음이 본체를 따르느냐 소체를 따르느냐에서 결정된다345)고 했다. 최한기 역시 선악이란 신기가 밖에 있는 인정과 물리를 감각기관을 통하여 안에 거두어 모으고, 거두어 모을 때 갈리는 것이다. 어떤 자는 善을 취하고 惡을 버리지만 악을 취하고 선을 버리는 자도 있다.346) 그러므로 인간 삶에 있어서 聖人이 되고 못 되고는 신기의 습염과 통찰에서 결정되는 것이지 처음부터 갖고 태어나는 것이 아니다. 수운 역시 불택선악의 궁극

可見得氣化也".

341) 이 책 제2장 2절의 2) 참조.
342) 이 책 제2장 3절의 4) 참조.
343) 이 책 제3장 4절의 5) 참조.
344) 홍원식,『실학사상과 근대성』, 예문서원, 1998, 43쪽.
345)『丁茶山全書』, 孟子要義, "其所納利於大體 則從之者爲從大體 違之者爲從小體 其所納利於小體 則從之者爲從小體 違之者 爲從大體 如斯而已".
346)『명남루전집』推測錄 권1, "盖人身神明之氣 推有通察習染之能 無他模着言論之 端 在外之人情物理 從諸觸諸竅而通 收聚於內其收聚也 有取善而遺惡者 有取 惡而遺善者 有彰善而殫惡者 有幷取善惡者 有善惡俱無取者 善惡之分 於斯判焉 至於仁不仁 義不義 亦由斯而發源 進退操縱 專係於斯 豈不重且大歟".

자를 말했다. 성리학의 理처럼 순선함을 말하는 것이 아니다.

다섯째, 시의와 변통을 중시한다. 홍대용은 윤리문제와 관련하여 매우 주목할 만한 견해를 가지고 있었다. 그것은 拜揖, 升降, 籩豆와 같은 윤리 도덕 규범은 시속을 따르면 그만일 뿐, 굳이 옛날의 궤적에 연연해 할 필요가 없다는 것이다. 그는 맹자도 시속과 편리에 따라 예를 행했고 주공의 제도나 주희의 예도 자기 시대의 풍속에 따른 것이라고 말하였다.347) 심지어는 당시까지도 붕당 사이에 예민한 문제로 남아 있던 기해예송과 관련해서, 어느 복제를 따르냐의 문제는 국가의 흥망이나 賢邪와는 아무 상관이 없는 것이라고 단언하였다. 이러한 말 속에는 윤리도덕 규범의 시대적 상대성이라는 관념이 깊이 각인되어 있다.348) 동학에서도 용시용활과 시운을 말했고 최한기는 변통의 추측지리와 운수를 말한 바 있다.

이상과 같이 동학은 실학의 면모를 계승하고 있는데 이는 당시 성리학자들이 이론에서는 경학의 형이상학적 탐구에만 열중하여 그 학문이 비실제적 성향으로 흐르고, 실천에서는 수기에만 지나치게 열중하여 현실 감각이 둔감하여졌음을 비판, 극복하려는 의지에서 나온 것이라 할 수 있다.349)

1) 다산 정약용의 '性嗜好說'과 '知天'의 수행론

다산(1762~1836)의 사상이 전시대의 사상과 달리하는 가장 큰 특징은 性을 理로 보지 않고 嗜好라 본 점에 있을 것이다. 다산은 분명 성리학자이다. 그러나 性을 고정된 理로 보지 않고 기호로 보았다는 것은 커다란 발상의 전환이다. 그를 성리학자가 아닌 실학자로 구분하는 것은 정치개혁적 성격이 아니더라도 그는 이미 전통 성리학을 탈피하고 있기 때문이다. 수운이 인의예지가 아닌 수심정기를 말하는 것도 고정된 理를 탈피하고자

---

347) 『湛軒書』內集 권3, 書 二十, "滕文公之禮 不過曰三年之喪 齊疏之服 飦粥之食 而已升降拜揖籩豆之節略不及焉 想當日行禮 因俗乘便 未必盡合 於喪大記之文也 …… 未必屑屑於旣往之迹也"

348) 홍원식, 『실학사상과 근대성』, 예문서원, 1998, 62쪽.

349) 한국사상사연구회 편저, 『실학의 철학』, 예문서원, 1996, 30쪽.

하는 맥락으로 볼 수 있다.

다산이 성기호설을 주장하는 데는 불교의 『능엄경』에 영향 입었음을 볼 수 있다. 다산의 사상에도 유불결합이 연맥되는 것이다. 다산의 본체개념인 天(천명) 역시 퇴계처럼 불교의 본체개념이라 할 수 있는 一心과 병칭되고 있고, 性을 본체(大體)로 보지 않고 心을 본체로 보아 성을 삶의 부산물로 설명하고 있다. 그러므로 인간에게 부여되는 인간의 본연성이란 단지 선을 좋아하고 악을 싫어하는 성향(기호)만을 뜻한다. 인의예지를 할 수 있는 것은 본연의 성을 따랐을 때 성립되는 것이지 처음부터 뱃속에 지니고 있는 것이 아니다. 또한 이 본연성을 따른다는 것은 곧 천명을 따르는 것으로 천에 대한 앎(知天)과 섬김(事天)을 통해서 성취된다. 그는 궁극자(天)를 인간 안에 두고 이를 초월화시켜 정성과 공경의 대상으로 섬겨 천과 합하고자 한다. 인간이 한울님(天)과 합하여 천 자체를 이루지만 그 천은 본래 인간 이외의 것이 아니다. 또한 자신 안에 거하는 하늘을 깨달아 하늘을 섬기는 지천의 수양은 인간형성을 위한 기초가 된다. 인간 완성에 있어서 지천은 어느 무엇보다도 선행되는 전제인데 이는 본연성을 기호로 봄에 따라 수반되어 나오는 것으로 인간 존재의 이유가 된다. 事天의 교육전통은 퇴계 이후 다산에 와서 더 강조되고 동학의 敬天과 연맥되는 것이라 하겠다.

(1) 다산의 본체관 이해

다산의 본체개념인 천은 상제, 귀신, 心, 천명, 본연성 등으로 병칭되고 있다. 먼저 상제를 천이라 하는 것은 나라의 임금을 國이라 부르는 것과 같다.[350] 주재자인 상제는 형상도 없고 소리도 없으며 보아도 보이지 않고 들어도 들리지 않지만 영명하다. 이는 하늘의 별과 같은 물체를 신격화시켜 천황대제라 하는 것과는 다르다. 천황대제라 하는 것은 단지 한 물체를 상제로 삼는 미신에 지나지 않는 것으로 영명함이 있을 수 없다.[351] 상제

---

[350] 『丁茶山全書』 孟子要義, "鏞案 天之主宰爲上帝 其謂之天者 猶國君之稱國"(以下 『丁茶山全書』는 『全書』로 표기한다).

에는 영명과 주재의 속성이 있다. 영명은 상제가 뛰어난 앎의 능력을 갖추
었다는 의미이고 주재는 만물을 다스린다는 의미이다.[352] 그리고 이 영명
한 주재자인 상제는 곧 귀신이기도 하다.[353]

다산에 있어서 귀신은 성리학처럼 음양의 공용으로서보다는 상제와 같
은 개념이다. 즉 형이하자뿐만 아니라 형이상자의 개념도 들어 있다. 귀신
은 보려 해도 볼 수 없고, 들으려 해도 들을 수 없으나 만물의 체가 되어
없는 곳이 없으며 이기가 감응하여 비추는 것을 말한다. 이 귀신이 바로
天이 아니고 무엇이겠느냐고 다산은 반문하고 있다. 이 귀신 역시 사람들
이 몸과 마음을 깨끗이 하여 제사를 받게 되는 것으로 人鬼나 雜神을
뜻하는 것이 아니다. 또한 귀신은 誠과도 같다.[354] 그러므로 사람들이 자
기 욕심을 채우기 위해 못된 짓을 감히 못하고 군자가 암실에 있으면서도
두려워하며 감히 나쁜 짓을 하지 못하는 것은 상제, 즉 귀신이 굽어보고
있음을 알기 때문이라는 것이다.[355] 이와 같이 귀신, 상제, 천은 다산에 있
어서 같은 개념으로 병칭되고 있다. 다산은 귀신을 주자처럼 형이하자의
음양의 공용으로 보지 않았다.[356] 그러면서도 천지에 널려 있는 천지 귀신

---

351) 『全書』孟子要義, "上帝之體 無形無聲 視之而弗見 聽之而弗聞 今乃以紫微一星
爲天皇大帝 太微五星爲五方 天帝則無靈 有形之物 推尊爲帝 至五至六 而昊天
上帝 唯一無二之位 己泯晦而不章矣 罪至於此 何以赦矣 此殆鬼怪 非人爲也".

352) 최동희, 「다산의 신관」, 『한국사상』15, 1977.9, 108~109쪽.

353) 『全書』中庸自箴, "郊祭也郊所祭者上帝也 上帝之體無形無質如鬼神同德故曰鬼
神 理氣感格臨照而言之 故謂之鬼神".

354) 『全書』中庸講義補, "鬼神能前知 故上文言前知之事 日至誠如神 則字義無不同
矣 然鬼神非二氣之良能非天地之功用 又非造化之迹".

355) 『全書』中庸自箴, 권1, "箴曰所不睹者何也 天之體也 所不聞者何也 天之聲也 何
以知其然也 經曰鬼神之爲德 其盛矣乎 視之而弗見 聽之而弗聞 體物而不可遺
使天下之人 齊明承祭 洋洋乎如在其上 如在其左右 不睹不聞者 非天而何 民之
生也 不能無慾徇 其慾而充之 放辟邪侈無不爲己 然民不敢顯然犯之者以戒愼也
…… 君子處暗室之中 戰戰栗栗 不敢爲惡 知其有上帝臨女也 今以命性道敎悉歸
之於一理 則理本無知 亦無威能 何所戒而愼之 何所恐而懼之乎 聖人所言 皆至
眞至實 必不作矯僞體面之話 以自欺而欺人矣".

356) 『全書』中庸講義, "臣未之信 至於朱子之以性情功效爲德者 謂鬼神不過 爲二氣
之良能".

과 같은 것이 아니라 그 중에서도 지극히 크고 지극히 높은 것이 상제357)
로서 바로 이 상제를 귀신과 동격으로 놓았다.

　다산은 또한 불교에서 말하는 본연의 체도 이 귀신에서 벗어나지 않는
다고 하면서 그 귀신에는 선도 있고 악도 있다고 했다.358) 이는 불교의 지
엄이 "모든 존재가 자성이 없기에 고정적으로 그 존재의 성격을 깨끗하다
고도 깨끗하지 않다고도 말할 수 없다"고 한 것 같이 오직 선과 악은 마음
에 따라서 결정됨을 뜻한다.359) 다산이 귀신에 선도 있고 악도 있다 함은
불교에서 말하는 바와 같이 선과 악이 본체를 떠나서 있는 것이 아니므로
악이라고도 선이라고도 말하지 못함과 같다. 일찍이 중국 선연도 "여래도
본성으로서의 악을 끊지 않는다"라는 주장을 전개했다.360) 이는 다시 바꿔
말하면 마음에 따라서 악도 되고 선도 된다. 본체는 선할 수도 악할 수도
있는 이치를 지닌다. 그러므로 본체란 주자학의 性처럼 善한 것이 아니라
고 다산은 말한다.361) 본체는 선할 수도 악할 수도 있는 이치가 있어 마음
에 따라 선악이 결정된다. 인간이 인의예지를 하고 못하는 것은 다만 마음

357) 『全書』 中庸講義, "臣謂天地鬼神昭布森列 而其至尊至大者上帝".
358) 『全書』 心經密驗, "凡天下無形之物 莫過於鬼神 佛氏所謂本然之體 亦無以踰於
鬼神 然鬼神之中 亦有善神惡鬼".
359) 『一乘十玄門』, 大正藏 45, 518b, "선이건 악이건 마음에 따라서 變轉, 現出된다.
그렇기 때문에 廻轉善成이라고 한다. 또 마음과 구별된 인식대상은 없다. 그렇기
때문에 유심이라고 한다. 만약 마음이 바르게 전회한다면 그것이 곧 평온해짐(열
반)의 세계이다. 그렇기 때문에 『화엄경』에서 '마음은 갖가지 부처를 만든다'고 설
한다. 만약 역으로 전회한다면 그것이 곧 미혹함(生死)이다. 그렇기 때문에 세 가
지 미혹함의 세계(三界)는 허망하다. 그것은 마음이 만들어 낸 것에 지나지 않는
다. 미혹함도 평온함도 모두 마음을 떠나지 않는다. 그렇기 때문에 고정적으로 그
마음의 본성은 깨끗하다고도 깨끗하지 않다고도 말할 수 없다. 그러므로 『열반
경』에는 불성은 깨끗한 것도 부정한 것도 아니다. 깨끗함도 부정도 모두 다만 마
음에 의한 것이다라고 설한다. 若善若惡 隨心所轉 故云廻轉善成 心外無別境 故
言唯心 若順轉卽名涅槃 故經云心造諸如來 若逆轉卽是生死 故云三界虛妄唯一
心作 生死涅槃 皆不出心 是故不得定說 性是淨及與不淨 故涅槃云 佛性非淨亦
非不淨 淨與不淨皆唯心".
360) 木村淸孝, 『中國華嚴思想史』, 平樂寺書店, 1992, 254~257쪽에서 재인용.
361) 『全書』 心經密驗, "鬼神本無形軀 而其有善惡若是 卽所謂本然之體 亦豈無可惡
之理乎 人顧不知察耳".

에 의한 것이다. 다산은 귀신(상제)이 形軀가 없으나 선악이 있다고 한다. 그러므로 선이다 악이다 말하지 못하는 것이다. 그러므로 수운이 말하는 상제도 不擇善惡하는 자로 이 역시 불교적 면모를 보인다.

한편 다산에 있어 一心은 상제나 귀신과 같이 본체개념으로 칭해진다. 다산은 心統性情의 일심을 대체(본체)개념으로 이해하고 있다.

心大說은 심을 본체로 보아 신형묘합에서 일심이 체가 된다는 것이고, 性大說은 성을 본체로 보아 법신의 專稱이라고 하는 것이다. 그러나 본체의 전칭은 心으로 해야 한다는 것이 다산의 주장이다. 성을 본체로 하는 것은 옳지 않다는 것이다. 성이라는 글자는 마땅히 雉性, 鹿性, 草性, 木性과 같이 본래 嗜好로써 그 이름이 이루어진 것이지 높고 까마득한 말로 이루어졌던 것은 아니라는 것이다.362) 다산에 있어 성이란 체의 개념이 아니다. 다산은 일심으로서의 대체를 본체로 삼기에 기존 성리학과 같이 性理心氣로서의 성 대체설은 옳지 않다 했다. 성은 기호에 따른 것이지 고정된 理가 아니며 지존한 본체개념이 아니기 때문이다. 다산은 성이 모두 기질지성임을 말한다.363) 이 성은 불교개념으로 말하면 色身이요 대체인 心은 法身이다. 심은 또한 虛靈知覺이라 일컫는다. 허령지각을 사람들이 단지 한 글자로 말하여 神이라 하고, 靈이라 하며 魂이라고도 했던 것이다. 결국 다산이 말하는 심과 성은 대체와 소체의 관계, 즉 무형의 법신과 유형의 색신의 관계이다.364) 다산에게 있어 마음의 본체는 虛靈不昧,365) 또는

---

362) 『全書』心經密驗, "今人以心性二字 作爲大訟 或云心大而性小 或云性大而心小 謂心統性情 則心爲大 謂性是理而心是氣 則性爲大 以心爲大者主神形妙合 只有一心而言之也 以性爲大者 把此性字以爲大體 法身之專稱也 然若必欲假借一字以爲大體之專名則 心猶近之性則 不可性之爲字 當讀之如雉性鹿性草性木性 本以嗜好立名 不可作高遠廣大說也".

363) 『全書』孟子要義 권2, "中庸言性 是本孔子之論 肣謂天命之性 率性之道 皆氣質之性乎 若云性相近一語 是乃氣質之性 則上智下愚 本非性品之名".

364) 『全書』心經密驗, "神形妙合 乃成爲人 故其在古經 總名曰身 亦名曰己 而其所謂虛靈知覺者 未有一字之專稱 後世欲分而言之者 或假借他字或連續數字 曰心曰神曰靈曰魂 皆假借之言也 孟子以無形者爲大體 有形者爲小體 佛氏以無形者爲法身 有形者 爲色身 皆連續之言也".

365) 『全書』大學講義.

虛靈本體366)로서 맹자가 말한 대체와 같다. 허령한 본체는 『능엄경』에 보이는 如來藏性의 淸淨本然과 다르지 않고 허령은 '虛而靈'의 준말로 '空而妙' 즉, 진공묘유와 유사한 개념이다. 원래 성리학자들은 심을 허령지각으로 말했지만 불교처럼 본체적 비실체가 아니라 심은 氣였다. 그리고 理로서의 性만을 따로 떼어 인의예지로 고정시켰다. 그러나 다산에게 있어서 허령지각의 심은 영명한 본체이고, 성은 이 본체를 따르느냐 어기느냐에 따라 결정된다. 그렇기에 다산의 성기호설은 혁명적인 것이다.

다산은 전통 성리학이 천리로서 인간의 성을 인의예지라 고정한 것을 근본적으로 거부하고 있다. 단지 인의예지를 할 수 있는 영명한 마음을 부여받았을 뿐이다. 즉 <가능성의 형식>으로서 본성을 부여받았지 고정된 이치가 아닌 것이다. 인의예지를 성으로 보는 것에 대해 허령불매한 본체를 잡아가지고 배 안에다 넣어 둔 채 무슨 이치를 살피려는 격367)이라 비난한 바 있다. 다산은 "심은 인간의 대체를 말하기 위하여 빌린 이름이고, 성은 마음이 기호하는 바다"368)라고 분명히 말한다. 先儒들은 성을 靈體의 전칭이라고 하였으니 잘못이 아니었겠느냐는 것이다. 그리고 맹자가 인식한 성은 기호로서 그들 선유와 다르다는 것이다.369) 인간의 성은 마음속에 알맹이처럼 있는 理가 아니라 仁을 할 수 있고, 禮를 할 수 있는 영명한 마음이 있을 뿐이지 고정된 것이 아니다. 다산은 사람이 하늘에서 받은 것을 영명한 마음(천명)이라 하였다. 그 영명한 마음이 본연성이고, 하지 않으면 굶주린 듯 허전한 마음이다. 그러므로 천명은 곧 본연성으로 靈明主宰天, 상제, 귀신, 영명한 마음과 병칭되는 개념이다.

그러므로 영체(본연성) 내에는 3가지의 이치가 있을 수 있다. 첫째, 性으로 말하자면 선을 좋아하고 악을 수치로 여기는 것으로 이는 맹자가 말하는 性善이다. 둘째, 權衡으로 말한다면 선할 수도 있고 악할 수도 있으니

---

366) 『全書』 논어고금주, "虛靈本體孟子謂之大體".
367) 『全書』 大學公議, "虛靈不昧之體 捉住在腔子內 以反觀其眞實無妄之理".
368) 『全書』 孟子要義, "心者吾人之大體之借名也 性者心之所嗜好也".
369) 『全書』 心經密驗, "先儒乃以爲靈體之專稱 其無差殊乎 …… 先儒所認之性 與孟子所認之性 不同".

이는 고자의 湍水의 비유와 양웅의 선악혼재설이 발생될 수 있는 까닭이다. 셋째, 行事로 말한다면 선하기는 어렵고 악하기는 쉬우니 이는 荀卿의 성악설이 발생될 수 있는 까닭이 된다.370) 영명한 본체는 그 속성이 선을 즐거워하고 악을 부끄러워할 뿐이다. 이러한 성은 모든 사물에 신묘하게 대응하므로 맹자도 사단을 논하면서 성선을 사단의 근본으로 생각하였고 인의예지는 단지 실천행위로서 다루었다는 것이다. 인의예지를 古經에서 성이라 한 적이 없고 理라고도 德이라고도 하지 않았다371)고 그는 분명히 말한다.

(2) 성기호설에 따른 다산의 인간형성론

① 神形妙合, 身心妙合의 인격형성

인간의 의식은 객관대상과 인간이 지닌 감관에 의해 성립된다. 객관대상과 인간주관이 접촉할 때 그 門이 되고 길이 되는 것은 귀와 눈과 같은 감각기관이다. 그리고 그 감관을 통하여 의식이 형성되는데 다산은 이를 神形妙合이라 하였다. 정신과 형체를 받아들이는 감각기관이 미묘하게 결합되어 인간을 이룬다는 것이다.372)

『능엄경』에서는 "만일 인간 앞에 대상이 없으면 의식이 일어날 수가 없다"373)고 말한다. 또한 인간의 감각기능 없이 의식 또한 일어날 수 없다고 말한다. 이는 마치 사람이 캄캄한 방에 있으면 아무런 眼識이 생겨날 수 없는 것과 같다. 그러나 어두운 방에 있다가 홀연히 등잔빛을 얻으면 대상이 인식되는데 이는 등잔빛으로 인함이기 때문에 등잔빛이 보는 것이라

---

370) 『全書』 心經密驗, "總之靈體之內厥有三理言乎 其性則樂善而耻惡 此孟子所謂 性善也言乎 其權衡 則可善而可惡 此告子湍水之喩 楊雄善惡渾之說 所由作也言 乎 其行事 則難善而易惡 此荀卿性惡之說 所由作也".

371) 『全書』 書 答李汝弘, "四心之發 發於靈明之本體 靈明之體 其性樂善耻惡而已 以此之性妙應萬物 故孟子論四端 必以性善爲四端之本 其論仁義禮智皆主行事 …… 四心其在古經 不云性 不云理 不云德".

372) 『全書』 孟子要義, "神形妙合 乃成爲人".

373) 『능엄경』 권2, "若無前法 意無所生".

할 수 있다. 그러나 등잔빛은 스스로 등잔빛이라 이름하지 못하고 인간과
아무런 관련도 없다. 등잔빛이 능히 대상을 나타낼 수는 있지만 그 대상을
보는 것은 인간의 눈이요 등잔빛이 아니며 눈은 능히 대상을 인식하게 하
지만 그 보는 性은 마음이다. 눈이 아니다.374) 따라서『능엄경』에서는 대
상과 감각기관 그리고 마음이 결합된 상태에서만이 인간의 인식이 가능함
을 말하고 있다. 즉, 인간의 인식은 감각기관을 지닌 신체를 통해 나타나는
경험에 의존한다. 눈으로 사물을 봄으로써 인식이 생겨난다. 인간 각자는
자기 자신의 독특한 모든 감각경험과 기억을 통해 개성을 이룬다.
　다산은 인간의 의식이 몸의 감관과 정신이 결합되어 일어나는 神形妙合
또는 身心妙合을 말한다. 이는 대상을 보는 감관의 대상인식과 마음의 주
관이 함께 하여 일어나는 것이지 감관이나 주관 어느 한편만으로 성립되
는 것이 아님을 말한다.
　인간은 아무리 눈앞에 맛있는 안주가 있더라도 직접 혀의 감관을 통해
맛보지 않으면 그 맛을 알 수 없다. 그러나 맛은 그것만으로 결정되는 것
은 아니다. 만일 맛있는 음식을 먹으면서도 신경을 다른 곳에 쓰고 있거나
걱정으로 마음을 빼앗기고 있으면 그 음식의 맛조차 잊어 맛을 알 수 없게
된다. 그러므로 맛이란 감관과 마음 양자에 의해 결정되는 것이지 어느 한
편에 의한 것이 아님을 말한다.375) 이는『능엄경』에서도 말한 바와 같이
"몸과 마음이 서로 알아서 서로 여의지 않는다. 마음이 일어남을 말미암아
법(객관세계)이 일어나고 법이 일어남을 말미암아 마음이 일어난다"376) 함
과 맥락이 같다고 볼 수 있다. 즉 객관의 대상이라는 것은 마음에 따라 좌
우되는 것이지 고정된 본질이란 없다. 따라서 다산은 심신묘합으로 이루어

374)『능엄경』권1, "諸盲眼前 唯睹黑暗 云何成見 …… 與有眼人 處於暗室 二黑有別
　　爲無有別 …… 此暗中人與彼群盲 二黑校量 曾無有異 …… 若無眼人 全見前黑
　　忽得眼光 還於前塵 見種種色 名眼見者 彼暗中人 全見前黑 忽獲燈光 亦於前塵
　　見種種色 應名燈見 …… 若燈見者 燈能有見 自不名燈 又則燈觀 何關汝事 是故
　　當知 燈能顯色 如是見者 是眼非燈 眼能顯色 如是見性 是心非眼".
375)『全書』中庸講義補, "毛曰人無不知味者 故學記曰雖有嘉肴 不食不知其味也 若
　　食而又不知味 則必有別用其知者 如發憤忘食 知在好學 食旨不甘 知在愛親".
376)『능엄경』권1, "身心相知 不相離故 …… 由心生故 種種法生 由法生故 種種心生".

지는 의식상태를 올바르게 하기 위해서는 마음을 우선적으로 바르게 하는
것에서 시작되는 공부를 제시한다.377) 마음을 바르게 하는 공부란 감관이
넣어 준 인식 가운데 大體에 이로우면 이를 따르고 대체에 어긋나면 이를
거부하는 것이다.378)

　　맹자가 소위 귀, 입, 눈, 코 四肢의 욕심은 성인도 없을 수 없는 것이다.
　　욕심이란 능히 正理를 따르면 그가 선행을 하게 되는 것을 방해하지 않거니
　　와 오로지 사사로운 뜻만을 따르면 이내 악의 구렁에 빠지게 되는 것이다.379)

　인간의 욕심이 능히 바른 이치를 따르면 선을 이루게 되고 사사로운 뜻
만을 따르면 악으로 떨어진다. 따라서 다산에 의하면 인간의 선악은 그가
소유한 육체나 본성에 의해 결정되는 것이 아니라 그가 감관으로부터 정
보가 들어왔을 때 대체를 따르느냐 어기느냐에 있다. 인간이 인의예지의
성을 실현하고 못하고는 감관을 통하여 인식되는 것 가운데 마음이 본체
를 따르느냐 소체를 따르느냐에서 결정된다.380) 인간이 대체를 따르면 본
성을 따르는 자이며, 그 소체를 따르는 자는 욕망을 따르는 자이다.381) 그
리고 이에 따라 각각 道心과 人心이 결정된다. 도심은 항상 대체를 따르려
하고 인심은 항상 소체를 따르려 한다. 즉 인간이 감관을 통해 인식된 것
가운데 소체를 따르느냐 대체를 따르느냐에 따라 선성과 악성이 결정된
다.382) 그리고 이러한 것이 계속 축적되는 사이에 인격 자체가 형성된다.

---

377) 『全書』大學公義, 권1, "義曰身心妙合 不可分言 正心卽所以正身 無二層工夫也".
378) 『全書』孟子要義, "顧何嘗使此心强從其所納哉 其所納利於大體 則從之者爲從
　　小體 違之者爲從大體 如斯而已".
379) 『全書』中庸講義補, "孟子所謂耳口目鼻 四肢之欲 固上聖之所不能無者 然我之
　　所以答是 欲者能循正理 則不害其爲善 專循私意 則乃至於陷惡".
380) 『全書』孟子要義, "其所納利於大體 則從之者爲從大體 違之者爲從小體 其所納
　　利於小體 則從之者爲從小體 違之者 爲從大體 如斯而已".
381) 『全書』孟子要義, "從其大體者率性者也 從其小體者循欲者也".
382) 『全書』孟子要義, "道心常欲養大 而人心常欲養小 樂天知命 則培養道心矣 克己
　　復禮 則制伏人心矣 此善惡之判也".

② 다산의 성기호설과 인간형성

가) 다산의 성기호설의 전개

다산에게 있어 인간의 본성이란 처음부터 주어지는 것이 아니라 선을 좋아하고 악을 싫어하는 기호로서 인간이 신심묘합으로 이루어지는 인식 가운데서 대체를 따랐을 때 본성이 성취되는 것으로 설명된다. 기호에는 두 가지가 있는데 하나는 대상에 따라 좋아하고 또는 피하는 속성과 또 하나는 그렇게 하지 않으면 안 되는 삶의 본태로서의 기호이다.383) 즉, 다산은 性의 기호를 人·物의 두 가지로 구별한다. 物에 있어서 성의 기호는 눈앞의 탐락과 같은 기호이고 인간의 기호는 삶의 본태로서의 기호이다. 物은 다시 둘로 나눌 수 있는데 초목의 類와 금수의 類이다. 따라서 다산은 초목, 금수, 인간의 3등급으로 나누어 性을 설명하는데 이는 人·物을 구별하고자 함이다. 초목의 성은 생명이고 금수의 성은 생명과 지각이며 인간의 성이란 생명, 지각, 그리고 신령과 善性이 더해 있다.384)

일찍이 주자는 성을 말함에 있어서 인·물을 겸하여 理가 같은 것으로 말하였었다.385) 그러나 다산은 인·물을 나누어 말해야 한다고 주장한다. 사람은 과불급의 차이가 있지만 物에는 없고, 사람은 능히 모든 것을 활동할 수 있지만 금수는 모든 것이 일정하다는 것이다. 일정하기 때문에 物은 과불급의 차이가 있을 수 없다. 예를 들어 닭은 새벽녘에 울고 개는 밤에 짖으며 호랑이는 할퀴고 씹으며 소는 들이받으며 벌은 여왕벌을 호위하고 개미가 많이 모여 사는 것은 천년 동안 변함없이 똑같이 전해 내려왔고 만리에서도 같은 풍속을 가지고 있다. 그럼에도 불구하고 주자는 性과 道를 말할 때 항상 인·물을 겸하여 말했으니 그 말의 조리가 통하겠냐는 것이다.386) 또한 성인과 현인에 있어서 주자는 理는 같고 氣가 다르다 하였는

---

383) 『全書』心經密驗, "嗜好如云 雉性好山 鹿性好野 猩性之性好酒醴 此一嗜也 一以畢竟之生成爲嗜好 …… 故行一善 則其心充然以悅 行一惡 則其心欿然以沮".

384) 『全書』中庸講義補, "對曰性有三品 草木之性 有生而無覺 禽獸之性 旣生而又覺 吾人之性 旣生旣覺 又靈又善 上中下三級 截然不同故 其所以盡之之方 亦復懸殊 草木不過使遂其生性 則其性斯盡矣 禽獸不過使遂 其胎卵飛走之性 則其性斯盡矣".

385) 『全書』中庸講義補, "朱子嘗謂人與禽獸 理同而氣異".

데 다산은 성인과 현인 모두 性과 氣가 같다고 주장한다.387) 그는 성인과 현인이 따로 있는 것이 아니라 본성 즉 천명을 따르면 仁도 되고 義도 되는 것이지 처음부터 성품이 다르거나 인의예지가 있는 것이 아니라고 한다.

> 인의예지라는 이름은 본래 우리 인간의 행사에 의해서 생겨난 것이며 아울러 마음속에 잠재된 玄理가 아닌 것이다. 사람이 하늘에서 받은 것이라고는 단지 이 영명스런 마음뿐이다. 이것으로 인을, 의를, 예를, 지를 할 수도 있는 것이다. 만일 上天에서 인의예지라는 이 4개를 인성의 가운데에 부여해 주었다고 한다면 이는 실상이 아니다.388)

다산은 인의예지가 미리 마음의 본체 안에 내재해 있다고 말하는 것은 通儒들이 잘못 아는 것이라 말한다. 맹자도 우연히 부끄러워하고 미워하는 마음이 의의 단초라고 한 것이지 부끄러워하는 마음이 반드시 고정되어 바뀔 수 없는 것이라고 생각한 것은 아니었다는 것이다. "하늘은 이미 인간에게 선할 수도 악할 수도 있는 권형을 부여하였지만 또한 한편으로는 선한 일이란 어렵고 악에 빠지기는 쉬운 육체(器具)를 주었고 다른 한편으로는 선을 좋아하고 악을 수치로 여기는 성을 부여하였던 것이다. 만일 이러한 본성을 지니지 않았다면 우리 인간은 예로부터 어느 한 사람도 하찮은 조그만 선마저 실행한 사람이 없었을 것이다. 그러므로 率性이라 말하고 그러므로 尊德性이라 한다는 것이다. 성인이 性을 귀중한 보배로 여기

---

386) 『全書』中庸講義補, "朱子於性道二字 本兼人物而言 則於草木禽獸下 修字不得 故別言品節也 敎者敎人也 旣曰修道之謂敎 則修道非自修之工 乃敎人以自修也 中庸者 立敎之書也 …… 過不及之此 聖人因人物之所當行者而品節之 今案 過不及之差 在於人 不在於物 誠以人之所能皆活動 禽獸之所能 皆一定旣然 一定 夫安有過不及之差乎 雞之晨鳴 犬之夜吠 虎之搏噬 牛之䶩觸 蜂之護君蟻之聚衆 千年同俗萬里同風 …… 朱子於性道之說 每兼言人物 故其窒礙難通 多此類也".

387) 『全書』中庸講義補, "今乃曰 聖人賢人 理同而氣異 豈可通乎 書曰 惟聖罔念作 狂 惟狂克念作聖 明性與氣皆同也".

388) 『全書』中庸講義補 권1, "仁義禮智之名 本起於吾人行事 並非在心之玄理 人之 受天 只此靈明 可仁可義可禮可智 則有之矣 若云上天 以仁義禮智 四顆賦之於 人性之中 則非其實矣".

어 감히 이를 잃지 않으려 한 것도 이 때문이라는 것이다."[389] 즉, 인간의
본성이라는 것은 맹자가 말한 善性과 같이 선을 좋아하고 선을 택할 수 있
도록 한 능력일 뿐이다. 이는 본래 인간에게 있는 것이지만 근본은 천명에
서 오고 도심과 하나이다. 그러나 사람들은 이를 본래 있는 것이라 인식한
까닭에 태만하여 도심의 가르치는 말을 두려워하지 않고 따르지 않으며
태만하여 천명을 거스르고 죄가 하늘까지 솟는다고 다산은 비판한다.[390]

나) 다산의 본연지성과 인간형성

원래 본연지성이라는 말은 『능엄경』에서 따온 것으로 이는 여래장성의
청정본연으로부터 유래한 것이다.[391] 『능엄경』에서 '청정본연'의 청정이란
더럽지도 깨끗하지도 않음을 말하고 본연이란 和하지도 화하지 않음도 없
는 것을 말한다.[392] 그리고 이 청정본연성은 본래 스스로 밝아 허령하면서
도 어둡지 않는 '虛靈不昧'라 했다.[393] 다산 또한 『능엄경』에서 말하는 바
와 같이 마음의 본체를 허령불매자로 표현했다. 다산이 말하는 허령불매의
마음이란 무형으로 혈육에 영속되지 않고 만상을 포괄하면서 만 가지 이
치를 꿰뚫는 것으로 하늘이 부여해 준 천명이기도 하다. 그러나 이 천명,
즉 허령한 본연성은 인욕에 가리우게 되고 새로운 망념으로 찌들게 된다.
여기에 선악의 이치가 있다.[394]

---

389) 『全書』 心經密驗, "天旣予人 以可善可惡之權衡 於是就其下面 又予之以難善易
惡之具 就其上面 又予之以樂善恥惡之性 若無此性 吾人從古以來 無一人能作些
微之小善者也 故曰率性 故曰尊德性 聖人以性爲寶因 敢墜失者以此".
390) 『全書』 中庸自箴 권1, "天賦我性授之 以好德之情 畀之以擇善之能 此雖在我 其
本天命也 凡人認作自己本性 所以慢之 一番推究認得 此性本係天賦 玆乃赫赫天
命 違此性之所欲行 此性之所愧 此是慢天命逆天命 罪通于天矣 故曰尊德性".
391) 『全書』 心經密驗, "佛氏謂 如來藏 淸淨本然(楞嚴經)謂 本然之性 純善無惡 ……
於罪惡有宋諸先生 皆從此說".
392) 『능엄경』 권2, "不垢不淨曰淸淨 非和不和曰本然".
393) 『능엄경』 권2, "性本自明 虛靈不昧".
394) 『全書』 大學講義, "熹曰心是何物 鏞曰有形之物是吾內臟 無形之心是吾本體 卽
所謂虛靈不昧者也 熹曰虛靈不昧者是何物 鏞曰 是無形之體 是不屬血肉者 是能
包括萬狀 妙悟萬理能愛能惡者 是我生之初 天之所以賦於我者也".

허령의 본체가 기품을 구속하여 인욕에 가리우게 되니 때로 어두워지므로 舊染이라고 한다. …… 능엄경을 보면 여래장성은 청정본연이다 하니 이는 본연성을 말함이다. 그러나 본연성이란 新熏에 오염되어 진여의 본체를 상실하게 된다. 이는 반야기신론에서 거듭하여 말한 것이다. 여기에서 말한 신훈이란 본체는 허명한 것인데 기질에 의해서 다시금 새로 찌들어 오염된 것이다.[395]

여기서 말하는 다산의 舊染과 新熏은 본체를 가리우는 것으로 『능엄경』의 二習에 배당할 수 있다. 『능엄경』에서 말하는 이습은 種習과 業習의 두 가지이다. 종습은 果를 결정하는 것으로 다산이 말한 구염과 같이 허령한 본체로 인하여 물든다. 업습은 種을 새로 熏習하는 것으로 다산이 말한 新熏과 같이 새롭게 오염됨을 가리킨다.[396]

이와 같이 다산의 性說에는 『능엄경』에서 말하는 바와 같은 기신론적 배경이 깔려 있음을 부인할 수 없다. 다산의 성기호설에 따르면 인간이 본연성을 따르느냐 어기느냐에서 선악이 결정된다. 이는 『능엄경』에서 인간이 심중을 따라서 육근을 선택하면 망념이 소멸하고 眞如가 드러나며[397] 인간이 생멸을 따르면 망념으로 떠돌아다니게 되는 것과 상통한다.[398]

다산은 마음의 본체를 허령불매라 하여 만 가지 이치를 갖추면서도 만사에 응하는 것이라 하였다. 이것이 소위 妙應으로 불교인 如來敎와 같다는 것이다. 그러므로 다산에게 있어 사단은 다섯도 될 수 있고 여섯도 될

---

395) 『全書』 大學公議, "虛靈之體 爲氣稟所拘 人欲所蔽 有時而昏 斯之謂舊染也 …… 按楞嚴經曰 如來藏性淸淨本然 此本然之性也 本然之性 爲新薰所染 乃失 眞如之本體 卽般若起信論中 重言複語之說 謂之新薰者 本體虛明而新被氣質所 薰染也".
396) 『능엄경』 권4, "二習相然 故有鐵床銅柱諸事(二習은 現行과 種子다. 소위 業習과 種習의 둘이니 대개 업습은 종을 熏하는 바요 종습은 果를 辦하는 바다)".
397) 『능엄경』 권3, "是故阿難 隨汝心中 選擇六根 根結若除 塵相自滅 諸妄消亡 不眞 何待".
398) 『능엄경』 권2, "以諸衆生 從無始來 循諸色聲 遂念流轉 會不開悟性淨妙常 不循 所常 遂諸生滅 由是生生 雜染流轉 若棄生滅 守於眞常 常光 現前 根塵識心 應 時鎖落 想相爲塵 識情爲垢 二俱遠離 則汝法眼 應時淸明 云何不成無上知覺".

수 있고 일곱도 될 수 있고 여덟도 될 수 있는 것이지 본시 일정한 수효가 있는 물건이 아니다. 맹자는 여러 마음 중에서 단지 그의 넷만을 뽑아서 썼을 따름이다. 이 마음의 본체는 하나가 만 가지에 대응할 수 있는 것이지 넷이 네 가지에만 응한다고 해서는 안 된다는 것이 다산이 주장하는 바다. 그러므로 그는 인성 가운데 네 가지 물건이 있다고 하는 것은 이치를 모르는 것이라 하였다.[399]

또한 칠정이라는 것도 마찬가지다. 칠정이란 조목은 예기의 禮運에 처음으로 나타나 있는 말인데 이는 원래 喜怒愛懼라 말하였지 喜怒哀樂이라 하지 않았다. 班固의 白虎通에서는 또한 喜怒哀樂愛惡를 六情이라 하였으며 고금을 통해서 六情이라 말한 것 또한 많다. 칠정이란 꼭 하늘에서부터 정해진 것이 아니다. 六情, 七情 이외에도 愧悔, 怨恨, 懷忮, 恪慢 등 여러 가지 정이 있다. 그러므로 칠정만이 있는 것이 아니다.[400] 이와 같이 다산이 사단과 칠정도 기존개념과 달리 고정된 것으로 보지 않는 것은 『능엄경』과 같은 본연성에 대한 이해와 더불어 성이 본체가 아닌 기호로 이해됨에 따라 수반된 것임을 볼 수 있다.

(3) 知天의 수행론

다산은 고정된 理를 거부했고 性은 기호에 지나지 않기에 인간 본연성은 오직 知天에 의해 결정될 뿐이다. 다산에게 있어서 마음의 본체는 곧 천명(상제)으로 인간이 자신에게 부여된 하늘(天命)을 공경하여 이를 되찾으면 천명이 빛나 만물을 화육하게 한다. 그러므로 주자가 주장하듯 자연법칙적 천리의 학이 아니라 천명을 따르는 그것이야말로 인간 본연의 길이라 주장한다. 다산은 천명이 부여한 본연성을 어기고 그 성이 부끄러워

---

399) 『全書』 書, "虛靈不昧具衆理 而應萬事 此所謂應也 若如來敎 …… 所謂四端 亦可五可六可七可八 本是活動 不定之物 孟子於諸心之中 抽取其四以用之耳 …… 大凡此心之體 一可以應萬 四不可以應四".

400) 『全書』 中庸講義補 권1, "今案七情之自始見於禮運 原是喜怒愛懼 不是喜怒哀樂 …… 班固白虎通 又以喜怒哀樂愛惡 謂之六情 而古今言六情者 更多詩序云 …… 何必七情爲天定乎 六情七情之外 亦有媿悔怨恨懷忮恪慢諸情 豈必七情已乎".

하는 바를 행하는 것은 곧 천명에 태만함이요, 천명을 거스르는 것이다. 따라서 인간본성의 실현은 이러한 천명을 받들어 상제를 밝게 섬기는 것에 있다.401) 그 천명을 받든다는 것은 막연한 것이 아니다. 인간이 받들어야 할 천명(본연성)은 천명 스스로가 인간 내면을 두드리고 간절히 알린다.402) 인간은 자기 내면에서 울리는 천명을 귀기울여 들으면 이를 뚜렷이 들을 수 있고, 이는 희미하지 않다.

천명이란 생을 명부한 애당초에 형태가 없는 體와 묘용의 神이 함께 들어가 있어 그것이 인간에게 감동을 주는 것이다. 그러므로 하늘의 경고 또한 형태가 있는 이목으로 말미암는 것이 아니라 항시 형태가 없는 묘용의 도심이 그를 유도하고 그를 가르친다. 그것을 일러서 '하늘이 그의 마음을 유도한다'고 하는 것이다. 그 유도를 순종함이 천명을 받든다는 그것이며 그 유도에 태만하여 어긴다면 이것은 천명을 어김이다.403) 그러므로 인간은 그 천명의 유도함에 항상 귀기울여야 한다. 결국 다산의 본성은 천명이 유도하는 것을 따르고 이를 공경하여 구체적인 삶의 순간과 상황에서 발휘되는 것이다. 즉 주자처럼 무슨 알맹이 같은 것이 본디 마음에 갖추어진 것이 아니라 상황과 때에 따라서 천명에 귀기울여 공경함으로 이것이 쌓여 본성이 성립되는 것이다.404)

그러므로 인간이 자신의 본성을 알면 그 본성을 기르고 그 본성을 기르

---

401) 『全書』 中庸自箴 권1, "天命於本心者 聖人昭事之學也".

402) 『全書』 中庸自箴, "道心與天命不可分 作兩段看天之儆告我者 不以雷不以風密密從 自己心上丁寧告戒 假如一刻蹔 有傷入害物之志 萌動出來時 覺得一邊有溫言 以止之者 曰咎皆由汝 何可怨彼汝 若釋然 豈非汝德 丁寧諦聽無所熹微 須知此言乃是赫赫之天命 循而順之 則爲善爲祥 慢而違之 則爲惡爲殃 君子之戒愼恐懼 眞在此也".

403) 『全書』 中庸自箴 권1, "天命不但於賦生之初界 以此性原來無形之體 妙用之神 以類相入與之相感也 故天之儆告 亦不由有形之耳目 而每從無形 妙用之道心誘之誨之此 所謂天誘其衷也 順其誘而從之 奉天命者也 慢其誘而違之 逆天命者也".

404) 『全書』 心經密驗, "積善集義之人 其始也俯仰無怍 內省不疚積之彌久 則心廣體胖腔 然見乎面而益乎 背積之彌久則 充充然有浩然之氣 至大至剛 塞乎天地之間 …… 於是神而化之與天地合其德 與日月合其明遂成全德之人".

면 곧 성을 알게 된다. 그러므로 知人하면 知天하지 않을 수 없고 지천하
면 지인할 수 있다.405) 인간이 자신의 본성을 아는 것이 지인이고 본성을
알면 지천할 수 있다. 천명이 곧 자신의 性이다. 천명을 안즉 하늘을 섬기
고 하늘을 섬긴즉 천명을 안다.406) 인간은 '천을 안 이후에 선을 선택할 수
있고 천을 알지 못하는 한 선을 택하지 못한다.'407) 인간이 의리를 명백히
알면 善을 선택하여 고집할 수 있는 것이기에 기질의 병폐란 원래 없
다.408) 천명이란 인간에겐 더 없는 지극한 보배이므로 이를 높이고 이를
받들어 잠깐이라도 어긋날 수 없는 것이다. 그러므로 지천이란 천이 그 마
음에서 나와 그 자체가 되는 상태이다.『중용』에서 솔성이란 바로 이러한
천(天命)을 따르는 것이다.409) 그러므로 '옛적 사람들은 진실한 마음을 가
지고 하늘을 섬기고 진실한 마음을 가지고 귀신을 섬기면서 하나의 동정
과 하나의 생각에도 돋아나는 싹이 진실한가 거짓인가 순한가 악한가를
경계하여 나날이 굽어보심이 여기에 있다 하였다. 홀로를 삼가이 하는 간
절한 마음이 참으로 독실하여 天德에 이를 수 있었던 것이다.'410) 다산은
만약 인간이 천명을 따르지 않는다면 당장은 편할지는 몰라도 자기모멸감
과 자포자기에 둘러 쌓여 쓸쓸히 죽음의 길로 들어설 뿐이라 한다.411) 인

---

405)『全書』中庸自箴 권2, "知人者知人之所 以爲人也 天命之謂性 率性之謂道 知此
　　 則知人矣 故曰思知人 不可以不知天也".
406)『全書』孟子要義 권2, "知性則養性 養性則知性 知天則事天 事天則知天".
407)『全書』中庸講義補 권1, "知天而後 可以擇善 不知天者 不可以擇善".
408)『全書』中庸講義補, "人欲之私 亦豈非氣質之欲乎 然明於義理 則可以擇善而固
　　 執 又何必以氣質爲病乎".
409)『全書』中庸自箴 권1, "不義之食在前 口腹之慾溢發 心告之日勿食哉 是不義之
　　 食也 我乃順其所告郤之 勿食玆之謂率性 率性者循天命也 …… 求天命於本心者
　　 聖人昭事之學也 …… 天賦我性授之以好德之情界之以擇善之能".
410)『全書』中庸講義補 권1, "古人實心事天 實心事神 一動一靜一念之萌 或誠或僞
　　 或善或惡戒之 曰日監在玆 故其戒愼恐懼 愼獨之切眞切篤 實以達天德".
411)『全書』心經密驗, "有一夫爲今日行一負心事 明日行一負心事 欿然內沮怛焉 內
　　 疚自暴 則日吾事己誤自棄 則日吾復 何望志爲之衰荼氣爲之推 蠱誘之以利 則如
　　 犬豕之就牽恔之以威則如狐 免之屈伏憔悴枯羞索然以就死此其性有所拂逆天關
　　 而莫之成遂者故其病敗如是凡此皆嗜好之驗於畢竟者也 天賦生之初予之以此性
　　 使之違惡以趨善 故人得以依靠此物以遵此路子思之言性命 孟子之談性善都是此

간이 마음을 저버린 일 하나 둘 시작하면 굶주린 듯 허전해지고 가슴아파
서 못 견디어 '나는 이미 틀렸다'라고 스스로 자포자기하게 된다. '내 다시
무슨 가망이 있겠는가?'라고 지쳐 있다가 또다시 남들이 잇속으로 유혹하
여 부추기면 마치 개, 돼지마냥 이리저리 이끌려 다니고, 위협으로 겁을 주
면 마치 여우나 토끼새끼처럼 몸을 움츠려 초췌하고 쇠퇴한 몸으로 쓸쓸
히 죽음의 길로 들어서게 된다는 것이다. 이것은 인간이 그 본성을 어기고
꺾어 버려 자라지 못하게 했을 때 인간 삶의 실상이 어떻게 되는지를 적나
라하게 표현한 것이다. 따라서 천명을 알고 이를 따르는 知天은 인간 존재
의 의미를 판가름하는 것이다. 인간이 지천(事天)하지 않는다면 인간 자신
스스로가 삶을 포기하는 것이 된다. 천명이 곧 인간의 본연성이라 하는 것
은 수운이 한울님을 모셔(侍天) 이를 공경하여(敬天) 한울님되는(人乃天)
인간 삶의 뜻과 통한다.

　또한 다산에게 있어 敬天이란 즉 정자가 말한 것처럼 불경스러운 일 없
이 상제를 대하는 것이 아니라 일과 사물을 접하는 가운데 불경스러운 일
을 금지하여 상제를 대하는 것을 말한다.412) 원래 愼獨이라는 것도 자기만
이 혼자 거처하는 곳에서 삼가는 것을 극진하게 한다는 말이 아니라 자기
만이 혼자 아는 일에 삼가기를 극진히 한다는 것이다.413) 그러므로 다산은
敬天과 敬神이 靜坐의 공부라 하여 불교의 수행을 받아들이지만 일과 사
물에 접하여 이치를 궁구하고 반성하며 사유해야 또한 경천공부라 한
다.414) 이는 해월이 대인접물에 있어서 삼경(敬天, 敬人, 敬物)을 주장한
것과 상통한다.

　　意今觀孟子言性皆以嗜好立喩 凡以是也 今人推尊性字奉之爲天 樣大物混之以
　　太極陰陽之說離之以本然氣質之論眇芒函遠恍惚夸誕".
412) 『全書』心經密驗, "程子曰毋不敬 可以對越上帝 案毋不敬者 非謂無事不敬也 謂
　　凡不敬之事禁之勿禁也".
413) 『全書』心經密驗, "原來愼獨云者 謂致愼乎 己所獨知之事 非謂致愼乎 己所獨處
　　之地也".
414) 『全書』心經密驗, "惟敬天敬神 可爲靜座之工然 亦必默連心思 或想天道 或窮神
　　理 或省舊愆 或紬新義方爲實心敬天 若絶思絶慮 不戒不懼惟務方塘 一向湛然不
　　波則 此靜也非敬也".

한편 다산은 곡례를 인용하여 대인접물에서 삼가해야 할 불경스러운 일과 행실을 구체적으로 들고 있다. 이는 단지 예를 들어 말하는 것으로 인간으로 하여금 불경스러운 일과 행실을 삼가는 솔성의 도를 강조하고 있는 것이다.[415] 그러므로 다산은 종래의 주자학파들이 격물치지를 해석함에 있어서 '物에 부딪혀 그 이치를 따진다', '천하의 물치고 천리를 간직하지 않은 자 없다'는 등으로 말하여 物을 천하만물로 해석하는데 다산은 이를 옳지 않게 여기고 物을 구체적으로 意, 心, 身, 家, 國, 天下로서 인간이 誠, 正, 修, 齊, 治, 平해야 하는 구체적인 대상물로 제시한다.[416] 즉 다산이 주장하는 것은 인간이 접하는 관계 즉, 意, 心, 身, 家, 國, 天下에 접하여 각기 誠, 正, 修, 齊, 治, 平할 때 천덕에 합할 수 있음을 말한다. 상제를 의식하여 대인접물에서 정성을 다할 때 천명을 지키는 것이고 도심의 실현이 있는 것이지 대상과 관계를 떠나 따로 추상적인 천리를 추구하는 것이 아니다.

2) 혜강 최한기의 '推測之理' 공부론

구한말 서구과학과 기독교 세계관을 접한 조선지식인들은 그들의 기술과 위력에 접하면서 동요와 혼란 가운데 빠지게 되었다. 조선의 급진개화파는 서구 문명의 교섭과 문명 전환을 위한 자신들의 역할을 절감했고 전적인 수용에 힘을 쏟았다. 그러나 수운과 혜강 같은 이들은 서구근대문명의 대세를 놀랍게 인정하면서도 그 대응은 주체적이었다고 할 수 있다. 혜강(1803~1877)은 기독교를 배제하면서도 서양의 지식과 학문적 방법을 수용했고 수운은 서구문명의 힘을 깨달으면서도 동시에 제국주의적 속성을

415) 『全書』心經密驗(곡례에서는 그 불경스러운 일을 구체적으로 다음과 같이 예를 들고 있다. 苟得, 苟免, 求勝, 求多, 踐履, 踖席, 勸說, 雷同, 側聽, 嗽應, 淫視, 怠荒, 그리고 불경스러운 행실로는 袒衣, 褰裳, 摶飯, 放飯, 嚄羹, 絮羹, 齧骨, 投骨, 反肉, 刺齒, 歠醢, 嚃炙, 流歠, 固獲을 말한다).
416) 『全書』大學公議 권1, "慮事之初度 其勢自外而內之 慮事旣畢計 其功自內而外 推之故上逆而下順也 意心身家國天下 明見其有本末 則物格也 誠正修齊治平 明認其所先後 則知至也".

인식하여 동도의 변혁에 박차를 가했다.

전통교육이란 대체적으로 인간완성을 목적하고 이를 위해서는 마음 닦음 내지는 본성함양에 초점 맞추어져 있다. 이를 한 마디로 심학이라 할 수 있는데 심학은 불가나 양명학의 전유물이 아니다. 조선철학자 모두가 자신이 하는 학문이 진정한 심학임을 말했다. 인간은 오늘날과 같이 대상적 지식의 학습만으로는 인간됨을 꿈꿀 수 없으며 오직 인간 스스로 자신의 마음을 닦아 나가는 노력이 있어야만 인간됨을 이룰 수 있다는 것이 전통교육의 입장이다. 그러나 이러한 전통교육의 입장도 혜강에 오면 단순히 마음의 수양이 아닌 역사와 상황 속에서 수행되는 실천이 강조되고 경험에 의한 대상적 지식도 인간 본성을 이루는 중요한 요소임을 주장하게 된다. 이는 분명 서구라는 타자에 대한 이해와 주체의 대응에서 비롯된 것이지만 전통의 재해석이 맞물린 것이라 본다.417)

---

417) 기존 연구에 의하면 혜강의 기학이 조선조 성리학의 주기론과 어떤 인연이 있는 것은 아니고 경학적 전통을 거의 완전히 벗어나 근대적 계몽의 길을 걸어간 것이라 하였다(최진덕, 「혜강 기학의 이중성에 대한 비판적 성찰」, 『혜강 최한기』, 청계, 2000, 110~112쪽). 또한 권오영은 최한기의 사상형성에 큰 영향을 준 것이 바로 지리상의 발견에 따른 지구에 대한 해명이라 하였다(권오영, 「崔漢綺의 西歐制度에 대한 認識」, 『韓國學報』 62, 1990, 121쪽) 즉, 혜강의 기학은 서구과학 중에서 대기권설(혜강의 표현으로 하면 蒙氣說)에 영향받아 발단을 이루었고 최한기에 이르러 비로소 서구의 천체역학의 지식을 통하여 새로운 근대우주관으로 변모되어 갔다는 것이다(권오영, 「崔漢綺의 氣說과 宇宙觀」, 『韓國學報』 65, 1991, 102~103쪽). 그러나 혜강은 말하기를 '지금 천하만국이 언어가 전달되고 서적이 두루 통하여 지구의 전체가 다 드러나고 蒙氣가 크게 나타나 우주 안의 格致의 神氣를 창도하여 천고의 의심스럽던 것이 이로부터 밝혀진 것이 많고 정돈된 것이 적지 않다(『명남루전집』 神氣通 권1, 體通 地體及諸曜, "到今天下萬國 言語傳達 書籍周通 球體必露 蒙氣大現唱導宇內 格致之神氣 千古疑晦")'고 하였다. 이 문맥을 보아도 전통적 경학에서 끊임없이 추구되던 우주자연에 대한 격치가 서구과학의 몽기를 통해 천고의 의심스럽던 것이 풀렸다는 것이지 대기권을 의미하는 몽기 자체가 혜강 기학의 발단은 아닌 것이다. 물론 최한기는 서구의 지구원형설이나 지동설과 같은 과학적 지식에 힘입어 자신이 본체개념으로 하는 運化氣가 유형임을 더욱 명료히 드러내어 강력히 주장할 수 있었다. 그러나 혜강의 기학은 전통의 재해석 속에서 서구과학적 지식이 결부되어 보다 발전된 것이지 전통 경학을 전제하지 않거나 서구영향의 발단으로 치중해서만은 이해될 수 없을 것이다.

혜강은 300권에 가까운 많은 저술을 했다. 혜강이 40세 때 정치권에서는 그의 업적을 높이 평가하여 時弊 구제에 대해서 대책을 물었고, 70세 무렵 1871년 신미양요 때에는 江華鎭撫使 정기원이 국가의 위기상황에 대해 자문을 요청하기도 했다. 정기원의 요청은 홍선대원군이 혜강의 경륜을 인정하고 그와 상의하라는 것과 맞물려 행해진 것이다.[418] 본 연구에서는 시대적 경륜을 쌓은 혜강이 서구의 충돌과 맞물려 자신의 공부체계를 어떻게 발전시켜 갔는지 그 교육의 방향과 논리를 파악해 보고자 한다. 추측지리를 중심한 혜강의 공부론은 추측으로부터 얻어지는 理의 해명과 이것이 천하에 통할 수 있는 준적이 되도록 하는데 초점 맞춰져 있다. 전통성리학의 理는 본유적인 것으로 인의예지로 고정되는 반면 혜강의 理는 경험을 통한 추측에서 얻어지는 것이기에 그는 전통성리학의 비판에서 자신의 추측지리를 설명했다.

(1) 본체로서의 運化氣

혜강 기학의 전체적 패러다임은 서구 과학지식과 전통사상의 재해석이 맞물려 있는 것이다. 혜강은 "지구의 운행이 바로 기학의 입문이라고 하였고 아울러 曆象이 점점 밝혀진 것이 기학의 방향이고 제반기계의 須用이 기학의 경험이며 虛理를 헤아리는 것이 기학의 성질을 인도하는 것이며 신천의 무형이 기학의 유형을 일으키는 것"[419]으로 설명하고 있다. 서구의 몽기설은 단지 역상과 제반 기계의 발명을 통해 보다 폭넓은 氣를 경험할 수 있고 기학이 보다 명증적으로 나아갈 수 있는 요소는 될 수 있어도 혜강 기학 전반의 것을 도출해낸 것이 아니다. 즉 허리를 헤아려 氣를 인도하는 것, 神天의 無形이 기학의 유형을 일으키는 것 등은 전통사상의 본체적 개념에 바탕을 두고 있음을 볼 수 있다.

---

418) 권오영, 「새로 발굴된 자료를 통해 본 혜강의 기학」, 『혜강 최한기』, 청계, 2000, 34~38쪽.

419) 『명남루전집』 氣學 권2, 二三八, "曆象之漸明 爲氣學之方向 地球之兩轉 爲氣學之入門 諸器之須用 爲氣學之經驗 虛理之揣摩導氣學之誠實 神天之無形激氣學之有形".

혜강의 본체420)개념에 해당되는 것은 운화기이다. 운화의 기가 천지 사이에 가득 차서 천지의 생명에너지와 인물의 호흡이 되는 것이라 하였다. 이 氣로 인하여 조화가 생기고 정신이 생기며 모든 생명은 바로 이 운화기를 얻어서 형체를 이룬다. 따라서 이 기를 떠나서는 생명도 없다. 인간이 호흡하고 활동하는 것 모두 이 氣 아님이 없다고 한다. 이는 마치 고기와 물의 관계와 같아서 고기가 못에서 입을 벌름거리고 놀고 뛰는 것이 물에 힘입지 않는 것이 없듯이 사람이 땅 위에서 움직이고 왕래하는 것 역시 이 기에 힘입지 않는 것이 없다.421) 인간이 눈으로 보는 것이 氣의 모습이요 귀로 듣는 것이 氣의 소리이며 코로 맡는 것이 氣의 냄새이다. 또한 살갗으로 기의 감촉에 통하는 것으로 기 아님이 없다.422) 그러므로 혜강은 옛날 사람들이 이 氣를 보고도 氣라 하지 않고 天이라 했는데423) 順天, 法天, 奉天, 事天의 天字는 마땅히 천지운화의 氣로 인식해야 한다424)고 주장한다. 따라서 '天卽氣'이다. 天은 氣의 大體요 氣는 하늘에 가득한 형질이다. 천과 기는 항상 함께 한다. 氣가 결정되면 天도 이에 따라 변형된다. 그러므로 형체에 구속된 氣는 天이라 할 수 없고 단지 형체의 이름에 따라 기의 이름을 붙일 수 있다.425) 그러므로 사람에게 있는 氣는 人氣라 하고

---

420) 조선철학자들은 본체를 理氣體用의 개념으로 쓰고 있다. 그러나 서양철학에서의 본체는 초자연적인 영원자로 현상의 근본에 있는 실체를 말하는데 이는 현상과 대립하는 의미이다.

421) 『명남루전집』 推測錄 권2, 推氣測理, "人之於氣 猶於之於水 魚在淵而呴喁游躍 無非依賴水也 人在地上而動靜行住 莫非依賴氣也".

422) 『명남루전집』 人政 권8, "一身目通氣之色 耳通氣之聲 鼻通氣之臭 口通氣之味 皮通氣之觸 皆是氣之可通可知則 推之於人擴之於物達之於天無不脗合若捨是氣 惟究於天則大可見者".

423) 『명남루전집』 人政 권8, "古今言天言氣 古者見氣未的不言氣 而惟言天然 天之所以爲天 由於充滿之氣.".

424) 『명남루전집』 氣學 권1, "凡政學經學之順天法天 奉天事天之天字 若但以七政經星之天 認之則 襯合無幾 接注無所當 以天地運化之氣 認之則 無疑惑於有形無形之間 有遵修於政學經學之原".

425) 『명남루전집』 氣學 권1, "天者 氣之大體 氣者 天之充滿形質 統而論之 天卽氣也 氣卽天也 分而言之 碗盂瓶缸所盛之氣 不可謂之天 可謂之 碗氣盂氣瓶氣缸氣矣 人物形體所治之氣 不可謂之天 可謂之人氣物氣矣 運化之迹 見於分派之氣 運化

사물에 있는 氣는 物氣라 한다.

혜강에 있어 氣와 운화기의 관계는 부분과 전체의 관계다. 기는 하나이지만 대소의 성질을 구별하여 이름한 것으로 크게는 地氣, 月氣, 日氣, 星氣가 있고 작게는 土氣, 水氣, 木氣, 金氣, 人氣, 物氣가 있다. 대소만물이 기의 활동으로써 서로서로 응하고 섞이어 만물의 운화를 이루기 때문에 개체를 표현할 때는 氣라는 말을 붙이고 통체(전체)를 지칭할 때는 운화기란 말을 쓴다.426) 이러한 운화기를 혜강은 활동운화하는 근원적 존재로 보아 神氣로도 표현했다. 운화기 역시 신령한 것으로 神이란 곧 운화의 능함이고 이 氣의 靈이란 곧 운화의 밝음이다.427) 운화기를 설명하는 활동운화기란 天地人物 가운데 항상 움직이고 두루 運轉하여 변화하는 氣를 뜻한다. 즉 운화란 만 가지 善을 관철하는 것으로 크게는 천지운행의 기를 승순하고 작게는 응사접물에 있어서 正心修身에 응하는 운화이다. 천지인물의 운전변화하는 기가 모두 身心에 응하는 것이어서 이 운화로써 나라를 다스리고 천하를 평탄케 하는 것이다.428)

또한 혜강은 이 신기의 운화현상을 우주적 차원에서 '天地之神氣(天地運化之氣)'라 하고 인간 개체의 차원에서 '形體之神氣' 또는 '人物之氣'라고 한다. 이 때 人間之氣란 인간이라는 특수한 형질 속에 들어 있는 보편적인 '天地運化之氣'라는 의미이고 천지운화지기는 보편성 그 자체이다. 그러므로 인간이 자기가 부여받은 천지운화기를 統察할 때 盡心이라 하고 盡性이라 하는 것이다.429) 천지운화기는 大氣라고도 명칭하고 人物之氣의 경우는 사물운화와 인신운화로 나누어 말하기도 한다.430) 여기서 운화기란

之源 在於統體之天".

426) 『명남루전집』運化測驗 권1, 氣之名, "氣卽一也 而指別大小成質而名焉 從其大而有地氣月氣日氣星氣 從其小 而有土氣水氣木氣金氣人氣物氣 大小萬物 以其氣之活動 相應相和 以成萬物運化 統而名之卽 運化氣也".

427) 『명남루전집』氣學 권1, "斯氣之神 乃運化之能 斯氣之靈 乃運化之明".

428) 『명남루전집』氣學 권2, 十三, "運化二字貫澈萬善 大則承順天旋地轉之氣 小則儘合應事接物之義 以運化正心修身則 天地人物運轉變化之氣 皆應於身心 以運化治國平天下 則天地人物運轉變化之氣".

429) 『명남루전집』氣學 권2, 十六, "人受天地運化之氣 有氣質之心性 博洽用功統察天地運化之氣 卽是盡心盡性 過探於虛無之境 不及於固有之限 皆非盡心盡性".

地·月·日·星이 화합한 質이고 寒熱乾濕이 모두 갖추어진 物로 萬事群
生이 의뢰하는 것이다.[431] 天地之氣의 활동운화는 무형의 神天과 어긋나
지 않아 그 자체가 天이라 이를 수 있다. 그러나 人氣의 活動運化(人身運
化)는 대기의 활동운화에 承順해야 人天이라 이를 수 있다. 인간은 언제나
대기에 승순할 수 있어야 자신의 조리가 전체에 통할 수 있고 누구에게나
타당할 수 있는 판단과 행위가 가능하기 때문이다. 또한 사람과 만물을 함
께 논하여 그 천리를 가리키면 모두 하늘이라 말할 수 있다. 人天이란 사
람에게 있는 천리요 物天이란 만물에 있는 천리다. 천리를 거역하면 인욕
이 되고, 천리에 해가 되면 사욕이 되지만 천리를 따르면 도덕이 성립한
다.[432]

　天과 人은 氣의 측면에서 보면 다 같은 대기로 이루어졌으므로 동일하
고 다만 형질은 상호 다르다. 그러나 이때의 형질이라는 것도 대기가 응취
하여 이루어지는 것이므로 그 본바탕에 있어서는 서로 같다고 할 수 있다.
그러므로 천인일치라 말하는 것이다.[433] 그러므로 혜강은 어찌 인간이 천
지를 비웃고 천지가 인간을 비웃겠느냐 한다.[434]

　사람의 氣局에는 대소의 차이가 있기에 소견도 다를 수밖에 없다. 소견
이 같지 않다고 비웃는 것은 결국 자기를 비웃는 것이다. 수운이 말한 지
기가 곧 인간에 모셔질 때 한울(天)이 됨은 이러한 전례를 따라서도 이해
될 수 있다. 수운의 시천주를 보면 시천이란 안으로 신령함이 있고 밖으로
는 기화가 있음을 말한다.[435] 수운의 지기가 인간에 이르러 시천이 된다

---

430)『명남루전집』氣學 권2, 十八.
431)『명남루전집』運化測驗 권2, "運化氣 乃地月日星 和合之質 寒熱乾濕 咸備之物
　　萬事群生資賴者也".
432)『명남루전집』推測錄 권2, 推氣測理, "凡論人物指其天理 皆可謂之天也 人天者
　　在人之天理 物天者 在物之天理 逆於天理 爲人欲 害於天理 爲私欲 順成天理
　　爲道德".
433) 손병욱,「혜강철학에 있어서 인식과 실현의 구조문제」,『기학』, 여강출판사, 1992,
　　309쪽.
434)『명남루전집』人政 권9, "一身運化由於大氣運化 大氣運化達於一身運化 天地豈
　　是笑人 人豈可笑天地 但人之器局有大小 而所見亦不同 笑其不同 是自笑其器局
　　也 何可以敎人 實有碍於自已進就".

했을 때 이를 혜강의 표현으로 설명해 보면 인간의 기운은 대기운화로 말미암았고 그 대기운화는 인간에 이르러 있다. 이것이 곧 天人運化이다. 수운이 말한 지극한 기가 인간에게 내려 인간이 지기, 즉 한울님을 모셨다함과 같다. 수운의 21자 주문에 있어서도 侍天主의 天에 대하여 따로 설명을 가하지 않은 것은 至氣가 곧 天으로 天은 곧 인간에 부여된 지기이기 때문이다. 동학의 시천은 곧 인간에게 부여된 至氣이다. 지기가 전체를 말한다면 시천은 부분을 말한다. 이를 성리학적 표현으로 말하면 性命이고 수운의 표현으로 하면 인간이 공경해야 할 자기 안의 한울님이다. 인간 안에 신령함이 있고 조화가 있음은 곧 지기와 다르지 않다. 따라서 지기와 시천주는 같은 맥락에 서 있다. 수운은 지기와 시천을 통해서 우주만물의 생성과 인간의 본질 그리고 인간과 한울님이 하나임을 나타냈다. 앞에서 말한 녹문이나 혜강 그리고 하곡까지도 지기, 귀신, 상제, 천리가 각기의 의미범주를 지니면서도 하나로 통합되는 측면을 볼 수 있다. 이들 기론자들은 지기, 혹은 원기를 곧 근원적 활동력으로 보아 우주와 인간이 모두 기로 생성되었음을 말한다. 또한 귀신으로 말하는 것은 理도 氣도 아니면서 동시에 理이기도 하고 氣이기도 하여 자취가 없는 생생불식의 활동자를 말하고자 하기 때문이다. 혜강은 이를 運化氣, 혹은 神氣로 표현했다. 이 운화기 역시 신령한 것으로 神이란 곧 운화의 능함이고 이 氣의 靈이란 곧 운화의 밝음이다.[436] 이는 수운의 내유신령 외유기화하는 天과 대응되는 구조이다. 혜강에 있어서도 이 氣를 깨닫는 것이 운화기에 합치되는 것이다. 운화기와 부합하면 神氣가 감동하여 광명한 세계가 있게 될 것이라고 하는데[437] 이는 수운이 강화지교를 듣는 접신현상이요, 녹문이 말한 귀신의 양능과도 유사하다. 神氣라는 명칭에는 통괄적인 뜻이 있어 신기가 일신의

---

435) 『동경대전』 논학문, "至氣者 虛靈蒼蒼 無事不涉 無事不命 然而如形難狀 如聞而難見 是亦渾元一氣".

436) 『명남루전집』 氣學 권1, "斯氣之神 乃運化之能 斯氣之靈 乃運化之明".

437) 『명남루전집』 人政 권8, 覺悟卽符合, "覺悟者 是我方知合於運化氣也 運化之經常流行 我雖涵游而不知其所以然 一事推測 二事推測 至見其運化之符合 神氣感動 如夢之覺悟 而有光明世界也".

主가 되었을때는 心이라 하고 신기가 활동 운화할 때는 性이라 하며, 신기가 경우에 따라 발용할 때는 情이라 하고 신기가 추측한 조리를 理라 한다. 심, 성, 정에는 일정한 표적이 있고, 理를 추측함에 있어서는 대기의 유행하는 리가 있다.[438]

혜강은 理를 流行之理와 推測之理의 둘로 나누어 다루고 있다. 유행지리는 천지의 도이고 추측지리는 人心의 공부에 의한 것이다. 즉 自然이라는 것은 천지유행지리요 當然이라는 것은 인심추측지리이다. 자연은 하늘에 속한 것이므로 인력으로 증감할 수 있는 것이 아니지만, 당연은 사람에 속하는 것이므로 이를 가지고 공부한다. 당연 외에 또 부당연이 있음은 마치 仁 외에 不仁이 있음과 같으므로 그 不當然을 버리고 그 당연을 취한다. 또 당연 중에도 優劣·純駁이 있기 때문에 講磨切磋를 자연으로써 표준을 삼아야 한다. 이것이 곧 공부의 바른 길(正路)인 것이다. 다시 말하면 유행지리로써 표준을 삼아야 한다는 것이다. 유행지리는 곧 天地運化之氣의 조리로서 곧바로 氣卽理가 되지만 추측지리는 인위적인 것이어서 혹은 氣보다 앞서서 豫度함이 있고 혹은 氣보다 뒤떨어져서 증험함이 있는 것이므로 氣와 합하는 일이 적고 부합하는 일이 많다. 사람의 추측지리는 본래가 천지운행의 유행지리로부터 얻어지는 것이므로 양자가 합치하지 않을 경우에는 유행지리에 就質하여 그 착오를 바르게 할 따름이라고 혜강은 말하였다.[439]

理라는 것은 氣의 조리로 운화기를 미루어 추측하면 모두가 實理가 된다. 기를 떠나서는 리의 형체도 없다. 그러므로 오히려 理學의 理는 氣로 보아야 형체가 있는 理가 될 수 있다 한다.[440] 옛날에는 理가 주가 되고

438) 『명남루전집』人政 권11, 心性情理, "神氣之稱 有統括底義 神氣之主於身謂心也 神氣之活動運化謂性也 神氣之隨遇發用謂情也 神氣之推測條理謂理也 心性情 有一定指的 推理有大氣流行之理".
439) 『명남루전집』人政 권9, 二十四, "求理於運化氣 則氣卽理也 求理於神氣 則先於 氣之理 後於氣之理 皆生於推測運化氣也 是理卽所以爲知也 與運化氣合則爲一 不合則爲二矣 神氣推測之理 本從運化理而得來 則不合者 就質於運化氣 以正其 差誤而已".
440) 『명남루전집』人政 권8, 理卽氣, "理卽氣之條理也 言氣則理在其中 言理則氣隨

氣가 용이 되나, 기학의 논설은 氣가 體가 되고 理가 用이 되어 천인이 일
치되고 이기가 결합되어 나아가게 된다. 만약 기의 체용에 통달하게 되면
理는 저절로 그 가운데 있게 될 것이라 하였다. 따라서 기가 밝혀지지 아
니함을 오로지 걱정할 것이요 理가 밝혀지지 아니함을 걱정할 것은 없다
하였다.[441] 중국의 담사동도 氣體道用이라 하여 혜강과 같은 입장을 말한
바 있다. 理를 결정짓는 것은 氣에 달려 있다. 운화기는 형질로써 우주에
충만하여 만유를 함양하는 유형의 氣이다.[442] 혜강은 神도 유형이요 理도
역시 유형이라 한다. 대기운화 가운데 무형의 사물은 존재하지 않는다.[443]
그러므로 사람의 마음이 추측하는 것이 만약 무형을 미루어 무형을 헤아
린다면 이는 허황된 것이요, 또한 유형을 미루어 무형을 헤아리거나 무형
을 미루어 유형을 헤아린다면 이 역시 의심스럽다 하였다. 오직 유형을 미
루어 유형을 헤아리는 것이 성실한 유형의 학[444]이라는 것이다.

수운도 무형과 유형을 불연기연에서 언급한 바 있다. 그러나 혜강과는
다르다. 물론 수운도 유형에서 시작은 하지만 무형을 본체로 강조하고 이
를 바탕으로 새로운 후천개벽이 가능함을 강조한다. 인간이 상제되고 인간
이 한울일 수 있는 것은 본체가 무형이기에 가능한 것이고 그러면서도 기
화하는 유형임을 분명히 한다. 즉, 수운은 사람들이 유형만을 믿어 무형을
알지 못한다고 하면서 양자 모두를 강조하고 있다.

혜강은 분명 본유적인 본질은 부인하지만 무형의 선험성 자체를 부정한
것은 아니다. 그는 인간의 神氣가 澹然虛明[445]한 것이라 했다. 즉 유형만

　　　至焉 …… 凡理字 皆推運化氣而測之 無非實理 故理學之理 以氣字認之 乃有形
　　　之理也".
441)『명남루전집』氣學 권2, "蓋古之論說 理爲主 而氣爲用 氣學論說 氣爲體 而理爲
　　　用 天人一致 理氣合就 …… 若通達氣之體用 理自在於其中 惟患氣之不明 無患
　　　理之不明".
442)『명남루전집』氣學 권1, "運化之氣 形質最大 充塞宇內 範圍天地 涵養萬有".
443)『명남루전집』氣學 권1, "運化之氣 卽有形之神 有形之理也 神理二字 有此明證
　　　之歸屬 可以息千古之紛擾 …… 大氣運化之中 未有無形之事物".
444)『명남루전집』氣學 권1, "人心推測 若推無形 而測無形 是乃虛荒也 推有形而測
　　　無形 或推無形 而測有形 皆是疑惑也 推有形而 測有形 乃誠實有形之學也".
445)『명남루총서』神氣通 권1, "人之神氣 澹然虛明"(혜강이 신기를 '湛然虛明'이라

이 아니다. 여기서 담연허명은 선험성을 띤다. 그러나 이 선험성은 본유로
서 주어진 것을 말함이 아니라 가능성의 형식으로서 경험 위에서만 기능
이 발휘되고 구체화되는 것을 말한다. 그러므로 혜강은 수운이 서학에 대
해 몸에 기화함이 없다고 비판한 것처럼 유사하게 말하면서도 서양학이
神天을 무형이라 한 것에 또한 강한 비판점을 둔다. 이것이 수운의 비판과
다른 측면이다.[446]

혜강은 운화기를 본체로 하면서 철저히 유형적인 것으로 사고하고자 한
다. 神이란 것도 운화의 능함이요 운화기가 곧 神(神氣)이다. 그러면서도
그 氣는 모든 속성을 포괄하는 一이다. 예배라는 것도 이 기화에 보답하고
감사하는 마음에서 나왔다면 옳지만 천당에 오르고 지옥을 피하려는 계책
이라면 옳지 않다고 말한다.

또한 天을 귀신으로 말하는 것은 理도 氣도 아니면서 동시에 理이기도
하고 氣이기도 하여 자취가 없는 생생불식의 활동자를 말하고자 하기 때문
이다. 氣의 변화하는 과정에서 氣의 集合離散이 이루어지며 이 氣의 집합이
생성이며 집산이 소멸이다. 이러한 변화의 과정을 胎·長·衰·死란 개념
으로 설명하고 있다. 胎란 기가 처음 모이는 것이고 長이란 기가 모여 이
루어지는 것이며 衰란 흩어지려는 것이고 死란 기가 흩어진 것이다.[447] 이
를 불교의 표현으로 말하면 세계 존재가 成住壞空하는 실상을 파악함이다.

한 것처럼 율곡은 일찍이 '湛然淸虛'로 표현했다. 또한 혜강과 녹문 모두 大氣와
神氣개념을 병칭하고 있어 상호간의 유사점을 많이 보이고 있다. 특히 理를 氣의
조리라 하고, 形色이 곧 性이라 한 양명학자 하곡 정제두의 사상과도 혜강의 氣
學은 연맥되고 있는 것을 볼 수 있다).
446) 『명남루전집』 氣學 권1, "西洋學 所事之神天無形 居於最上之宗 動天造天造地
造萬物 此神外更無可事之神 天地有始終 神天無始終 天地有形 神天無形 是乃
踰越之大端也 神者 乃指其運化之能 故運化之氣 卽是神也 不求 神於運化有形
之中 欲求神於運化無形之上 是猶天地運化 論時辰儀 以神諭制作之人 …… 至
於禮拜 若出於報謝氣化 猶或可也 乃以虔事神天 爲免罪獲福 升天堂 避地獄之
計".
447) 『명남루전집』 推測錄 권2, 氣聚生散死, "胎者氣之始聚也 長者氣之成聚也 衰者
氣之將散也 死者氣之漸散也".

(2) 추측지리의 형성과정과 공부원리

氣를 본체로 하는 혜강에 있어 理는 추측의 산물이다. 즉 리는 기의 조리로서 氣와 條理는 상즉한다. 인간은 자기 몸에 국한된 氣를 가지고 천지운화기와 통한다. 인간이 살아가면서 하루, 이틀, 일년, 이년 점차 閱歷과 경험을 쌓아가면 스스로 이전 경험을 미루어 앞으로의 일을 헤아리고 이 헤아림을 통해 또 다른 일을 헤아리게 된다. 혜강에 의하면 인간에 부여된 천명은 있으나 이는 인간의 見聞閱歷과 경험을 통해서 얻어지는 것이므로 인간이 살아가면서 쌓아가는 열력과 경험이 선재한다. 그러므로 그 헤아림이 조리가 되므로 추측의 理라 한다.[448] 혜강의 理는 사물의 추측에서 나오는 것으로 모두 견문에서 나오는 것으로 말한다. 그러나 그 견문은 제각기 다를 수밖에 없고, 운화기에 맞는 것도 있고 맞지 않는 것도 있다. 하지만 점차 이러한 증험을 통해 선후 완급이 서로 맞는 것을 모아 理라 하기에 理는 氣의 조리이다.[449]

인간이 기억하고 생각하고 보고 들어서 사물을 추측하는 것이 理로서 이 理란 고정되게 인간에게 부여된 것이 아니라 만사만물에서 인간의 추측을 통해 형성되는 것이다. 즉 理는 견문에서 나오는 것으로 운화기를 통해 기를 추측하고 증험을 쌓은 후에 과불급이 없는 것을 모아서 理라고 한다. 理는 기의 조리로 기의 추측과 증험의 축적에서 가능한 것이다. 진리와 가치는 초월적 세계에서가 아니라 현상적 세계에서 인간의 경험을 통해 형성된다. 진리는 만들어지는 것이다. 본유적인 것이 아니다. 경험-축적-추측-준적-경험의 순환고리를 통해 理가 형성된다. 즉 見聞閱歷이 오래

---

448) 『명남루전집』氣學 권1, "氣之條理爲理 條理卽氣也 …… 人以一身局定之氣 外通天地運化之氣 一日二日 有閱歷 一年二年 有經驗 自能推前測後 推此測彼亦是條理 則此謂人心推測之理也".

449) 『명남루전집』人政 권12, "心是理乎氣乎 曰心本活動運化之氣 而能記繹見聞推測事物 是所謂理也 以此心推測天地則天地理也 推測甕中則 甕中理也 推測一身則 一身理也 至於推測萬事 萬物皆是理也 然推測之理生於見聞而見聞之早晚有無精麤多寡虛實誠僞 各自不同 推測之理 亦各不同 合於氣者少 不合於氣者多矣 氣有形質運化萬物 推測此氣累證驗於此氣 先後緩急聚其合 以爲理卽氣之條理也".

쌓이어 습염이 이룩되면 추측이 생긴다. 혜강은 분명히 理란 추측을 통한 증험에서 말미암는 것임을 강조한다. 사물을 열력하고 경험한 것을 추측하는 데서 理가 생기는 것인데 그것을 얻게 된 근본 이유는 잊어버리고 마음 속에 천리가 있다고 하는 것은 모순이라는 것이다. 사람들은 천지와 만물을 미루어 생각하면서 맞는지 안 맞는지를 증험해 볼 생각은 조금도 하지 않고 스스로 天定의 도리가 어찌 마음에 어김이 있을 것인가 한다는 것이다. 혜강이 운화의 추측에서 理를 알게 되는 것을 교육적으로 적용해 볼 때 진리의 자각이라는 것도 一身이 운화하기를 기다려 증험으로 말미암아 가능하게 된다. 증험이 없으면 진리도 없다. 결국 인간의 경험 속에서 가치와 표준이 생겨나는 것이지 선험적으로 본유되어 있는 것이 아니다. 다만 본유되어 있는 것은 운화의 기를 타고 남과 더불어 운화의 신령이 부여되어 있을 뿐이다. 혜강은 이러한 理의 이해에 따라 추측의 理를 말하고 이것이 얻어지는 과정을 감각작용에서 얻어지는 추측의 理, 神氣의 기억과 궁구에서 얻어지는 추측의 理, 신기의 습염과 통찰에서 얻어지는 추측의 理, 時宜에 따라 변통되는 추측의 理, 性(流行之理)에서 얻어지는 추측의 理 등 구체적으로 설명하고 있다. 그리고 이는 곧 공부의 내용을 이루는 것으로서 공부의 원리를 제시하는 것이기도 하다.

① 감각작용에서 얻어지는 추측지리 공부

사람이 생긴 처음에는 겨우 체의 미룸과 적용하는 헤아림이 있기는 하나 희미하여 사물에 대한 추측이 없다. 그러다가 처음 듣고 보고, 또다시 듣고 보면 처음 듣고 본 것을 미루어 다시 듣고 보는 것을 헤아리게 되어 추측이 바야흐로 생긴다. 그러므로 인간 자신이 미룰 줄 알고 헤아림을 활용하는 것이기에 남이 나에게 줄 수 있는 것도 아니고 내가 남에게 줄 수 있는 것도 아니다.[450] 혜강에 의하면 추측은 어디까지나 마음의 능력(神

---

450) 『명남루진집』 氣學, "人生之初 纔有靈之推及適用之測 而亦微焉 未有事物之推
測 及其始聞見 再聞見則推其始聞見 以測再聞見 而推測方生 故曰自我得推 自
我用推 非人得以與我也".

氣)으로 일어나는 일종의 인식작용으로 見聞閱歷이 오래 쌓이어 습염이 이룩되면 추측이 생긴다. 혜강은 눈으로 사물을 보고 귀로 소리를 듣는 감각작용으로부터 인식된 것을 미루고 헤아리는 것이 추측의 大用이라 설명한다.451)

인간이 만약 이목구비와 手足과 諸觸을 버린다면, 한 터럭의 이치도 얻을 수 없고, 한 가지 일도 증험할 수 없다. 그러므로 혜강은 心學을 전공하는 자들이 제규 제측을 우습게 여기고 성명의 이치를 탐구한다 하여 제멋대로 규준을 정해가지고 천하의 사물을 증험하고자 하는 것은 마치 밖에 응하는 것이 없는데 안에서만 부질없이 애쓰는 것과 같아 통할 수 없다고 한다. 人情과 物理는 제규를 통하여 밖에서 얻어 안에 습염하였다가 드러내어 쓸 때에는 이것을 밖에 베푸는 것이다. 거기에는 들어오고 머무르고 나가는 세 단계의 자취가 뚜렷하다. 그런데 옛사람은 그 얻어 온 근거는 말하지 않고 다만 안으로부터 발용하는 단서만을 말하고 있다452)는 것이 혜강의 비판이다.

왕양명이 말한 지행합일이라는 것도 혜강에 의하면 추측과는 약간 다른 것이 된다. '옛사람이 知와 行을 논한 데에서 흔히 知를 앞세우고 行을 뒤로하였는데 먼저 미루어 헤아리는 것부터 시작하여 뒤에 헤아려 미루는 데에 이르는 것을 뜻한다. 왕양명의 지행합일이라는 논은 대개 行에는 知가 있고 지에는 행이 있다 하여 선후의 차서를 분별하지 않았으나 이제 말하는 추측은 知行의 뜻과 조금 다르니 미루어서 헤아리는 것은 곧 행하여 아는 것이요, 헤아려서 미루는 것은 곧 알아서 행하는 것'453)이라 하였다.

---

451) 『명남루전집』 推測錄 권1, "夫世之不知有推測之大用者 如見色而不知由自己之眼 聞聲而不知由自己之耳".
452) 『명남루전집』 神氣通 권1, "人情物理 從竅通 而得來於外 習染於內 及其發用 施之於外 完然有此人也雷也出也三等之跡 古之人 多不言得來之由 只言自內發用之端".
453) 『명남루전집』 推測錄 권1, 推測制綱, "古人論知行處 多先知後行 謂其先自測而推 後至測而推也 王陽明 知行合一之論 蓋以行有所知 知有所行 雖不分先後之序 然今所言推測 與知行之義稍殊 推而測者 即行而有知 測而推者 即知而有行也".

혜강에 있어서는 行이 먼저 있는 것이다. 인간은 사유하기 전에 먼저 행동하며 생활한다. 행동과 생활이 앞서 있고 사유는 경험과 환경에서 얻은 산물이다. 어머니 뱃속으로부터 세상에 나오는 갓난아이는 어머니의 실재나 세계의 실재를 생각하기 전에 먼저 본능적으로 먹을 것을 위하여 행동한다. 그러므로 경험에 의해 형성되는 혜강의 理와 양명이 배우지 않고도 아는 선험적 양지, 양능과는 서로 다를 수밖에 없다. 혜강에 있어서 사랑과 공경이라는 것도 추측하는 데서 나온다. 추측이란 환경을 필연적으로 따른다. 인간이 부형 곁에서 양육되고 그 가정과 사회의 문화를 학습받아 견문이 쌓이면서 추측이 생겨 사랑과 공경도 이로부터 말미암는 것이지 인간이 태어날 때부터 사랑과 공경이 있는 것은 아니다. 만약 인간이 늑대사회에 버려져 늑대에 의해 양육되었다면 인간이 될 수 없다. 인간은 인간사회에 태어나야만 인간이 될 수 있다. 또한 비록 인간이 인간사회에 태어났다 해도 태어날 때부터 귀가 먹고 눈이 멀었다면 이 역시 추측은 있을 수 없다. 아무런 견문의 열력이 쌓이지 않아 개념과 추측이 형성될 수 없기 때문이다.[454]

따라서 양명의 양지, 양능이라는 것도 그 앎이 생긴 뒤를 가지고 말하는 것이지 인간이 추측을 통한 앎이 생기기 이전을 말하는 것이 아니라고 혜강은 말한다. 만약 사랑하고 공경하는 理가 본래 마음에 갖추어 있지만 다만 기질에 가리어 드러나지 못한 것이라 말하더라도 이를 확실히 지적할 수 없다는 것이다. 그러므로 혜강에 의하면 양지도 習染을 통한 추측으로 말미암는다. 어린아이가 사랑을 하고 공경을 할 수 있는 것은 오직 처음 얻은 추측을 통해서만 애기될 수 있는 문제다. 그러나 양명의 지행합일이

---

454) 『명남루전집』 推測錄 권1, "愛敬出於推測 …… 生養於父兄之側者 自有漬染之見 聞 至二三歲孩提時 愛其親 及其辰也 敬其兄 …… 若使出胎時 卽爲他人收養 不 露言論氣色 雖至十數年 斯人 何能靈通而識得 且有天聾天盲 雖長養於父兄之側 何能盡其愛敬 是以愛親敬兄 實出於積年染習之見聞推測矣 所謂愛敬出於良 知良能者 特擧其染習以後而言也 非謂染習以前之事也 若謂愛敬之理素具於心 爲氣質所蔽 不能呈露 則習染之前 愛敬素具 無所指的 只將習染後推測 溯究習 染前氣像 有何痕蹟之可論 氣質之蔽 卽推測之未達 愛敬之前後有無 都不可論 故從其始得 以爲愛敬之源 乃誠實也".

라는 것도 이 본유된 양지가 사물과 상황에 접해서만이 발현됨을 말했고 혜강 역시 운화기를 인간에 본유된 것으로 전제하면서도 경험 속에서의 理의 형성을 말했기에 강조의 차이라 보인다. 다시 말해서 양자 모두 선험과 경험을 겸비하면서도 양명은 선험적 측면에, 그리고 혜강은 경험적 측면에 초점을 둔 것이다.

② 신기의 기억과 궁구에서 얻어지는 추측지리 공부

혜강에 있어 추측은 인간의 감각작용을 통해 얻어지는 것이지만 또한 인간에게 감각작용만 있고 기억과 궁구의 신기가 없다면, 평생 동안 여러 번 듣고 자주 보는 사물이라도 매양 처음 대하는 사물과 같을 것이라 하였다. 추측은 인간의 견문이 다르기 때문에 사람마다 다르고 거기에는 옳음과 그름도 있다. 그 다른 것은 사물을 궁구하고 기억하는 신기가 다르기 때문이다. 원래 '氣는 하나이지만 사람에 품부되면 자연히 사람의 신기가 되고 물건에 품부되면 자연히 물건의 신기가 된다. 사람과 물건의 신기가 같지 아니한 까닭은 질에 있고 기에 있지 않다. 이것은 마치 사람에게 품부할 기를 사람에게 품부하지 아니하고 물건에게 품부하면 물건의 신기가 되고 사람의 신기는 되지 아니하며 또 물건에게 품부할 기를 물건에게 품부하지 아니하고 사람에게 품부하면 사람의 신기가 되지 물건의 신기가 되지 않는 것과 같다.'[455] 이는 단지 사물과 인간에서뿐만 아니라 인간과 인간 사이에서도 품부된 신기가 다르다. 인간이 어디에 태어나 어느 환경에서 자라나느냐에 따라 견문이 다르고 이를 궁구하는 신기도 달라지기 때문이다. 이는 현대생물학에서 마치 세포의 기능에 고유기능이 있는 것이 아니라 전체 조직의 어느 위치에 붙느냐에 따라 세포의 기능이 결정됨과 같다. 시신경세포로 자라게 되어 있는 세포를 떼어다가 위장 부위에 갖다 놓으면 그 세포 역시 위세포로 자라는 것과 마찬가지다. 그러므로 神氣란

---

455) 『명남루전집』神氣通 권1, "氣是一也 而賦於人 則自然爲人之神氣 賦於物 則自然爲物之神氣 人物之神氣不同 在質而不在氣 如使賦人之氣 不賦於人而 賦於物 則爲物之神氣 不爲人之神氣 又使賦物之氣 不賦於物而賦於人 則爲人之神氣 不爲物之神氣".

걸림없이 넘나드는 무형적 또는 비실체적 속성을 지닌 것이기도 하다. 인간은 이 신기의 궁구를 통해 추측을 넓혀 나가고 보다 더 완성된 理를 형성해 간다. 이는 조상들이 개발한 것을 귀와 눈으로 받아들여 즉시 자신의 신기가 통하게 하고 조상들이 단서만을 드러내 미처 구명하지 못한 것을 자신의 쌓아온 경험을 가지고 보다 더 이를 넓혀 나가는 것이다. 그러므로 道(理)란 끊임없이 창조되는 것이다.456)

혜강은 귀와 눈과 신기를 통해 모든 사람의 것을 통합하여 하나로 삼으라 한다. 반드시 자신의 몸에 통한 것을 미루어 모든 사람의 통한 것을 통하며 모든 사람의 이목을 나의 이목으로 삼고 모든 사람의 신기를 나의 신기로 삼아 통하면 인간은 비록 한 쌍의 이목뿐이지만 결국 만 개의 이목을 갖게 된다는 것이다. 만 사람의 이목이 얻은 것을 거두어 자신의 한 쌍의 이목으로 사용할 수 있다. 또한 비록 인간은 하나의 신기뿐이지만 만 억의 신기를 거두어 모아 一身의 신기로 쓸 수 있다. 이렇게 한 뒤에야 중정 대도가 생기고 억만 인이 통하는 經常을 세울 수 있다고 한다. 그리고 이것에 이름붙인 것이 바로 倫綱과 仁義다. 이는 인간 한 개인만이 통하여 얻거나 한 시대에만 적합한 것이 아니다. 만약 윤강과 인의를 닦아 밝힌다는 사람이 억만 인이 한 가지로 하는 경상을 돌보지 않고 오로지 자기 한 몸이나 한 때의 지킬 것만을 따르면 스스로 한쪽으로 치우쳐 막히는 데 빠질 뿐이다.457)

사물로부터 미루고 거두어 모으면 비록 모르는 것이 많더라도 마침내 한 군데로 모여서 하나의 理를 나타낸다. 그리고 하나의 理를 따라 미룬

---

456) 『명남루전집』 神氣通 권1, "古人之辛苦費力而通者 我乃接於耳目 有不費力而卽通者 有差費力而遲通者 是實古人開導之功也 我若未接於耳目 無由得通 亦不識古人之有功于後生也 …… 盖古人 微發其端而未及究竟者 後人 將積累之閱歷 追明其未盡 漸次得通 以成光明之道".

457) 『명남루전집』 神氣通 권1, "耳目神氣統萬爲一 …… 必使我身之所通 推通於諸人所通 以諸人之耳目 爲我之耳目 以諸人之神氣 通我之神氣 則我雖雙耳雙眼 可作萬耳萬目 收聚萬耳萬眼之所得 須用於雙耳雙眼 我雖一神氣 可作萬億之神氣 收聚萬億神氣 須用於一身之神氣 然後中正大道 從萬億人所通經常 特揭建號 卽倫綱仁義也 非一身之所得 一時之適然 修明倫綱仁義者 不顧億萬人所同經常".

것을 활용함이 비록 다르더라도 그대로 사물에 마땅하게 된다. 또한 사물
을 겪어서 얻은 추측은 그 조리를 분간하여 善으로 나아가고 惡을 피하는
것이다. 이는 곧 내 마음이 사물에서 알아내어 추측의 방법으로 삼은 것이
요 내 마음에 본래 추측이 있어서 사물을 증험한 것이 아니다. 그러므로
사물에 대하여 보고 들은 경력이 없는 사람은 이 理가 없고 1分에 대하여
보고 들은 열력이 있는 사람은 1분의 理를 얻고 10분의 열력이 있는 사람
은 10분의 理를 얻는다.458) 사물을 참작하여 그것을 얻는 것은 인간 자신
에게 달려 있고 그것을 이루는 것은 행사에 달려 있다. 사람들이 간혹 인
의예지는 본래부터 인간의 성에 갖추어져 있는 것이라 하지만 이는 결국
사물을 도외시하고 오직 자신에게서만 모든 것을 구하려 하기에 폐단이
생긴다. 그러므로 맹자는 '사람은 누구나 堯舜이 될 수 있다'고 하였을 뿐
'사람은 누구나 요순인데 다만 요순의 도를 행하지 않을 뿐이다'라고는 말
하지 않은 것459)이라 혜강은 말한다. 혜강은 일과 사물에 접하여서 얻어지
는 모든 경험의 대상적 지식을 중요시한다. 그 대상적 지식은 시대에 따라
변하고 질과 양이 달라진다. 그러므로 교육은 축적된 지식 중 최고의 것을
정선하여 경험될 수 있게 해야 한다. 혜강도 자신의 저술에 서구과학의 대
상적 지식460)을 열거해 놓고 있는 것은 이러한 맥락에서다.

---

458)『명남루전집』推測錄 권1, 推測提綱, "從事物而收聚 得推雖多 竟湊合而形一理
由一理而敷用 所推雖異 遂其宜於事物也 …… 閱歷事物 而所得之推測 只是分
開條理 善惡趨避 則此乃我心之得於事物 而以爲推測之法 非我心原有推測而證
驗事物也 故無見聞閱歷於一分者 得一分之此理 有十分者 得此理之十分也 ……
此乃理勢 在於事物 而取捨變通 在我推測也 非事物隨我推測而爲之成就也".

459)『명남루전집』推測錄 권3, 推情測性, "參酌乎物 而得之在我 既得乎我 而成之在
行與事矣 人或以爲仁義禮知 素具於我性 其流之弊 遺物而只求於我 烏可論其求
得之方也 如收聚金玉者 自有積累而得 非人人所可能也 若謂人皆有收聚金玉之
方則可 若謂人皆有素積之金玉 而不得須用則不可 故孟子曰 人皆可以爲堯舜 不
曰人皆是堯舜 而不能行堯舜之道".

460) 혜강은 도량형, 사칙계산, 기하, 등 수학의 응용 및 원리에 관한 저술로『習算津
筏』, 천문학에 관한 저술인『星氣運化』, 천체운행에 관한 논술로서『儀象理數』,
세계지지를 저술한『地球典要』, 농업관개용 기구를 서술한『陸海法』, 기중기, 인
중기 등 기계에 관한 저술인『心器圖說』등 그 당시로서는 매우 새로운 지식을
소개하고 있다.

③ 신기의 습염과 통찰에서 얻어지는 추측지리 공부

또한 추측에서 얻어지는 理는 神氣의 통찰과 습염에 의해서 가능하다. 인간은 경험 속에서 외부로부터 거두어 안에 저장할 때는 그 사물을 제거하고 이치만 보존하며 거친 것은 버리고 정수한 것만 남겨 신기에 습염[461] 한다. 그리고 때에 따라 이를 밖으로 발용할 때는 상황의 경우와 처지에 따라 거두어 저장해 둔 것 중에서 서로 합당하고 비슷한 것을 선택하여 辭色과 言動으로 상대에게 표현할 따름이다. 그러므로 이는 본말이 서로 응하고 근거가 있는 것으로 인정과 물리에서 얻어 인정과 물리에 쓰는 것이 인간의 이치인 것이다.[462]

인간의 신명한 기는 오직 통찰과 습염의 능력이 있을 뿐으로 이 밖의 형태를 가지고 말할 단서는 없다. 신기는 밖에 있는 인정과 물리를 감각기관을 통하여 안에 거두어 모으고, 거두어 모을 때 선악이 갈린다. 어떤 자는 善을 취하고 惡을 버리지만 악을 취하고 선을 버리는 자도 있다. 또한 선을 드러내고 악을 없애는 자도 있고 선과 악을 아울러 취하는 자도 있으며 선과 악을 다함께 취하지 않는 자도 있다. 그러므로 선과 악의 분별은 바로 여기에서 뚜렷이 갈라지는 것이다. 仁과 不仁, 義와 不義의 갈림도 여기에서 비롯되고 진퇴와 조종도 이 신기에 달려 있다.[463] 그러므로 인간

---

461) 습염이란 곧 훈습과 같은 것이다. 이 모두 불교 유식의 용어로 혜강의 추측은 불교의 인식론과 상통한다. 그의 추측론이 서양에 영향받은 바가 있지만 이러한 인식론은 다산 이래로 『능엄경』에 많은 영향을 받았다고 볼 수 있는데 혜강 역시 『楞嚴私記』를 저술했다. 훈습이란 향기가 의복에 스며들게 되는 것처럼 미혹함이나 본연의 깨달음이 다른 것에 영향을 주어 남게 하는 것을 말한다. 기신론에서는 染과 淨이 서로 영향을 주는 것으로 무명이 진여에게 영향을 주고 진여는 역시 무명에게 영향을 주어 인간의 유전과 환멸을 성립시킨다고 말한다(『기신론』, 大正藏 32, 578a). 그러나 혜강은 훈습이라는 말보다 習染이라는 표현을 쓰고 있는데 습염이란 불교에서 染法훈습의 의미이지만 혜강의 습염은 染淨을 포괄하는 의미의 훈습으로 해석된다.

462) 『명남루전집』 推測錄 권1, "其收貯於內 則祛其事而存其理 遺其麤而存其精 習染於神氣 其發用於外 則隨其所遇所値 而擇於收貯中相當相類者 以辭色言動 加諸彼而已 是乃本末相應 源委有據 得之於人情物理 用之於人情物理 豈有別般道理叅於其間哉".

463) 『명남루전집』 推測錄 권1, "盖人身神明之氣 推有通察習染之能 無他模着言論之

삶에 있어서 聖人이 되고 못 되고는 신기의 습염과 통찰에서 결정된다. 결
국 인간은 자기가 처한 환경 속에서 신기의 선택에 의한 습염과 통찰에 따
라 결정되는 것으로 여기에는 구조주의적인 환경요소와 주체적 선택에 의
한 실존성이 결합되게 된다. 인간이 처음에 객관세계의 환경으로부터 人情
과 物理를 받아들여 주체적으로 저장한 것이 정밀하고 깊으면 그 뒤의 발
용도 또한 정밀하고 깊다. 그러나 받아들인 것이 거칠고 미천하면 그 뒤의
발용도 거칠고 미천하다. 또한 받아들인 것을 망각하면 발용할 것도 없다.

또한 습염과 통찰의 기능을 가진 신기는 담연하고 허명하기에 오래도록
물들여 두는 것이 없고 저장한 흔적도 없다. 단지 인정과 물리가 내외에서
수작하여 응하여 끝없이 출입할 뿐이다.464) 신기의 오래도록 물들여 둠도
없고 저장한 흔적도 없는 것은 훈습의 이치와 같다. 탐욕 등이 마음과 함
께 생겨나고 함께 멸하여 나중에 그것이 생겨나는 원인이 된다. 많이 듣는
훈습은 사색 및 들은 것과 마음이 함께 생겨나고 함께 멸하여 그 기록이
생겨나는 원인이 되는 것과 같다.465) 즉 함께 생겨나고 함께 멸하기에 습
염이 가능하게 된다. 이는 神氣가 담연허명한 까닭이기에 그렇다. 혜강은
신기가 유형이라 하지만 이와 같이 <담연허명>한 것으로도 말한다. 담연
허명하기에 끊임없는 습염의 생멸변화가 가능하다.

통찰466)은 유식의 解性467)과 유사한 의미로도 볼 수 있는데 이러한 통

端 在外之人情物理 從諸觸諸竅而通 收聚於內方其收聚也 有取善而遺惡者 有取
惡而遺善者 有彰善而彌惡者 有幷取善惡者 有善惡俱無取者 善惡之分 於斯判焉
至於仁不仁 義不義 亦由斯而發源 進退操縱 專係於斯 豈不重且大歟".

464) 『명남루전집』推測錄 권1, "當初收入精深 則其後發用亦精深 收入麤微 則發用亦麤
微 收入忘却 則發用無所 近事易記 而遠事泯滅 遠事之中 往往提及者不忘 近事之
中 汎忽者旋忘 以此推之 人身神氣 澹然虛明 實無久遠之染着 亦無收藏之痕迹 惟
從事於人情物理之內外酬應 今年明年 以至平生 內外出入 旋鐶無暇而已".

465) 세친, 『섭대승론석』, 大正藏 31, 162b~c, "共生共滅後變爲彼生因 此卽所顯之義
…… 此謂能受薰習法"(동국대역경원 譯, 33쪽).

466) 혜강이 말하는 通察과 현재 흔히 알고 있는 형태심리학에 있어서 洞察은 다르다.
쾰러에 있어서 洞察이란 학습場의 전체적 파악에 의해 직시되는 것을 말한다. 통
찰의 표준은 場의 전체구조가 고려되어 완전한 해결이 이루어지는 것이다. 전체
의 장과 현실의 문맥 중에서 왜, 어떻게라는 것을 느끼는 경우를 통찰이라 한다.
예를 들면 부모와 자녀 사이에 있을 수 있는 인간의 약점을 일반적인 문제로서

찰은 염습을 통해 나타나는 것이다.『섭대승론』에서 보면 인간이 진리를 인식하는 것은 모든 인과행위 중에서 올바른 말을 듣고 이를 의식 가운데 훈습하여 空性의 이해와 결합한 데서 비로소 나오는 것이다. 인간이 인식하는 진리란 본유적인 것이 아니라 현상세계의 경험 가운데서 공성의 올바른 이치를 듣고 이 지혜로 요달해 갈 때 얻어지는 것이다. 이를 이통현은 神通, 通達이라 했다.[468] 또한 세친은『섭대승론석』권9에서 통달이란 人無我와 法無我에 통달함을 뜻하는 것으로 말하고 있다. 즉 통달이란 곧 현상 가운데 지혜를 얻어 모든 존재에 대해서 평등한 마음을 증득하고 바르게 관찰하는 지혜를 나타냄이다. 혜강의 통찰이나 불교 화엄에서 신통은 인간 삶 가운데서 올바른 이치를 얻어 이를 전체에 관통시키는 지혜로 파악될 수 있다.

또한 혜강의 통찰은 불교 화엄의 성기와 관련시켜서 이해할 수도 있다.『법기』에서는 연기란 무자성이고 무자성이 연기하는 것을 지칭하여 성기라 했다. 연기의 무자성이 바로 理(본체)요 무성이 인연과 화합하여 연기하는 것이 바로 性起다. 그러므로 성기는 연기 가운데 있고 理와 事를 분리해서 설명할 수 없다. 만약 연기와 떨어져 외연의 발자없이, 인연화합을 기다리지 않고 체성이 현기한 것이라고 성기를 말한다면 이는 퇴계의 理發과 다르지 않게 된다.

모든 것이 인연으로 말미암기에 緣 이전에는 法(존재)이 있을 수 없지만 이를 性의 입장에서 보면 緣 이전에 性起의 법체가 있는 것으로 무자성의

객관적으로 파악한다든가, 또한 현재의 문제된 태도에 의해 생긴 나쁜 결과와 다른 태도에 의해 나타날 수 있는 결과를 냉철하게 비교해서 후자를 선택하면 훨씬 만족한 결과를 나타낼 수 있다고 스스로 아는 것 등이다. 반면 혜강의 통찰은 모든 존재의 神氣가 하나로 통할 수 있는 보편적 판단의 상태다. 그리고 이 통찰이란 경험을 통해서 가능한 것임을 전제하는 것이다. 퀼러의 통찰이 상황적 사태파악으로 직관이라 한다면 혜강의 통찰은 선험적 전체와 통하는 직관적 상황판단으로서 인간경험의 산물이다. 혜강이 쓰는 추측이라는 표현도 지적인 추리, 예측이 아니라 감각지각과 경험이 결부된 추측이다.

467) 세친,『섭대승론석』, 大正藏 31, 175a, "聞熏習與解性和合".
468) 이통현,『신화엄경론』, 大正藏 36, 853b, "具大神通者 大智無依無形性無生滅名之爲神 智無不達名之爲通".

본체관을 설정하고 있다. 이는 혜강이 말한 신기의 담연허명성에 대응한
다. 중요한 것은 공성의 성기나 신기의 담연허명성은 본유적이고 고정된
실체가 아니라는 점이다. 담연허명하기에 전체에 통할 수 있고 화엄에서
말하듯이 무자성이기에 하나가 전체가 될 수 있는 것이다. 불교 화엄에서
도 인연을 따라 바른 성품이 나타나기에 性起라 하는 것과 같다.[469] 그러
므로 因緣이 없으면 성기도 없듯이 견문열력이 없으면 통찰도 바른 사유
도 없게 된다. 혜강에 있어서도 견문열력의 경험이 있어야만 신기가 지각
과 통찰을 갖는다.[470] 신기는 <습염>과 <통찰>의 능력이 있다.

④ 時宜에 따라 변통되는 추측지리 공부

또한 추측은 감각작용과 기억하고 궁구하는 신기가 있다 하여도 物我를
참작하여 임기응변하는 변통이 없다면 옛것에만 얽매이는 폐단이 생긴
다.[471] 추측의 理란 결국 시의에 따라 변통하는 권도가 있어야 한다. 만약

---

469) 징관, 『화엄경탐현기』, 大正藏 35, 406c, 416a, "性從緣現故名性起 …… 性起見聞
供養善根"; 이통현, 『신화엄경론』, 大正藏 36, 759a, 761b, "法界本智의 성품이
스스로 體와 用이자 理와 事인 대자대비의 근본실제를 종지로 삼고 있는 것이다
…… 범속함이든 성스러움이든 다 같이 참이라서 理와 事가 서로 융합하고 체와
용이 서로 즉한다(以法界本智 性自體用理事 大悲本實爲宗 …… 眞理事互融 體
用相卽)". 유식의 섭대승론에서도 다음과 같이 말하고 있다. "출세간의 청정은 일
체종자의 과보식을 떠나서는 성립되지 않는다. 그 중에서 문훈습을 섭지하는 종
자가 성립되지 않기 때문이다. 문훈습은 남의 말을 들어서 의식 가운데 훈습함이
다. 남이 말하는 것에 두 가지가 있다. 정법이 아닌 인연을 듣는 것과 정법의 인연
을 듣는 것이다. 이 두 가지는 모든 법을 분별한다. 법을 들음으로써 善이나 不善
을 일으킨다. 올바르지 않은 분별은 정법이 아닌 것을 들음을 원인으로 삼는다.
올바른 분별은 정법을 듣는 것을 원인으로 삼는다(『섭대승론석』, 권3, 大正藏 31,
173a~b, "若離本識 出世心旣無因緣故不得成 此中卽思慧中 思慧中有多聞熏習
若本來已起出世心熏習 此思慧可得有義將思慧 攝持出世熏習爲種子 旣本來未
曾起出世心 熏習思慧故 無道理得說思慧 攝持出世熏習爲種子 …… 若有熏習爲
種子 出世心可得有因 旣無熏習 出世心則無因而生").
470) 『명남루전집』 神氣通 권1, "經驗乃知覺 神氣者 知覺之根基也 知覺者 神氣之經
驗也 不可以神氣謂知覺也 又不可以知覺謂神氣也 無經驗 則徒有神氣而已 有經
驗則 神氣者有知覺耳".
471) 『명남루전집』 神氣通 序, "捨此耳目口鼻手足諸觸 有何一毫可得之理可驗之事乎

이러한 시의적 변통이 없으면 理는 죽은 것이 된다. 단지 옛것에 얽매여 과거이념의 노예가 될 뿐이고, 시의에 변통하지 못하면 살아있는 운화기가 되지 못하여 一身에 그치고 古例에 얽매인다.

> 또 아무리 이러한 제규, 제촉과 기억하고 궁구하는 신기가 있다 하여도 만약 물아를 참작하여 임기응변하는 변통이 없다면 古例에만 얽매이고 적절히 변통하지 못하여 생기는 한탄과 時宜에 따라 변통하는 권도가 없 다는 비웃음을 어찌 면할 수 있으랴[472]

때를 얻어 변통한다는 것은 일신운화와 대기운화가 만나는 천인기화의 기회이다. 天時운화에는 뭇 별들이 서로 돌아감에 대기가 조화로움을 전달함이 있고 人事운화에는 온갖 종류의 만물이 교접함에 시속에서 숭상함을 바람이 좇아가듯 함이 있다. 천시와 인사가 서로 만나지 못하는 때는 많고 서로 만나는 때는 적다. 그러나 인간이 평생동안 일하여 추구하는 것은 오직 그 때를 기다리는 것이다. 큰일은 느리고 멀어서 천년, 백년으로 기약하고 작은 일은 빠르고 가까워 수년 수십 년으로 기약한다. 그러나 심기가 이 때를 통달하면 거대하고 세밀한 사무를 완성할 수 있어서 백년, 천년 후의 사람에게도 힘을 빌리게 할 수 있고 수만 리 떨어진 사람에게도 힘을 보답할 수 있다. 만약 심기가 낮고 얕아 다른 사람과 교류하기를 좋아하지 않으며 일을 싫어하고 피하여 다른 사람에게서 힘을 빌리지도 않고 갚지도 않는 사람은 단지 자신의 운화를 지키기만 하는 것으로 생을 마감하는 때에 이르게 된다.[473] 그러므로 천시운화를 이해하여 인사운화에 일치 조

雖有此諸竅諸觸 若無神氣之記繹經驗 平生屢聞數見之事物 皆是每每初聞見之 事物也 雖有此諸竅諸觸 及神氣氣繹 若無叅酌物我 臨機變通 泥古之歎 無權之 議 烏得免也 雖得諸竅諸觸神氣之收聚發用 無有欠缺".

472) 『명남루전집』神氣通 序, "雖有此諸竅諸觸 及神氣記繹 若無叅酌物我 臨機變通 泥古之歎 無權之議 烏得免也".

473) 『명남루전집』氣學 권1, "時者 天人氣化 所會之機也 天時運化有諸曜交轉 而大 氣傳和 人事運化有物類交接 而俗尙追風 天時人事 不相遇之時多 相遇之時少 平生營營 惟俟其時 大事遲而遠 以千百年爲期 小事速而近 以十數年爲期 苟能 心氣達於此 則可做巨細事務 借人力於千百載之後 報人力於數萬里之遠 若使心

화시키려는 의도에서 數의 개념이 혜강 사상에 등장하게 된다.

數는 氣를 말미암아 만들어지고 물건도 氣를 말미암아 생기므로 수가 아니면 기를 쓸 도리가 없고 기가 아니면 만물을 궁격할 도리가 없다. 기에는 반드시 理가 있고 理에는 반드시 象이 있고, 象에는 반드시 數가 있다. 그러므로 수에 의하여 상을 통하고 상에 의하여 理를 통한다.474) 여기서 수와 상이란 때와 상황에 있어서 <이치>와 <현상>을 말한다. 따라서 일은 사물에 미루고 사물은 때에 미루고 때는 도에 미루는 것이기 때문이며 사물의 理를 헤아릴 수 있는 것은 일로 사물을 헤아리고 사물로 때를 헤아리고 때로 도를 헤아리기 때문이다.475) 글을 배우는 일을 예로 들면 먼저 글자를 알고 글자를 미루어서 句讀를 헤아리며 구두를 미루어서 文義를 헤아린다. 문의를 미루어서 사리를 헤아리고 사리를 미루어 변통에 이르는데 이는 점차로 할 것이지 갑자기 나아갈 것은 아니다.476) 따라서 일 - 사물 - 때 - 道 이 네 가지가 모두 통해야 일이 이루어질 수 있다.

道는 본디 무궁한 것으로 그것을 체득하는 것도 무궁하여 그것을 능히 알더라도 정밀하기를 기해야 한다. 또한 정밀하더라도 때에 따를 줄 알기를 기해야 하고, 능히 때를 따르더라도 어김이 없기를 기해야 하고 능히 어김이 없더라도 그것을 밝혀 남을 쉽게 깨우치기를 기해야 하며 능히 남을 쉽게 깨우치더라도 화해가기를 기해야 한다.477) 그러므로 추측의 理는 형질이 없고 顯晦만 있으므로 사람마다 다 쓰기는 하나 定規가 없어 형용하기 어렵고478) 규정할 수 없는 무궁성을 지닌다.

氣低殘 不肯交人 厭避當事 無求於人無報於人者 只守自己運化 以到畢生之時".
474) 『명남루전집』 神氣通 권1, "數由氣而作 物由氣而生 非數無以用其氣 非氣無以窮格萬物 …… 氣必有理 理必有象 象必有數 從數而通象 從象而通理 從理而通氣".
475) 『명남루전집』 氣學, 추측제강, "事推於物 物推於時 時推於道也 物理之可測者以事測物 以物測時 以時測道也".
476) 『명남루전집』 推測錄 권1, 추측제강, "學書人先須認字 推字而測可讀 推句讀而測文義 推文義而測事理 推事理至於通變 可以漸次 不可遲進也".
477) 『명남루전집』 推測錄 권1, 추측제강, "道本無窮 體之亦無窮 雖能知之 必期於精緻 雖能精緻 必期於隨時 雖能隨時 必期於無違 雖能無違 必期於明著之 使人易曉 雖能使人易曉 必期於化行".

⑤ 性(流行之理)에서 얻어지는 추측지리 공부

혜강에 있어 이른바 본연의 성이라는 것은 그 형질이 이루어지기 전을 가리키는 것이 아니라, 형질이 갖춰진 뒤에야 항상하게 그 본연의 성이 있는 것이다. 이는 천지만물이 다같이 얻는 것으로 氣에 의지하여서만 존재할 수 있게 된다.[479] 혜강은 본연성이 인간에게 있으나 오직 氣(형질)에 의하여 존재할 수 있고 나타나며 알 수 있음을 강조하고 있다. 그러므로 혜강이 절대적인 진리를 부정하는 것이 아니라 절대적인 진리도 오직 인간의 경험과 상황에 따라 인간의 행위에 의해서만 나타나고 알 수 있는 것임을 말하고자 하는 것이다. 혜강에 있어 인간의 본연성은 추측의 理와 구분되어 기질의 理(流行의 理)라 명칭된다. 추측의 리는 오직 인간의 경험에서 비롯되므로 틀림도 옳음도 있지만 순수한 기질의 理(천리)는 경험 이전의 것으로 추측의 理 또한 여기로부터 나온다.

> 기질의 理는 流行이요 추측의 理는 스스로 경험하여 얻은 이이다. 경험이 있기 이전 처음에는 이 유행의 이만이 있고 경험이 있은 뒤에야 추측의 이가 있다. 그러므로 만약 추측의 이가 유행의 이에서 나왔다 하면 되지만 추측의 이가 바로 유행의 이라고 말하면 안 된다. 추측과 유행의 이를 구분하지 않으면 추측에서 혹 틀리는 것을 천리로 돌리게 되어 순수한 천리를 함양하여 얻기 어렵게 된다.[480]

혜강이 추측지리가 유행지리에 기반한 것임을 분명히 하고자 하는 것은 인간 각자의 추측지리가 모두에게 통할 수 있는 이론적 근거를 제시하고자 함이다. 인간 자신의 옳고 그름, 싫고 좋음이 모두의 是非好惡가 될 수

---

478) 『명남루전집』 推測錄 권1, 推測提綱, "盖推測之理 無形質而有顯晦 人皆用而無定規 難得以形容".

479) 『명남루전집』 推測錄 권3, 推情測性, "所謂本然之性 非指其形質未成時也 旣具形質之後 常有其本然者 卽天地人物所同得之乘氣而化成也".

480) 『명남루전집』 推測錄 권1, 推氣測理, "氣質之理流行之理也 推測之理 自得之理也 未有習之初 只此流行之理 旣有習之後 乃有推測之理 若謂推測之理 出於流行之理 則可 若謂推測之理卽是流行之理 則不可 旣無分於推測流行 則推測之或誤者 必歸諸天理 天理之純澹者 難得其涵養".

있고 동시에 될 수 있도록 해야만 하며 이는 결코 불가능한 것이 아님을
말하고자 한다. 그러므로 혜강은 性에서 추측이 생기고 추측에서 정이 생
긴다고 말한다. 좋은 일이건 나쁜 일이건 멀리 있어 듣지 못했을 적에는
이에 대한 싫고 좋음의 정이 드러나지 않지만 들어 알게 되면 그제서야 싫
고 좋음의 정이 생김을 알 수 있다. 이것이 바로 情이란 추측에서 생기는
것이요 남의 호오를 자신 역시 호오하는 것은 그 성이 같고 이로부터 나오
는 추측도 같기 때문이다.[481] 만인만물이 하나로 통할 수 있는 것은 추측
이 본연성, 즉 유행의 理(기질의 理)에서 나오기 때문이고 또한 인간이 통
하고자 할 때이다. 혜강은 만일 추측이 성에서 연유하지 않는다면 어찌 자
기의 성을 극진히 하고 만물의 성을 극진히 할 수 있겠느냐? 라고 반문한
다. 성을 품수한 것이 본래 같은 곳에서 근본했기 때문에 사람과 만물의
호오가 대략 같은 것이고, 性은 만물에 통하는 것이기에 추측이 이로부터
나와야만 만인과 더불어 호오를 같이 할 수 있다는 것이다.[482] 즉 추측이
性으로부터 나오기에 사람과 만물이 통할 수 있다. 그러나 그 가운데는 등
급이 있어 같지 않게 되는데 이는 습관에 따라 서로 멀어진 때문이다.[483]
그러므로 인간은 公心, 公議로서 호오를 넓혀가 만인 만물과 더불어 호오
를 같이 하고자 해야 한다. 인의예지라는 것도 성을 미룸에서 나오고 사단

---

481) 『명남루전집』 推測錄 권3, 推情測性, "情生於推測 推測生於性 益好惡之事 在遠
而未及聞知 在我之好惡未發 及其聞知 方生好惡 是乃情生於推測也 它人之所好
惡 我能推測而好惡之 以其性同而推測亦同也".

482) 『명남루전집』 推測錄 권3, 推情測性, "推於性而測有情 故推測者 統性情之謂也
若謂情不待推測而發 豈特在遠之好惡未及聞 而我之好惡未發也 雖在目前之好
惡 未有推測 我之好惡未發也 待聞知而好惡生焉 故知情生於推測也 若謂推測不
由於性 何以盡己性而盡物性也 性之稟受本於一 而人物之好惡 大略相流 我乃推
其同而測其異 以至於推我好惡 及乎物之好惡 然其間亦不無殺有不同者 以其隨
所習相遠也".

483) 『명남루전집』 推測錄 권3, 推情測性, "推於性而測有情 故推測者 統性情之謂也
若謂情不待推測而發 豈特在遠之好惡未及聞 而我之好惡未發也 雖在目前之好
惡 未有推測 我之好惡未發也 待聞知而好惡生焉 故知情生於推測也 若謂推測不
由於性 何以盡己性而盡物性也 性之稟受本於一 而人物之好惡 大略相流 我乃推
其同而測其異 以至於推我好惡 及乎物之好惡 然其間亦不無殺有不同者 以其隨
所習相遠也".

은 정을 헤아림에서 나온다.484)

사람은 운화기를 이어 받은 것이 같고 오륜도 같으며 순한 것을 좋아하고 거스르는 것을 싫어하는 것도 같다. 또한 목마르면 마시고 배고프면 먹는 것도 같다. 이와 같이 운화를 품부받은 본연의 성은 모두가 다 가지고 있다. 그러나 혜강은 본연성을 밝힐 수 있는 것은 오직 밝힐 만한 일을 스스로 행할 때만이 가능함을 강조한다.485) 그리하여 기질을 고친다는 것은 자기에게 있어서 바꾸고 고칠 바가 있는 것이 아니라 곧 處事接物에서 기질을 고치는 일을 행하는 것486)이라 말한다.

혜강은 氣와 質이 서로 통하고, 시종 언제나 어그러지지 않는 것을 몇 번이고 자주 시험하고 증명하여 악한 것과 잘못된 것은 앞서 통했던 것을 변경하여 고치고 선한 것과 올바른 것은 더욱 더 통했던 것을 넓혀 나가야 바야흐로 증험하였다고 말할 수 있다487)는 것이다. 만약 증험한다고 하면서도 변경하여 고치는 것이 없거나 더욱 더 넓히는 것이 없다면 증험을 말할 수 없다.

(3) 추측지리의 공부방법

① 天人運化의 합일과 준적의 건립

이상과 같이 추측지리의 공부원리를 살펴 볼 때 혜강의 인간형성은 인간 각자가 얻은 추측의 理에서 결정된다. 그러므로 인간은 매순간의 경험

---

484) 『명남루전집』 推測錄 권3, 推情測性, "仁義禮知之名 出於性之推 惻隱羞惡辭讓 是非之端 出乎情之測 而性不可從他求知 故必從其所發之端而測其原 孟子曰 惻隱仁之端 羞惡義之端 辭讓禮之端 是非知之端 蓋欲使後學 從惻隱推去擴充其仁 從羞惡推去擴充其義 從辭讓而克就其禮 從是非而克成其知 實是推情而測性也".

485) 『명남루전집』 人政 권9, "稟承運化氣 同五倫同好順逆 同渴飲飢食同 惟此所同不待人教不俟人導 而自能明之 故曰明德人皆有之 擧而明之惟在行其所明之事".

486) 『명남루전집』 氣學 권2, "是以矯氣質云者 非在己有所換易 乃於處事接物".

487) 『명남루전집』 神氣通 권1, 體通, "須以氣質相通 終始無違者 屢試屢驗 惡者失者 變改其通 善者得者 益廣其通 方可謂證驗也 若證之驗之 而未有變改 未有益廣 烏得謂證驗哉".

과 추측에 있어서 천지운화(大氣運化, 流行之理)에 준적을 두고 합일을 추구해 나가는 천인운화의 노력이 필요하다. 여기에는 인간의 克己와 捨己를 통한 실천이 요구되고 항상 전체라는 준적에 비추어 볼 것이 요구된다. 그러므로 이러한 실천은 인간 주체에게 요구되는 공부방법, 즉 일종의 수행이라 할 수 있다. 혜강은 인간의 신기가 통민운화 즉 인간사회에 보편타당하게 통하여 합일하면 이것이 正心이요, 대기운화에 어긋나지 않으면 이것이 率性이라 하였다. 정심과 솔성은 모두가 준적이 맞고 그 준적에 어긋나지 않는다. 만약 준적에 의거하지 않는다면 정심과 솔성을 알 수 없고, 不正心과 不率性도 알 수 없게 된다. 따라서 마음의 준적은 곧 통민운화고 性의 준적은 대기운화에 있다. 마음이 통민운화를 알지 못하면 쉽게 치우쳐 공정함을 얻기 어렵게 된다.488) 그러므로 추측으로 局通을 비교하고 국통의 사이를 출입하여 피차의 情狀을 통하게 하고 사물과 인간의 형세를 전하는 것이 마치 중매인이나 중개인과 같다. 그러나 여기에는 자연히 친밀과 소원, 자세함과 소략의 구별이 있어 한쪽에 치우치는 병폐를 면하지 못한다. 그러므로 추측은 모름지기 공심을 지키고 공의를 잡아야 한다.489)

추측에 있어 공심과 공의를 택하는 것은 사욕을 조절하여 공의에 변통시키는 것이지만 사욕과 공의가 분리되는 것은 아니다. 사욕이 변통하여 공의가 되는 것이다. 사욕이란 인간 자기 한 몸을 위한 것으로 그 탐색은 한이 없다. 그러나 공의는 여러 사람으로부터 나와 장기간을 거치면서 옳고 그름에 일정한 틀이 생기는 것을 말한다. 공의는 인간의 사욕이 모두가 통할 수 있는 것으로 걸러진 것을 말한다. 그러므로 사욕과 공의는 별개의

488) 『명남루전집』 人政 권11, 二十一, "神氣得合於統民運化 卽正心也 無違於大氣運化 卽率性也 正與率皆有準的 無差誤無違越於準的 方可謂正之率之 若無依之據準的 何以知正與不正率與不率 心之準的在於統民運化 性之準的在於大氣運化 心不知統民易入偏滯難得公正矣".
489) 『명남루전집』 推測錄 권2, 推氣測理, "氣局而理通者 就物各形之上 擧其推測之理也 氣局而理亦局者 就流行之理旣分形質 不得違越 各自始終而言也 氣通而理亦通者 就寒暖燥濕渴飮饑食趣利避害而言也 惟此推測 比例於局通之間 出入乎局通之際 達彼此之聲氣 傳物我之形勢 如媒妁駔儈 而自有親疎詳略之別 未免一偏之病 須擇媒妁駔儈之守公心秉公議者".

것이 아니며 사욕이 조절되지 않고서 공의에 이르는 것도 아니다.[490]

또한 혜강은 위에서 제시한 바와 같이 통국개념에 있어 세 가지를 제시하고 있다. 첫째는 율곡이 말한 이통기국과 같은 '氣局而理通者'로 이는 사물 각각의 형상에 있어서 추측의 理를 뜻하는 것이고, 둘째는 '氣局而理亦局者'로 이는 유행의 理가 이미 형과 질로 나뉘어져 서로 넘나들지 못하는 사물 각각의 전체를 말한다. 셋째는 '氣通而理亦通者'로 목마르면 마시고 배고프면 먹으며 利를 좇고 해를 피하는 것과 같은 것을 말한다. 추측은 이러한 국통을 비교하여 이들 사이를 출입하고 理氣의 정상을 통하게 할 수 있어야 한다.

따라서 인간의 추측이 한쪽에 치우치지 않고 모든 운화와 일체가 될 수 있는 것은 바로 대기운화의 준적에 의거한 捨己, 無我, 克己에 있다. 자신의 운화는 극기로서 하고 교접에 있어서는 사기로 하는 데서 가능하다.[491] 자신의 몸이 이미 운화의 기를 품수받아 운화의 기를 효측하여 행사하는 것이므로 지나칠 때는 억제하여 물러나게 하고 못미칠 때는 발돋움하여 이르도록 해야 한다. 바로 이것이 사기, 무아, 극기의 도리인 것이다. 결국 준적과 의거할 데가 있고 무아의 도리를 다할 때 과불급이 없게 된다. 이러한 운화를 아는 사람이라야 세상을 평화롭게 만드는 도를 논하여, 사람으로 하여금 이미 습염된 지각을 바탕으로 하여 운화준적에 부합시킬 수 있다.[492]

세상에는 지저분하고 비루한 習俗이 없는 곳이 없고, 나라마다 각각 숭

---

490) 『명남루전집』神氣通 권3, "私欲在於一己 晝夜究索 無有限截 公議出於衆人 百世是非 自有攸定 可將私欲而變通於公議矣 不可以私欲公議 分作兩件事 而不相關也 又不可肆私欲而變通公議".

491) 『명남루전집』人政 권10, "身旣稟受於運化氣 效則行事於運化氣 過於斯者 抑而退之不及斯者 跂而及之 要無遠俟於準的 乃是舍己毋我克己之道也 以交接運化言之舍已也".

492) 『명남루전집』人政 권9, 敎人門, "識運化者 可以論平宇內之道使宇內人因已習染之氣化感眼運化敎之符驗 …… 一身運化爲修身之要 交接運化爲齊家之要 統民運化爲治國之要 大氣運化爲平宇內之要 大小範圍各有攸當大氣運化承順爲善逆爲惡 宇內人皆同一無差謬".

상하는 것이 다르고 마을마다 각각 인순하는 것이 틀리다. 사람들은 그저 습속에 따라 준적을 돌아보지 않고 준적을 침해하기만 한다. 혜강은 인간이 자신의 신기를 막는 것은 비루한 풍속에 섞여 흐르기 때문이라고 하는데 이는 인간이 환경구조적 산물임을 간파한 것이라 할 수 있다.

신기가 순수하고 담박하고 환하게 밝고 맑은 것은 그 天性인데 비루한 습관이 섞여 흐르게 하고 좋지 않은 풍속이 막고 가려서 순수하고 담박한 본성으로 하여금 그 본 모습을 잃게 한다. 이것이 대대로 물들여진 것으로 말하면 가문의 유전병이고 처음부터 타고난 병으로 말하면 胎毒이니 이러한 습관과 풍속을 깨끗이 씻어버린 위에야 신기를 통하고 준적을 세울 수 있다. …… 신기의 준적은 처음에는 열력과 경험에서 생겨 나아가 천하의 모든 사람이 통행하는 것에 정립되는 것이다.[493]

인간의 습속이 본성이 발현될 신통과 준적을 잃게 한다. 이것이 대대로 물들여진 것으로 말하면 가문의 유전병이고 처음부터 타고난 병으로 말하면 胎毒이다. 그러므로 이러한 습관과 풍속을 깨끗이 씻어버린 위에야 신기가 통할 수 있고 준적을 세울 수 있다는 것이다. 신기의 준적은 처음에는 열력과 경험에서 생겨나지만 천하의 모든 사람에게 통행하는 것에서 정립되어야 한다.

사람마다 익힌 것이 다를 수밖에 없지만 그러나 익힌 것에 얽매이면 두루 통할 수 없고 그 대동을 세우면 편협하고 壅蔽함을 떨쳐 버릴 수 있다. 익히는 것은 환경에서 말미암고 보고 듣는 것은 익힌 것에서 말미암고 미루고 헤아리는 것은 보고 듣는 것에서 말미암는다. 그러나 한 사람의 보고 듣는 것이 천하와 천고를 편력할 수 없으므로 집을 미루어서 나라를 헤아리고 나라를 미루어서 천하를 헤아리며 이제를 미루어서 예를 헤아리는데 이것을 대동이라 한다.[494] 나의 한 말이 신기의 움직임을 말미암은 것이면

493) 『명남루전집』神氣通 권1, 體通, "神氣之純澹瀅澈 天性也 陋習混濁지 汚俗遮蔽之 使純澹之性 失其天也 語其世染 則門疾也 語其受病 則胎毒也 蕩拓此習 然後可以通神氣而立準的 …… 神氣之準的 肇生於閱歷經驗 就定於天下人之所通行".

다른 사람이 그것을 듣고 반드시 신기를 통할 것이고 신기가 통달한 것이면 능히 바라보는 사람들의 마음을 움직이게 할 수 있다. 여기에서 남과 나의 신기가 서로 다르지 않고 천하가 모두 한 가지인 것을 알 수 있다. 만약 천하 사람의 신기가 각각 다르다면 남의 신기를 통할 수 없고 남도 또한 나의 신기를 통할 수 없다. 따라서 운화기가 합치된 사람은 즐거움도 없고 근심도 없다. 대인의 근심과 즐거움은 천하 백성들의 즐거움으로 즐거움을 삼고 백성의 근심으로 근심을 삼는다. 교화가 밝혀지지 않은 것을 근심으로 삼고, 교화가 밝아진 것을 즐거움으로 삼으니 이것 또한 대인의 하고자 하는 바다. 만물이 모두 기요 내 몸 또한 기이기에 나의 신기로써 만사만물을 통하면 만사만물은 모두 내게 갖추어진다.[495] 혜강은 만물일체라는 것을 운화의 일기로 설명한다. 만물일체란 운화의 일기가 만물의 형질에 충만하고 통철하여 일체를 이루는 것에서 가능하다. 그러므로 만약 이 氣로써 그 일체가 되는 뜻을 연구하지 않는다면 제각기 형질이 다른 만물을 어떻게 만물일체라 하여 합치시킬 수 있겠느냐고 한다.[496]

　그러므로 性을 기르는 방법은 다만 그 발하는 情을 따라 지나친 것을 제지하고 부족한 것을 힘쓰는 것이다. 성은 다른 방법으로 배양할 수도 없으며 雜術로 조장할 수도 없다. 다만 성찰 계신하는 공부로 편벽된 병폐를 제거해야만 나의 성을 제대로 다하게 된다.[497] 분하고 원망스럽고 기쁘고

---

494) 『명남루전집』 推測錄 권1, 推測制綱, "所習各異 見聞亦異 見聞旣異 所推亦異 所推旣異 所測亦異 蓋拘於所習 則未能周通 擧其大同 則可去徧蔽 所習由於所處 見聞由於所習 推測由於見聞 而一人之見聞 難得遍天下 推今而測古 是謂大同".

495) 『명남루전집』 神氣通 권1, 體通, "我之發言 由於神氣之動 則人必聽之 而動神氣 我之著書 出於神氣之活潑 則人之見解者 必開發神氣 至於寫眞書畵 達於神氣 則能動人之瞻望 …… 於此可見人我之神氣不異 天下皆同 若天下人之神氣各異 我何以動人之神氣 人亦何以動我之神氣".

496) 『명남루전집』 人政 권10, "天氣在人形之內 卽所謂天性也 通於耳目口鼻手足 以爲踐形 賢知者 知有天氣 而不知在人形之內 是知天而不知人也 愚不肖者 徒知有人形 而不知天氣在內 是知人而不知天也".

497) 『명남루전집』 推測錄 권3, 推情測性, "養性之方 只可從其發用而審己之所有餘 彊己之所不足 性不可以從他培養 又不可雜術助長 只可以省察戒愼之功 去其所偏蔽 則可以盡吾性耳".

노여운 것이 마음에 머물러 쌓이면 이 때문에 추측에 막히는 것이 있게 된다. 경계하고 근신하고 근심하며 염려하는 것을 마음에 간직하는 까닭은 추측에 미진함이 있을까 염려하기 때문이다. 마음에 거리끼는 것이 있으면 추측이 精하지 못하므로 그 거리끼는 것을 버려야 하고 마음에 근신하는 것이 없으면 미루고 헤아리는 것이 소홀하기 쉬우므로 그 근신을 지켜야 한다. 이미 그 해로운 것을 버리고 그 유익한 것을 지키면 이 道를 유지하는 데 거의 가까울 것이다.[498)]

또한 스승의 임무도 人氣의 운화를 통솔하여 뭇사람들을 가르쳐 인도함에 있다. 결국은 학생들로 하여금 천지의 운화에 도달케 하는 것이 교육의 목적이다.[499)] 스승이 운화를 통솔하여 사람들을 인도한다는 것은 사람들의 신기를 움직이게 하는 것이다. 이는 궁극적으로 천인운화의 획득이 인간에게 요청되는데 천인운화란 天氣운화에 어긋나지 않는 人氣운화이다. 다양한 천인운화를 '하나하나 정확하게 획득하게 되면' 점차 기질이 변화되어 본연의 활동운화가 드러남으로써 추측하여 이것을 간직하는 기능과 주선, 변통하는 두 가지 기능이 원활하게 되어 대기활동운화에의 승순이 가능해진다. 이런 사람을 <氣學的 聖賢>이라 혜강은 말한다. 이런 인물이 정치와 교육의 소임을 맡으면 천인운화의 기준을 수립하고 이에 의거하여 통민운화를 시행함으로써 一統의 대동사회를 실현시킬 수 있게 된다.

따라서 혜강은 사람들이 천하에 통하는 經常, 즉 불변한 진리를 배우려 하지 않고 살 계책만을 배우려 한다고 나무란다. 남을 영달시키는 것으로 자신의 영달을 삼고 남을 입신시키는 것으로 자신의 입신을 삼으며 또한, 남을 이롭게 하는 것으로 자신의 이로움을 삼고 남을 편안히 하는 것으로 자신의 편안함을 삼으면 지식과 능력을 다투는 것이 저절로 소멸되어 운화와 도덕이 일체를 이루게 될 것이라고 한다.[500)]

---

498) 『명남루전집』推測錄 권1, 推測制綱, "分懷喜怒 留滯於心 則因有礙于推測 戒愼憂慮 要識於心者 恐未盡乎推測 心有所累 推測未精 故要去其累 心無所愼 推測亦忽 故要守其愼 旣去其所害 又守其有益 扶將斯道 其庶幾乎".

499) 『명남루전집』氣學 권1, "師長 統人氣之運化 敎導群生 進退勸戒 鼓舞興作 各隨其人 要達天地運化".

② 운화기에의 승순과 事天

혜강에 있어 진정한 교육은 만물을 주재하고, 조화를 일으키는 운화기를 깨달아 이에 승순하는 것이다. 승순이란 위로는 대기운화를 잇고(承) 아래로는 人・物의 기를 순응(順)하는 것이다. 승순은 곧 천하에 통행하여 걸림이 없고, 체용이 완비된 것이며, 天人이 어긋남이 없는 것이다. 동학의 표현으로 말하면 한울님 즉 우주보편을 모시는 것(侍天)이고 한울님과 합하는 것이다. 혜강의 승순은 근거가 있고 표준이 있고 증명과 실험이 있어 지나치고 못 미침이 쉽게 보이고 의로움과 불의를 쉽게 알게 된다. 이 도리에 따라 교육을 실시한다면 행동할 때 힘쓰지 않아도 알맞고 남에게 설명할 때 자연스럽게 받아들인다. 그러나 운화를 버리고 인위로 조작하면 이는 허황한 행동이 되어 근거하는 것도 허황되고 표준잡는 것도 허황되고 증명 실험하는 것도 허황되어 지나치고 못 미치는 것이 다 허황되고 의로움과 불의 역시 허황된다. 한편 혜강은 운화기를 깨달아 이를 따르는 추측을 말하지만 추측 이전에 誠敬을 요구하고 있다. 主一의 敬으로 태만을 몰아내고 정신을 회통해야만 추측이 전일할 수 있다고 한다. 그러므로 능히 공경하면 誠明하게 되고 성경하면 추측이 남에게 미칠 수 있다. 그러므로 하늘을 섬긴다는 것은 위에서 말한 것처럼 天氣를 섬기는 것인데, 이는 부모 섬김을 미루어 헤아려 운화기를 섬기고 이 천성을 기르는 것이다.[501] 이는 수운의 성경을 이해하는 데 많은 시사점을 남긴다.

수운의 시천주에서 主의 의미는 혜강의 "推事父而測事天"라는 표현에

---

500)『명남루전집』人政 권11, "凡人願學 每欲學直成其志 而不欲學可成其志之道 又欲學一身康濟之策 不欲學天下通行之道 又欲學時俗誇矜之虛文 不欲學古今經常之實用 …… 達人以爲己 達立人以爲己立 利人以爲己利 安人以爲己安 競知爭能 自抵 銷滅運化道德 可致一體 人人以此爲學 自無欲速 害人之患 亦有循序進就之益".

501)『명남루전집』推測錄 권6, 推物測事, "推誠實而測邪僞誠實益篤 推敬而測怠 可袪其怠 ……推主一而測主一 雖若無欠 須知肆怠之病源 可以黜怠而聚精會神 專一於推測 蓋誠敬之論 無攸不備 然能敬則可進於誠明 誠明則推測可以及人 …… 推事父而測事天 …… 事者奉事之也 凡有所報 隨宜奉事 卽人之道也 …… 天地旣與我以心性 管轄軀殼 推測事理則 存心而養性 乃所以事天事地".

서 알 수 있듯이 한울님을 부모 섬기듯이 하는 것이었고, 자기 안의 한울
님을 기르는 것이 곧 한울님을 섬기는 것이었다. 따라서 하늘을 섬기는 것
은 향을 피우고 축문을 읽고서 빌며 제사지내는 것이 아니라 대기운화의
공덕을 알아서 민중들로 하여금 신기를 알게 하는 것이라고 혜강은 말하
는데, 이는 수운이 공경 없이 부적의 효험을 도모하는 민중들을 비판함과
같다.502) 항상 天氣의 마음을 보존하고, 오랫동안 天氣의 본성을 길러서
거스르거나 해치지 않고 그것을 따라서 받들어 행하면 곧 하늘을 섬기는
것이다. 말과 이야기로 하늘을 섬김은 곧 談天이요 예배로 섬기는 것은 곧
祭天이다. 이것은 모두 성실하게 하늘을 섬기는 도리가 아니다. 혜강은 제
사에서 받드는 것이 바로 一氣(神氣)임을 알아서 이를 승순하는 것으로 감
사의 보답을 삼아 삼가 행동을 신중히 하는 것이 제사라고 한다.503) 수운
이 한울님을 공경하고 은혜를 알라는 것은 혜강이 말한 一氣를 승순하는
것과 같다. 이는 곧 通天靈, 通天氣504)라 할 수 있는데 수운의 혼원일기를
연상케 한다. 하늘을 공경하는 사람은 진실된 마음으로 이 기의 운화에 어
긋나지 않고 하늘을 두려워하는 자는 혹시 이 기의 운화에 어긋날까 두려
워한다. 하늘을 섬기는 자는 이 기의 운화를 이어 받들고 하늘에 순종하는
자는 이 기의 운화를 감사하며 따른다. 신기의 운화를 본받아서 인사의 제
치를 행하면 교화할 수 없는 백성까지 교화할 수 있다. 실로 교화할 수 없
는 사람은 거의 없다505)고 말한다.

인간은 각자가 감각기관으로부터 형성된 경험을 기억하고 이를 궁구하
여 응용하며 올바르거나 그릇된 신념을 형성해 간다. 이러한 인간을 다루

502)『명남루전집』明南樓隨錄, "事天事地之孝 不可以香祝禱祀伸 萬一之孝當明大氣
運化 敷施之大德 民生之不知者 曉喩而使之知違戾者 指導而感化焉 億兆生靈咸
知爲大天地之子孫 萬事制御 皆感乎大神氣滋養 人世之孝豈有大於此哉 孝之小
而常者在於養親 大而貴者存乎事神氣".
503)『명남루전집』人政 권12, "報謝祀典 天地日月星四時雨雪風雲 及先祖聖賢名 雖
有指別所宗一氣也 見氣者知百祀之所宗在一神氣 以承順爲報謝所行愼謹 皆是
祀典 不識氣者 祭祀之義認作禱禳 爲能知運化神功何".
504) 이돈화,「主者與父母同事者也」,『신인간』121, 1938.3.
505)『명남루전집』明南樓隨錄, "效則神氣運化 以行人事制治 可化其不可化之民矣
…… 其實不可化者 無義矣".

는 교육의 방법은 결국 그들의 습염과 통찰이 천인운화로 통할 수 있도록 인도할 뿐이다. 혜강의 추측지리 공부론은 객관세계의 경험에 그 기반을 두고 있고 서양과학의 지식을 경험적 대상에 포함시키고 있지만 발명적 탐구의 기능은 하지 못하고 다만 서양이 이루어 놓은 경험적 이치를 수용하여 지평을 넓히는 데 머무르고 있다. 그러나 근대를 비판하는 탈근대적 입장에서 볼 때 혜강의 사상은 근대담론이 갖는 억압과 획일, 자연파괴의 지배권력과 생산제일주의의 메카니즘을 극복하고 동시에 포스트모더니즘이 갖는 상대성의 한계를 탈피하면서 탈근대적 교육이론이 갖는 학습주체자의 다양한 학습권을 철학적으로 전개하고 있다.

제4장 동학 · 천도교 교육사상의 전개

한국인의 사유는 고대 삼국부터 고려까지 1000여 년간의 불교이념을 통해서, 그리고 조선 500년 동안의 유가정치 속에서 이루어졌기에 조선말기에 살았던 수운의 사상에는 이러한 유불적 요소와 더불어 민중적인 도교의 모습이 나타난다. 水雲 崔濟愚(1824~1864)는 불교를 통하여 조선 계급사회를 타파하고자 하고 유교를 통하여 불교의 현실도피적 성향을 지양하며 도교를 통하여 민중과 호흡하고자 했었다. 수운사상의 핵이라 할 수 있는 시천주, 불연기연, 무왕불복, 성경신의 사상은 삼교적 결합의 산물이고 동시에 삼교의 한계점을 극복하고자 한 것이다. 여기서 시천주는 천도교 의암에 이르러 인내천으로 표방되고, 이돈화에 와서는 '사람성-무궁'으로 표현되었다. 그 출처는 수운이 『용담유사』 홍비가에서 "무궁한 그 이치를 불연기연 살펴내어 …… 무궁히 알았으면 무궁한 이 울 속에 무궁한 내 아닌가"에서 비롯되는 것으로 이를 집약한 말이다.

동학사상은 교육철학적으로 인간성-무궁의 인간관으로부터 교육이념을 제시하고, 무왕불복의 역사관에 의하여 인간이 역사주체자로서 형성될 것을 추구하는 교육목적을 갖고 있으며 불연기연의 세계관의 이해에 따라 인간이 세계를 보는 눈을 기르도록 교육내용을 전개하고 있다. 또한 誠敬信의 수행론을 통해 인간이 인간무궁성을 실현하도록 그 교육적 방법을 담아내고 있다.

동학은 인간과 사물의 총체적 이해를 제시하는 것이고 정신과 물질, 보이는 것과 보이지 않는 것을 하나로 한다. 현대는 보이는 것만이 횡포하는 시대다. 100여 년 전에도 수운은 이러한 세태를 비판하면서 사물을 바로

보도록 하는 시각조정을 제시했다. 이것이 그의 <불연기연>이라 할 수 있
다. 수운은 불교 화엄사상을 기초로[1] 儒家의 순환적 역사관[2]을 탈피하고,

---

1) 수운은 자신의 道를 일컬어 儒佛仙 합일의 무극대도라 하였다. 그런데 지금까지
   연구된 동학관계 논문에서 동학과 유학, 또는 도교사상의 교섭관계는 어느 정도
   밝혀져 있지만 불교사상의 교섭관계는 상세히 밝혀진 바가 없다. 다만『崔先生文
   集道源記書』를 중심으로 수운이 처음으로 종교체험을 하고『동경대전』과『용담
   유사』를 저술한 것이 모두 불교사찰과 승려의 협조가 관계되어 있음을 밝힌 논문
   이 있을 뿐이다(박맹수, 「동학과 한말 불교계와의 교섭」, 『신인간』 500, 1991.11).
   그러나 수운은『동경대전』, 「탄도유심급」에서 "心本虛 應物無迹"이라 하여 불교
   적 사상의 면모를 보이고 있다. 수운 이후 해월이나 의암에게서는 불교적 성향이
   더욱 짙게 드러나는데 특히 해월의 '心是虛靈, 虛靈不昧'는『淨土生無生論』에서,
   그리고 의암이 말한 "無體法經"의 '無體'는 달마의 어록에서도 보여지는 것이다.
   (『淨土生無生論』, 大正藏 47, 383a, "虛靈不昧 此吾心自空者也 物來斯應 此吾心
   自有者也 空有相卽 此吾心自中者也 …… 修之者稱性照了也 故體達此心空洞無
   物 謂之空 照了此性具足萬法 謂之假 融通二邊不一不二 謂之中 然則卽虛靈而
   應物也 卽應物而虛靈也";『二入四行論』, "心體是法界體 此法界無體(강조는 필
   자) 亦無畔齊 廣大如虛空不可見 是名法界體") 이는 모두 불교의 본체론인 一心
   (眞心)에 대한 표현들이다.
2) 동중서에 의하면 역사의 순환은 두 가지로 나타나는데 하나는 三統의 순환이고
   하나는 文質의 순환이다. 삼통이란 夏·殷·周 삼대의 正朔을 말한다. 夏나라는
   平明을 삭(음력 초1일)으로 삼고, 은나라는 鷄鳴을 삭으로 삼고, 주나라는 半夜를
   삭으로 삼았는데 이것이 삼삭이다. 三正은 夏·殷·周 삼대가 사용하던 서로 다
   른 역법을 가리킨다. 하나라는 建寅을 正으로 삼고 일월을 한 해의 첫달로 했다.
   은나라는 建丑을 정으로 삼고 12월을 한 해의 첫달로 했다. 주나라는 建子를 정
   으로 삼고 11월을 한 해의 첫달로 했다. 이밖에 하나라는 흑색을 숭상하고 은나라
   는 백색을 숭상하고 주나라는 적색을 숭상했다는 기록이 있다. 동중서는 이러한
   주장들을 종합하여 하왕조는 黑統에 건인, 은왕조는 白統에 건축, 주왕조는 赤統
   에 건자라고 주장했다. 그는 삼대 이래의 역사는 黑·白·赤 삼통이 순환하는 역
   사라고 여기면서 세 가지 과정의 단순한 역사순환을 주장했다. 둘째로, 文質(꾸밈
   과 본질)이란 공자가 처음에 한 말이지만 춘추공양학자들에 의해 은왕조를 質家
   로 주왕조를 文家로 불렀다. 동중서는 이를 이어받아 하나라 이래의 역사를 단순
   하게 문과 질의 순환으로 이해했던 것이다. 이와같이 동중서는 하늘과 도를 역사
   와 관련시켜 하늘이 변하지 않으면 도 역시 변하지 않는다고 여겼다. 다시 말해
   인류사회의 발전과 변화는 그 자체에 의한 것이 아니라 하늘의 도에 의해 결정된
   다고 생각했다(朱日耀, 鄭貴和譯, 『전통중국정치사상사』, 신지서원, 1999, 247∼
   249쪽).

고정성의 순환이 아닌 무궁성의 역사관으로 파악한다. 인간을 세계의 변화와 생성의 주체로 보았다. 유교의 천도에 의한 순환사관은 결국 그 천도를 인간 밖에서 찾는 것이기에 인간에게 주체적 위치를 부여하지 않는다. 그러나 동학의 무왕불복의 역사관은 인간 안에서 천도를 보고 이를 깨달아 실현하는 것이므로 인간의 주체성이 자연히 부여되는 것이다. 그리고 그 주체가 되기 위해 자신 한울(一心)을 깨달아 이를 실현하는 것에 교육의 목적을 두고 있다.

수운의 사상이 불교에 기초하면서도 불교와 다른 것은 불성과 한울님의 차이에 있다. 불교에서는 불성을 깨닫는 것을 목적하지 여기서 더 나아가 수운처럼 성경신을 통해 한울님을 위하고 섬기는 대상이 아니다. 수운은 매순간 한울님을 <爲天>하고, <敬天>하여 한울님과 합하도록 성경신의 공부방법을 제시하고 있다. 인간이 이를 벗어나는 것은 모두가 '各者爲心'으로 다 자기만을 위할 뿐이다. 이러한 교육철학의 기초는 일제하 천도교의 교육실천의 이론적 근거가 되었다. 특히 현대사상과 맞물려 동학의 교육사상은 그 발전에 있어 깊이와 폭을 더해 간 것으로 평가된다.

1. 동학의 교육철학적 기초

동학사상을 들여다 보면, 여기에는 4부문에서 교육철학의 기초가 형성되고 있다. 첫째, 侍天의 인간관에 기초하여 인간 한울님 즉 인간 무궁성의 교육이념을 제시하고 있다. 이로부터 교육목적과 내용 그리고 방법을 아우르고 있다. 둘째, 인간 무궁성에 바탕한 동학의 교육목적은 세계를 인간 자신으로 하여 끊임없는 생멸변화의 세계를 이롭게 해가는 역사주체로서의 인간형성을 목적하는 것이다. 셋째, 세계를 불연기연으로 이해하여 무형과 유형을 일치시켜, 이를 통해 세계전체가 인간에 통할 수 있음을 철학적 근거로 제시하고 있다. 넷째, 교육방법으로 곧 수행의 공부방법을 들고 있다. 인간이 한울님 되는 것은 모든 인간의 현상적 마음과 현재의 행위가 그대로 한울님의 마음이요 행위가 아니라 오직 한울님과 합하고자 하는 수행을 통해서만 지칭되는 것을 분명히 하고 그 수행의 공부체계를 성경신을 통해 제시하고 있다.

1) '侍天(인간성-무궁)'의 인간관과 교육이념

교육이념이란 교육의 지표가 되는 관건적 개념이요 인간형성의 핵이 되는 사상체로 인간형성의 원리가 되는 것이다.[3] 그러나 오늘날 홍익인간의 교육이념은 일반적으로 실현 불가능한 그리고 이상적인 목적으로 인식되고 있다. '인간을 포함한 세계를 널리 이롭게 한다'는 것은 교육의 결과이지 이 결과에 도달하는 구체적인 언급을 제공받기는 힘들다. 그러므로 홍익인간의 교육이념은 교육의 결과로 나타나는 것이지 그 결과를 도출하는데 적합한 이념은 아니다.[4]

교육이념은 모든 교육의 과정, 또는 모든 교육행위의 책무성을 통제하는 가치기준이나 원리로서 작용할 수 있어야 한다.[5] 따라서 홍익인간의 교육이념이 제대로 기능하기 위해서는 잘려져 나간 앞뒤의 배경적 의미를 추구해 들어가야 한다. 그리고 이는 동학의 인간관을 분석해 감에 따라 그 배경적 의미를 도출할 수 있다. 동학의 인간관은 세 가지로 요약될 수 있다. 그것은 <한울님을 모신 인간의 무궁성>, <한울님과 합해야 하는 인간의 본향성>, <세계를 자신으로 하는 우주 通全性>이다. 여기서 세계를 자

---

3) 한기언, 『한국교육이념의 탐구』, 태극문화사, 1992, 78쪽.
4) 홍익인간의 교육이념에 대한 입장은 세 가지가 있다. 홍익인간이 교육이념으로 타당하다는 입장은 홍익인간이 바람직한 인간상과 가치로운 삶을 지향하고 있으므로 그것을 교육이념으로 삼는 것을 지지한다. 홍익인간이 교육이념으로 타당하지 못하다고 비판하는 입장은 홍익인간의 개념 자체에 신화적 요소가 강하고 그 의미도 모호하므로 교육이념으로서 충분한 기능을 하지 못한다고 주장한다. 절충의 입장은 홍익인간의 개념 자체가 교육이념을 완벽하게 제시하지는 못한다는 것을 인정하나 그 이념의 기본정신을 시대상황에 맞게 재구성함으로써 그것이 교육이념으로 기능하도록 만들려고 노력한다(윤현진, 『한국 교육이념의 법철학적 해석』, 정신문화연구원 박사학위논문, 1994, 47쪽).
5) 한명희, 「한국 교육이념의 이념·철학의 정립과제」, 한국교육학회편, 『교육학연구』 22-3, 1984, 74쪽.

신으로 하는 우주 통전성이란 세계가 인간 안에 통일되어 있기에 인간 스스로 창생을 널리 구하고자 하는 廣濟蒼生을 이름이다. 그리고 이는 곧 홍익인간의 의미와 상통한다.

(1) 한울님을 모신 인간의 무궁성

수운은 인간을 侍天의 인간으로 본다. 우주 주재신인 보편적 신령이 인간 개체에 영성적 주재신으로서 내재함을 이름이다. 수운은 서양의 천주는 보편적 신령자는 전제하지만 인간 개체 안에 내유신령한 개체신이 없다고 하였고 동학의 천주는 인간 안에 한울님이 있기에, 서학과 道는 같지만 이치는 다르다고 하였다.6) 인간이 한울님을 모셨다는 것은 안으로 한울의 신령함이 있고 밖으로는 무위이화의 氣化를 이루는 존재라는 것이다.7) 따라서 수운은 멀리 구하지 말고 나를 닦으라 한 것도 내가 한울이기 때문이요, 내 몸이 化해서 난 것을 헤아리라 한 것도 내가 한울이기 때문이다. 또한 내 마음의 밝고 밝음을 돌아보라 한 것도 내가 한울이기 때문이다. 인간과 한울님은 모두가 한 기운, 한 몸, 한 마음이다.8)

인간의 한울님이란 곧 인간의 무궁성을 뜻하는 것으로 그 무궁성이란 <영구불변>하면서 <변>하는 궁극성을 뜻한다. 여기서 변하는 것은 생멸적 세계현상을 뜻하고 영구불변은 순수지속이다. 생멸이 없는 본체는 죽은 본체이고 지속이 없는 생멸은 일종의 환상에 지나지 않는다. 즉 생물의 생사는 생물의 본체를 지속케 하는 방법이며 본체의 현상이다.9) 그 끊임없는 생멸변화의 운동을 통해서 신의 본질이 가장 완전하게 표현된 것이 인간이다. 그러므로 神의 일단을 찾고자 할 때에 무엇보다도 인간 자기 중에서 찾아야 한다.10)

인간은 한울님의 이러한 무궁한 본질을 가지는데 이 궁극적 본질의 전

---

6) 『동경대전』 논학문.
7) 『동경대전』 논학문, "侍者 內有神靈 外有氣化 一世之人 各知不移者也".
8) 『동경대전』 八節.
9) 이돈화, 「東學之人生觀(附)」, 『신인철학』, 1924, 229~230쪽.
10) 이돈화, 「東學之人生觀(附)」, 『신인철학』, 1924, 233~234쪽.

개가 곧 우주다. 미소한 것 중에도 神의 모형이 전체로 들어 있고 그 중 인
간은 신의 모형의 전개가 비교적 완전히 나타난 것이다. 그러므로 여기에
서 시천의 인간 무궁성을 말하게 되는 것이다. 수운이 '나는 도시 믿지 말
고 한울님만 믿었어라 네 몸에 모셨으니 捨近取遠 하단말가' 하고 노래한
것도 이는 실로 인간 초월적 상제를 부인하고 사람의 영성을 곧 상제라 가
르침이다.

한편 해월(1827~1898)은 수운의 시천적 인간을 宇宙一氣[11]를 포괄한
존재로서 파악한다. 사람의 일동일정이 모두 한울님의 표현이다.[12] 즉 우
주전체와 통하고 이를 꿰뚫는 존재이기에 이러한 한울님을 잘 길러 세계
를 복되게 하고자 하는 것이다. 해월은 한울을 기를 줄 아는 사람이라야
한울을 모실 줄 안다고 했다. 한울이 내 마음속에 있음이 마치 종자의 생
명이 종자 속에 있음과 같아 종자를 땅에 심어 그 생명을 기르는 것과 같
다. 따라서 사람의 마음은 道에 의하여 한울을 길러야 한다.[13]

또한 한울은 인간 마음에 있다. 그러므로 마음이 곧 한울이요 한울이 곧
마음이다. 한울과 마음은 본래 둘이 아니다. 즉, 한울님은 인간의 마음이요,
나의 屈伸動靜이 바로 귀신이며 조화며 이치기운이다. 나의 마음과 기운
은 천지우주의 원기와 한 줄기로 서로 통해 있다. 그러므로 해월은 기운을
사납게 함은 한울을 사납게 함이요, 마음을 어지럽게 함은 한울을 어지럽
게 함[14]이라 하였다. 내 마음과 기운이 분노와 무지로 가득차 있으면 한울
도 지옥이요 내 마음이 순선함과 사랑으로 가득차 있으면 세계는 천국이
다. 이는 단지 유심적인 측면을 말하는 것이 아니라 그 마음으로 세계에
행위하기에 인간 스스로의 행위에 따라 세계가 달라진다. 그러므로 교육이
념에 있어서 이러한 인간 무궁성의 인간관을 제시하는 것은 다음의 효과
가 있다.

인간 자신의 내면 안에 한울님을 모셨다는 것은 외부의 규율이나 강압

11) 『해월신사법설』 天地理氣, "氣者 天地鬼神造化 玄妙之總名 都是一氣也".
12) 『해월신사법설』 道訣, "人之一動一靜 豈非天地之所使乎".
13) 『해월신사법설』 養天主.
14) 『해월신사법설』 其他.

적인 간섭 없이 인간 스스로 자신을 성찰하고 자신의 마음상태가 곧 한울님과 연결되므로 항상 마음 살핌을 게을리 하지 않게 한다. 인간으로 하여금 자신의 집착과 무지, 태만의 현상적 상태로부터 한울님에게 마음과 관심을 돌려 현재의 자신을 끊임없이 초월해 가도록 하는 것이다. 때로는 자신의 내면적 무궁성에 마음으로 고하기도 하고 의지하기도 하면서 그 무궁성의 나타남을 자기 자신에서 보고자 하는 것이다. 진리란 어떠한 것도 인간에게 강요될 수는 없다. 진리는 오직 각자의 선택과 체험에서 우러나오는 비밀스런 공간이기에 동학의 한울님 사상은 이를 명문화하거나 도덕규범으로 규정짓지 않는다. 그러므로 수운은 21자 주문에서 侍天主의 天을 설명하지 않았던 것이다.

한편 侍天의 인간관은 어린아이에게는 적용될 수 없는 어려운 교육사상이 아니다. 어린아이로 하여금 어릴 때부터 자신이 한울님임을 인식시키는 것은 자신에 대한 자존감과 신뢰를 갖게 하고 외부의 시련과 상처로부터 자신을 지키게 해주는 역할을 할 수 있다. 또한 자신이 어떠한 환경에 처하더라도 자신 안의 한울님만은 변하지 않으므로 항상 용기와 인내를 갖게 하는 교육적 힘을 제공할 수 있다. 그리고 더 나아가 자신을 스스로 만들어 나감에 있어 한울님은 자신을 반성하게 하고 올바르게 인도해 줄 수 있는 진정한 스승이 된다.

(2) 한울님과 합해야 하는 인간의 본향성

인간 삶의 길은 곧 천도로서 그 道란 곧 내가 자신 안에 모셔진 한울님을 위하는 것이지 다른 것이 아니다.[15] 인간이 자기 안의 한울님을 위한다는 것은 마음을 닦아 한울님의 도[16]를 이루어 무궁한 한울 속에 무궁한 한울님이 되는 것이다.[17] 그러므로 이 마음과 한울이 서로 화합해야 바로 侍天이라 할 수 있다. 만약 인간의 마음과 한울이 서로 어기면 시천주라고

---

15) 『동경대전』後八節, "不知道之所在 我爲我而非他".
16) 『용담유사』교훈가.
17) 『용담유사』홍비가.

말하지 않는다. 따라서 수운은 수심정기하는 법을 제시하였고 해월은 한울
마음 보호하기를 갓난아이 보호하는 것 같이 하라고 하였다. 늘 조용하여
성내는 마음이 일어나지 않게 하고 늘 깨어 혼미한 마음이 없게 하는 것으
로, 수심정기는 바로 천지를 나와 한 몸, 한 마음으로 가까이 하는 것이
다.[18] 인간이 물욕을 제거하고 도리를 환하게 깨달으면 지극한 한울이 지
기와 화하여 지극한 聖人에 이르는 것이 모두 나(我), 인간이다.[19] 그러므
로 사람이 모신 한울님의 영기가 있으면 산 자라 하지만 그렇지 아니하면
죽은 자라 한다.[20] 이는 단순히 생물학적인 生死를 말하는 것이 아니라 인
간으로서 살아있음 자체가 한울님을 모시고, 또한 기르는 것이 아니면 인
간이라, 또는 산 자라 말하지 않는다는 것이다. 한울이 항상 간섭하도록 한
울을 공경하는 수련 속에서 한울님이 감통할 때 인간은 곧 한울님이 된
다.[21] 인간은 자기 자신의 현상적 자아를 초월한 본원적 원리를 자각하는
것에서 무궁성을 실현해 간다. 이는 인간이 궁극적으로 돌아가야 할 본향
이기도 하다. 현재적 자아를 끊임없이 초월하는 수도를 통하여 얻는 참된
我가 곧 자아의 해방이요 한울我의 획득이다. 그리고 한울아의 획득은 개
인과 사회 양자의 해방을 동시에 수반한다. 여기서 해방이란 마치 새장에
갇혔던 새가 숲속으로 돌아간 것과 같고 감옥에 갇혔던 죄수가 집으로 돌
아온 것과 같다. 여기서 개인의 자아의 해방은 곧 정신의 내부적 해방이다.
악습과 편견, 아집과 집착 등을 버리고 내면의 大我 즉 무궁성의 본체에
합일하여 자아를 벗어나는 방법이다. 또한 사회를 해방한다 함은 기존사회
를 보다 이롭게 조직하는 것이다.

---

18) 『해월신사법설』守心正氣.
19) 『해월신사법설』修道法.
20) 『해월신사법설』向我設位, "人有侍天主之靈氣則 生者也 不然則 死者也".
21) 『해월신사법설』道結, "行住坐臥語默動靜 何莫非天地鬼神造化之跡 或云天理或
   稱天德 然而絶無孝敬 一不奉仕 實不知快然之理故也 …… 天不干涉則寂然一怪
   物 是曰死矣 天常干涉則慧然一靈物 是曰生矣 人之一動一靜 豈非天地之所使乎
   孜孜力行則 天感地應 敢以遂通者 非天而何".

(3) 세계를 자신으로 하는 우주 通全性

수운이 제시하는 道의 뜻은 한울로써 한울을 먹고 한울로써 한울을 화하는 것에 있다. 우주만물이 모두 한 기운과 한 마음으로 꿰뚫어져 있다는 것이다.[22] 천지는 한 기운 울타리다. 이 천지를 한 기운으로 하는 전체의 한울님을 인간이 모셨기에 그 신령함과 조화가 무궁한 것이다. 시천한 인간을 태양에 비유하면 태양이 빛을 발함에 온 천지가 환히 밝아지는 것과 같고 달에 비유하면 하늘에 뜬 달이 능히 千江의 물을 비추는 것과 같다.[23] 인간이 바로 한울이요 한울이 바로 인간이다. 인간과 한울은 일체이다.[24] 천지만물이 다 한울을 모시지 않은 것이 없다. 새소리도 바로 시천주의 소리로 인간의 밥 먹는 것 자체가 한울이 한울을 먹는 것이고 한울(밥)로써 한울(인간)이 생겨나는 것이다.[25] 따라서 인간은 신령한 한울인 동시에 우주 만물이 한울로써 연결되어 있음을 알아 자기 안의 한울을 섬기고 또한 천지의 창생을 위하는 것이 한울님을 위하는 것이 된다.

우주 만물은 시천했음에도 불구하고 시천했음을 알지 못하지만 인간은 우주의 기운과 마음이 하나로 연결되어 있기 때문에 스스로 시천했음을 알아 스스로 한울이 되고 천지를 하나로 하여 생성을 돕는다. 우주의 一氣가 인간의 생성을 낳고 인간 안에 내재한 일기를 心(天, 誠)이라 한다. 그러므로 우주 <一氣>와 인간 <心>이 하나로 연결되어 있기에 전체와 부분이 하나이다. 또한 해월은 천지만물과 인간이 하나임을 '천지부모'를 통해서 민중들에게 설명했다. 즉, 천지나 부모는 모두 一氣이므로 부모는 천지요 천지는 부모다. 부모의 포태가 곧 천지의 포태로 사람들은 부모의 포태는 알아도 천지의 포태는 모른다 한다. 천지는 만물의 아버지요 어머니다. 젖은 사람의 몸에서 나는 곡식이요 곡식은 천지의 젖이다. 사람이 어렸

---

22) 『해월신사법설』 靈符呪文.
23) 『해월신사법설』 天地人·鬼神·陰陽.
24) 『해월신사법설』 修道法, "我是天 天是我 我與天 都是一體".
25) 『해월신사법설』 修道法, "吾人之化生 侍天靈氣而化生 吾人之生活 亦侍天靈氣而生活 何必斯人也 獨謂侍天主 天地萬物 皆莫非侍天主也 彼鳥聲亦是侍天主之聲也 吾道義以天食天 以天化天 萬物生生 稟此心此氣以後 得其生成 宇宙萬物 總貫一氣一心也".

을 때 먹는 젖이나 자라서 먹는 곡식 모두가 천지의 젖이다. 따라서 인간
은 부모의 은혜에 감사하는 것처럼 인간은 오곡으로 길러준 천지에게 감
사한다.[26] 사람의 食告는 바로 이러한 천지의 은덕을 갚는 이치다.

또한 해월이 한울로써 한울을 먹는다(以天食天) 함은 이 한울이 저 한
울을 침해하는 의미로써 먹는 것이 아니라 한울을 먹는 자체가 스스로의
생명을 키워주는 조장운동이다. 사람은 만물 중의 최령한 자로 천지의 한
울 젖에 의지하여 영력을 발휘하고 한울은 자신의 젖을 먹고 자란 인간의
영력에 의지한다. 이것이 以天食天이다. 이는 먹는 한울 따로 있고 먹히는
한울이 따로 있는 것이 아니라 한울 스스로가 스스로의 커 가는 계단을 밟
는 순서에 지나지 않는다.[27] 먹는 것이 곧 먹히는 것이 된다. 인간이 한울
의 젖을 먹고 자라지만 이는 단지 먹는 것으로 끝나는 것이 아니라 한울을
먹는 인간의 생명에 의해 한울은 성장하고 창조된다. 만약 인간이 우주 성
장에 기여하지 않고 한울의 젖을 먹는 것에서만 끝난다면 인간은 한울의
약탈자밖에 안 된다.

이와 같이 천지는 일기요, 곧 한울로[28] 한울은 사람을 떠날 수 없고 사
람은 한울을 떠날 수 없다. 한울은 인간을 의지하여 조화를 나타내고 인간
은 한울을 의지하여 호흡과 생명을 이어간다. 그러므로 인간의 호흡과 동
정, 굴신과 먹고 입는 것 모두 한울님의 조화다.[29] 인간과 천지만물은 분리
될 수 없는 것으로 우주는 하나가 된다. 인간은 자연과의 생명공동체 속에

---

26) 『해월신사법설』 天地父母, "天地卽父母 父母卽天地 天地父母一體也 父母之胞
胎卽 天地之胞胎 今人但知父母胞胎之理 不知天地胞胎之理氣也 …… 天地萬物
之父母也 故經曰 主者稱其尊而與父母同事者也 …… 人是五行之秀氣也 穀是五
行之元氣也 乳也者人身之穀也 穀也者天地之乳也 …… 乳與穀者 是天地之祿也
人知天地之祿則 必知食告之理也 知母之乳而長之則 必生孝養之心也 食告反哺
之理也 報恩之道也".
27) 『해월신사법설』 養天主.
28) 『해월신사법설』 道訣, "天地父母 네 글자는 모두 한울天 한 字이다. …… 命乃在
天과 天生萬民은 先聖의 이른바요 乾稱父 坤稱母는 先賢의 말한 바이다".
29) 『해월신사법설』 天地父母, "人不離天天不離人 故人之一呼吸一動靜一衣食 是相
與之機也 天依人人依食 萬事知食一碗 人依食而資其生成 天依人而現其造化 人
之呼吸動靜屈伸衣食 皆天主造化之力 天人相與之機 須臾不可離也".

서 우주를 자기 한 몸으로 하여 인간 스스로의 창조가 우주표현임을 말하는 것으로 우주와 연결된 인간관이다.

생명경시, 환경오염과 파괴에 대한 우려가 날로 증대되고 있는 요즈음 사람들은 인간이 살기 위해서는 자연을 보존하고 환경을 보호해야 한다고 한다. 그러나 이 역시 이원론적으로 대립된 사고로 인간의 이익을 위해서 자연의 생명을 보호하고자 함이다. 그러나 수운에 의하면 인간과 천지만물이 모두 하나이기에 자연을 위하는 것이 인간을 위함이요 인간을 위하는 것이 자연을 위하는 것이라는 하나된 인식에서 侍天萬物을 제시하고 있다. 해월은 천지가 한 기운임을 알기에 어린이가 나막신을 신고 땅을 밟으니 자신의 가슴이 너무나 아프다고 했다. 그는 땅을 소중히 여기기를 어머니의 살 같이 하라고 하여 천지, 귀신과 인간이 모두 하나임을 체화된 경험으로 제시한다. 이는 인간이 한울님을 모신 한울로서 천지와 하나임을 말해 주는 것이다. 자기 안에 모신 한울에 대한 정성과 공경은 곧 타인과 사물에 대한 소중함을 나타내는 것이다. 마음공경, 사람공경, 물건공경이 모두 하나의 이치다.

현대의 생태주의학자들에 의하면 인간이 뿌리를 잃은 연고가 과학문명의 편중과 분별적 지식으로 인해 천지만유를 고립케 한 데에 있다고 한다. 사람이 나고 죽는 것은 길옆에 무심히 낳다 무심히 쓰러지는 버섯과 같아서 사람의 존재와 근저가 사라져 버리고, 또한 과학적 문명은 물질계에서 사람을 고립케 하며, 황금만능의 사상은 사람과 사람 사이의 애정을 끊어 버렸다.[30] 따라서 사인여천을 실행하여 사람 대하기를 반드시 한울과 같이 하여야 된다고 하였다. 분명 인간과 신, 인간과 자연, 인간과 사회가 분리되지 않는 일원으로 보면 대립과 투쟁의 갈등은 自他不二의 인간이해로 바뀐다. 보통 현대인은 자신과 타인이 대립되고 자연과 분리된 존재라 생각하기에 대립적 투쟁의식과 고통이 생기고 두려움이 생긴다.

이상과 같이 우주 통전성을 지닌 인간과 한울, 인간과 사물의 통합적인 세계관으로 인간을 이해할 때 인간은 자신과 타인이 둘이 아니고 인간과

---

30) 이돈화, 『수운심법강의』, 122~123쪽.

자연만물이 하나의 몸으로 이루어진 한울님이라는 것에서 자신이 곧 세계
완성을 이루어 가는 주체적 조화자라는 역사의식을 갖게 된다.[31)]

(4) 홍익인간의 교육이념과 동학

일반적으로 홍익인간의 교육이념에 대해 명확한 개념정리 없이 막연히
인간세상을 널리 이롭게 하는 것으로 이해하고 있지만, 이는 불교적 맥락
을 살필 때 구체적인 이해가 가능하다.

『삼국유사』를 보면 제석 환인이 貪求人世하고자 하는 아들 환웅을 위하
여 땅을 물색하고 환웅으로 하여금 재세이화로써 홍익인간의 뜻을 펴도록
했다.

> 古記에 云호대 昔有桓因(謂帝釋也라)의 庶子桓雄한대 數意天下하여
> 貪求人世어늘 父知子意하고 下視三危太伯하니 可以弘益人間일새 ……
> 凡主人間三百六十餘事하여 在世理化하니라[32)]

제석 환인[33)]은 불교에서 말하는 帝釋桓因陀羅의 왕을 뜻하고, 홍익인간
의 인간은 불교에서 말하는 공간적 人間世上을 의미한다. 삼국유사를 쓴
일연이 승려인 까닭에 그의 불교적 패러다임으로 건국시조를 기술했을 것
이라는 점은 의심의 여지가 없다. 조선시대에 오면 일연이 말한 제석환인
이 상제로 기술되거나, 혹은 제석은 빼고 환인만 표기하여 삼국유사와는
다른 면을 보이기도 하지만 그러나 여기서 중요한 것은 홍익인간의 용어
자체가 불교용어인 것만은 확실하다는 점이다. 따라서 교육이념은 일연의
삼국유사를 배경으로 이해되어야 할 것이다. 물론 홍익인간의 뜻이 구체적

---

31) 이돈화, 「新人間第一回 說法」, 『신인간』 2, 1926.6.
32) 『삼국유사』 卷第一, 紀異.
33) 원래 帝釋桓因은 베다신화에 있어서 가장 유력한 인드라神으로 후에 불교에 도
  입되어 불법을 수호하는 신이 되었다. 범어 원어는 Sakra-devānām indra인데 이
  를 음역하여 釋帝桓因陀羅라 하고 약칭하여 釋帝桓因이라고도 한다. 수미산 도
  리천의 天主이다.

으로 무엇인지 삼국유사에도 기록은 없다. 하지만 삼국유사의 <弘益人間>, <在世理化>의 의미는 원효의 <弘益衆生>이라는 표현에서 찾을 수 있다.[34] 이는 원효가 말한 것이라기보다 불교 경전에 전반적으로 보이는 용어이기도 하다. 홍익중생이란 남과 나의 분별을 떠나고 인연에 속박되지 않은 깨달은 자가 大悲를 일으켜 세상을 구하고자 중생들에게 진리를 깨우치는 행위다.[35] 여기서 홍익중생은 단군신화에서처럼 인간의 모든 일을 이치로 교화하고자 하는 재세이화와 다르지 않다. 그러나 무엇보다도 원효는 중생을 진리로 인도하는 힘이 大悲에서 나오고 이 대비의 힘이란 邪執을 떠남에서 비롯되는 것임을 분명히 한다. 따라서 홍익인간의 교육이념은 깨달음과 마음닦음의 수행을 전제로 한 실천행위다.

올바른 이치를 깨닫고 이를 믿는 신앙으로부터 행해지는 삶은 그대로 행위로 표현되고 법의 본성이 드러나기에 모든 것을 떠나 보내고 탐욕에서 떠나기에 보시바라밀을 닦는다. 법의 본성이 더러움에 물들어 있지 않고 욕심을 떠나 있기에 戒바라밀을 닦으며 번뇌를 떠나기에 忍辱바라밀을 닦는다. 또한 법의 본성이 게으름을 떠나 있기에 精進바라밀을 닦고 법의 본성이 항상 定에 있음을 알기 때문에 禪定바라밀을 닦는다. 또한 법의 본성이 맑기 때문에 어리석음을 떠나 있어 智慧바라밀을 닦고 순응한다.[36]

올바른 이치를 깨닫고 이를 믿는 신앙으로부터 행해지는 행위가 곧 법

---

34) 박선영, 「한국교육사에 있어서 불교사상」, 『한국교육의 사상적 연원』(한국교육학회 교육사연구회, 학술발표대회 자료집), 1978, 30~31쪽.
35) 『대승기신론소별기』, "救世之德 正是大悲 離自他悲 無緣之悲 諸悲中勝 故言大悲 …… 諸佛世尊以大悲爲力 弘益衆生故 是知諸佛偏以大悲爲力".
36) 『대승기신론소별기』, "解行發心者 當知轉勝 以是菩薩從初正信已來 於第一阿僧祇劫將欲滿故 於眞如法中 深解現前 所修離相. 以知法性體無慳貪故 隨順修行檀波羅密 以知法性無染離五欲過故 隨順修行尸波羅密 以知法性無苦 離瞋惱故 隨順修行羼提波羅密 以知法性無身心相 離懈怠故 隨順修行毘梨耶波羅密 以知法性常定 體無亂故 隨順修行禪波羅密 以知法性體明 離無明故 隨順修行般若波羅密".

의 본성을 드러내 보시, 인욕, 지계, 선정, 정진, 지혜 등 육바라밀을 닦는
것이지 깨달음 없이 홍익중생이 수행되는 것이 아니다. 견성을 하면 그대
로 삶에 있어서 행위로 표현되기에 깨달음과 육바라밀적 실천은 분리되지
않는다. 진리에 대한 이해는 곧 중생구제의 실천과 동시적인 것이다. 즉 인
간은 참된 이치를 깨달아 그 이치대로 실천하면 공덕이 쌓이고 그 궁극적
인 단계에 이르기까지 가장 뛰어난 삶의 모습을 보이는 것인데, 홍익인간
의 이념은 곧 진리탐구와 깨달음, 그리고 실천이 하나의 범주 안에 드는
의미를 갖고 있다.

> 하나의 생각이 그대로 지혜와 일치되며 무명은 즉시에 사라져 없어진
> 다. 이러한 것은 모든 것을 다 아는 지혜라 한다. 자연히 깨달은 자에게는
> 불가사의한 능력이 나타나 시방에 있는 모든 중생을 이익되도록 한다.[37]

그러므로 현재 홍익인간의 교육이념은 단군 이래로부터 원효의 <六波
羅密을 통한 홍익중생>, 지눌의 <정혜쌍수를 통한 廣度群品>,[38] 동학의
<誠敬信을 통한 광제창생>의 목적을 계승하는 것이다. 동학의 '광제창생'
은 곧 '광제군생'[39]으로 이 역시 불교경전에서도 언급된 바 있다.
수운의 광제창생은 성경신을 통해 진리를 믿고 敬으로써 진리 안에 서
고자 하며 誠을 지키는 것인데 해월은 이를 三敬으로 말하여 한울님에 대
한 공경, 인간에 대한 공경, 그리고 사물에 대한 공경을 제시했다. 인간과
사물에 대한 공경은 그에 내재한 한울님을 믿기 때문이다. 광제창생이란
한울님에 대한 깨달음을 일으켜 널리 중생을 제도하는 것이라 할 수 있
다.[40] 따라서 홍익인간의 교육이념은 진리에 대한 깨달음과 믿음 그리고
마음 닦음을 이룬 역사의 주체자가 널리 창생을 구하는 원리이다.

---

37) 『대승기신론소별기』, "又是菩薩功德成滿 於色究竟處示一切世間最高大身 謂以
　　一念相應慧 無明頓盡 名一切種智 自然而有不思議業 能現十方利益衆生".
38) 『韓國佛敎全書』 4冊, 699b, 勸修定慧結社文, "發弘誓願 廣度群品 不爲一身獨求
　　解脫".
39) 『觀世音菩薩授記經』, 大正藏 12, 356b.
40) 『觀世音菩薩授記經』, 大正藏 12, 356b, "當發菩提心 廣濟諸群生"

한편 최근에 김지하는 홍익인간을 정의하여 "인간 안에 하늘과 땅이 하나로 통일되어 있다는 것을 의미하는 것"[41]이라 하였다.

사람 안에 천지, 우주가 하나로 통일되어 있다는 천부경의 절정은 바로 홍익인간의 사상적 기초입니다. 인간 안에 하늘과 땅이 하나로 통일되어 있다는 얘기는 개념적 사유와 과학적 검증과 감각적 관조가 하나로 통일되어 있다는 이야기이기도 합니다.[42]

홍익인간이란 김지하 표현으로 하면 결국 사람 안에 천지, 우주가 하나로 통일되어 있음을 깨달아 생명공동체로 사는 것이기도 하다. 홍익인간은 <接化群生>, <天地公心>이라 불려지기도 한다. 접화군생이란 뭇 생명과 인간만이 아니라 동식물과 물방울, 흙과 같은 무기물, 우주만물과 공구나 연장에게까지도 그 마음과 소통하고 접하여 가까이 사귀고 사랑해서 즉 다양한 생명에 다양하게 관계하고 순환을 이루어 감화, 변화, 진화, 완성, 해방시키는 것을 말한다. 이는 무기물의 마음까지도 인정하고 그 마음과 소통함으로써 그들을 유익하게 하려고 하는 것으로 이가 곧 홍익인간이다.[43] 인간뿐만 아니라 물질까지도 감동시키는 것은 천지공심일 때 가능하다. 천지공심은 한울님 마음이요 한울님을 모신 마음이다. 그러므로 수운은 궁을을 符圖로 그려내어 그 심령의 躍動不息하는 한울의 形容을 표상하여 시천주의 뜻을 가르쳤다고 하였다.[44]

2) '無往不復'의 역사관과 교육목적

수운은 사람들이 '어찌하여 한울님의 영기가 내리게 되었느냐'는 질문에 무왕불복의 이치를 믿고 따랐기 때문이라고 했다.[45] 무왕불복이란 가서 돌

41) 김지하, 『셋과 둘 그리고 혼돈』, 솔과학, 2000, 78쪽.
42) 김지하, 『셋과 둘 그리고 혼돈』, 솔과학, 2000, 78쪽.
43) 김지하, 『셋과 둘 그리고 혼돈』, 솔과학, 2000, 81쪽.
44) 『해월신사법설』 其他.
45) 『동경대전』 논학문, "日今 天靈 降臨先生 何爲其然也 曰受其無往不復之理 曰然

아오지 않음이 없는 순환적 의미를 지님과 동시에 본래의 근원으로 돌아
감을 뜻한다. 이 말은 원래『역경』泰괘에 있는 말이다.

> 편평하면 기울어짐이 있고 가면 돌아옴이 있다. 어려운 가운데서도 마
> 음을 곧게 가지면 허물없으리니 근심하지 말라 …… 가면 돌아오는 것은
> 천지의 사귐이다.[46]

『역경』의 세계관은 사시순환의 갈마듦처럼 순환적 의미를 띤다. 겨울이
가면 봄이 오는 것처럼 편평하면 기움이 있고, 감이 있으면 돌아옴이 있게
되는 객관적 세계의 이해를 담고 있다. 그러므로 주역은 그러한 현상의 이
해에 따라 인간처세를 가르친다. 그러나 이를 역사관으로 끌어올린 것은
주자였다. 주자는『대학』서문에서 종래의『역경』이 가지는 순환사관을 인
간 역사에 적용하고 있다. 즉 쇠함이 있으면 성함이 있고 一亂이 있으면
一治가 필연코 온다는 의미에서 천운순환과 무왕불복을 얘기한다.

> 삼대의 법이 융성했을 때에 그 법이 점점 갖추어 졌으니 그러한 뒤에
> 왕궁과 국도로부터 여항에 이르기까지 학교가 있지 않은 곳이 없었다.
> …… 주나라의 쇠함에 미쳐 어질고 성스러운 군주가 나오지 못하고 학교
> 의 정사가 닦아지지 못하여 교화가 침체되고 풍속이 무너지니 이 때에는
> 공자 같은 성인이 계셔도 인군과 스승의 지위를 얻어 정사와 가르침을 행
> 할 수 없었다. …… 천운이 순환하여 가고 돌아오지 않음이 없다. 그리하
> 여 송나라의 덕이 융성하여 정치와 교육이 아름답고 밝았다. 이에 하남정
> 씨 두 부자가 나오시어 맹씨의 전통을 접함이 있었다.[47]

주자가 말하는 바는 삼대의 다스려짐이 점차 쇠하여지다가 다시 송대에

則 何道以名之乎 曰天道也".
46)『周易』권2, "无平不陂 无往不復 艱貞无咎 勿恤其孚 …… 无往不復 天地際也".
47) 주희,『대학장구』, "三代之隆 其法寖備 然後 王宮國都 以及閭巷 莫不有學 ……
及周之衰 賢聖之君不作 學敎之政不修 敎化陵夷 風俗頹敗 時則有若孔子之聖
而不得君師之位 以行其政敎 …… 天運循環 無往不復 宋德隆盛 治敎休明 於時
河南程氏兩夫子出 而有以接乎孟氏之傳 實始尊信此篇而表章之".

二程씨가 나와 덕이 융성하여지고 다시 세상이 밝아졌다고 하는 맥락에서
무왕불복의 이치를 들고 있다. 율곡이나 수운도 이를 말한 바가 있다.[48] 그
러나 그 쓰임의 맥락은 다르다. 율곡이나 수운은 일치일란의 순환이 왜 현
실적으로 이루어지지 않느냐는 물음을 제기한다. 공자가 나와도 별수 없음
은 무슨 까닭이냐 묻고 있고 공자이래 아무런 이룸이 없었다는 식으로 수
운은 노래하고 있으며[49] 율곡도 무왕불복지리를 말하면서 같은 의문을 나
타낸 바가 있다. 즉, 어지러운 때가 있으면 잘 다스려지는 때가 있고 성할
때가 있으면 쇠할 때가 있는 것이 당연한 이치인데 다스려진 날이 항상 적
고 어지러운 날이 항상 많으니 어찌 천운이 순환한다고 할 수 있겠느냐 묻
는다. 그리고 어떻게 하여야 盛代를 만회하여 다시 至治를 보고 천하의 사
람들로 하여금 착한 자가 많고 악한 자를 적게 하며 천하의 만물로 하여금
상서로운 것이 나오고 毒螫한 것이 불어나지 않게 할 수 있겠는가고 반문
한다.[50] 율곡은 그 해답으로 至治를 이루는 것은 인간 주체에 달려 있고
一治一亂의 순환도 무궁무진한 것으로 일정한 것이 아님을 말하고 있다.
여기에 주자와 다른 율곡의 역사관이 보여진다. 율곡은 易을 본체로 보고
있는데 그 역이란 한정된 것이 아님을 말한다.

　　대저 성인은 덕이 천지와 같으며 밝음이 일월을 아울렀으며 사시와 더
　불어 그 차서가 같으며 귀신과 더불어 그 길흉이 같다. …… 그러나 64괘
　는 복희가 이미 그 象을 그은 것이니 세분 성인을 기다린 뒤에 이루어진

48) 『율곡전서』 권14, 雜著 一, "問天運循環 無往不復 有亂則有治 有盛則有衰 理之
　　常也".
49) 『용담유사』 도수사, "孔夫子 어진 도덕 一貫으로 이름해도 삼천제자 그 가운데
　　신통육예 몇 명인고 …… 일천년 못지나서 전자방 단간목이 난법난도 하였으니
　　그 아니 슬플쏘냐".
50) 『율곡전서』 권14, 雜著一, "問天運循環 無往不復 有亂則有治, 有盛則有衰 理之
　　常也 然而以已然之迹考之 則治日常少 亂日常多 盛時易衰 衰不能速盛 其故何
　　歟 三代一往 不能復回 漢唐以下 非無令主賢相 而終不能效三代者 抑何歟 自今
　　以後 更不復見三代 則天運不可謂循環矣 其理亦可言其詳歟 人性本善 而惡者恒
　　多 善者恒少 物理本正 而麟鳳不出 蛇蝎繁 其故何歟 何以則 挽回三代 而復見
　　至治 使天下之人 善者夥而 惡者鮮 使天下之物祥者出 而毒螫者不滋歟".

것이 아니다. 크도다! 역이여 이로써 성명의 이치를 순하게 하고 이로써 유명의 까닭을 통달하고 이로써 사물의 실정을 극진히 하였으니 그 체는 지극히 커서 포함하지 않은 것이 없고 그 용은 지극히 신묘하여 존재하지 않음이 없다. 그런데도 사람은 괘의 변화가 유한한 줄만 알고 64괘의 용이 무진하다는 것은 알지 못한다.[51]

성인이 있어 천지의 덕과 합하여 大易의 본 뜻을 운행하나 그 易의 이치는 흔히 사람들이 아는 것처럼 64괘로 딱 정해진 것이 아니라 무진하다는 것이다.

수운도 율곡과 같이 무왕불복지리의 이치를 고정된 것으로 보지 않았다. 그는 율곡보다 더 명확하게 인간 스스로가 천명의 주체로서 지상천국이 이루어지지 않는 것도 인간이 한울님의 이치와 운수에 따르지 못함에서 비롯되는 것으로 말했다.[52] 易이라는 것이 변화 생성의 도이지만 고정된 것의 순환을 뜻하기에 불교와 다르다고 한 종밀의 비판과 같이 수운은 종래의 유가적 순환사관을 탈피하고 유가의 용어를 빌어 불교적인 생성적 순환사관으로 의미짓고 있는 것이다. 일찍이 대혜 종고는 불교의 이사무애적 연기와 유교의 變易은 서로 유사한 듯하지만 원칙적으로는 판이하다고 말한 바 있다.

응당히 머무른 바 없음은 이 마음이 실체가 없음을 말함이요 그 마음을 낸다고 함은 이 마음이 참됨을 여의고서는 설 곳이 없음이다. 선 곳이 곧 참됨임을 말함이다. 공자가 일컬은 易의 道가 자주 옮긴다고 함은 이를 말한 것이 아니다. 屢란 자주요 遷이란 고침이니 길흉과 회린이 움직임에서 생하여 자주 옮긴다 하였으니 이의 뜻은 返常(일정함)과 합도이거늘 어떻게 응당히 머무르는 바 없이 그 마음을 낸다고 함과 더불어 합하여

51) 『율곡전서』 권14, 雜著一, "夫聖人德合天地 明竝日月 與四時合其序 與鬼神合其吉凶 …… 若六十四卦 則伏羲已畵其象 不待三聖然後 乃成也 大哉易也 以之順性命之理 以之通幽明之故 以之盡事物之情 其體至大 而無不包 其用至神 而無不存 人知六十四卦之變有限 而不知六十四卦之用無盡也".
52) 『용담유사』 교훈가.

한 무더기를 이루리요? 언충이 단지 붓다의 뜻을 알지 못할 뿐만 아니라 또한 공자의 뜻도 알지 못함이로다.53)

유교의 변역은 불교와 같은 무자성의 연기를 말함이 아니라 일정한 도(천리)가 전제되면서 그 도와 합하는 범위에서의 변화임을 대혜 종고는 밝히고 있다. 이는 인간 주체의지와 무관하게 일정하게 정해진 천도, 음양에 의한 순환임을 말한다. 또한 일찍이 불교의 징관은 『역경』의 '무왕불복'을 불교의 '往復無際'로 설명하여 사법계로 의미지었다.

往復(가고 돌아옴)이 끝이 없으니 그것은 오직 법계인가 …… 往이란 가는 것이요 일어나는 것이요 움직이는 것이다. 復이란 오는 것이요 멸하는 것이요 고요한 것이다. …… 어떤 법이 왕복인가 여기에는 세 가지 뜻이 있다. 첫째는 迷悟說, 둘째는 取妄說, 셋째는 反本還源說이다. …… 법계에 미혹되어 육취에 떠돌면 이는 가는 것이라 하고 일으킴이라 한다. 법계를 깨달아 일심으로 돌아오면 이를 오는 것이라 하고 고요함이라 하니 모두가 법계의 작용이다. 미혹된즉 망령됨이 생기고 깨달은즉 망령됨이 멸한다. …… 그러므로 주역 復卦에서 말하기를 '돌아와 천지의 마음을 봄이여 그런즉 가면 반드시 돌아옴(無往不復)이 있다'라 하였고 주역 태괘에서는 말하기를 '가면 돌아옴이 있다. 이것이 천지의 화합함이다'라 한 것이다.54)

징관은 왕복무제를 설명하면서 왕복이 모두 법계의 작용으로써 곧 미혹됨과 깨달음, 망념의 생멸과 일심으로의 복귀를 뜻한다고 하였다. 그리고

---

53) 대혜종고, 『書狀』, "應無所住 謂此心無實體也 而生其心謂此心 非離眞而立處 入處卽眞也 孔子稱易之爲道也屢遷 非謂此也 屢者荐 遷者革也 吉凶悔悋生乎動 屢遷之旨 返常合道也 如何應無所住而生其心 合得成一塊 彦冲非但不識佛意 亦不識孔子意".

54) 澄觀, 『華嚴經演義鈔』권1, 大正藏 36, 1b~c, "往復無際至其唯法界歟 …… 往者 去也 起也 動也 復者 來也 滅也 靜也 …… 何法往復 略有三義 一雙約迷悟說 二 唯就妄說 三返本還源說 …… 謂迷法界而往六趣 去也 動也 悟法界而復一心 來 也 靜也 皆法界用也 迷則妄生 悟則妄滅 …… 周易復卦云 復其見天地之心乎 然 往必復 易泰卦云 無往不復 天地際也".

여기서 왕복무제란 곧 『역경』의 무왕불복과 다르지 않다는 것이다. 그렇다
면 징관이 불교 교학에 바탕하여 이해하는 주역의 무왕불복과 수운이 말
한 무왕불복의 이치는 같은 것일까. 이를 위해 징관의 왕복무제를 더 구체
적으로 살펴보면 다음과 같다.

> 네 가지 법계로 왕복무제는 事법계요 動靜一源은 세 가지 법계의 뜻을
> 갖추고 있어 動한즉 事법계요 靜한즉 理법계요 動靜이 一源인즉 理事무
> 애법계요 모든 묘함을 포함하여 남음이 있는 것을 사사무애법계라 한 것
> 이 이것이다.[55]

여기서 징관은 왕복무제를 네 가지 법계 중의 하나인 사법계에 배당하
고 있다. 그리고 이 사법계는 무궁무진하여 끝이 없다(無際). 이렇게 보면
『역경』의 괘를 64가지로 정하여 순환반복의 무왕불복을 뜻하는 것이 아니
요 현상의 작용은 무궁무진하여 다함이 없는 것이므로 기존의 역경관과는
분명 다른 해석이 가해짐을 볼 수 있고, 수운 역시 징관과 같이 무왕불복
의 이치를 불교적 바탕에서 이해하고 있음을 알 수 있다. 그리고 이를 뒷
받침해주는 것은 그의 불연기연 사상이다. 징관이 '往復無際', '動靜一源',
'含衆妙而有餘' 등으로 네 가지 법계를 설명했다면 수운은 무왕불복으로
事法界를 말하고 동귀일체를 말하여 징관이 말한 왕복무제의 반본환원적
일심으로의 복귀를 암시하였으며, 불연기연으로 이법계, 이사무애법계, 사
사무애법계를 말했다고 할 수 있다. 여기서 기존의 역경관과 다른 것은 거
듭 말하지만 수운의 역사관은 결정론적인 순환사관이 아니다. 망념됨이 일
어나 현상을 이룬 세계를 깨달음으로 멸하고 반본환원하여 새로운 무애행
을 일으키고자 하는 강한 주체가 들어 있다. 여기에 개벽사상과 보국안민
의 역사의식이 들어오게 된다. 또한 일찍이 의상은 '가고 옴의 뜻(去來義)'
을 설명하면서 다음과 같이 말했다.

---

55) 澄觀, 『華嚴經演義鈔』 권1, 大正藏 36, 2c, "四法界 往復無際事也 動靜一源 具三
義也 動卽是事 靜卽是理 動靜一源卽事理無礙法界也 含衆妙而有餘事事無礙法
界也".

그 스스로의 위치는 동하지 않으나 항상 오고 가고 한다. 그 까닭은 來去란 緣에 따른다는 뜻으로 이는 곧 인연이라 뜻이기 때문이다. 不動이란 근본으로 향한다는 뜻으로 이는 곧 연기를 말한다.[56]

이는 승조가 말한 '物不遷論'과도 통할 것이다. 연기이기에 空이고 空이기에 자성이 없다 따라서 생할 것도 멸할 것도 오고 감도 없다. 부동이란 연기관에 터하여 보면 무아, 무자성, 空이므로 부동이요, 근본이다. 『화엄경』에도 보면 일체 세계는 행함도 없고 머무름도 없으며 일체 중생의 몸이 모두 실체 있는 몸이 아님을 안다. 감도 없고 옴도 없으며 다함도 없다. 즉 머무름이 없은즉 '無去無來'인 것이다.[57]

수운의 경우 직접적으로 연기를 말하지는 않지만 그의 무왕불복의 이치가 의상의 去來義를 통해서도 설명될 수 있다. 의상이 말하는 <去來와 不動>은 수운이 말하는 <무왕불복과 불연>에 대응한다. 즉 천운이 순환하고 무왕불복하며 순환지리가 회복되는 것[58]은 불연기연의 이치요 억조창생이 모두 불연(天)에 터해 근본으로 돌아감(同歸一體)[59]을 분명히 하고 있는 것이다. 다시 말해서 근본인 本虛[60]로 돌아가기에 변화생성하고 가서 돌아오지 않음이 없다. 이는 다시 바꿔 말하면 가는 것도 오는 것도 없음이다(無去來).[61]

유가의 고정된 천리의 실현과 사시가 정해진 법칙대로 순환하는 단순반복의 역사, 그리고 인간의 의지와 무관한 역사관에서는 무궁성이 나올 수

---

56) 의상, 『화엄일승법계도』, "自位不動 而恒來去 何以故 來去者隨緣義 卽是因緣義 不動者向本義 卽是緣起義".

57) 『大方廣佛華嚴經』卷40, 大正藏 10, 212a・232a, "一切世界 無所行 無所住 知一切衆生身 皆卽非身 無去無來 得無斷盡 無差別 自在神通 無依無作 無有動轉 至於法界究竟邊際 …… 若無住卽無去無來".

58) 『용담유사』교훈가, "천운이 순환하사 무왕불복 하시나니…… 순환지리 회복인가".

59) 『용담유사』권학가.

60) 『동경내전』歎道儒心急.

61) 『大方廣佛華嚴經』卷40, 大正藏 10, 212a, "知一切衆生身 皆卽非身 無去無來 得無斷盡 無差別 自在神通 無依無作 無有動轉 至於法界究竟邊際".

없다. 수운의 역사관은 한정되고 고정된 변화가 아니라 무궁무진함62)에 그 특성이 있다. 무왕불복의 이치는 고정되고 영속된 실체가 없기에 부동하면서 끊임없는 운동과 변화가 일어날 수 있다. 수운은 하늘과 땅에는 차면 이지러지고 이지러지면 다시 차는 운수가 있으나 動靜과 변화함이 없는 이치라 하였다.63) 그 운수가 바뀌고 운수가 회복되는 것도 다 불연에 터한 이치이기 때문이다. 이는 불가적 비실체의 사유를 드러냄이다.

생함이 없으니 멸함도 없고 멸함이 없은즉 다함도 없다. 다함이 없은즉 더러움을 떠나고 더러움을 떠난즉 차별이 없다. 차별이 없은즉 처하는 바가 없고 처하는 바가 없은즉 寂靜하다. 寂靜은 곧 욕심을 떠나는 것이니 욕심을 떠난즉 작위함도 없다. 작위함이 없으니 원함도 없고 원함이 없으니 머무를 것도 없다. 머무름이 없은즉 가는 것도 오는 것도 없다.64)

수운의 불연기연과 탄도유심급에서 '心本虛應物無迹'의 心은 모두 무왕불복과 일치하는 개념이다. 불연기연 역시 기연에는 기연을 그러하게 하는 불연이 있고 마음 역시 本虛이나 사물에 응하면서도 흔적이 없다. 이는 모두 우주와 一心의 본체관을 설명하는 개념들이다. 원효에 의하면 이 마음이란 현상세계의 모든 존재양태와 초월적 진리를 포괄하는 것으로 모든 법을 포괄하기 때문에 모든 법의 본체는 바로 이 一心이 된다.65) 이 일심이란 진여문과 생멸문으로 이루어진 것으로 진여문 중에 理는 포함되나 事는 포함되지 않고 생멸문 중에 事는 포함되나 理는 포함되지 않는다. 그러나 이 두 문은 서로 융통하여 그 한계가 분별되지 않는다. 그런 까닭에 어느 것이나 각기 理와 事의 법을 포괄하고 있다. 그러므로 두 문은 서로 불가분리의 관계에 있다.66) 즉, 마음에 있어서 진여는 모든 현상의 본체로

62) 『용담유사』 홍비가.
63) 『동경대전』 논학문, "有盈虛迭代之數 無動靜變易之理".
64) 『大方廣佛華嚴經』卷40, 大正藏 10, 232b, "若無生則無滅 若無滅則無盡 若無盡則離垢 若離垢則無差別 若無差別則無處所 若無處所則寂靜 若寂靜則離欲 若離欲則無作 若無作則無願 若無願則無住 若無住則無去無來".
65) 『대승기신론소별기』, "謂衆生心 是心則攝一切世間法出世間法 …… 良由是心通攝諸法 諸法自體唯是一心".
66) 『대승기신론소별기』, "設使二門雖無別體 二門相乖不相通者 則應眞如門中攝理

서 不生不滅하는 것이다. 원효는 寂滅이라 했고[67] 수운은 本虛[68]라 하였
다. 이렇게 볼 때 수운이 말하는 불연기연도 바로 一心에서 성립하는 것이
다. 그는 '불연기연을 살펴 내면 무궁한 이 울 속에 무궁한 이 내 아닌가'[69]
라고 노래하는데 이는 불연기연에 터하여 세계관과 역사관을 동시에 읽어
냄이다. 즉 인간과 세계는 불연기연의 무궁성이다. 그 무궁성을 파악하는
인간의 일심을 한울님이라 한 것이다.

야뢰 이돈화는 이를 靈知라 해석했다.[70] 그가 말하는 영지는 글의 맥락
상 불교의 공적영지한 마음과 상통한다. 이 모두가 현상과 본체를 함께 설
명하고 있음이다. 이 현상과 본체를 이돈화는 무형과 유형으로 이해했다.
그는 불연은 무형이요 기연은 유형으로 모든 만물이 神으로부터 나와 神
으로 돌아가는 것이라 하여 불연기연과 동귀일체의 의미를 연결시키고 있
다. 그에게 있어서 불연은 곧 근원으로 神과 같다. 그는 천지만유가 무형으
로부터 생한 것으로 그 근원이 심원한 것으로 곧 神이라 표현한다. 그 본
체로서 근원을 불연 대신 神이라 하는 것이다. 제비가 주인을 알고 까마귀
가 은혜를 갚는 이 모두는 神의 표현이라는 것으로 神과 만유는 하나이지
둘이 아니게 된다.[71] 따라서 그는 불연기연이기에 무왕불복의 이치가 됨을
다음과 같이 잘 말해 주고 있다.

大道移運이 어찌하여 무왕불복한다 할가. 이제 그 이유를 만물의 무형
(불연)한 理에 비추어 기록하여 볼 것 같으면 만물에도 만물의 영지가 있

而不攝事 生滅門中攝事而不攝理 而今二門互相融通 際限無分 是故皆各통攝一
切理事諸法 故言二門不相離故".
67)『대승기신론소별기』, "此言心眞如門者 卽釋彼經寂滅者名爲一心也".
68)『동경대전』歎道儒心急.
69)『용담유사』홍비가.
70) 원효는 일심을 그의『대승기신론소별기』에서 다음과 같이 묘사했다. "이 일심의
체는 차별과 분별을 떠나고 三世와 허공계에 두루 미치지 않는 바가 없으며 有無
와 전체·개별 그 양극단에 떨어져 있지 않다(此一心體 略有五相 何等爲五 一者
遠離所取差別之相 二者解脫能取分別之執 三者 遍三世際无所不等 四者 等虛空
界無所不遍 五者 不墮有无一異等邊 超心行處 過言語道)".
71) 이돈화,『수운심법강의』, 164~165쪽.

는 것이 분명하다. 예를 들면 사시의 룗라든가 물의 순환율이라든가 영아가 부모를 알아봄이라든가 하는 것이 다 우주의 영지로 된 것이니 어찌 혜지가 없다고 할 것이냐 더욱이 이세상 사람으로서 앎이 없다고 이르겠느냐 그러므로 이 세상에 무극대도가 생긴 것은 우주적 영지의 無往不復의 이치로 된 것이며 그것을 알아낸 것은 이 세상 사람의 영지로 알게 된 것이다. 이것이 곧 우주에 영지가 있는 연고이다. 우주에 영지가 있는 증거를 더 철저히 말하자면 소가 말을 들음이라든지 새가 주인을 알아본다든지 새끼 새가 은혜를 갚는다든지 하는 것이 다 우주의 영지로 된 것이다. 그러한 미물의 중에도 우주의 영지가 있는 연고로써 그러한 본능이 있는 것이다. 천지만물은 다 신의 표현인 것이다. 신으로 생하여 神으로 돌아가는 것이다.[72]

四時가 순환하고 물이 순환하며 영아가 부모를 알아보는 이 모든 것이 불연에 기초하고 있음이다. 그리고 천지 만유의 모든 현상이 神의 표현으로 神에서 생하여 神으로 돌아가는 것이기에 무왕불복의 이치임을 수운이 말한 것이라 할 수 있다. 이 무왕불복의 이치는 현상세계가 불연에 터하여 있고 궁극적으로 불연, 즉 神으로 돌아가는 同歸一理[73]의 역사관을 말한다. 수운은 순환되는 時運 속에서 인간과 만유가 하나임을 읽어 내고 우주를 한 몸으로 하여 행동하는 인간의 한울님적 행동에서 역사발전을 읽었다고 할 수 있다.

결국 교육이란 자신의 한울 무궁성을 거침없이 역사 속에서 실현하는 것이 목적이다. 기존의 현상적 자기를 반복하는 것이 아니라 자신 안의 한울님을 실현하여 모두가 다 한울님으로 돌아가게 하는 것이 자기 창조요 세계의 변혁이 되는 것이다. 여기에 인간을 교육하는 목적이 있다. 수운의 무왕불복의 역사실현은 불연기연적 사고를 토대로 끊임없는 생성론적 순환사관을 말하여 인간 스스로 천운을 실현하는 주체자로 나서게 한다. 천운은 一盛一衰로 순환되나 인간주체에 의해 시운이 전개되고 세상이 개벽되는 歷史觀이다.

---

72) 이돈화, 『수운심법강의』.
73) 『동경대전』 歎道儒心急.

하원갑 경신년에/ 윤회같이 돌린 운수/ 誰怨誰咎 아닐런가……/ 時運을 의론해도/ 一盛一衰 아닐런가/ 衰運이 지극하면/ 盛運이 오지마는/ 현숙한 모든 군자/ 동귀일체 하였던가……/ 時運이 둘렀던가/ 만고없는 무극대도/ 이세상에 창건하니/ 이도 역시 시운이라……/ 윤회시운 분명하다.74)

시운은 변화하고 순환되는 것으로 인간이 동귀일체하여 무극대도에 참여하면 세상은 개벽된다. 수운의 당시 시대에 대한 판단은 하원갑의 시대이다. 하원갑이란 순환의 주기를 초기, 중기, 말기로 나누었을 때 바로 말기에 해당하는 時運時變의 때이다. 이는 一盛一衰를 반복하는 윤회같이 돌린 시운에 있어서 새로운 무극대도를 도래하도록 하는 시운이기도 하다. 이는 5만년래에 처음이요 만고에 없는 시운으로 四時의 고정적 순환과 다르다. 시운이란 변화하는 것이다. 이 변하는 시운을 인간이 파악해야 하고 동시에 인간의 주체성이 시운의 순환에 개입되어야 한다. 그러므로 그당시 수운에 있어서 조선의 운수는 바람 앞의 등불처럼 기험하기 짝이 없는 것으로 인식되었다. 그리고 그러한 위기의식 속에서 수운은 자신을 통해 아국의 운수를 보전하려 하고 사회를 변혁하고자 하는 역사적 주체의식을 강하게 드러냈다.

십이제국 怪疾運數/ 다시 개벽 아닐런가……/ 내나라 무슨 운수/ 그다지 기험한고……/ 한울님이 내몸 내서/ 아국 운수 보전하네……75)

또한 수운은 명명한 운수라는 것이 원하고 바란다고 해서 오는 것이 아니라 운수가 와도 닦아야만 보전할 수 있는 것임을 말한다.

명명한 이 운수는/ 원한다고 이러하며/ 바란다고 이러할까./ 아서라 너희 거동/ 아니 봐도 보는듯다/ 부자유친 있지마는/ 운수조차 유친이며/ 형

74) 『용담유사』 권학가.
75) 『용담유사』 안심가.

제일신 있지마는/ 운수조차 一身인가……/ 운수야 좋거니와/ 닦아야 도덕이라76)

그리고 이에 수운은 천운이 둘렀으니 근심말고 돌아가서 윤회시운 구경하라 했다. 이는 시대의 위기의식 속에서 한울님에 대한 믿음과 시운에 대한 이치를 알기에 칼노래77)에서 나타나는 바와 같이 역사의 주체로 당당히 나섰음을 자신 있게 표현하는 것이기도 하다. 그는 태평성세가 다시 정해지고 나라와 인민이 편안할 것이라 하여 시운에 대한 낙관적 사관을 보인다. 하원갑이 지나가면 상원갑 호시절이 되어 만고 없는 무극대도가 세상에 나게 될 것이니 이 세상 무극대도는 영세무궁 아니겠느냐는 것이다.78) 그러므로 수운에게 있어 운수인가 아닌가 시운을 말할 수 있는 자는 곧 깨달은 자다.79) 운수란 천도와 인간의 상황의 때가 맞아떨어지는 것을 뜻한다. 깨달은 자는 시운을 말할 수 있다. 그리고 역사의 교훈을 통해 본을 받아 이치에 따르고 운수에 따르고자 한다.

시호시호 그때 오면/ 도덕성립 아닐런가…/ 전자방 단간목이/ 난법난도 하였으니/ 그 아니 슬플소냐/ 自古及今 본을 받아/ 順理順數 하여서라80)

이와 같이 수운은 역사를 순환론적 운수에 맡기면서도 인간의 주체성이 기본적으로 깔려 있는 역사관이다. 인간과 천운이 함께 만들어가는 역사이다. 어느 한편에 의한 것이 아니다. 특히 수운이 처음에 상제를 만났을 때 "한울님 하신 말씀 개벽 후 오만 년에 제가 또한 첨이로다. 나도 또한 개벽

---

76) 『용담유사』 교훈가.
77) 『용담유사』 검결, "시호시호 이내시호 부재래지 시호로다 만세일지 장부로서 오만년지 시호로다 용천검 드는 칼을 아니쓰고 무엇하리 무수장삼 떨쳐입고 이칼저칼 넌즛들어 호호망망 넓은천지 일신으로 비껴서서 칼노래 한곡조를 시호시호 불러내니 용천검 날랜칼은 일월을 희롱하고 게으른 무수장삼 우주에 덮여있네 만고명장 어디있나 장부당전 무장사라 좋을시고 좋을시고 이내신명 좋을시고".
78) 『용담유사』 몽중노소문답가.
79) 『동경대전』 和訣詩, "時云時云覺者".
80) 『용담유사』 도수사.

이후 노이무공 하다가서 너를 만나 성공하니" 한[81] 것은 인간 주체와 한울님 또는 불연의 근원적 실상과 함께 역사를 만들어가는 것임을 알 수 있다. 그리고 동시에 강조되어야 할 것은 그 수운이 말하는 인간주체성이라는 것이 '各者爲心'이 아니라 철저히 한울님의 이치와 운수에 따르고자 하고 정성과 공경으로 한울님을 위하며 자기 안의 한울님을 길러 한울됨에 이르러서야 가능한 것임을 주장하고 있다는 점이다. 결국 이러한 화엄적 불연기연과 무왕불복의 이치는 인간의 마음을 떠나지 않는다. 불연기연과 무왕불복의 이치는 바로 이 마음의 心柱를 굳게 할 때 알 수 있는 것이고 마음을 바로잡을 때 모든 일이 하나의 이치로 돌아갈 수 있다.[82] 수운은 이 마음을 궁궁일심, 또는 가슴에 간직한 불사약[83]으로 표현했는데 무극대도의 시운을 맞아 道를 이루는 길은 바로 이 마음을 닦는 데에 있다.

마음을 닦은 뒤에 덕을 알게 되고 덕이 밝으면 이것이 곧 도다.[84]

인간이 현상만을 그대로 따르지 않고 자신의 무궁성을 세계 속에 실현하는 것이 곧 무궁한 역사생성이다. 그러므로 인간으로 살아 있는 한 무궁성의 역사실현은 멈출 수 없다. 멈추는 순간 삶의 의미도 없게 된다. 동학이 갖는 교육철학은 이러한 역사의 주체의식을 강하게 드러낸다. 불연기연의 세계관은 결국 이 무왕불복의 역사실현을 인간으로부터 끌어내기 위한 전제이다. 그리고 이 무궁한 역사생성은 인간 자신의 수양을 통하지 않고는 불가능하다.

3) '不然其然'의 세계관과 교육내용

교육은 어떠한 세계관을 갖느냐에 따라 교육내용이 달라진다. 교육은 그

---

81) 『용담유사』 용담가.
82) 『동경대전』 歎道儒心急, "山河大運 盡歸此道 其源極深 其理甚遠 固我心柱 乃知道味 一念在玆 萬事如意 …… 來頭百事 同歸一理".
83) 『동경대전』 수덕문, "胸藏不死之藥 弓乙其形".
84) 『동경대전』 歎道儒心急, "心修來而知德 德惟明而是道".

세계관으로부터 인간이해를 갖고 인간상을 지향하기 때문이다. 수운의 세계관은 <不然其然>으로 나타난다. 수운이 지은 『동경대전』이나 『용담유사』가 유가나 선교의 용어체계를 많이 보이고 있지만 그 기저를 추적해 보면 불교 위에 구축된 무극대도임을 알 수 있다. 불교를 수운사상의 중심에 놓는 것은 비실체적 세계관이기 때문이다. 유교나 도교는 비실체적 본체개념이 아니다. 수운은 불교처럼 비실체론을 바탕으로 세계관을 제시하여 배우는 이들로 하여금 세계를 보도록 한다. 이는 고정된 세계관을 주입하는 것이 아니다. 왜냐하면 그 세계를 형성하는 본체는 비실체의 무자성으로 무궁히 생성되는 것이기 때문이다. 이는 인간 개인이 주체가 되어 다양한 세계를 형성하는 것이지만 동시에 상대주의나 회의론에 떨어지지 않는 것은 바로 비실체적 본연성을 틀로서 깔고 있기 때문이다. 불교가 억압을 당하던 조선시대의 상황을 감안할 때 수운사상의 불교적 토대가 '불연기연' 장의 노래로밖에 표현될 수 없었음도 이해할 수 있다.

　　무궁한 그 이치를/ 불연기연 살펴내어……/ 무궁히 알았으면/ 무궁한 이 울 속에/ 무궁한 내 아닌가[85]

　　수운은 무궁한 이치를 불연기연을 통해 살펴내고 이를 알면 무궁한 이 세계 속에 무궁한 인간존재가 아니겠느냐고 노래한다. 수운은 근본적으로 실체를 규정하고 있지 않다. 이를 단지 무궁이라 표현하는데, 무궁한 이치, 무궁한 우주, 무궁한 인간이라 한 것은 곧 불연기연적 세계관을 바탕으로 표현된 말이다. 불연과 기연은 본체와 현상의 관계다. 불연기연은 주자학의 인의예지와 같이 고정된 性의 실체가 아니라 끊임없는 이사무애적 생성관을 나타낸다. 즉 그러하지 않음(理)이 그러함(事)이 되고 그러함이 그러하지 않음으로 변화하는 무궁한 세계관을 보여 주고 있음이다.

　　예와 이제가 변치 않음이여, 어찌 운이라 하며 어찌 회복이라 하는가?

---

85) 『용담유사』 홍비가.

아아 만물의 불연이여! …… 이런고로 기필하기 어려운 것은 불연이오, 판단하기 쉬운 것은 기연이라, 먼 데를 캐어서 견주어 보면 그렇지 않고 그렇지 않고 또 그렇지 않은 일이오, 조물자에 부쳐보면 그렇고 그렇고 또 그런 이치인저[86]

수운은 모든 만물에는 기필하기 어려운 불연의 측면이 있어 만물을 생성하는 근본이 됨을 말하고 있다. 만약 예와 지금이 변치 않는다면 어찌 운이라 하고 회복이라 할 수 있겠느냐는 것이다. 불연은 본체로서 불변이다. 그러나 運이라 하고 회복이라 하는 것은 만물생성의 측면이요 불변은 만물생성을 근거짓는 불연 즉 조물자를 지칭한다. 따라서 이 불연기연은 화엄적 연기관과 통하는 불교적 사유틀이다. 불연은 화엄사상의 理로서 본체를 나타내는 말이요, 기연은 事로서 현상을 지칭하는 것이다. 온갖 사물은 보이는 바대로의 그러한 측면 즉, <기연>이 있고 그렇지 않음을 살펴보면 헤아리기 어려운 측면인 <불연>이 있다. 기연은 보이는 현상을 말하는 것이고 불연은 보이지 않고 헤아리기 어려운 측면으로서 본체를 지칭하는 것이다. 수운은 모든 것에 불연과 기연이 있음을 천황씨로 예를 들어 설명했다.

천황씨는 어찌 사람이 되었고 어찌 왕이 될 수 있었는가? 이 사람은 그 뿌리가 없으니 어찌 불연을 말하지 않으랴! 세상에는 부모 없는 사람이 없고 그 조상을 따져보면 모두 그러한 기연이기 때문이다. …… 임금이 만일 자리를 전해 받은 앞 임금이 없었다면 그 법의 요지를 어디서 받았을까? 스승이 만일 가르침을 받은 앞 스승이 없다면 그 예의 본의를 어디서 배웠을까?[87]

<hr>

86) 『동경대전』 불연기연, "古今之不變兮 豈謂運 豈謂復 於萬物之不然兮 …… 是故難必者 不然 易斷者 其然 比之於究其遠則 不然不然 又不然之事 付之於造物者則 其然其然 又其然之理哉".
87) 『동경대전』 불연기연, "天皇氏 豈爲人 豈爲王 斯人之無根兮 胡不曰不然也 世間孰能無父母之人 考其先 則其然 其然 又其然之故也 …… 君無傳位之君 而法綱何受 師無受訓之師 而禮義安效".

천황씨는 중국의 첫 천자인데 그는 그를 낳아준 부모 없이 어찌 사람일 수 있었고 그에게 자리를 전해준 임금 없이 어떻게 임금이 될 수 있었는가 수운은 묻는다. 이는 인간이 처음에 어떻게 생겨났느냐는 원초적인 물음이기도 한데 즉, 부모로부터 자기가 생겨나고, 또한 자기로 인하여 후손이 생겨 계속 미래를 예측해 나갈 수 있지만 과거로 올라가 그 근원을 헤아리면 인간이 어떻게 해서 인간이 되었는지 까닭을 알 수 없다는 것이다. 그러나 수운은 사람들이 그 처음의 불연을 말하지 않고 다만 보이는 것만을 알기에 기연만을 알고 믿을 뿐이라 하여 모든 존재에는 불연과 기연이 있음을 다시금 말한다.

사람들은 그렇지 않은 쪽을 알지 못하므로 불연을 말하지 못하며, 다만 그러한 쪽 기연만을 알기 때문에 기연만을 의지한다.[88]

사람들은 불연의 理를 알지 못하는 까닭에 불연을 말할 수 없고 기연한 事를 보는 까닭에 기연만을 믿는다. 즉 기연만의 논리를 의지하는 까닭에 불연의 理를 알지 못한다. 사람이 사람 된 까닭 그리고 천황씨가 임금이 된 까닭이나 스승이 스승 된 까닭은 그렇지 않은 면 즉, 본체를 비추어 보게 되면 그러함을 수긍하게 된다. 그러나 불연의 理는 기연을 통해서 안다. 보이는 현상을 단서로 잡아 근본 이치를 찾게 되고 사물이 사물 되는 이치와 이치가 이치 되는 대업을 알 수 있는 것이지 기연을 떠나서 불연을 구할 수 있는 것이 아니다. 기연을 통해서 불연을 찾게 되면 운수가 스스로 오고 회복되는 것임을 수운은 말한다.

나타난 현상의 末을 살피고 그 근본 이치를 깊이 찾아보면 사물이 사물 되고 이치가 이치되는 대업을 어찌 멀다 하겠는가 …… 운수가 스스로 오 고 운수가 회복된다.[89]

---

88) 『동경대전』 불연기연, "則不如不然 故不曰 不然 乃知其然 故乃恃其然者也".
89) 『동경대전』 불연기연, "於是 而揣其末 究其本 則物爲物 理爲理之大業 幾遠矣哉 …… 運自來 而復之".

여기서 사물이 사물 되고 이치가 이치 됨은 곧 事事無碍와 理理無碍를 말하는 것이 된다. 불교는 일원적 우주관으로서 비실체론에 기초하고 있다. 그 중에서도 화엄사상은 불교의 최고봉으로서『화엄경』과 이를 기초로 한 논사들의 사상적 전개에 따라 방대한 내용과 체계를 이루었다.『화엄경』은 법신불사상,[90] 보살사상, 유심사상,[91] 연기사상, 정토사상을 그 주된 내용으로 하고 있는데 특히 연기사상은 화엄논객들에 의해 큰 발전을 이루어 징관에 이르러서는 연기가 사법계로 설명된다. 사법계로 설명되는 연기사상은 수운의 불연기연의 내용에서도 이해될 수 있는 것이다.

사법계란 이법계, 사법계, 이사무애법계, 사사무애법계를 말하며 특히 사사무애법계는 십현문[92]과 육상원융[93]으로 보다 구체적으로 설명된다. 理

---

[90] 법신은 法, 법성, 진여, 佛, 여래 등의 異名으로 온세계에 충만해 있음을 설한 내용이다. 이는 비실체이기에 오고감이 없으나 작용이 있다(無去來, 無所不在).

[91] 心은 '一切唯心造'로 찰라생 찰라멸하는 無定體性의 작용이다.

[92] 십현문은 지엄이 만들고 의상과 법장을 거쳐 완성된 것으로 보이는데 화엄적 사유체계를 잘 설명하고 있다. 첫째 모든 만물에 전 우주가 동시에 구족해 있고 또 원만하게 잘 조화되어 있음이다(同時具足相應門). 둘째, 연기 제법에 각각 廣狹이 있으면서도 무애하다(廣狹自在無碍門). 셋째, 하나와 전체가 서로 용납하는 신비이다. 하나는 전체에 들고 전체는 하나에 녹아 있어 무애자재하다(一多相容不同門). 넷째, 모든 요소들이 서로 동일시된다는 궁극적 차별로부터의 자유이다(諸法相卽自在門). 다섯째, 드러난 것과 숨은 것이 함께 있음이다. 이는 법장의 유명한 금사자상의 비유나 반달의 비유를 통해 많이 말해지는 내용이다. 반달이라 하지만 보이지 않는 반쪽이 있음과 같다(隱密顯了俱成門). 여섯째, 미세한 것의 무애한 신비이다. 하나가 능히 많은 것을 함용하면서도 一과 多가 섞이지 않는다(微細相容安立門). 일곱째, 연기 세계의 진상을 제석천의 궁전에 걸려 있다고 하는 그물 하나하나의 코에 장식되어 있는 아름다운 구슬이 서로서로를 비추어내며 그 비추어내는 것 또한 다른 그림자를 비추어내어 끝이 없는 것과 같음이다(因陀羅網法界門). 여덟째, 현상과 사실에 의지해 진리를 밝히는 것으로 모든 연기된 존재가 그대로 법계임을 말한다. 모든 존재는 그 당체가 그대로 연기 현전한 것이므로 온 우주가 다 비로자나불 아님이 없다는 것이다(託事顯法生解門). 아홉째, 십세가 體가 없으므로 상즉 상입하여 하나의 총합을 이루지만 그러나 전후 장단의 구별이 뚜렷하여 질서가 정연한 것을 말한다(十世隔法異成門). 열번째, 주체와 객체가 더불어 덕을 완성하는 단계이다. 그 어떤 존재도 스스로 홀로 생겨나는 것은 없다(主伴圓明具德門).

[93] 六相圓融에서 六相이란 모든 존재의 근본모양을 가리키는 말인데, 곧 總相, 別

법계는 우주의 본체로서 평등한 세계를 말하고 事법계는 모든 차별의 현
상세계를 의미하며, 이사무애법계는 본체계와 현상계가 걸림없이 하나인
세계를 말한다. 그리고 사사무애법계는 事象과 사상이 교류 융합하는 세계
이다.94) 그러나 이법계와 사법계는 이사무애법계를 성립하는 전단계를 지
칭하는 것은 아니고 본래 이사무애한 법계를 현상적으로 한정하여 사법계
라 하고, 본체적으로 한정하여 이법계라 하는 것이지 분립형태를 말하는
것은 아니다.95) 事와 理가 서로 떨어지지 않고 동시에 섞이지 않기 때문에
하나의 현상 가운데 多事가 나타나고 다사 가운데 一事가 나타난다. 理가
있음으로써 事事간의 걸림없는 상호융합을 만들어 낸다. 理理相卽과 事事
相入의 융통과 넘나듦이 있어 生主離滅, 成住壞空의 순환을 이룰 수 있다.
이이상즉의 전통은 일찍이 한국 화엄의 초조 의상이 제시한 독특한 사상
으로 이사무애96)이기 때문에 사사무애97)가 가능하고 사사무애가 가능하기

相, 同相, 異相, 成相, 壞相이다. 또한 의상은 『화엄일승법계도』에서 육상을 설명
하여 다음과 같이 말하였다. "총상은 根本印이고 별상은 나머지 굴곡들이니 別이
印을 의지하여 그 인을 원만케 하기 때문이다. 同相은 印인 연고니 굴곡은 다르
나 하나의 같은 印이기 때문이다. 異相은 늘어나는 상이니 第一, 第二 등 굴곡이
늘어나기 때문이다. 成相은 간략하게 설함이니 印을 이루기 때문이다. 壞相은 광
범하게 설하는 연고니 이른바 번회굴곡하지만 각각 그 자체가 본래 따로따로 짓
지 아니하기 때문이다(總相者 根本印 別相者 餘屈曲 別依止印 滿彼印故 同相者
因印故 所謂曲別而同印故 異相者 增相故 所謂 第一第二等 曲別增安故 成相者
略說故 所謂成印故 壞相者 廣說故 所謂繁廻屈曲 各各自本來不作故 一切緣生
法 無不六相成也)".
94) 木村清孝, 『中國華嚴思想史』, 平樂寺書店, 1992, 224쪽.
95) 荒木見悟, 『佛敎と儒敎』, 平樂寺書店, 1963, 3쪽.
96) 화엄종의 정초자인 두순은 그의 논저 법계관문에서 이사무애에 대해 상세한 설명
을 하고 있다. 이와 사는 따로 떨어져 존재할 수 없는 단일체로서 본체와 현상이
융합해 있기 때문에 서로 걸림이 없다. 현상은 본체의 표현이고 본체는 현상의 근
거가 된다. 처음에는 이법으로써 현상을 용해하는 것에서 시작하여 마지막은 바
로 현상으로써 이법을 융합하여 이법과 현상이 둘이면서 둘이 아니게 하고, 둘이
아니면서 둘이게 한다. 그것을 걸림이 없다고 부르는 것이다(中村 元外, 석원욱역
『華嚴思想論』, 운주사, 1988, 273쪽).
97) 법장은 그의 『탐현기』에서 사사무애란 본성을 헤아려 현상에 골고루 퍼지는 것과
합치하는 것이라고 한다. 또 두순은 설명하기를 일체의 현상을 가능하게 하는 이
법을 관찰하여 현상 하나하나를 따라서 보면 모두 포용할 수 있게 된다고 했다.

에 이이무애도 말할 수 있다 했다. 事에 차별이 있으면 理도 또한 차별이 있는 것이어서 대도를 체득하여 깨치면 事 이외에 理를 얻을 데가 따로 없게 된다. 따라서 의상은 상입상즉을 理와 事에 따라서 설한 셈이 되는데 이것은 理에 차별을 두지 않는 법장의 해석과는 다른 것이었다.[98] 법장의 생각처럼 理란 본래 불변하고 평등한 것이므로 설할 필요가 없는 차원이 아니라 각각의 현상에 있어 그 현상들이 걸림 없이 하나가 되게 하는 것은 그 현상에 있는 본체로 인해 서로 걸림이 없게 되는 것으로 이이무애적 입장도 필요하다. 사사무애에 자연히 따라 나오는 것이 이이무애이므로 의상은 논리상 사사무애에서 그치지 않고 이이무애까지 제시하였다 할 수 있다. 수운은 또 이어서 다음과 같이 말한다.

사시에 어김없는 차례가 있는데 왜 그렇게 될까? …… 산 위에 물이 있는데 어떻게 그럴 수 있을까? 과연 어찌 그럴 수 있을까?[99]

계절이 어김없이 바뀌는 것은 이치가 순환됨이요 물이 산 위에 있을 수 있음은 사물이 변화하여 서로 통하고 넘나들기 때문이다. 바다의 물은 수증기가 되고 비가 되어 산을 적시고 고여 있다가 다시 바다로 흘러 들어온다. 이는 이이무애와 사사무애를 사시의 순환과 산 위의 물로 비유한 것으로 이해된다. 이렇게 수운은 불연기연을 통하여 인의예지의 고정된 주자학적 천리관을 극복하고 동시에 화엄적 법계무애를 통하여 생성과 변화의 세계관을 말해주고 있다. 또한 그는 인간과 자연이 모두 기연과 불연을 모두 갖춰 기연과 불연이 걸림 없이 공존함을 일상적 비유로 설명하는데, 즉 수운은 어린 갓난아기가 말도 못하나 그 부모를 알아내고, 성인이 나서 황하 강이 천 년에 한 번씩 맑아지며, 밭가는 소가 말을 알아듣고, 까마귀 새

모든 현상들이 두루 미치어 미치지 않은 곳이 없고 섭수할 수 있으며 서로 뒤섞여서 자유자재하다. 따라서 개체와 전체가 거리낌 없고, 크고 작은 것이 서로 포용한다(앞의 책, 260・283쪽).
98) 정병삼, 『의상의 화엄사상연구』, 서울대학교출판부, 1998, 151~152쪽.
99) 『동경대전』 불연기연, "四時之有序兮 胡爲然 胡爲然 山上之有水兮 其可然 其可然".

끼가 어미에게 먹을 것을 물어다 주며, 제비가 주인을 알아 주인이 가난해
도 제비가 변함 없이 찾아듦을 말하는데 이는 모두 이사무애를 비유하는
것이라 본다. 본체 즉, 한울이 모든 존재에 부여되어 있어, 현상과 본체는
하나로서 인식되고 아울러 전체와 부분이 하나로 통일됨을 설명한다.

또한 수운은 본체로서의 불연을 조물자 즉 한울님에 연결하고 있는데,
여기서 조물자란 만물을 만들어 낸 조물주 즉, 창조주[100]를 말하는 것이
아니라 사물이 생성 변화할 수 있게 하는 근원으로 보아야 할 것이다.

> 그러므로 단정하기 어려운 것은 사물의 불연이고 판단하기 쉬운 것은
> 사물의 기연이다. 사물의 먼 근원을 캐 견주어 보면 불연, 불연, 불연의 事
> 이다. 그러나 만물이 만들어지는 造物者에 붙여 보면 기연, 기연, 기연의
> 理이다.[101]

서양 神개념에 있어서 조물주는 주재자요 창조자로서 창조물과 분리되
어 있지만 수운이 말하는 조물자는 주재하고 만물을 변화 생성하게 하면
서도 만물 자체가 된다. 수운이 말한 불연기연이라는 용어 자체는 원래 장
자 제물론에 보이는 말이다.[102] 『장자』 제물편에서 '造物'이란 천지간의 만
물을 뜻하는 造化事物로 거기에 '者'가 붙었을 때는 만물의 본체를 뜻하는
의미로서 그 조물자란 無主이고 無待이다.[103] 장자가 의미하는 맥락은 만

---

100) 최동희는 조물자를 창조적 조물주와 비슷한 맥락으로 이해하고 있다(최동희역,
『동경대전 외』, 삼성출판사, 1974, 514쪽).

101) 『동경대전』 불연기연, "是故 難必者 不然 易斷者 其然 比之於究其遠 則不然 不
然 又不然之事 付之於造物者 則其然 其然 又其然之理哉".

102) 『장자』 제물론, "無物不然 無物不可 …… 已而不知其然 謂之道 …… 是以聖人
和之以是非而休乎天釣 是之謂兩行".

103) 『莊子集釋』, 中華書局, 1982, 111~112쪽, "世或謂罔兩待景 景待形 形待造物者
夫造物者 有也無也 無也則胡能造物哉 有也則不足以物衆形 故明衆形之自物 而
後始可與言造物耳 是以涉有物之域 雖復罔兩 未有不獨化於玄冥者也 故造物者
無主 而物各自造 物各自造 而無所待焉 此天之正也"; 또한 성현영은 疏에서 "請
問造物復何待乎 斯則待待無窮 卒乎無待也 案若謂形待造物 造物者固無所待也"라
말한다(王叔岷撰, 『莊子校詮』(中央硏究員歷史言語硏究所專刊之八十八), 1984, 94쪽).

물의 본체인 道(조물자)가 모든 만물에 있는 是와 不是, 可와 不可, 其然과 不然의 대립을 초월하여 있다는 맥락에서 썼다.[104]

원래 도교도 唐初에 이르면 불교의 반야학과 열반학의 영향을 받아 불교적 사유체계를 나타낸다. 특히 당초의 도교학자 이영이나 성현영 등은 장자의 제물론을 이해함에 있어 첨예하게 불교적 성향을 드러낸다. 즉 그는 도교의 본체론에 대한 기존의 입장에 있어 王弼의 貴無論과 郭象의 崇有論을 모두 부정하고 非有非無의 명제를 내놓게 되는데[105] 이는 승조의 '不眞空論'과 다르지 않다. 이러한 맥락에서 장자를 보면 造物者란 모든 만물에 있는 是와 不是, 可와 不可, 然과 不然을 하나로 통일하는 근원자로 이해될 수 있다.[106] 그러나 수운의 불연기연은 어쨌든 장자적 맥락보다는 불교의 화엄적 사유체계로 보는 것이 타당하다. 왜냐하면 수운에 있어서 근원자는 본허한 비실체이기에 생성과 변화를 무궁하게 일으키고 만물 자체가 한울님 되는 사유체계를 담고 있기 때문이다. 이에 대한 구체적인 이해를 돕기 위해 원효를 살펴보면, 원효는 일찍이 그의 『금강삼매경론』에서 연기, 중도, 空의 사상에 입각하여 회통논리를 펴고, 수운이 말한 불연기연과 유사한 구조를 지니는 不然의 大然을 설한 바 있다.

무릇 일심의 원천은 有無를 떠나서 홀로 청정하며 三空의 바다는 진속

---

104) 平井俊榮, 『三論敎學の硏究』, 春秋社, 平成2年, 471쪽.
105) 왕필의 貴無는 無로써 道를 해석하고 無를 무규정적인 有로 여기므로 無는 有의 본체이고 有의 존재근거이다. 곽상의 崇有는 自生하는 有가 근거하는 것을 自性으로 생각하기 때문에 有가 따로 하나의 존재근거를 갖는 것을 부정한다. 無는 虛無이기 때문에 有를 낳을 수 없다. 그러나 성현영과 이영 등은 重玄學을 건립하여 常道는 비록 말할 수는 없지만 有와 無 양 방면으로 말미암아서 파악할 수 있다고 주장한다. 따라서 有와 無 둘 다 버린 후에 理로 道를 해석하는 有無雙遣의 重玄論으로 이는 도교 이론상의 일대 전기이다(湯一介, 「道家 重玄學 建立에 대한 남북조 佛學의 의의」, 『동아시아비교문화국제회의학술대회자료집』, 1999, 276~277쪽에서 재인용).
106) 王叔岷撰, 『莊子校詮』, 1984, 61·91쪽, "可乎可 不可乎不可 道行之而成 物謂之而然 惡乎然然於然 惡乎不然 不然於不然 物固有所然 物固有所可 無物不然 無物不可 …… 道通爲一 …… 是不是 然不然 是若果是也則是之異乎不是也亦無辯 然若果然也則然之異乎不然也亦無辯".

을 융화하여 담연하다. …… 하나가 아니면서 둘을 융합하기에 참(眞) 아
닌 事가 본디 俗이 되지 않고 俗이 아닌 理가 본래 眞이 되지 않는다. 둘
을 융화하지만 하나가 아니니 眞과 俗의 性이 성립하지 않는 바 없고 染
淨의 相이 갖춰지지 않는 곳이 없다. 양극을 떠나지만 중간이 아니므로
有無의 법이 이루어지지 않는 바 없고 是非의 의미가 미치지 않는 바 없
다. 그러므로 파함이 없으되 파하지 않음이 없고 성립함이 없으되 성립하
지 않는 바가 없다. 이치가 없는 듯하면서 지극한 이치가 있고(無理之至
理) 진실로 그렇지 않은 듯하면서도 크게 그러한 것(不然之大然)이라고
할 수 있다.107)

원효도 有無, 眞俗, 染淨, 是非를 떠나면서 융섭하는 無理의 至理, 그리
고 然과 不然의 大然을 말하고 있다. 이는 원효가 격의불교적 색채를 띠면
서 노장의 용어를 빌어다 쓰고 있음인데108) 장자의 맥락과는 다르다. 장자
는 각자가 스스로 옳다 하고 혹은 그러하다고 하는 대립의 상태를 화합하
는 유일한 방법이 是와 非, 然과 不然적 대립을 초월한 天, 혹은 道의 입
장에 서는 것이라고 말한다.109) 그러나 원효는 그러한 언어를 차용하여 眞
俗을 융화하는 근본 道를 空이라 하고 大然이라 불러 이치 없는 지극한
이치라 칭하고 있다. 원효가 말한 그 不然의 大然이란 有·無를 떠나면서
유무의 법이 이루어지지 않음이 없고 진속을 융화하는 연기적 중도의 이
치에 근거하고 있다. 즉 장자와 같이 초월적 실재가 아니라 내재적 비실체
인 것이다. 노장의 사상이 후대에 불교에 영향을 받아 원효가 의미하는 맥
락과 크게 다르지 않을 수도 있지만 장자의 조물자로서의 근원은 초월적
이고 실재론에 가까운 본체론이라 할 수 있어 비실체론을 담아내는 연기
론과는 구별된다. 그러므로 수운에 있어 조물자는 바로 불교의 본체관에

---

107)『금강삼매경론』, "夫一心之源 離有無而獨淨 三空之海 融眞俗而湛然 …… 不一
而融二 故非眞之事 未始爲俗 非俗之理 未始爲眞也 融二而不一 故眞俗之性 無
所不立 染淨之相 莫不備焉 離邊而非中 故有無之法 無所不作 是非之義 莫不周
焉 尒乃無破而無不破 無立而無不立 可謂無理之至理 不然之大然矣".
108) 平井俊榮,『三論敎學の硏究』, 春秋社, 1990, 472쪽.
109) 平井俊榮,『三論敎學の硏究』, 春秋社, 1990, 471쪽.

입각해 있다. 물론 수운이 非有非無의 中道를 직접적으로 말하지는 않지만 고정된 실체를 부정하고 무궁한 변화의 이치를 말함은 비실체 즉 무자성을 전제하지 않을 수 없다. 자성이 없어야 변화가 가능할 수 있기 때문이다. 수운은 무자성 공사상과 비슷한 맥락을 다음과 같이 말한다.

　　대저 천도란 형상이 없는 것 같으면서 자취가 있고 동정변역이 없는 이치이다.110)

　이돈화도 설명하기를 현상계는 유형한 까닭에 찼다 비었다 하며 갈아드는 수가 있지만 理법계는 무형한 까닭에 동정변역이 없다고 하였다. 천지, 귀신, 음양 등 이것은 이름은 비록 다르나 실체가 아님을 말하는 것이라 한다.111) 실체가 아니기에 만유가 걸림 없이 현현한다. 즉, 무자성인 空性이 성립하는 것에 일체가 성립할 수 있다. 空性이 성립하지 않는 것에는 一切는 성립하지 않는다.112) 때문에 노장의 道는 현상과 상즉하지 않는다. 그러나 불교의 空은 현상이 즉 본체로서 현상 가운데 생겨나는 것임을 주장한다.113)

　수운이 말한 조물자 역시 현상을 떠나지 않는 불연으로서 불교적 空性을 지니고 있고 모든 만물에는 理와 事로서 불연과 기연이 있다. 수운의 화엄적 사고로서 사용된 불연, 기연 역시 이러한 불교적 맥락과 다르지 않다고 보아야 한다. 즉, 사물의 근원이 되면서도 형상이 없는 불연이 있기에 변화가 가능하고 운수가 바뀌며 새로운 세계를 생성한다. 이치가 이치 되고 사물이 사물 되는 조화가 있기 때문에 이로 말미암아 세상의 대세가 정해져 운수가 저절로 찾아와서 회복된다는 것이다. 이것은 이사무애와 사사

110) 『동경대전』 논학문, "夫天道者 如無形而有跡 …… 無動靜變易之理".
111) 이돈화, 『천도교경전석의』, 232·245쪽.
112) 『중관론소』, 大正藏42, 151c, 사제품, "第二偈上半明由空故一切法成 顯論主無過 下半明無空義一切不成 顯外人有失 問云何由空一切成耶 答前偈空亦復空 則是非空非有 今明非空非有空有得成 故云一切成 又由第一義空故有世諦 故二諦成 則一切成 若無空則第一義不成 則世諦亦不成 故一切壞也".
113) 鎌田茂雄, 『中國華嚴思想史の研究』, 東京大學東洋文化研究所, 1965. 261쪽.

무애뿐만이 아니라 이이무애까지 거론되는 것이었다. 그러함(其然)이 그렇지 않음(不然)이 되고 그렇지 않음이 그러함 됨에는 없어질 것도 새로 생길 것도 없이 理(본체)와 事(현상), 현상(事)과 현상(事)이 서로 相卽相入되기 때문이다.

해월의 '以天食天'이나 의암의 '無體法經'과 '覺天' 등도 모두 불교적 내용으로 설명되는데 이는 그들이 수운의 사상을 비인격화시킨 것이라기보다도 수운사상의 정통적 계승으로 보아야 할 것이다. 무체법경의 '無體'라는 것도 불교의 전형적인 용어로 이는 무규정적 비실체의 변화를 말한다.

한편 천도교회월보에 월당생이란 필명으로 수운의 불연기연을 해석한 글이 있는데 그도 화엄사상에 기초하여 의상이 말한 理理相卽의 구도를 제시하고 理에 차별을 두는 이이무애를 언급하여 불연기연을 설명하였다.

> 우주간 만유가 불연한 物로 기연한 物이 됨이오 不然한 理로 其然한 理가 됨이니 …… 기연한 만물이 모두 불연한 事와 理가 있는지라. 고로 기연한 만물을 헤아려 불연한 사와 리를 밝히고 그 헤아린 바 만물을 기록하여 그 밝힌 바 事와 理를 비추니 그런즉 마음에 스스로 비추는 거울이 있어 만리와 만사가 갖추어 만나지 않음이 없다. …… 불연의 事理가 이미 있고 기연한 事理가 또한 이와 같은 고로 우리가 반드시 기연하다 하기 어려운 것은 불연의 事理이오 기연하다 하기 쉬운 것은 기연한 事理라. 그러나 불연함은 그 本이 됨이오 기연함은 그 末이 되나니 이 세상의 사람이 마땅히 기연한 사리로부터 그 불연한 사리를 궁구함이 가하다.114)

우주간 만유에는 불연적 事가 기연적 事가 되고 불연한 理로 기연한 理가 됨이니 보이는 현상에는 모두 不然의 事와 理가 있다. 이는 달리 표현하면 만물에 한울님이 내재해 있는 것이다. 그러므로 보이는 만물로부터 불연한 事와 理를 밝히고 그 만물을 밝힌 바로 불연의 事와 理를 비추는 것이니 이것이 바로 불연기연이 제시하는 사유체계의 의미이다. 즉 보이는

---

114) 월당생(劉載豊), 「대신사성령출세와 東經」, 『천도교회월보』 13, 1920.1.

현상만을 절대로 하지 않으면서 동시에 현상을 통해 그 현상을 있게 하는 근원 즉 불연을 비추는 것이 중요하고, 그에 따라 보이는 현상의 理와 事를 밝혀 기연이 불연되게 만드는 것에서 인간과 우주가 하나되어 세계를 형성하게 된다. 불연은 곧 한울님으로 인격화되어 섬김의 대상이 되는데 여기에 미묘성이 있다. 수운은 불연을 비인격적 본체의 무궁성으로 두지 않고 여기에 인격성과 내재적 초월성을 부여하여 인간으로 하여금 공경의 대상이 되게 하고 있는 것이다. 원래 옛부터 조선 유학자들은 불교에서 말하는 '作用是性'을 비판한 바 있다. 禪불교에서 물긷고, 장작 패는 모든 일상의 행위가 곧 佛性이라 하는 것에 대해 유가 선비들은 이는 준거가 없이 많은 혼란을 야기하는 것으로 비난했었다. 따라서 수운은 인간이 한울님이라 했을 때 이것이 의미하는 것은 한울님을 공경하여 모신 자만이 한울과 합한 자라 한 것이라 못을 박는다. 이는 인간이 자기 내면 안의 본래성 즉 한울님을 섬긴다는 것은 자신의 현상적 모습을 끊임없이 반성하게 하고 교만하게 안주하지 않으며 이를 극복하는 인간창조의 교육적 효과를 갖는다. 한울님이 인간 안에 있어 인간 스스로 자기를 부정하고 모든 것을 한울님 안에서 행위하고자 할 때 인간은 한울님이 되어 간다.

이와 같이 수운의 세계관이 가지는 교육적 내용의 제시는 세계를 보이는 것에만 집착하여 현상에 의존할 것이 아니라 그 현상을 통해 이를 근거짓는 불연을 깨달아 그 세계를 자신의 몸으로 하여, 자신의 무궁성을 실현하는 장으로 보게 하는 것이다. 모든 존재에 대한 이해를 고정됨과 집착으로부터 전환하여 자기라 고집할 것이 없는 無邪念을 심어주고 인간의 무궁성으로부터 우주의 주재자가 됨을 인식하여 그 변화와 무궁한 창조에 동참하도록 하는 세계관을 제시함에 있다. 인간과 우주가 하나인 것은 만리와 만사가 마음에 갖춰져 인간주관과 우주객관의 통일이 형성되기 때문이다. 따라서 인간은 역사의 주체가 된다. 이는 그의 무왕불복의 역사관을 통해 보다 더 구체적으로 접근할 수 있는데, 수운에게 있어서는 세계와 역사 그리고 인간이 솥의 세 발처럼 함께 있다.

4) '誠敬信'의 수행론과 공부방법

동학의 공부방법은 守心正氣를 위한 성경신에 있다. 수운은 자신이 창도한 도가 넓고도 간략하여 많은 말이 필요 없고 오직 성·경·신 석자에 있다115)고 하였다. 또한 "仁義禮智는 옛 성인의 가르친 바요 守心正氣는 내가 다시 정한 가르침"116)이라 하였다. 그러면서도 한편 수운은 『용담유사』 도덕가에서 "수심정기 하여내어 인의예지 지켜두고 …… "라 노래하고 있다. 이러한 맥락을 볼 때 다산이 비판한 것처럼 인간의 性이 인의예지로 주어진 것이 아니라 상황 가운데서 천명을 따를 때 仁도 있고 義도 있음을 말한 것처럼 수운도 수심정기함으로써 인의예지가 있는 것으로 보아 성리학과 입장을 달리한다. 그러나 성경신에는 성리학적 개념과 연결되는 면이 분명 나타나고 있다. 수운은 수심정기를 위한 구체적인 공부방법을 성경신으로 제시하고 있다.

성경신은 말이 석자이지 이야말로 아주 포괄적인 의미를 지니는 것으로 단순히 정성과 공경을 지칭하는 내용이 아니다. 여기에는 많은 것이 녹아들어가 있다.

(1) 수운의 공부방법으로서의 성경신

수운은 앞에서 살펴본 바와 같이 불연기연의 화엄적 사고를 바탕으로 지상천국의 실현을 위해 무왕불복의 역사관을 끌어 내었다. 그리고 그 天運적 時運을 깨달아 이를 실현함에 있어서는 인간의 마음닦음인 성경신이 필요함을 말한다. 영부의 효력이라는 것도 기본적으로 인간의 성경에 달려 있음을 말하였고 인간의 誠이 지극하면 天主가 되어 매사에 中을 이룬다.117) 그러므로 한울님과 합하고 역사를 실현함에 있어 인간의 성경신은 기본전제가 된다. 일반적으로 성경신은 유가의 내용을 담은 용어로 인식되

115) 『東經大全』 座箴, "吾道博而約 不用多言義 別無他道理 誠敬信三字".
116) 『동경대전』 수덕문.
117) 『동경대전』 포덕문, "則誠之 又誠 至爲天主者 每每有中 不順道德者 ――無驗 此非受人之誠敬也".

지만 불교적 개념도 혼재되어 있다. 성리학 자체가 불교적 영향에 힘입고
있기 때문이다.

① 성·경·신의 연원

성리학에 있어 誠은 본체의 의의를 지니고 있다. 원래 초기 유가경전에
있어서 天道는 本이고 人道는 末이어서 天과 人은 결코 본원이 일체가 아
니었다. 『중용』도 보면 誠한 것은 하늘이요 誠하고자 하는 것은 인도라 했
다. 하지만 송대 유학에 이르러 천과 인간은 본래 둘이 아니므로 다시 합
할 필요가 없다는 사상이 제시되는 것은 불교의 反本歸極의 수행론에 영
향을 받아서이고 誠을 우주와 도덕의 본체로 성립시켜 점차 송명 理學은
證悟의 방향으로 나가게 된다. 따라서 주희는 豁然貫通이라 하였고 誠을
일종의 본체가 되도록 한 발단자이다.[118] 성리학은 불교의 영향을 받아 실
천론에 있어 불교의 止觀법을 主一無適과 惺惺으로서 敬에 수용하고 '誠
之'와 같은 개념으로 말했다. 구체적으로 말하면 성리학의 <主一無適의
敬>은 불교의 <止>에 <惺惺으로서의 敬>은 불교의 <觀>에 연결되는
개념이다. 그리고 이 敬은 불교와 달리 대인접물의 행사에서 誠이 발현되
는 것임을 주장했다.

다산에 의하면 眞體라는 것도 행사를 독실히 하는 데서 보존할 수 있고
증험할 수 있는 것이지 진체의 담연허명에서 그쳐서는 안 된다 하였다. 다
산은 불교의 禪을 담연허명에서 그치는 것으로 이해했었다.

> 고봉화상선어에서 말하기를 '만법이 一로 돌아가는데 一은 어느 곳으로
> 돌아가는가' 하니 '一이란 心이다. 心으로써 心을 主하되 전혀 發用이 없
> 는 것을 禪이라 한다. 그러나 主一을 하는 방법은 이것이 아니다.'[119]

성리학자들은 禪불교의 삼매를 따오면서도 이는 발용이 없는 것이라 여

---

118) 賴永海, 金鎭戊譯, 『불교와 유학』, 운주사, 1999, 143~145·187쪽.
119) 『丁茶山全書』 心經密驗, "高峰和尙禪語云 萬法歸一 一歸何處 一者心也 以心主
心都不發用 所以爲禪也 主一之一 必與此不同".

겨 불교와는 다른 내용으로 채웠다. 물론 불교가 도피적 성향과 默照만을
취하는 것이 본질은 아니다. 일찍이 지눌도 불교가 본질에서 벗어나 도피
적인 성향으로 기우는 세태에 대해 비판한 바 있다.[120] 그러나 조선 유학
자들에게 있어서 불교는 적멸과 현실도피의 도로서 인식되어 비판의 대상
이었다. 그리고 동시에 불교로부터 영향받아 자신의 철학을 체계화하는데
특히 성리학의 誠·敬 수양론은 지눌의 정혜쌍수적 수심체계와 매우 유사
하다. 먼저 유가 수양론에 있어서 두 가지인 尊德性과 道問學의 방법은 흔
히 敬과 격물치지로 이분화 된다. 그러나 불가에서 定과 慧가 서로 떨어질
수 없는 것이듯이 유가의 誠·敬도 분리될 수 없는 것이었다. 그러기에 誠
之는 곧 敬이요 敬 없이는 致知할 수 없는 것이며 存心한 자는 앎에 이르
지 못함이 없다 하였다.

> 존덕성은 마음을 보존하여 도체의 큼을 다하는 것이요 도문학은 앎에
> 이르러 도체의 세세함을 다하는 것이니 이 두 가지는 덕을 닦고 도를 모
> 으는 큰 단서이다. 털끝만큼도 私意로써 스스로 가리우지 아니하고, 털끝
> 만큼도 사욕으로써 스스로 얽매이지 아니하며, 그 이미 아는 바를 함영하
> 고 그 이미 능한 바를 돈독히 함은 이 모두 存心의 등속이요 …… 이치를
> 분석함에는 털끝만한 차이가 있지 않게 하고, 일을 처리함에는 과불급의
> 잘못이 있지 않게 하며, 義理는 날마다 알지 못하던 것을 알고, 날마다 삼
> 가지 못하던 것을 삼감은 이는 모두 致知의 등속이다. 존심이 아니면 치
> 지할 수가 없고 존심한 자는 앎에 이르지 못함이 없다.[121]

---

120) 『韓國佛敎全書』 4冊, 755b, 법집별행록절요병입사기, "悟後 漸修의 문은 다만 더
    러움을 닦는 것만이 아니요 다시 만행을 겸해 닦아 자타를 구제하는 것인데 지금
    의 참선하는 이들은 모두 다만 불성만 밝게 보면 이타의 행원은 저절로 원만히
    이루어진다고 한다고 한다. 그러나 목우자는 그렇지 않다고 생각한다. 불성을 밝
    게 본다는 것은 다만 중생과 부처가 평등하고 나와 남의 차별이 없음을 보는 것
    이니 거기서 다시 자비와 서원의 마음을 내지 않으면 한갓 고요함에만 머물러 있
    지 않을까 걱정하기 때문이다(此悟後修門 非唯不汚染 亦有萬行熏修 自他兼濟
    矣 今時禪者 皆云 但明見佛性 然後 利他行願 自然成滿 牧牛子 以謂非然也 明
    見佛性 則但生佛乎等 彼我無差 若不發悲願 恐滯寂靜)".
121) 『중용장구』, "尊德性 所以存心而極乎道體之大也 道問學 所以致知而盡乎道體之
    細也 二者修德凝道之大端也 不以一毫私意自蔽 不以一毫私欲自累 涵泳乎其所

또한 『대학』의 誠意, 愼獨의 말을 주희는 '자기 닦음에 있어서 뜻을 성실히 하는 것'으로 여겨 이를 으뜸으로 삼고 있다. 뜻을 성실히 한다는 것은 선을 알고 악을 제거하여 스스로 속이지 않는 것이다. 그러나 이를 위해서는 반드시 홀로 삼감(愼獨)이 필요하다.[122] 존덕성은 선을 알아야 가능하기에 치지가 필요하고, 치지는 존심이 아니면 불가능한 것이다.

그러므로 敬 안에 존덕성과 도문학적 요소로서 主一無適과 常惺惺이 있듯이 誠之 안에도 존덕성의 요소로서 固執(독행, 신독, 성의)이 있고 도문학의 요소로서 擇善(學知, 致知, 窮理, 義)[123]이 있는 것이다. 주자는 『중용』의 '君子尊德性而道問學 致廣大而盡精微 極高明而道中庸 溫故而知新 敦厚而崇禮'를 풀이하여 말하기를 "존덕성은 존심하여 도체의 큼을 다하는 것이요 도문학은 치지하여 도체의 세밀함을 다하는 것이다. 그리고 그 다음에 나오는 네 구의 앞에 있는 致廣大, 極高明, 溫故, 敦厚는 존덕성의 일로 存心에 속하며 아래에 있는 盡精微, 道中庸, 知新, 崇禮는 도문학의 일로 致知에 속한다"[124] 하였는데 이에 대해 퇴계는 다음과 같이 말하고 있다.

왕귀령에게 준 편지에 존덕성과 도문학을 든 일절에 대하여 나도 일찍이 의심하였다. 그러나 그 위에 있는 세 句는 각기 한 구 안에 두 가지 일을 對擧하여 서로 말하였으니 이는 한 구에 두 가지 일이 서로 자뢰하고 서로 대응하는 것이며, 이 존덕성, 도문학으로 말하면 두 구를 총괄하여 네 가지 일을 대거해서 서로 말한 것이다. 그러나 잘 관찰해 보면 두 구

己知 敦篤乎其所已能 此皆存心之屬也 析理則不使有毫釐之差 處事則不使有過不及之謬 理義則日知其所未知 節文則日謹其所未謹 此皆致知之屬也 蓋非存心無以致知 而存心者 又不可以不致知".

122) 『대학장구』, "誠其意者 自修之修也 …… 言欲自修者知爲善以去其惡 …… 故必謹之於此 以審其幾焉".

123) 존덕성과 도문학을 敬·知·行의 수양법으로도 말할 수 있는데 경지행은 敬·義로도 말해질 수 있다. 敬은 자기의 본 마음이 욕심으로 변질되지 않도록 지탱하는 방법이고 義는 시비를 구별할 줄 아는 것이다. 즉 이치를 따라서 행하는 것이 義이다(주희, 이기동역, 『근사록』, 홍익출판사, 1998, 103쪽).

124) 퇴계학연구원 편, 『퇴계전서 6』, 1991, 171쪽.

중에 매양 한 구마다 존덕성, 도문학 두 가지 일이 서로 자뢰하고 서로 대응함이 전과 다름이 없으니 다만 문법에 조금 변화가 있을 뿐이요 그 분속을 바꾼 것은 아니다. …… 또 어류를 살펴보면 혹자가 묻기를 '온고가 어찌하여 존심의 등속입니까?' 하자 주자는 말씀하기를 '이미 알고 있는 도리를 함양하여 항상 나에게 있게 하기 때문이다' 하였다. '도중용을 어찌하여 치지의 등속이라 합니까?' 하고 다시 묻자 말씀하기를 '행하여 가장 좋은 곳에 이르러 조금도 지나치거나 불급함이 없게 하는 것은 바로 알기를 분명히 하여 일마다 하나의 가장 좋은 곳을 알아야만 바야흐로 이와 같이 할 수 있는 것이다' 하셨으니 이는 족히 知와 行이 서로 서로 발명하고 자양되는 곳을 볼 수 있다.[125]

퇴계는 존덕성과 도문학의 두 가지는 서로 의지하는 것으로 존심과 치지는 하나라고 한다. 흔히 敬은 존덕성만을 그리고 치지는 도문학만을 지칭하는 개념으로 이해하는데 敬이나 誠之는 존덕성과 도문학을 통칭하는 개념으로도 쓰인다. 주희는 "誠之는 擇善固執으로 博學, 審問, 愼思, 明辯, 篤行"이라 한『중용』의 말을 다음과 같이 풀이한다.

誠은 진실무망하고 망녕됨이 없음을 이르니 천리의 본연이요, 誠之는 능히 진실하고 망령됨이 없지 못하여 진실하고 망령됨이 없고자 하는 것이니, 人事의 당연함이다. …… 그러므로 (성인처럼) 생각하지 않고도 알 수가 없어서 반드시 善을 택한 뒤에야 善을 밝게 알 수 있고 힘쓰지 않고는 도에 맞을 수가 없어서 반드시 굳게 잡은 뒤에야 몸을 성실히 할 수 있다. …… 선을 택함은 배워서 아는 것이요 굳게 잡음은 이롭게 여겨 행하는 것이다. 박학, 심문, 신사, 명변은 誠之의 조목으로 배우고, 묻고, 생각하고, 분변함은 선을 택하는 것으로서 智가 되니 배워서 아는 것이요

---

125)『퇴계선생문집』書, 答李剛而問目, "與王龜齡書 擧尊德性道問學一節 滉亦常疑之 然其上三句 各就一句內 對擧兩事而互言之 是一句 兩事自爲相資相應 至此 則總其兩句 對擧四事而互言之 然善觀之則就兩句中 每一句 兩事自爲相資相應 與前無異 只文法有小變耳 非換其分屬也 …… 又按語類 或問溫古如何 是存心之屬 朱子曰涵養此已知底道理 常在我也 道中庸何以是致知之屬 曰行得到恰好 處無些過與不及 乃是知得分明 事事件件 理會得到一箇恰好處 方能如此 足以見 知與行 互相發明滋養處".

독실히 행함은 굳게 잡는 것으로서 仁이 되니 이롭게 여겨 행하는 것이
다.126)

여기서도 誠之란 배워서 아는 택선과 이를 굳게 잡는 독행으로 도문학
과 존덕성이 함께 한다.

> 마음을 세우는 것을 알기 전에는 생각이 많아 의혹을 초래함을 꺼려하
> 고, 이미 마음을 세우는 바를 알게 되면 사물의 이치를 정밀하게 궁구하
> 지 못함을 꺼려한다. 이치를 궁구하는 것은 나의 내면의 마음을 밝히는
> 것일 뿐이다. …… 추구할 만한 것(善)에 급히 하는 것은 의심이 없는 경
> 지에 내 마음을 세우려는 것이다. …… 이천이 말하기를 '배우는 자들은
> 당연히 힘써 행해야 하지만 반드시 알고 난 다음에 비로소 행할 수 있다.
> …… 도에 들어가는 방법으로는 敬만한 것이 없으니 치지를 하게 되면 경
> 을 실천할 수 있다.'127)

택선하는 것은 의심이 없는 경지에 마음을 세우려는 것으로 먼저 택선
해야 행할 수 있다. 마음의 의혹과 세밀하지 못한 궁구를 꺼려 하는 것이
다. 퇴계는 일찍이 격물하고 궁리하는 까닭은 그 시비와 선악을 궁구하고
밝혀 버릴 것은 버리고 취할 것은 취하려는 것으로 이것이 상채가 옳은 것
을 구하는 것으로서 격물을 논한 까닭이라 하였다.128) 그러므로 퇴계는 배
우는 사람은 먼저 뜻을 세워야 한다고 말한다. 뜻이 서지 않으면 일을 할
수가 없다. 비록 뜻을 세웠다 하더라도 만약 敬의 실천을 통하여 이를 붙
잡아 두지 않는다면, 마음이 들떠서 중심을 가지지 못하여 하릴없이 세월

---

126) 『중용장구』, "誠者眞實無妄之謂 天理之本然也 誠之者未能眞實無妄而欲其眞實
　　無妄之謂 人事之當然也 …… 未能不思而得 則必擇善然後可以明善 未能不勉而
　　中則必固執而後 可以誠身 此則所謂人之道也 …… 擇善學知以下之事 固執利行
　　以下之事 此誠之之目也 學問思辨 所以擇善而爲知 學而知也 篤行所以固執而爲
　　仁 利而行也".
127) 주희, 이기동 역, 『근사록』, 홍익출판사, 1998, 111~112쪽.
128) 『퇴계선생문집』 권14, 書, 答李叔獻 別紙, "故凡格物窮理 所以講明其是非善惡而
　　去取之耳 此上蔡所以以求是論格物也".

만 보내 결국은 빈말이 되고 만다고[129] 했다. 그리고 지속적으로 이치를 궁구하는 것은 '나의 내면의 마음을 밝히는 것'일 뿐이라는 것이다.

또한 퇴계는 『대학』의 격물치지는 곧 『중용』의 知天, 知人을 말하는 것으로 知天, 事天은 『중용』에서 말하는 智요, 仁이라 했다. 결국 『대학』은 그 논의한 바가 많지만 마음의 경(心之一敬)을 벗어나지 않고 『중용』의 핵심은 마음의 성(心之一誠)을 벗어나지 않는다.[130] 그러므로 배우는 자들은 먼저 알아야(致知) 행(敬)할 수 있다고 했다. 致知가 敬에 앞서는 것이지만 그러나 경과 치지는 같은 맥락으로 이해된다. 道에 들어가는 데 敬만한 것이 없고 致知하면서 敬하지 않은 경우는 없기 때문이다.[131] 주자도 존심이 아니면 치지할 방법이 없고 존심한 사람은 치지하지 않으면 안 된다고 했다.[132]

그러므로 택선을 통하여 의심 없는 마음을 세우고 마음을 세워 이를 굳게 잡는 것은 곧 敬이요 誠之가 되는 수양법인 것이다. 사람이 不善한 가운데 있으면 선에 들어가는 이치는 존재할 수 없다. 그러나 사악한 생각을 막으면 진실한 이치는 저절로 존재하게 된다. 경이란 다만 한 가지에만 (善) 집중하는 것이다. 흐트러지지 않는 이러한 마음을 지니면 자연히 천하의 이치를 저절로 밝게 깨닫는다.

퇴계도 박학, 심문, 신사, 명변의 치지를 이루는 절차를 '경으로써 주요한 방법을 삼고 모든 사물을 궁구하면 활연관통함을 절로 느껴 체용이 한 근원이요, 危・微에 현혹되지 않고 一・精에 현혹되지 아니하여 中을 잡게 되는 眞知를 말하였다. 또한 동시에 역행으로서 성의, 정심, 계신, 근독을 말하는데[133] 그러나 진지와 역행(실천)은 수레의 두 바퀴와 같아서 치

---

129) 『퇴계선생언행록』 권1, 類編, "人之爲事 必立志以爲本 不立則不能爲得事 雖能立志 苟不能居敬以持之 此心亦汔然而無主 悠悠終日 亦只是虛言 立志必須高出事物之表 而居敬則常存於事物之中 令此敬與事物 皆不相違".

130) 『遺集』 권7, "所謂格物致知則卽中庸知天知人之謂也 …… 知天事天者又卽中庸曰智曰仁之謂也 …… 大學其論雖多而終不出於心之一敬 中庸其論雖博而樞紐不出於心之一誠".

131) 『聖賢道學淵源』, "入道莫如敬未有致知而不在敬者".

132) 『屛銘發揮』, "蓋非存心無以致知 而存心者又不可以不致知".

지하면서 敬에 있지 않은 자가 없다 하였다.134) 따라서 퇴계는 敬으로써
시작하여 敬으로써 끝을 맺으라 한다.135) 즉, 敬은 성학의 처음과 끝을 이
루는 것으로 덕성을 높이되 학문을 일삼는 것이며 이로 말미암아 집을 정
돈하고 나라를 다스려 천하에 미치는 것이다.136)

일찍이 장횡거는 格物을 '마음의 物을 제거하는 것'으로 해석했다. 心中
에 物이 있으면 막히고 物이 없으면 虛明해진다는 것이다. 그러므로 心中
의 物礙를 格去하는 것이 格物이라 했다.137) 또한 퇴계는 다음과 같이 말
한다.

> 사람이란 잡념이 없을 수 없다. 중요한 것은 이 잡념이 끼어들 틈을 주
> 지 않는 것이다. 그 방법은 단지 경을 실천하는 일에 불과하다. 공경하면
> 곧 마음이 통일되고 마음이 통일되면 잡념은 저절로 가라앉아 버리는 것
> 이다.138)

퇴계의 敬은 이렇게 불교의 定慧와도 유사하다. 수운이 제시한 성경신

---

133) 『퇴계선생문집』 권6, 疏 四十三~四十四, "故學之不可以不博 問之不可以不審
思之不可以不愼 辨之不可以不明 四者致知之目也 …… 敬以爲主 而事事物物
莫不窮其所當然與其所以然之故 …… 豁然貫通處 則始知所謂體用一源 危微不
眩於精一 而中可執 此之謂眞知也 …… 臣請復以力行之事言之 誠意必審於幾微
而無一毫之不實 正心必察於動靜 …… 戒懼而謹獨".
134) 『퇴계선생문집』 권6, 疏 四十五, "抑眞知與實踐 如車兩輪闕一不可 如人兩脚相
待互進 故程子曰 未有致知而不在敬者".
135) 『퇴계선생문집』 권6, 疏 四十八, "眞知實踐之說 敬以始之 敬以終之".
136) 『퇴계선생문집』 권7, 大學經 十九, "敬者 一心之主宰 而萬事之本根也 知其所以
用力之方 則知小學之不能無賴於此以爲始 知小學之賴此以始 則夫大學之不能
無賴於此以爲終者 可以一以貫之而無疑矣 蓋此心旣立 由是格物致知 以盡事物
之理 則所謂尊德性而道問學 由是誠意正心 以修其身則所謂先立其大者 而小者
不能奪 由是齊家治國 以及乎天下 則所謂修己以安百姓 篤恭而天下平 是皆未始
一日而離乎敬也 然則敬之一字 豈非聖學始終之要也哉".
137) 『예기집설』, "格物外物也 外其物則心無蔽 無蔽則虛靜 虛靜則思慮精明而知至
也".
138) 『퇴계선생언행록』 권1, 類編, "人不可無思慮 只要去閒思慮耳 其要不過敬而已
敬則心便一 一則思慮自靜矣".

의 의미는 바로 이러한 儒佛的 맥락에서 이해될 수 있다. 즉, 수운의 성경신은 불교적 誠敬信의 개념과 定慧, 그리고 대인접물에서 이루어지는 유가적 誠敬이 복합적으로 공존해 있다. 그러나 동시에 유가를 탈피하여 격물치지를 위한 誠敬이 아니라 자기 안의 한울님을 모시기 위한 성경신임을 보이고 있다. 이는 유·불을 종합하면서도 이들 유·불을 모두 뚫고 나온 것이요 해월의 말대로 하면 삼교의 본원을 회복한 것이다.139)

가) 誠

수운의 성경신은 유불적 요소가 결합되어 있으면서도 새로운 양상을 미묘하게 띠고 있다. 그 양상을 파악하기 위하여 먼저 성경신이 불교와 유교 경전에서 각각 쓰인 용례를 분석해 보고자 한다. 먼저 유가적 연원에서 성경의 개념을 살펴보면 '誠은 최고목표요 敬은 그 誠에 이르는 用功의 방법으로서 誠之하는 것'140)이라 할 수 있다. 즉 誠之, 誠意는 敬과 같은 것으로 誠에 도달하고자 하는 수행적 노력이다. 퇴계나 율곡도 敬은 誠에 이르는 통로로 말한다. 결국 敬의 극치가 誠이 된다.

성사상의 연원은 일찍이 『중용』 이전의 경전에서 찾아 볼 수 있다. 성사상과 연관된 최초의 誠字는 서경에서 나타나는데 이는 神에 대한 정성을 의미하는 것이었다.141) 그리고 『역경』에서도 誠은 '閑邪存其誠', '修辭入其誠'142)이라 하여 용례가 보인다. 하지만 이것이 본체개념으로 해석되는 것은 주희에 와서이다. 왕필만해도 『역경』의 誠을 誠實143)이라 하였다. 誠에 대한 개념은 『중용』에서 분명히 볼 수 있는데 "誠은 天의 道이고 誠하려고 하는 것은 사람의 道"144)라는 대목이다. 그러나 이 誠을 본체개념으로

139) 『해월신사법설』, "吾師天地宇宙 絶對元氣 絶對性靈體應 萬事萬理 根本朔明 是乃天道 天道儒佛仙本原".
140) 배종호, 「성경의 문제」, 『퇴계학론』 42, 퇴계학연구소, 1984, 7쪽.
141) 『性理大全』卷39, 性理9 誠, "西山眞氏曰 至伊尹告太甲 乃曰鬼神無常亨 亨于克誠 誠字始見於此".
142) 『周易』乾卦.
143) 『十三經注疏』一, 周易 十三, "閑邪存其誠者言防閑邪惡當自存其誠實也 …… 修辭立其誠所以居業者辭謂文教誠謂誠實也".

해석한 것은 주희이다. 誠을 天道誠體의 개념으로 보면 誠은 太極이다.145)
주자는 "一心을 誠이라고 한 것은 오로지 誠을 體로 말한 것이요 盡心을
일러 忠이라고 한 것은 당연히 體의 用이다"146)라고 말했다. 一心을 誠이
라 한 것은 體의 개념으로서 원효의 一心이나 지눌의 공적영지한 진심의
본체에 해당된다. 불교의 일심, 또는 진심은 유가의 誠에 해당하는 말이다.
불교에서도 誠이 體의 개념으로 쓰인 용례가 있다.

　　출가하여 도를 배우는 사람들은 일이 적다. 인연을 짓는 바도 적고 한을
　맺는 것도 적다. 그는 반드시 능히 誠諦를 지키고 보호하여 얻는다. 誠諦
　는 출가한 학도에게 있다. 재가자들에게 있지 않다. 재가자들은 일이 많
　고, 짓는 바도 많으며 한이나 분쟁을 맺음도 많다. …… 만약 비구가 誠諦
　를 잘 보호하고 지키면 그는 誠諦로 인하여 희열을 얻게 된다.147)

　　여기서 誠은 진실성의 眞諦148)와 다르지 않다. 그리고 이는 인간에게 있
는 여래의 誠實心149)과 같다. 성실심은 直心으로 菩提心과 더불어 수행의
전제가 된다. 성심으로써 직심을 삼아 불법을 믿는 것인데 이 믿음이 먼저
서 있어야 능히 모든 선을 행할 수 있는 것이다.150) 출가자들이 능히 이 誠
諦를 지켜 해탈의 기쁨을 얻게 되는 진실한 이치, 참된 이치로서 誠諦는
유가의 眞實無妄한 誠과 통하는 면이 있다. 불교에서 성제란 참되고 비어

144)『中庸』, "誠者天之道也 誠之者人之道也".
145)『通書』誠上, "(朱子註)誠則所謂太極也".
146)『性理大全』卷37, "一心之謂誠 專以體言 盡心之謂忠 是當體之用 忠天道也 對
　　恕推已而言 正指盡心之義".
147)『中阿含經』卷38, 大正藏 1, 669b, "出家學道者少事 少有少作 少有結恨 少有憎
　　諍 彼必能得守護誠諦 彼誠諦者 我見多在出家學道非在家也 所以者何 在家者多
　　事 多有所作 多有結恨 多有憎諍 …… 若有比丘守護誠諦者 彼因守護誠諦故得
　　喜得悅".
148)『大乘顯論』卷1, 大正藏 45, 15c, "依他無生分別無相不二眞實性爲眞諦".
149)『大法炬陀羅尼經』卷7, 大正藏 21, 689c, "汝於如來有誠實心 何故復發如是諮問".
150)『注維摩詰經』卷1, 大正藏 38, 335c, "備此三心然後次修六度 別本云 直心深心
　　菩提心 什曰 直心誠實心也 發心之始始於誠實"；337a, "什曰直心以誠心信佛法
　　也 信心其立則能發行衆善".

있지 않는 이치이다.

제법은 본성이 空하다. 세간에 전도된 것을 일러 有라 한다. 세상사람들
이 참으로 삼는 것이다. 諦라 이름한다. 모든 성현은 참된 앎으로 전도되
어 본성이 공하다는 것은 성인에게 있어서 참이다. 諦라 이름한다. 이는
곧 諦의 두 가지다. 모든 붓다가 이에 의지하여 설하니 敎諦라 이름한다.
…… 첫째는 참에 의지하여 설하는 고로 설하는 바 역시 참이다. 이런 까
닭에 諦라 일컫는다. 둘째는 如來誠諦의 말이기에 諦라 말한다.[151] 또한
마침내 능히 四善處에 머무름이니 소위 제법을 분별하는 智慧處, 참되고
비어 있지 않는 誠諦處, 악을 버리는 捨處, 산란함을 떠나는 寂滅處이
다.[152] 그러므로 붓다의 원만한 지혜는 능히 誠諦의 말을 설하므로 이를
智라 하고 諦라 하는 것이다.[153] 두 가지 이치(諦)인즉 참되기에 諦로 삼
는다. 인연을 敎諦로 취한즉 여러 가지 뜻이 있다. 혹은 誠諦의 말을 釋諦
라 한다. 이 두 가지 가르침은 두 가지의 도가 아님을 나타낸다.[154] 구사
론에서 말하기를 慇淨心이 일어나 誠諦語를 발하니 자칭 '나'가 곧 '鄔波
素迦願尊'이다.[155]

여기서 如來誠諦, 二諦, 智諦, 敎諦, 誠諦 등은 명사로 쓰이는 같은 범
위의 것으로 성제는 空性과 인연에 터한 진실된 이치를 뜻한다. '誠諦는
不虛'[156]하다고 했다. 眞諦 역시 不虛다.[157] 그러므로 誠諦와 眞諦는 같은

151) 『二諦義』卷上, 大正藏 45, 86c, "性空於聖人是實 名之謂諦 此則二於諦 諸佛依
此而設 名謂敎諦也 …… 一者依實而設故 所設亦實 是故名諦 二者如來誠諦之
言 是故名諦".
152) 『大乘大義章』, 大正藏 45, 132b, "又終能住於四善之處 所謂樂分別諸法 是智慧
處 樂實不虛 是誠諦處 樂捨則捨惡 是捨處 樂離慎鬧 是寂滅處".
153) 『大乘顯論』卷2, 大正藏 45, 29c, "故顯佛圓智能說誠諦之言故 是智是諦".
154) 『大乘顯論』卷1, 大正藏 45, 16b, "若二於諦 卽以審實爲諦 若就因緣敎諦卽有多
義 惑以誠諦之言釋諦 此二敎表不二之道".
155) 『大乘法苑義林章』卷3, 大正藏 45, 308c, "具舍論云 起慇淨心發誠諦語 自稱我
是鄔波素迦願尊".
156) 『文殊菩薩獻佛陀羅尼名烏蘇咤』大正藏 20, 778a, "心解脫已則得道果 是則神力
功用誠諦不虛".
157) 『中阿含經』卷7, 大正藏 1, 469c, "眞諦不虛 不離於如亦非顚倒 眞諦審實合如是

개념이다. 또한 불교에서 말하는 誠이란 진실된 이치로서 誠言, 誠諦言, 如來誠諦之言, 佛誠言이라 할 때 이는 인간 자신이 곧 진실정등각자로 일체법을 두루 알고 능히 번뇌를 끊어 다하게 하는 붓다임을 말하는 것이다.[158] 또한 '불법승 삼보에 귀의하여 악을 끊고 선을 닦아 붓다를 이루어 誠諦言을 발한다'[159] 했다. '誠諦는 妄語行이 없음이요, 不妄語의 과보이기도 하다'[160]라고 하는 맥락에서 볼 때 동학의 誠은 불가의 一心과 유가의 誠이 겹쳐진 개념이다.[161] 그러나 유가의 誠은 실재론적 개념인 데 반해 불교의 誠諦는 空性이라는 점에서 차이가 있다. 또한 방법상 불가는 출가를 통한 誠諦를 말하고 유가는 대인접물을 통한 誠에 이름을 말한다. 그리고 동학은 이에서 더 나아가 공경과 정성으로 誠과 합치하고 誠을 길러가고자 한다. 이것이 동학의 성경신이 유불을 결합한 것이면서도 이 양자를 극복하여 새롭게 제시한 수심체계라 할 것이다. 기존 연구에 의하면 수운의 誠敬이 무서운 위력을 가지고 절대적 존재 앞에 무조건으로 순종하는 유한자의 태도를 뜻한다고 한다. 다시 말하면 하느님에게 어떤 물적인 것을 청원하기 위한 성경이라는 것이다.[162] 그러나 이는 서구적인 해석을 가한 입장이라 할 수 있다. 종래 유가 경전인 『중용』에서 誠은 곧 진실무망으로 진실한 것은 하늘이요 진실하고자 하는 것은 인간이라고 하였다.[163] 그리고 수운이나 해월 모두 성은 진실, 純一의 본체적 의미를 지닌다. 인간이 진실을 지키면 한울이 사랑하고 인간이 거짓되고 망령되면 한울이 미워한다고 하여 진실한 것은 천지의 생명체요 거짓되고 망령된 것은 인간을 파멸시키는 쇠몽둥이라고 하였다.[164] 특히 해월은 誠이란 곧 순

諦".
158) 『攝大乘論釋』 卷9, 大正藏 31, 441c~442a, "謂佛誠言我是眞實正等覺者 卽是遍知一切法 智能說斷者 謂佛誠言我是眞實諸漏盡者 卽是煩惱諸漏永盡".
159) 『八名普密陀羅尼經』, 大正藏 21, 884a, "歸佛法僧斷惡修善 俱詣佛所發誠諦言 願常護持此大神呪 令受持者身心安樂".
160) 『維摩義記』, 卷1末, 大正藏 38, 437b, "所言誠諦無妄語行"; 929c, "所言誠諦 不妄語報也".
161) 『天約宗正』, 중앙총부, 1907, 32쪽, "佛像之見性兮誠乎知之也知之也".
162) 최동희, 『동학의 사상과 운동』, 성균관대학교출판부, 1980, 95쪽.
163) 『중용』, "誠者天地道也 誠之者 人之道也".

일함이요 쉬지 않는 본체적 의미를 지닌다. 이는 『중용』에서 誠을 말한 眞實無妄, 至誠無息, 無誠無物의 의미와도 같다.

동학에서 誠을 수양의 방법으로 삼는 것은 한울이 진실한 것이기에 인간도 진실을 지켜 한울과 합하고자 하는 것이며 이로부터 인간 스스로 한울 조화를 나타내는 최령자가 되는 것이다. 그러나 인간이 거짓되고 망령되면 파멸의 지름길이요 한울과 어긋나므로 한울과 합하여 하나가 될 수 없다. 해월뿐만 아니라 후대의 오지영도 유사한 맥락을 말한다. 오지영은 天의 本이 誠이라 한다. 천하 만사가 그 본이 있고 그 果가 있는 것인데 초목에 있어서 뿌리가 있는 것은 그 가지가 있고 그 仁이 있는 자는 果가 생하는 법이다. 하늘은 古今往來에 하루 한시라도 휴식 없이 사계절을 순환하나 무위이화한다. 誠이 있어 그 果로부터 誠을 感한다.[165] 따라서 나무가 誠으로 인하여 꽃을 피우고 열매를 맺고, 하늘이 誠으로 사시를 어김 없이 순환하듯이 인간은 誠으로 한울과 합하고 자기를 해방하며 사회를 개벽한다.

나) 敬과 信

한편 敬의 경우를 보면 이는 정자에 의해 개발된 수양의 방법적 개념이다. 본래 주렴계는 '主靜無欲'[166]으로 수양방법을 설명하였으나 무욕은 곧 불교에서 말하는 것으로 유가 패턴이 아니므로 정명도는 主靜을 性命으로 대체하였고 정이천은 敬으로 고쳐 마음 공부의 근본으로 하게 되었다.[167] 주렴계가 불교의 靜坐에서 主靜을 빌려오고 정이천이 이를 敬으로 고쳐 수양법을 확립한 것이다. 그리고 이에 더하여 정자의 문인 謝上蔡는 敬은 곧 '常惺惺之法'이라 하여 靜時에도 心이 항상 깨어 있을 것(惺惺)을 요구하였다. 程子의 門人인 尹和靖 또한 敬은 '그 마음을 수렴하여 일물도 용

---

164) 『해월신사법설』 虛와 實, "守眞則天愛之 妄之則天惡之 故眞實者 天地之生命體也 欺妄者 人身之破滅椎也".

165) 오지영, 「시일강단」, 『천도교회월보』 1920.3.

166) 주렴계, 『태극도설』.

167) 김성범, 『퇴계와 율곡의 심성설 비교연구』, 동아대학교 박사학위논문, 1994, 158쪽.

납함이 없는 것'이라 하였다.168) 이 '心收斂'은 '主一無適'과도 통한다. 이 때의 주일은 마음을 한결같이 하나로 통일시키는 것을 말하고 무적은 마음을 사사로운 욕망으로 나아가지 않게 한다는 뜻이다.169)

이렇게 볼 때 성리학에서 敬은 '주일무적의 수렴'과 '상성성'을 뜻한다. 이는 불교의 정과 혜를 함께 수용하여 유가적 패턴으로 변형이 가해진 것임을 알 수 있다. 원래 惺惺은 불가의 용어로 '慧'와 같은 의미다.170) 지눌은 定으로서 산란심을 다스리고 慧로써 昏沈과 痴心을 다스려 진심을 회복하고자 하였다.171) 그러므로 성리학에서 말하는 敬을 뜻하는 '주일무적'과 '常惺惺'은 지눌의 定·慧에 대응된다. 퇴계는 경을 '主一無適', '常惺惺', '政濟嚴肅' 등의 의미로 나타냈는데, 이는 궁리를 위한 마음의 몰입상태이기도 하다. 이 敬은 주자학이 禪家에서 빌어온 삼매(定)의 수양법과 그 맥을 잇고 있다.172) 사물이나 일의 이치에 대한 참된 인식은 마음의 허령불매한 지각능력이 작용할 때 가능하다. 만약에 마음이 혼탁하고 깨어 있지 않다면 참된 이치는 인간 자신에게 인식될 수 없다. 사상채의 심상성성법이란 항상 살아서 움직이는 생생한 의식의 상태를 말하며 마음 그 자체가 항상 깨어 있어서 선과 악에 민감한 상태를 가리켜 말한 것이다.173) 이는 불교의 禪과 서로 통하는 것이다. 그러나 주희는 다음과 같이 양자를 애써 구분한다.

이 마음을 깨우치게 하는 것은 같으나 그 방법인즉 다르니 우리 유가는 이 마음을 깨워서 그로 하여금 여러 가지 도리를 비추어 보고자 하고 불씨는 공허하게 마음을 불러 깨워 여기에 있게 하여 아무런 작용함이 없는 것이다.174)

---

168) 김성범, 『퇴계와 율곡의 심성설 비교연구』, 동아대학교 박사학위논문, 1994, 159쪽.
169) 김수청, 『주희의 경사상 연구』, 동아대학교 박사학위논문, 1994, 69쪽.
170) 『禪宗永嘉集』, 大正藏 47, 390b, "惺惺謂不生昏住無記等相 …… 以惺惺治昏住".
171) 정혜정, 「지눌의 수심체계와 현대교육의 위상」, 『동국사상』 25·26합집, 1996.
172) 주자학은 불교로부터의 위기의식과 비판에서 체계화된 철학이지만 그 존재론과 수양론에 있어 영향을 많이 받았던 것이다.
173) 김수청, 『주희의 경사상 연구』, 동아대학교 박사학위논문, 1994, 69쪽.
174) 『心經發揮』 卷1, "朱子曰 其喚醒 此心則同 而其爲道則異 吾儒喚醒此心 欲他照

성성이 비록 불가의 용어이지만 유교의 성성은 궁리를 위한 수단이지 불가처럼 寂滅을 위하는 것이 아니라고 주자는 주장하는 것이다. 그러나 그 말하는 맥락은 차이가 크지 않다. 주자가 말하는 성성을 좀더 구체적으로 보면 다음과 같이 설명된다.

> 면제 황씨는 말하기를 성성은 혼매하지 않은 것을 말한다. 일에 뜻을 두어 하나의 요란을 허용하지 않는 것이다. 정제엄숙하면 외를 제어함으로써 그 중을 기르는 것이다. 이에서 모두가 경의 뜻을 체득할 수 있는 것이다. 그러나 혼매하지 않고 어지럽지 않은 것은 반드시 敬한 뒤에 능히 이와 같이 된 것이다. 外를 제어해서 그 中을 기른다는 것은 반드시 이와 같이 한 후라야 경할 수 있다. 이로써 경의 뜻을 체득한 것이다. 반드시 이른바 경이라는 것을 나타내고자 하는 것은 畏가 이에 가깝다. 대개 외를 곧 경이라 한다. 능히 경하면 능히 정제엄숙하고 정제엄숙하면 능히 경하고 경하면 혼매하지 않고 혼란하지 않을 것이다.[175]

주자는 惺惺이란 마음이 혼매하지 않고 요란하지 않은 것을 일러 말한다. 그리고 경은 곧 畏에·가깝다 하여 경외의 뜻도 함께 강조하고 있다. 능히 경하면 정제엄숙하고 정제엄숙하면 경하고 경하면 혼매하지 않아 항상 성성의 상태를 유지하는 것이다. 불교에서도 성성이란 혼매를 다스리는 것[176]으로 불교의 정혜쌍수의 개념이 敬 한 글자에 모두 들어 있다. 불교에서 정혜로 다스린다 함은 성리학에 있어서는 결국 산란심과 치심을 敬으로 다스린다 함과 같다.

한편, 불교에서도 敬의 용례가 보이는데 소승의 敬과 대승의 敬개념이 다르다.

管許多道理 佛氏則空喚醒在此 無所作爲".

175) 『性理大全』 卷46, 學, "勉齊黃氏 …… 曰 惺惺者 不昏之謂也 主於一而不容一物撓亂之謂也 整齊嚴肅 則制於外 以養其中也 是皆可以體 夫敬之意矣 然而不昏不亂者 必先敬而後能如此 制於外以養其中者 必知此而後能敬如此 制於外以養其中者 必如此而後能敬 以之體敬之義 必欲眞見夫所謂敬者 惟畏爲近之也 蓋畏卽敬也 能敬則能整齊嚴肅 整齊嚴肅則能敬 能敬則不昏不亂矣".

176) 『禪宗永嘉集』, 大正藏 47, 390b, "惺惺謂不生昏住無記等相 …… 以惺惺治昏住".

소승론에서 말하기를 敬이란 慚을 諦로 삼는 것이다. …… 대승론에서
말하기를 믿음과 智로 말미암기에 敬이라 한다. 믿는고로 삿됨이 없고 아
는고로 敬이 일어나는 것이다. 그러므로 誠敎란 믿어 앎으로써 뉘우치는
敬의 근본을 이끄는 것이다.177)

소승불교에서 敬이란 慚愧를 체로 하는 것이다. 신라의 원측도 참괴를
敬의 體로 삼았는데 『유가론』 권44에 보면 慚이란 자기의 죄가 비법임을
각지하여 안으로 수치가 생겨남이고 愧란 타에 대하여 경외하고 밖으로
수치를 生함이라 했다.178) 『현양성교론』 권1에는 자법력에 의해서 죄악에
대해 수치를 생함은 慚이고 세간에 의해서 過惡를 부끄러워함이 愧라 했
다. 한편 敬의 體가 三業으로 말해지기도 하는데 이는 몸(身)과 말(口)과
뜻(意)에 있어서 원만한 선을 이루는 것이다.179) 일찍이 慈恩 규기는 『法
苑義林』에서 '敬體卽以三業爲體'라 하여 삼업을 敬의 체로 삼았다. 述記
에는 身業으로 稽首하고 口業으로 찬탄하고 意業으로 誠을 펴는 것이다.
이는 은근히 淨心을 일으켜 수승업을 꾀하고 至誠으로 귀의하는 것이라
해서 三業으로 敬體를 삼은 것이다.180) 그러나 원측은 삼업이 敬의 相이
지 敬體가 될 수 없다 하였다.181)

반면 대승에서 말하는 敬은 믿음과 智로 말미암는 것으로 곧 信解를 전
제로 하여 그 대상을 공경하는 것이다. 그 경의 대상은 일반적으로 敬三
寶,182) 또는 敬佛, 敬法, 敬無所觀法, 敬一切智,183) 敬眞性184)으로 표현된

177) 『釋門歸敬儀』 卷上, 大正藏 45, 855a, "小乘論云 敬者以慚爲體也 …… 大乘論云
由信及智故敬於彼 信故非邪智故興敬 故引誠敎 信智及慚敬之本矣".
178) 황성기, 『원측의 유식학설연구』, 동국대 박사학위논문, 1975, 29쪽.
179) 『成唯識論述記』 卷1, 大正藏 43, 232b, "起慇淨心策殊勝業申誠歸仰 敬禮之異名
也 此通三業敬相乃周 瞿波論師云 三業禮者 欲顯大師有天眼故以身業禮 有天耳
故以語業禮 有他心故以意業禮 又生三業圓滿善故 以三業禮 …… 故我至誠身·
語·思 頻修無倒歸命禮 故知稽首理通三業次言唯識性滿分淸淨者 顯所敬體".
180) 황성기, 『원측의 유식학설연구』, 동국대 박사학위논문, 1975, 29쪽.
181) 황성기, 『원측의 유식학설연구』, 동국대 박사학위논문, 1975, 30쪽.
182) 『緇門警訓』 卷5, 大正藏 48, 1065a.
183) 『根本說一切有部芯芻習學略法』, 大正藏 45, 912a.
184) 『禪家龜鑑』, 앞의 같은 글.

다. 종합하여 말하면 일반적으로 대승에서 공경의 대상은 불법(연기, 空)이
라 할 수 있다.[185) 계율을 지키고 정진에 힘쓰더라도 공경하고 존중하는
마음(敬重心)이 없으면 이는 곧 魔障이 된다[186) 하였다. 중생을 교화함에
있어서 공경하는 마음이 생겨나지 않으면 이미 敬信이 생겨나지 않음이기
에 비록 교화를 하더라도 무익하다[187)는 것이다. 그러므로 깊은 이법을 말
하기 위해서는 먼저 믿음을 일으킬 것을 권한다. 믿음은 곧 불법의 정수에
들어가는 것이기 때문이다. 『화엄경』에서도 믿음은 도의 으뜸으로 공덕의
부모라 한 것이다.[188) 믿음과 공경은 나의 몸과 마음으로 하여금 안락을
얻게 함이니 능히 모든 고통을 멸한다.[189) 이와 같이 바른 믿음이 없으면
慚愧도 없고 모든 악과 不善을 행하게 되는 것이다.[190) 따라서 敬이란 信
을 먼저 한 후에 가능한 것으로 信이 없으면 敬을 할 수 없다.[191)

동학에 있어서도 敬天, 敬心은 敬佛, 敬法의 맥락에서 이해될 수 있다.
불교나 동학 모두 信을 근본으로 하여 가르침을 일으키는 것이다. 일체 모
든 붓다는 모두 믿음을 따라 일어나며 일체의 化佛은 敬心을 따라 일어난
다. 信이란 이치를 듣고 이치를 받아들여 善한 사념을 하는 것이다.[192) 그
리고 자기의 誠心을 살피면 자기의 믿음(信伏)을 안다.[193) 이는 수운이 정
성들일 바를 알지 못하면 자기 마음을 잃지 않았나 돌아보라 함과 연결된

185) 『正法念處經』 卷32, 大正藏 17, 185a, "敬重佛法 …… 敬重法故 敬信三寶".
186) 『大乘修行菩薩行門諸經要集』 卷下, 大正藏 17, 953c, "於持戒精進無敬重心 是
    爲魔障".
187) 『金剛仙論』 卷10, 大正藏 25, 872b, "可化衆生不生敬心 旣不敬信 則雖化無益".
188) 『大乘起信論義疏』 卷上, 大正藏 44, 175b, "所言信者決定爲義 …… 應當敬信 若
    人能信是法功德無盡 何以故 理無盡故 …… 爲說深理故先勸起信也 問 何故要
    先勸起信者 此信乃是入佛法之首故 華嚴經云 信爲道源功德母".
189) 『根本說一切有部昆奈耶藥事』 卷2, 大正藏 24, 6a, "令我身心 現受安樂 旣生敬
    信 能滅諸苦".
190) 『中阿含經』 卷29, 大正藏 1, 614c, "於聖法亦然 若無有正信 無慚及無愧 作惡不
    善行".
191) 『釋門歸敬儀』 卷上, 大正藏 45, 854c, "敬本敎興 謂敬相顯心處誠有被 …… 謂興
    立敬本非正信而不弘 無信必不興敬 有敬必先懷信 篇明信本敬 隨後生故也".
192) 『大正句王經』 卷下, 大正藏 1, 834b, "信者諦聽諦受善思念之".
193) 『大正句王經』 卷下, 大正藏 1, 834b, "察我誠心知我信伏".

다. 歸敬이라는 것도 능히 誠으로 돌아가 이르는 것이다. 여기서 歸란 옳음을 향하고 옳음을 따르며 옳음으로 돌아가는 것이다. 중생의 六根은 일심을 쫓아 일어나지만 본원과 배치된다. 옳음으로 돌아가는 것은 곧 一心源으로 돌아감을 말한다.[194] 수운이 동귀일체라 했을 때도 그 돌아갈 바란 것은 옳음이요 일심이라 할 수 있다. 거듭 말하면 信이란 옳음을 결정하는 것이다. 이는 『중용』의 擇善固執, 율곡의 立志, 지눌의 信解와 상통한다. 믿음과 앎 그리고 이를 옮기지 않고 공경과 정성이 있어야 한울님, 즉 誠에 이른다.

(2) 儒佛적 수행의 계승과 성경신의 이해

수운의 성경신을 이해함에 있어 먼저 불교와 주자학이 취하는 실천론을 보면 이 양자는 서로 대립관계에 있다. 주자는 格物로부터 致知에 이르러 理의 축적을 통해 객관적 규거를 찾아내고, 천리에 이르고자 하는 입장이다. 그러나 불교의 경우는 모든 일상적 체험은 지엽적인 因緣으로서 오히려 이를 탈피하여 定慧로써 깨달음을 추구하고자 한다.

주자학은 일상을 통하여 하나로부터 차차 더 많은 이치의 맥락을 궁구하는 것으로서 천지만물이 理를 갖추고 있다는 전제를 하고 들어간다. 따라서 인간의 人倫과 日用적 일상이 당연지사가 된다. 즉, 주자의 입장에서 보면 禪에서 말하는 悟入은 곧 마음과 생각이 끊어진 곳에서 天理를 盡見한다 하므로 이치에 어긋난다. 심사가 바르고 천리의 유행운용이 천리의 발현 아님이 없는데 어찌 심사가 끊어진 후에 천리를 본다 하느냐고 반문한다.[195]

---

194) 『大乘起信論內義略探記』, 大正藏 44, 410b, "初歸敬者 顯能歸誠至 …… 一歸者 是趣向義 命者 己身性命 生靈所重 莫此爲先 今此論主得不壞信 盡自重命 歸向三寶 請加製述故 二歸者 敬順義 命者 諸佛敎命 此明論主敬奉如來敎命傳法利生 三歸者 還源義 謂衆生六根 從一心起 而背自源 馳散六塵 今擧命根 總攝六情 歸一心源 故云歸命".

195) 『晦庵先生朱文公文集』 卷59, 答吳斗南, "禪學悟入 乃是心思路絶 天理盡見 此尤不然 心思之正편 是天理流行 運用無非天理之發見 豈待心思路絶 而後天理乃

그러나 불가에서는 일상적 인연으로부터 벗어나고자 하는 것은 오관을 떠나 체험되어지는 사사무애의 경지를 맛보고자 함이다. 깨달음을 위해서는 반드시 공관에 철저히 의지하여 自我轉回를 이루는 실천적 수행을 행해야 하는데 일상적 인연은 장애가 되기 때문이다. 불교는 이러한 이유 때문에 일상을 떠나고자 한다. 그리고 깨달아서 다시 일상 현실로 돌아오는 것을 목적으로 한다. 불교에 있어서 수행은 절대知, 즉 공관의 깨달음[196]이 앞서고 이것이 전제되어야 비로소 수행이 가능하다고 본다. 그리고 禪에서 말하는 <作用是性>을 보통 인간의 지각운동과 같은 일상의 작용을 가리켜 이해한다면 이는 禪에 대한 피상적 관찰이 된다. 종밀도 불성과 중생심에는 선명한 균열이 있음을 전제하고 화엄적 사상의 頓悟를 기조로 하면서도 점차적 수행방법의 漸修를 규정하고 있다.[197]

수운의 경우 그는 종래 주자학의 격물치지적 궁구방법을 탈피하면서도 유학적 요소와 불교적 요소를 동시에 心學에 공존시킨다.

열석자 지극하면
만권시서 무엇하며
心學이라 하였으니
不忘其意 하여서라……[198]

격치만물 하여보니
무사한 이내 회포
붙일 곳 바이 없어……[199]

수운은 격물치지나 만권시서를 통한 이해보다 열석자를 통한 心學을 실

見耶".
196) 空觀이란 緣起이기 때문에 자성이 없고 空하기에 또다른 생성을 이루어 가는 중중무진의 법계를 밝히 아는 것이다.
197) 『속장경』 卷14, 圓覺經大疏釋義鈔.
198) 『용담유사』 교훈가.
199) 『용담유사』 권학가.

천론으로 제시하고 있다. 그 열석자란 인간의 시천주 됨에 핵심이 있는 것이고 이는 결국 마음닦음을 통해서 깨닫는 것이다. 수운의 『동경대전』과 『용담유사』를 보면 전체적으로 성경신에 대한 의미는 인간 자신이 자기 안에 한울님(一心)을 모셨다는 것을 깨닫고, 옳은 바를 믿는 불교적 의미로서의 信, 이에 거하고자 하는 마음집중으로서 敬, 그리고 이로부터 발현되는 誠을 대인접물 상에서 실현함에 있다. 여기에 유불의 합일이 있게 된다. 흔히 수운의 성경신을 유가적 의미로 해석해 여기에 종교적 성격을 가미한 것이라 생각하고 있는데[200] 성경신은 유불 합일적인 실천론으로 유교나 불교의 것을 벗어나 있다. 여기서 벗어났다는 것은 유불을 수용하면서도 변용되어 불교나 유교의 수행체계와는 다르다는 점이다. 수운의 문집을 보면 강수가 수운에게 수도의 절차를 물었을 때 信 - 敬 - 誠의 순으로 말했다[201] 한다. 여기서 순서가 성 - 경 - 신이 아니라 信 - 敬 - 誠[202]으로 제시된다는 점에 주목할 필요가 있다. 수운에게 있어 信과 敬은 誠에 앞서 있다. 여기서 信은 불교적 개념이라 할 수 있다. 흔히 불교의 수행체계는 定慧(止觀)로 말하지만 불교에 있어서도 믿음이 앞서 강조되고 있다. 불교에 있어서 사전적 의미로서의 믿음은 진리에 대한 확신, 또는 진리를 잘 이해해서 인정하는 것을 의미한다.[203] 따라서 붓다를 믿는다는 것은 붓다의 가르침인 연기의 법을 의심 없이 믿는 것이다.[204] 원효의 경우에 있어서도 믿음이란 '결정적으로 그렇다고 말함'이다. 즉 이치가 실제로 있다는 것을 믿고, 닦아서 그렇게 될 수 있음을 믿으며 닦아서 그렇게 되었을 때 무궁무진한 공덕이 있음을 믿는 것을 말한다. 원효에게 있어 믿음은 진리를 발현시키는 근본이다.[205] 종밀의 영향을 많이 받았던 지눌도 信解를 말

---

200) 최동희역, 『동경대전 外』, 삼성출판사, 1974, 483쪽.

201) 표영삼, 「동학경전 편제와 내용」, 『신인간』 438, 1986.4, 124쪽.

202) 한국학문헌연구소편, 「최선생문집도원서기」, 『동학사상자료집 1』, 188~189쪽, "無他道理 只在信敬誠三字也".

203) 中村 元, 『佛教語大辭典』, 1981, 東京書籍株式會社, 774쪽.

204) 澤田謙照, 「佛教における信の本質とその構造」, 『佛教文化研究』 9, 62쪽.

205) 원효, 『대승기신론소별기』, "信以決定謂爾之辭 所謂信理實有 信修可得 信修得時 有無窮德 …… 信爲道元功德母 …… 示現開發無上道".

하여, 空觀的인 이해에 의지하고 이를 의심치 않는 믿음에서 깨달음의 기초를 마련하여, 이로부터 점차 닦아 나가야 함을 제시하였다. 이 信解的 믿음은 수운에게서도 같은 맥락으로 이해되고 있는 것이다.

> 말 가운데 옳은 말과 그른 말이 있으니 그 중에서 옳은 말은 취하고 그른 말은 버리되, 거듭 생각하여 마음을 정하라. 한번 마음을 정한 뒤에는 남의 말을 믿지 않는 것을 믿음이라 하나니라. 이와 같이 닦으면 誠을 이루니 …… 먼저 믿은 후에 誠이 있는 것이다.206)

수운은 옳고 그름을 아는 중에서 옳은 것을 취하여 생각을 거듭 정하고 한 번 정한 뒤에는 다른 말을 믿지 않는 것이 믿음이라 설명한다. 이는 지눌이 "믿음은 이같이 (본체에 차별이 없음을) 아는 것이고 이를 믿어 이해하는 것이다"라고 함과 맥락이 같다. 따라서 수운에게 있어서 人道는 진리에 대한 믿음이 그 주장이 되는 것이므로 信이 없으면 어떠한 의기범절이 나올 수 없고 오직 작심을 변치 아니하여야 군자가 될 수 있다.

> 대저 세상 人道中에
> 믿을 信字 주장일세
> 대장부 의기범절
> 信 없으면 어디 나며……
> 作心으로 불변하면
> 乃成君子 아닐런가207)

또한 『동경대전』座箴에는 다음과 같은 기록이 있는데 성경신을 불교적 맥락 위에 놓고 있음을 볼 수 있다.

> 우리 도는 넓고 간략하다

---

206) 『동경대전』 수덕문, "言之其中 曰可曰否 取可退否 再思心定 定之後言 不信曰信 如斯修之 乃成其誠 …… 先信後誠".
207) 『용담유사』 도수사.

많은 말과 풀이가 필요하지 않다
정성과 공경과 믿음의 세 가지면 그만이다
이 세 가지를 잘 닦아야 한다
꿰뚫고 나가면 비로소 알 것이다
잡념이 일어나는 것을 두려워 하지 말라
오직 知의 깨달음을 걱정하라.208)

　수운은 성경신을 강조하면서 이를 잘 공부하여 뚫고 나가면 알게 될 것
이니 "不怕塵念起 惟恐覺來知(잡념이 일어나는 것을 두려워하지 말라 오
직 知의 깨달음을 걱정하라)"209)라 하여 불교적 수행법을 연결시키고 있
다. 또한 수운은 物慾을 제거하면 改過遷善한다210)고 했다. "인간은 집착
과 망념 때문에 차별을 갖는 것이고 邪執과 망념을 떠나면 모든 존재의 실
상을 깨닫게 된다"211)고 말하는 원효와 다르지 않다. 불교의 止觀이나 수
운의 성경신은 모두 망념을 떠나 불성을 이루는 것과, 한울님을 모시고(侍
天), 한울님을 지키기(守心) 위한 마음닦음의 수행을 제시함에 있어서 같
은 맥락선상에 있다.
　수운이 말한 '守心'은 불교의 '乃守一心'212) 또는 '守本眞心'213)의 맥락에
서 이해될 수 있다. 본래의 참된 마음을 지키는 것이 정진의 제일인 것이
다. 그러나 수운이 말한 한울님은 불교의 一心과 달리 이를 인격화·초월
화(내재적)하여 이를 정성과 공경으로 섬겨야 할 대상이면서 동시에 이를
통해 한울님이 되어 가는 인간형성의 논리를 갖고 있다. 이것이 불교와 다
른 특징이 된다. 물론 불교에도 敬佛, 敬法, 敬一切智라 하여 수운의 한울

---

208)『동경대전』좌잠, "吾道博而約 不用多言義 別無他道理 誠敬信三字 這裏做工夫
　　透後方可知 不怕塵念起 惟恐覺來遲(知)".
209) 지눌의『수심결』에는 "不怕念起 惟恐覺遲"라는 글귀가 보이는데 여기서 覺遲와
　　수운이 말한 覺來知는 의미상 같다고 본다. 표영삼은 '覺來知'에서 來는 覺을 강
　　조하는 어조사로 보고 '知의 覺', 즉 知의 깨달음으로 해석하고 있다.
210)『용담유사』도덕가.
211)『대승기신론소별기』, "若有衆生能觀無念者 則爲向佛智故".
212)『般泥洹經』卷上, 大正藏 1, 181b, "內守一心 志在恬靜".
213)『禪家龜鑑』, "守本眞心 第一精進".

님 공경과 일맥상통하는 측면이 있고 특히 서산대사의 경우 '恭敬眞性'[214]
이라 하여 참된 성품을 공경하는 것으로서 敬의 개념을 말하고 있다. 이와
같이 수운의 敬개념은 불교와 무관하지 않으나 불교의 수양은 정혜에 초
점이 맞추어져 있다고 할 수 있기에 수운처럼 한울님에 대한 공경으로 축
약되는 것과는 다르다.

이상으로 볼 때 수운의 誠敬信은 유불의 전통을 결합하여 이에 새로운
특성을 가하고 있음을 볼 수 있다. 즉, 불교의 본체개념으로서 誠(誠諦)과
이치(연기)를 믿는 '信'과 공경의 대상으로 굳게 잡는 '敬'이 수운의 성경신
에도 보여지고, 동시에 유가의 본체인 '誠'과 대인접물상에서 誠하고자 하
는 敬(誠之)의 개념이 나타나고 있다.

誠되고자 함과 또한 誠은 천주가 되는 것에 이른다.[215]

만 가지 미혹됨이 사라지는 것은 誠을 지키기 때문이다.[216]

마음을 믿어 誠이 되고 …… 이와 같이 수도하면 곧 그 誠을 이루게 된
다. 먼저 믿음이 있어야 誠이 생기는 것이다. …… 敬으로써 誠되고자
하는 것이다.[217]

誠하고자 하는 소치를 알지 못하겠거든 내 마음을 잃지 않았나 살펴보
고 이는 스스로 태만하였음을 알아야 한다. 敬한 바를 알지 못하면은 잠
시라도 모앙하는 마음을 늦추지 말고 내 마음의 혼란 상태를 두려워 해
야 한다.[218]

---

214) 『禪家龜鑑』, "禮拜者 敬也 伏也, 恭敬眞性, 屈伏無明".
215) 『동경대전』 포덕문, "誠之又誠 至爲天主者".
216) 『동경대전』 수덕문, "萬惑罷去 守誠之故也".
217) 『동경대전』 수덕문, "心信爲誠 …… 如斯修之 乃成其誠 …… 先信後誠 …… 敬
以誠之".
218) 『동경대전』 八節, "不知誠之所致 數吾心之不失 是自知而自怠 不知敬之所爲 暫
不弛於慕仰 恐吾心之寤寐".

유가에서 誠之는 곧 敬이라 하였고 수운 또한 誠之하면 곧 誠 가운데 있게 되므로 이것이 곧 천주됨이라 하는 것이다. 또한 수운에게 있어 만 가지 미혹과 의심을 사라지게 하는 것은 守誠 즉 守心에 달려 있다. 수운의 心과 誠은 같다. 이 모두 본체적 개념으로 자기 안의 한울을 뜻한다. '心信爲誠'이라 하는 것도 이러한 맥락에서 이해되고, 수운도 성리학처럼 '敬'과 '誠之'를 같은 의미에서 쓰고 있다. 또한 수운이 믿음이 있어야 誠이 있게 됨을 강조하는 것은 불교의 믿음을 전제로 한 공경(愛敬)으로서의 敬 개념과 다르지 않다. 따라서 마음을 잃으면 誠도 알 수 없고, 敬은 慕仰에서 생겨나며 마음의 혼란상태(瘖寐)를 떠난 데서 그 근원을 찾을 수 있다.

인간의 마음은 항상 산란심과 치심으로 덮여 혼란상태에 빠지기 쉽다. 그러나 이러한 상태는 오직 허령한 한울을 성경신함으로써 없앨 수 있다. 이것이 지극한 경지에 이르면 인간 본래의 무궁성을 완성하게 되는데 이를 한울이라 하는 것이다. 한울은 인간 마음을 비우고 맑은 기운을 통하게 한다. 사람이 마음의 혼란한 상태에 속박되어 자신의 혼을 괴롭히지 않으면 혼은 심오하게 될 수 있다. 이것이 성경신의 실천을 통해 '인간성-무궁'에 도달하는 교육의 방법이다.

(3) 동학의 성경신과 유불적 수행과의 차이

수운이 불교의 세계관을 계승하여 一心을 侍天이라 하면서도 이를 待人接物에 있어서 성경신을 주장한 것 불교의 지관에 더하여 대인접물에서 합당한 관계를 맺고자 하는 인륜이 들어와 있는 점에서 불교와 다르다 할 수 있다. 그리고 수운의 성경신은 여기서 더 나아가 공경과 믿음의 의미가 부여되기에 유가와 다르다. 예를 들어 율곡의 경우를 보면[219] 그는 공부의 방법으로서 거경, 역행, 궁리 이 세 가지를 들어 이를 동시에 닦고 발전시

---

219) 그러나 불교 입장에서 보면 율곡이 말한 모든 것 역시 止觀 안에 있다. 즉 定으로써 삿된 마음과 망념을 떨치면 곧 밝은 지혜를 수반하는 것으로 그 지혜에 따라 물 긷고 나무하며 사람을 대하는 것이 그대로 불성의 현현이 되기 때문이다. 따라서 불교에서는 인의예지와 고정된 규범을 말하기 전에 깨달으라 한다. 그러면 그 속에서 자연히 합당한 무아행이 이루어진다고 말한다.

켜 나가면 이치에 밝아지고 의로움이 밖으로 나타난다고 하였다. 자신을
극복하여 본성을 회복하고 誠意와 正心의 공효가 몸에 쌓이면 사회를 아
름답게 할 수 있다는 것이다. 그러므로 그는 거경궁리의 맥락에서 敬을 말
한다. 그가 말하는 궁리란 안으로는 자신의 이치를 궁구하는 것이요 밖으
로는 사물과 인륜에 있어 일에 부딪혔을 때 올바로 하는 이치를 살피는 것
이다. 이는 책을 읽어서 밝힐 수 있고 옛일을 상고하여 경험하는 것이라
제시한다.[220] 따라서 율곡의 거경, 궁리, 역행이라는 것은 일에 처하여 사
리분별을 잘하여 잘못됨이 없도록 책을 읽고 옛일을 상고하는 것에 목적
이 있지만 수운의 성경신은 各自爲心을 돌이켜 한울님을 위하고 한울님
됨에 성경신의 목적이 있다. 격물치지적 만권시서의 궁리보다는 한울님을
섬기는 事天의 양태가 강조된다. 수운의 성경신은 불교에 영향을 받은 율
곡과 같은 맥락에서 誠敬이 설명되지만 그러나 서로 다른 것은 주자학처
럼 격물치지의 궁리가 강조되는 것이 아니라 한울님 자체에 대한 정성과
공경으로 다시금 덧입혀지는 것에 있다. 한울님에 모든 것을 거는 인간의
경외가 전제된다.

수운은 일동일정 일성일패를 천명에 부쳐보는 것이 천명을 공경하는 것
이고 천리를 따르는 것이라 했다.[221] 인간의 마음이 항상 천명에 거하도록
마음을 몰입하는 것이 곧 敬의 개념이 된다. 그리고 그 敬으로 인하여 드
러내고자 하는 본체인 誠은 천명과 같다. 수운은 천명이 있는 곳을 알지
못하면 내마음의 밝고 밝음을 돌아보라 했다.[222] 천명과 마음은 수운에게
있어 같다. 그리고 수운이 '인의예지가 아닌 성경신'이라 하여 이를 守心正
氣로 정하였듯이 執中[223]과 守心은 다르지 않다. 입도시에 한번 제사드리

---

220) 『율곡전서』 권5, 疏箚三, "窮理亦非一端 內而窮在身之理 視聽言動 各有其則 外
而窮在物之理 草木鳥獸 各有攸宜 居家則孝親刑妻 篤恩定倫之理 在所當察 接
人則賢愚邪正 醇疵巧拙之別 在所當辨 處事則是非得失 安危治亂之幾 在所當審
必讀書以明之 稽古以驗之 此是窮理之要也".

221) 『동경대전』 포덕문, "一動一靜一盛一敗 付之於天命 是敬天命 而順天理者也".

222) 『동경대전』 八節, "不知命之所在 顧吾心之明明".

223) 수운은 인간의 살필 바가 惟一執中이라 하였다(『동경대전』 수덕문, "元亨利貞 天
道之常 惟一執中 人事之察"). 여기서의 中은 천명과 같고 心 혹은 誠과 같은 의

는 까닭을 설명함에 있어서도 이는 길이 한울님을 모실 것을 거듭 맹세하
는 것으로 만 가지 의혹을 없애고 誠을 지키는(守誠) 것이기 때문224)이라
하였듯이 守誠, 守心, 執中은 본체적 개념으로 같은 맥락의 것이다. 도성
덕립이 在誠在人에 있다 함도 이러한 의미에서 읽어야 할 것이다. 이미 인
간에 본체로서 誠이 있고 이를 이루는 人이 있기에 도덕성립이 가능하다.
수운은 분명 주자학적 誠敬을 일정 부분 계승하고 있지만 본유적으로 인
간 본성을 규정한 인의예지를 거부한다. 인간의 노력이 없다면 誠은 밝혀
질 수 없다. 다시 말해서 수운이 敬으로써 誠한다225) 하였을 때 敬은 誠
(一)이 발현하도록 항상 천명에 따라 자기 마음을 사심 없이 집중하여 한
울님을 공경하는 것이다.

誠에 이르는 바를 알지 못하면	不知誠之所致
내 마음을 잃지 않았나 살펴보라.	數吾心之不失
공경할 바를 알지 못하면	不知敬之所爲
잠시도 우러러 사모함을 게을리 하지 말라.226)	暫不弛於慕仰

　誠을 알지 못하면 내 마음을 헤아려 잃지 않았나 보라 하였으니 본체로
서의 誠과 一心은 같은 것임을 다시금 살펴볼 수 있다. 또한 敬을 알지 못
하면 잠시라도 우러러 사모함을 게을리 하지 말라 하는데 이는 전일하게
항상 천명을 따르고 한울님(一心)에 대한 공경과 정성을 더욱 부각시키고
있음이 기존의 성리학적 敬과 다른 면모라 할 것이다. 수운은 誠한 소치를
알지 못하면 이는 자기 태만을 스스로 아는 것이요 敬의 하는 바를 알지
못하거든 내 마음의 寤寐(자고 깸)를 두려워하라고 하였다.227)
　수운은 분명 불교적 止觀의 틀을 빌면서도 사물과 일에 접해서 도덕성

미로 성경신이 향하는 대상이 된다.
224)『동경대전』수덕문, "守心正氣 惟我之更定 一番致祭 永侍之重盟 萬惑罷去 守誠
　之故也".
225)『동경대전』수덕문, "敬以誠之".
226)『동경대전』八節.
227)『동경대전』八節 又, "不知誠之所致 是自知而自怠 不知敬之所爲 恐吾心之寤寐".

립을 이루는 유가적 전통을 계승하고 있다. 그리고 동시에 유가적 격물치
지를 탈피하여 마음의 비움을 통한 한울님(일심)에의 공경과 정성으로 재
정립하였다. 그러면서도 수운에게서 더욱 부각되는 점은 철저히 한울님(천
명)에 따르고 자신의 害와 德을 가늠하지 않는 실천이다. 여기에는 천도에
대한 인간 자신의 내던짐이 있고 이는 불교의 대사일번과 같다. 특히 이돈
화는 수운의 성경신을 心告로 표현하여 현상적 자아가 본래적 자아인 한
울님과 합하고자 기원하는 것[228]으로서 재현하였다.

이상을 종합해 볼 때 다음과 같은 결론을 얻을 수 있다.
수운의 성경신은 유불 결합에서 비롯된다. 첫째, 수운의 信이라는 것은
불교적 개념으로 지눌이 말한 信解와 같은 맥락을 지닌다. 불교나 수운에
있어 깨달음은 믿음에서 비롯된다. 불교는 空의 이치를 믿어 아는 것으로
부터 수행이 시작되고[229] 수운 역시 옳은 바를 믿는 것이 있어야 敬과 誠
이 나오게 된다. 수운에게 있어 옳은 바란 무왕불복의 이치를 뜻한다. 불연
기연의 이치와 무왕불복의 이치는 의상의 去來義에 견주어 볼 때 한 범주
에 들 수 있다.
둘째, 수운의 誠은 곧 본체개념으로 한울님을 지칭하는 것이다. 성리학
의 誠이나 불교에서 誠諦는 眞諦와 같은 의미로 모두 본체개념으로 쓰이
기에 수운의 誠과 상통한다고 본다. 그러나 성리학의 誠은 실체이지만 불
교나 수운의 誠은 本虛의 개념이기에 성리학의 誠개념과는 다르다.
셋째, 수운의 敬은 성리학의 敬개념 즉 '主一無適'과 '惺惺'의 개념과 불
교의 敬개념을 계승한 것이라 할 수 있다. 먼저 성리학의 敬개념을 보면
성리학 자체가 불교의 영향을 받아 성립된 것이기에 주일무적과 성성이라
는 것은 불교의 定慧개념에서 온 것이라 할 수 있다. 하지만 성리학은 이

---

228) 제4장 2절 참조.
229) 조선 선불교에 있어서 지눌의 경우 경절문은 이치에 의지 않고 지극한 이치를 단
    박 깨치는 것으로 상근기에게 적용되는 것이다. 이는 설명이 필요없고 문자적 설
    명과도 거리가 멀다. 그러므로 본 연구에서는 하근기를 대상으로 하는 신해문을
    지칭하여 말하는 것이다.

불교의 정혜개념을 그대로 이식한 것이 아니라 대인접물상에서 거경궁리와 관련하여 敬을 말하고 있기에 불교와 다른 면모를 지닌다. 수운의 경개념에는 불교적 정혜로서의 敬과 대인접물상에서 실현되는 성리학의 敬개념이 혼재되어 있다고 볼 수 있다. 그러므로 수운의 敬은 불교의 정혜와는 또 다른 면모를 지니고 또한 儒家의 敬이 격물치지와 수반되는 것이므로 수운의 敬은 성리학의 敬과는 또 다르게 된다. 수운의 敬은 한울님에 대한 몰입과 한울님의 발현을 위한 공경의 의미를 지닌다. 敬 자체가 공경의 의미를 지니는 것은 불교 대승의 敬개념에서 비롯된다. 敬法, 敬佛, 敬一切智와 같은 용례를 떠올릴 수 있다. 그러나 불교에서 敬은 수운의 공경으로서의 敬만큼 강하게 드러나지 않는다. 수운의 공경으로서의 敬은 오히려 퇴계와 다산 이래로 계승되어온 원시유가적 事天學의 전통에서 비롯되고 이는 고대부터 있어 왔던 천신신앙에서 유래한 것으로도 볼 수 있다. 수운은 항상 인간의 마음이 한울님을 위해 있도록 공경하고 집중하여 各自爲心과 塵念이 끼지 않도록 깨어 있는 것이 敬이다. 그리고 이로부터 인간의 본체인 한울님(誠)이 발현될 수 있도록 하는 것이 한울님의 모심이다. 이는 현실의 인연과 속박을 떠나 삼매와 觀을 통해 깨달음을 얻고자 하는 불교의 수행형식과는 다르다. 그러나 그 궁극에 이르는 내용은 인간이 한울님을 모실 때 우주는 한 몸이 되고 우주는 자신을 통해 새롭게 창조되어 가기에 화엄의 비로자나불과 다를 바 없다.

불교의 眞心이 평상심으로서 능히 보고 듣고 지각하는 것이 불성이듯이[230] 수운에게 있어서도 사람의 수족동정이 곧 귀신이요[231] 귀신은 일심이다. 불교가 定慧로써 진심에 거하고자 했다면 수운은 성경신의 守心으로써 한울님과 합하고자 한다. 그러나 진심에 거하고 한울님과 합하는 수심의 요체는 깨달음에 있다. 따라서 지눌이나 수운 모두 '생각이 일어나는 것을 두려워하지 말고 오직 깨달음이 늦어질까 걱정하라'[232]고 한다. 수운의 한울님은 인간의 궁극성을 뜻하고 또한 일심을 뜻한다. 이는 인간 스스

230) 『보조국사전서』 수심결, "能見聞覺知者 必是汝佛性".
231) 『동경대전』 도덕가.
232) 제3장 주)51 참조.

로 자신의 무궁성을 초월시켜 이에 대한 종교성을 부여하고 있는 것이다.
그래서 <自心自拜>라든가 <向我設位>라는 새로운 개념과 실천이 등장
하게 되고 이는 궁극적으로 불교가 성불을 지향하듯이 <人間內在的 宇宙
神>을 지향한다.

그러면서도 수운은 대인접물의 구체적인 한울님의 공경을 통해서 한울
님을 실현하고자 한다. 동귀일체를 이루고자 일상에서 접하는 사물과 사람
마다 한울님으로서 공경하고 이를 통하여 지상천국을 지향하는 수행체계
이다. 여기에는 時運이 따르기에 이를 알아 이루는 것에 또 하나의 축을
삼게 된다. 여기서 보국안민, 광제창생, 후천개벽의 사상이 강하게 자리잡
게 되는데, 인간이 역사적 주체임을 분명히 한 점이 불교의 지눌이나 성리
학보다 강하게 나타나는 면모라 할 수 있을 것이다.

(4) 해월의 敬心과 誠敬信

해월은 한울이 곧 마음으로[233] 그 마음에 대하여 "心是虛靈 造化無
窮"[234]이라 하였다. 마음이 허령하기에 조화가 무궁한 것이요 무궁한 이치
가 된다. 해월이 말하는 '虛靈'이란 이 역시 텅 비어 있으면서도 신령한 것
으로 이는 空하면서도 어떤 작용(有)이 있는 '眞空妙有'와 같다.

> 비어 있으면서도 신령하고 空하면서도 묘한 작용이 있다. 작용이 있으
> 면서도 근근하지 않고 고요할 때에는 밝음으로 돌아가 한 본원에 거한
> 다.[235]

결국 자신의 도를 무궁한 이치라 표현한 수운이나 허령으로 표현한 해
월의 말은 불교의 본체론과 같이 비실체론에 터하여 말했던 것임을 알 수

---

233) 『해월신사법설』 天地人·鬼神·陰陽, "心卽天 天卽心".
234) 『해월신사법설』 天地人·鬼神·陰陽, "天地 一氣圓也 氣是渾元 心是虛靈 造化無
窮".
235) 『宏智禪師廣錄』 卷1, 大正藏 48, 16c, "虛而靈 空而妙 用處不勤勤 寂時還皎皎
據一如之本源".

있다.

　경에 말하기를 '마음은 본래 비어 있어 물건에 응하여도 자취가 없다'. 빈 가운데 영이 있어 깨달음이 스스로 난다. 그릇이 비었으므로 사람이 능히 거처할 수 있고 천지가 비었으므로 모든 물건을 용납할 수 있으며 마음이 비었으므로 일만 이치를 능히 통할 수 있다. …… 없는 데서 생기어 빈 데서 형상을 갖추니 없는 듯 비인 듯 하다. 보려하나 보이지 아니하고 들으려 하나 들리지 아니한다. 빈 것이 능히 기운을 낳고 없는 것이 능히 이치를 낳고 …… 이 비고 없는 기운을 체로 하여 비고 없는 이치를 쓰면 비고 신령한 것이 참된 데 이르러 망령됨이 없어진다. 참이란 것은 빈 가운데서 실상을 낳은 것이니 천지의 지극히 공변된 것이요 망령이란 것은 허한 가운데서 생긴 거짓이니 천지의 공이 없어지는 것이다.[236]

　수운은 '마음을 본허(心本虛)'라 하여 物에 응해도 자취가 없다[237]고 하였는데 해월은 이를 구체적으로 설명하고 있다. 해월에게 있어 수운이 말한 한울은 곧 본연마음이다.[238] 마음이 본래 비어 있고 자취가 없기에 일만 이치를 능히 통섭할 수 있다고 말하는 해월의 사상에도 불교의 무자성논리가 녹아 있다. 참이란 빈 가운데서 실상을 낳는 것으로 불교의 '眞空妙有'와 다르지 않은 것이다. 또한 불교에 있어서 우주의 본체인 一心은 자기라 고집할 것도 고정된 그 무엇도 없으면서 변화와 생성을 지어낸다. 스스로 고집할 본성이 실재하지 않기 때문에, 즉, 무자성이기에 모든 만물을 통섭할 수 있는 것이다. 즉, 해월이 말한 '心是虛靈'이나 수운의 '心本虛 應物無迹'은 원래 불교의 다음과 같은 말에서 이해될 수 있다.

---

236) 『해월신사법설』 虛와 實, "經曰 心兮本虛 應物無迹 虛中 有靈 知覺自生 器虛故 能受萬物 空虛故 能居人活 天地虛故 能容萬物 心虛故 能通萬理 …… 無生有也 有生無也 生於無 形於虛 無無如 虛虛如 視之不見 聽之不聞 虛能生氣 無能生理 …… 體此虛無之氣 用此虛無之理 虛虛靈靈 至眞無妄 眞者 虛中生實 천지지 지공 妄者 虛中生氣 天地之無功也".

237) 『동경대전』 歎道儒心急.

238) 『동경대전』 靈符呪文, "心者 在我之本然天也 天地萬物 本來一心".

세 가지 이치란 眞諦, 俗諦, 中諦이다. 세 가지 觀이란 空, 假, 中이다. 망념을 잊어 끊어진 곳을 眞諦라 하고 연을 따라 응하여 작용하는 것을 俗諦라 하며 空과 有를 융통한 것을 中諦라 한다. 虛靈不昧 이는 내 마음이 스스로 空함이다. 사물이 와서 마음에 응하니 이는 내 마음이 스스로 있음이다. 空과 有는 상즉하니 이는 내 마음이 스스로 中한 것이다. …… 닦는다는 것은 본성을 비추어 아는 것을 말한다. 그러므로 이 마음을 체달하면 텅 비어서 한 물건도 없다. 이를 空이라 말한다. 이 性을 비추어 본즉 만법이 내 마음에 구족된다. 이를 假라 한다. 이 두 가지를 융통하여 하나가 아니면서도 다르지 않으니 이를 中이라 한다. 그런즉 虛靈하나 사물에 응하는 것이다. 즉 '應物而虛靈'이다. 空은 假・中이요, 假는 空・中이며, 中은 곧 空・假다(강조는 필자).239)

불교의 三諦, 三觀은 연기사상으로부터 비롯되는 空, 有, 空有中道 이 세 가지를 회통하여 세계와 인간을 이해한다. 허령불매, 응물무적은 곧 공가중을 말하는 마음본체의 설명이다. 이렇게 볼 때 동학의 한울님은 허령불매의 마음이고 불교의 일심이며 공경의 대상이다. 자기 안의 한울님(허령불매한 마음)을 섬기는 것이므로 해월은 '向我設位'를 말하고 의암은 '我侍我天', '自心自拜'를 말한 것이다. 한울이 마음이요 마음이 한울이기에 인간은 자신의 일상마음이 한울(一心)과 합하도록 노력하는 수행을 통해 한울이 된다. 한울이 되면 천지만물을 모두 다 걸림 없이 통섭하고 모든 것을 두루 알게 되니 이것이 바로 수운이 바라던 지상신선이요 성현이다.

한울과 마음은 본래 둘이 아닌 것이고 마음과 한울이 바로 화해야 侍・定・知라 이를 수 있다. 만약 마음과 한울이 서로 어기면 시천주가 되지 못한다. 따라서 해월은 모두가 다 시천하였으나 그 이치를 깨닫지 못하고 공경하지 않아 한울과 합하지 못하면 시천주한 것이 아니라 분명히 말하

---

239) 『淨土生無生論』, 大正藏 47, 383a, "三諦者眞俗中也 三觀者空假中也 忘情絶解莫尙乎眞 隨緣應用莫尙乎俗 融通空有莫尙乎中 虛靈不昧 此吾心自空者也 物來斯應 此吾心自有者也 空有相卽 此吾心自中者也 …… 修之者稱性照了也 故體達此心空洞無物 謂之空 照了此性具足萬法 謂之假 融通二邊不一不二 謂之中然則卽虛靈而應物也 卽應物而虛靈也 空卽假中也 假卽 空中也 中卽空假也".

였다.240) 또한 해월은 수운과 마찬가지로 인간의 신령함을 말하여 잡신만을 신령하게 아는 민중들을 병들었다 한다. 민중들은 입도한 뒤에도 한울을 섬기기보다 음사에 빠져서 허황되니 이 모두 한울을 배척하는 것이라 말했다.

세상사람은 천령의 영함을 알지 못하고 또한 심령의 영함도 알지 못하고 또한 심령의 영함도 알지 못하고 다만 잡신의 영함만을 아니 어찌 병이 아닌가. 지금 세속에서 이르는 성황이니 제석이니 성주니 토왕이니 산신이니 수신이니 석신이니 목신이니 하는 등의 음사는 붓으로 다 기록하기 어렵다. 이것은 한무제 때에 무당이 하던 여풍을 지금까지 개혁하지 못하고 마음에 물들어 고질이 되었으니 다만 어리석은 사람들의 병근을 고치기 어려울 뿐만 아니라 썩은 유생과 속된 선비도 많이 흘러들어 습관과 풍속을 이루었으니 가히 한심한 것이다. …… 음양이라 귀신이라 조화라 명이라 기운이라 하니 음양의 근본을 아는가 모르는가 근본을 알지 못하고 한갓 글 외우기만 하니 한심한 일이다. 이 근본을 투철하게 안 뒤에라야 바로 한울을 안다고 이를 것이다. …… 도인이 입도한 뒤에 천지 섬기기를 부모 섬기는 것과 같이 아니하고 오히려 음사에 빠져서 음사의 마음을 놓지 못하여 혹 만들고 혹 걷어 치우고 절반은 믿고 절반은 의심하여 천지도 믿고 음사도 믿으니 이것은 천지부모를 배척하는 것이다.241)

---

240) 『해월신사법설』天地人·鬼神·陰陽, "天地一氣塊也 天地人都是一理氣而已 人是天塊 天是萬物之精也 蒼蒼在上 日月星辰所係者 人皆謂之天 吾獨不謂天也 …… 氣爲主 心爲體 鬼神用事 造化者鬼神之良能也 …… 心卽天 天卽心 心外無天 天外無心 天與心 本無二物 心天相合 方可謂侍定知 心天相違則 人皆曰侍天主 吾不謂侍天主也".

241) 『해월신사법설』心靈之靈, "世人不知天靈之靈 亦不知心靈之靈而但知雜神之靈 豈非病乎 今俗所謂 城隍帝釋城主土王山神水神石神木神等 淫祀筆不難記也 此是漢武帝時巫蠱餘風 尙今未革 染心成痼 非但愚婦愚夫之病根難治 腐儒俗士 汪汪流入 習與成俗 可謂寒心處也 …… 曰陰陽曰鬼神曰造化 曰命曰氣 知陰陽之根本乎 不知乎 不知根本而徒能讀而已 可歎矣 是知根本透徹然後 方可謂之知天也 …… 道人入道後 事天地不如事父母 猶浸浸然 不釋淫祀之心 或作或撤 半信半疑 半信天地半信淫祀 是排斥天地父母者也".

따라서 해월은 사람이 바로 한울이니 사람 섬기기를 한울같이 하고 잡신에 이끌리지 말라 하여 영부를 자세히 설명하고 있다.

　인간 마음이란 인간 안에 있는 본연의 한울로 천지만물이 한마음에 근본한다. …… 천지의 마음은 신령하고 천지의 기운은 호창하여 천지에 가득차고 우주에 뻗혀 있다. 경전에 말하기를 '나에게 영부 있으니 그 이름은 선약이오 그 형상은 태극이오 또 형상은 궁궁이니 나의 이 영부를 받아 사람을 질병에서 건지라' 하였는데 궁을의 모양이 곧 마음 心字이다. …… 또한 태극은 현묘한 이치다. [242]

해월은 수운이 득도한 처음에 영부를 제시한 것은 세상사람이 다만 한울만 알고 한울이 곧 나의 마음인 것을 알지 못함을 근심해서 궁을을 부도로 그려내고, 심령의 躍動不息하는 형용을 표상하여 시천주의 뜻을 가르쳤다고 말한다. 따라서 마음 다스림의 중요성을 주장한다.

　지금 사람들은 다만 약을 써서 병이 낫는 줄만 알고 마음을 다스리어 병이 낫는 것은 알지 못하는데 마음을 다스리지 아니하고 약을 쓰는 것이 어찌 병을 낫게 하는 이치이겠느냐고 한다. 마음을 다스리지 아니하고 약을 먹는 것은 한울을 믿지 아니하고 약만 믿는 것이다.[243]

수운이 자신의 도를 心學이라 한 이유가 여기에 있다. 해월도 修心의 여부에 따라 한울님과 합하느냐 못하느냐가 달려 있음을 말하고 있다. 따라서 해월은 한울을 기를 줄 아는 자라야 한울을 모실 줄 안다고 말한다. 한울이 내 마음속에 있음이 마치 종자의 생명이 종자 속에 있음과 같음이니 종자를 땅에 심어 그 생명을 기르는 것과 같이 사람의 마음은 실천에 의하

---

242) 『해월신사법설』 靈符呪文, "心者在我之本然天也 天地萬物本來一心 天地之心神神靈靈 天地之氣 浩浩蒼蒼 滿乎天地 亘乎宇宙也 經曰「吾有靈符 其名仙藥 其形太極 又形弓弓 受我此符 濟人疾病」弓乙其形卽心字也 …… 太極玄妙之理".

243) 『해월신사법설』 靈符呪文, "今人 但知用藥愈病 不知治心愈病 不治心而用藥 豈有差病之理哉 不治心而服藥 是不信天而信藥".

여 한울을 기르게 되는 것이다. 같은 사람이라도 한울이 있는 것을 알지
못하는 자는 종자를 물 속에 던져 그 생명을 멸망케 함과 같다. 그러한 사
람은 종신토록 한울을 모르고 살고 일마다 한울과 어긋나는 삶을 산다. 오
직 한울을 기르는 자에게 한울이 있고 기르지 않는 자에게는 한울이 없다.
이는 마치 종자를 심지 않은 자는 곡식을 얻을 수 없는 것과 같다고 해월
은 거듭 말한다.244)

　해월은 성경신을 통해 마음공부(心學)를 독실하게 하면 이루지 못할 것
이 없다고 한다. 마음공부는 반드시 한 마음(一心)으로부터 시작된다. 도에
대한 생각을 주릴 때 밥을 생각하듯이, 추울 때 옷을 생각하듯이, 목마를
때 물을 생각하듯이 하라고 하여 정성만 있으면 도를 닦을 수 있다고 했다.
또한 박학, 심문, 독행을 말하여 선을 행하고자 하는 정성에 있어 널리 배
우고 자세히 물으며 독실히 행하라고『중용』이 제시한 誠의 조목 중 세 가
지를 재차 말하고 있다. 그리고 삼년 안에 도안이 밝지 못하고 마음 바탕
이 신령치 못하면 이는 정성이 없고 믿음이 없는 탓이라 하였다.245)

　해월은『중용』에서 非誠이면 無物이라 한 것처럼 非誠이면 無誠이라
한다. 그러면서도 한울의 위엄과 神의 눈이 이르지 않는 곳이 없으니 항상
두려움과 공경으로 섬기라 한다. 여기에 인간이 끊임없이 자기 내면의 초
월자에 의하여 정화되면서 동시에 한울님을 발현해가는 氣化가 있는 것이
다. 그러나 무엇보다도 해월은 사사로운 욕심을 끊고 사사로운 물건을 버
리며 사사로운 영화를 잊은 뒤에라야 기운이 모이고 신이 모이어 환하게
깨달음이 있을 것이라고 한다.246) 해월은 마음에 욕념과 티끌이 일지 않으
면 한울의 정신이 전부 한몸 안에 돌아오고 반대로 마음이 맑고 밝지 못하
면 우매하게 된다고247) 하였다. 이는 불교에서도 말해지는 바다. 인간은 티

244)『해월신사법설』養天主.
245)『해월신사법설』降書, "誠者 心之主事之體 修心行事 非誠無誠 敬者 道之主身之
　　用 修道行身 唯敬從事 畏者 人之所戒 天威神目 無處不臨".
246)『해월신사법설』독공, "鑿井而後飮 耕田而後食 人之心學 不如飮食之業乎 ……
　　德潤百體 必自一心 道之一念 如飢思食 如寒思衣 如渴思水 …… 有誠 可以修道
　　也 …… 學則必博 問則必審 行則必篤 若於三年 道眼不明 心地不靈 此是無誠無
　　信 …… 絶其私慾 棄其私物 忘其私榮以後 氣聚神會 豁然有覺矣".

끝이 일지 않은 맑은 마음을 공경하여 항상 한울 마음이 되도록 해야 한다.

> 내 마음을 공경치 않는 것은 천지를 공경치 않는 것이요 내 마음이 편
> 안치 않은 것은 천지가 편안치 않은 것이다. …… 수심정기하는 법은 효
> 제온공이니 이 마음을 어린아이 같이 보호할 것이며 늘 조용하여 성내는
> 마음이 일어나지 않게 하고 늘 깨어 혼미한 마음이 없게 하는 것(惺惺無
> 昏昧之心)이 옳다 …… 참된 마음은 한울이 반드시 좋아하고 한울이 반
> 드시 즐거워한다.[248]

한울이 곧 내 마음이므로 내 마음을 공경치 않는 것이나 혹은 편안치 않
은 것은 곧 한울이 그러한 것이다. 자기 마음을 공경하라는 것은 자신의
마음이 항상 한울과 합치하도록 정성과 공경을 다하는 마음상태를 말하는
것이기도 하다. 이러한 마음을 지켜 바른 기운을 얻는 법은 효제온공에 있
다고 해월은 말한다. 孝悌溫恭의 방법은 부모를 온공함으로 모시듯이 마
음을 공경하라는 시대적인 담론이다. 이는 수운이 한울을 부모 섬기듯이
하라는 말과 같다. 이 마음을 어린아이같이 보호하여 인간관계의 상황마다
한울마음이 나타내도록 해야 한다. 또한 성내는 마음이 일지 않게 하고 늘
깨어 혼매한 마음이 없게 해야 한다. 이는 불교의 수행과 다르지 않은데,
여기서 '惺惺無昏昧之心(혼매하지 않고 깨어있는 마음)'이라 한 것은 불교
에서 말하는 '惺惺不昧'[249]이다.

그러나 이러한 실천은 먼저 待人接物에서 시작되는 것으로 사람을 대하

---

247) 『해월신사법설』 守心正氣, "人能淸其心源 淨其氣海 萬塵不汚 慾念不生 天地精
　　神 總歸一身之中 心無淸明 其人愚昧 心無塵埃 其人賢哲 …… 身體心靈之舍也
　　心靈身體之主也 心靈之有爲一身之安靜也 慾念之有爲一身之擾亂也".
248) 『해월신사법설』 守心正氣, "我心不敬 天地不敬 我心不安 天地不安 …… 守心正
　　氣之法 孝悌溫恭 保護此心 如保赤子 寂寂無忿起之心 惺惺無昏昧之心 可也 心
　　不喜樂 天不感應 心常喜樂 天常感應 我心我敬 天亦悅樂 守心正氣 是近天地我
　　心也 眞心天必好之 天必樂之".
249) 『禪宗永嘉集』, 大正藏 47, 390b, "惺惺 謂不生昏住無記等相 …… 以惺惺治昏
　　住";『無門關』, 大正藏 47, 299b, "惺惺不昧 帶鎖擔枷 思善思惡 地獄天堂 佛見
　　法見二銕圍山 念起卽覺".

는 곳에서 세상을 기화할 수 있고 물건을 접하는 곳에서 천지자연의 理를 깨달을 수 있다. 사람과 물건을 접하지 않는다면 인식도 깨달음도 없다. 만약 사람이 이 두 가지 길을 버리고 길을 구한다면 이는 허무에 가깝고 실지를 떠난 것이다. 따라서 천 만년 法經을 외운들 무슨 소용이 있겠냐고 해월은 말한다.[250] 이는 인간완성의 방법을 구체적으로 말해 주는 것이다. 만나는 사람마다, 접하는 사물마다 인간이 삿된 마음을 벗어나 한울님의 마음으로 대인접물할 때 무위이화하는 도를 이룬다.

> 과연 성경신에 능하면 성인되기가 손바닥 뒤집기 같다. …… 순일한 것을 誠이라 이르고 쉬지 않는 것을 誠이라 이르나니 이 순일하고 쉬지 않는 성으로 천지와 더불어 법도를 같이 하고 운을 같이 하면 대성대인이라고 이르는 것이다. 사람마다 마음을 공경하면 기혈이 크게 화하고 사람마다 사람을 공경하면 모든 사람이 와서 모이고 사람마다 물건을 소중히 하면 만상이 거동한다. 거룩하다 공경함이여. …… 모든 만사가 믿을 信 한 자뿐이다. …… 마음을 믿는 것은 곧 한울을 믿는 것이 되고 한울을 믿는 것은 곧 마음을 믿는 것이다. …… 사람이 닦고 행할 것은 먼저 믿고 그 다음에 정성드리는 것이니 만약 실지의 믿음이 없으면 헛된 정성을 면치 못한다. 마음으로 믿으면 정성 공경은 자연히 그 가운데 있다.[251]

이상과 같이 수운이 제시했던 성경신은 위와 같이 해월에게서도 그대로 계승된다. 그리고 이 성경신은 곧 三敬으로 구체화된다. 즉, 순일한 것, 쉬지 않는 것을 誠이라 하고 이로써 천지와 더불어 법도와 운을 같이 하면 大聖, 大人이 된다. 사람마다 마음을 공경하면(敬心) 기혈이 크게 화하고, 사람을 공경하면(敬人), 모든 사람이 와서 모이며, 사람마다 물건을 소중히 하면(敬物) 만상이 움직인다. 여기서 특히 해월은 <敬天>이 아닌 <敬心>

---

250) 이돈화편, 『천도교창건사』 제2편, 16쪽.
251) 『해월신사법설』 성경신, "果能誠敬信 入聖如反掌 …… 純一之謂誠 無息之謂誠 使此純一無息之誠 與天地同度同運 則方可謂之大聖大人也 人人敬心 則氣血泰和 人人敬人 則萬民來會 人人敬物 則萬相來儀偉哉 敬之敬之也夫 …… 億千萬事 都是在信一字而已 …… 信心卽信天 信天卽信心 …… 人之修行 先信後誠 若無實信 則未免虛誠也 信心誠敬 自在其中也".

을 말하는데 자기 안의 한울님은 결국 '心'이다. 그러므로 해월은 '향아설위'와 더불어 '경심'을 말한다. 그리고 이 모든 것은 믿음에서 시작된다. 마음을 믿는 것은 곧 한울을 믿는 것이고 한울을 믿는 것은 곧 마음을 믿는 것이다. 마음으로 믿으면 정성, 공경은 자연 그 가운데 있다.

해월에게 있어 성경신의 신 즉 믿음은 마음을 믿는 것이고 이는 한울을 믿는 것이다. 수운은 믿음이란 그 옳음을 믿어 결코 흔들리지 않아야 성경의 수련이 가능하다고 하였다. 해월도 마음이 곧 한울이요 한울이 마음이며 그 마음이 한울과 합해야 한다는 믿음이 먼저 있어야 정성과 공경도 헛되지 않아, 자연히 그 안에 있게 되는 것이라 한다. 인의예지도 믿음이 아니면 행하지 못하고 억천만사가 모두 믿을 신 한 자에 있다. 사람의 믿음이 없음은 수레의 바퀴가 없음과 같다. 수운이 말한 '대장부 의기범절 信 없으면 어디 나며' 한 것도 바로 이를 두고 한 말이라 하였다.[252]

또한 해월은 교육실천의 두 축으로 인간 개인에 있어 修心과 대인접물의 관계에 있어 三敬을 제시하고 있다. 인간 스스로가 한울마음을 지키고자 하는 마음닦음과 한울마음에 대한 공경 그리고 인간과 사물을 접하여 한울마음의 행함을 실천하는 것이다. 사람은 한울로 말미암아 한울이요 사람은 한울로 말미암아 사람이다. 한울을 모시고 사람이 되었고 사람을 의지하여 한울이 있어 사람의 성령과 육신이 곧 모셔진 한울이다.[253] 이는 인간 개체의 誠이 대우주의 誠과 합치하게 되는 것과 같다.[254]

2. '인간성-무궁' 사상의 계승과 천도교 교육론의 전개

조선철학의 연맥을 갖는 수운의 사상은 또다시 해월을 통해 계승되었고 의암에 와서 천도교로 개창되면서 이돈화와 김형준, 김기전 등에 의해 현대적 교육해석이 가해졌다. 의암은 인내천과 覺天으로, 이돈화는 물심일치

---

252) 『해월신사법설』 성경신.
253) 誠天生, 「교리문답」, 『천도교회월보』 1920.6.
254) 김병준, 「사대계명과 인내천」, 『천도교회월보』 1921.6.

의 일원론과 인간성 무궁, 즉 사람성 인간격의 실현을 제시하였다. 특히 김기전은 교육을 건축업자에 비유한 교육론을 매우 흥미롭게 제시하고 있고, 김형준은 현대사상 비판과 아울러 인간무궁성의 실현이라는 한울자아를 제시하고 있어 수운의 사상을 근대적 표현으로 이해시키면서도 탈근대적 성격을 띠고 있다. 이는 천도교 교육사상의 정수를 쉽게 접하게 한다.

이들 모두는 각자 나름의 독특성을 지니지만 궁극적으로 수운의 사상을 설명함에 있어서는 정통을 계승하고 있다. 다만 강조점이 다를 뿐이다. 수운의 시천주 사상이 해월에게서 양천주 혹은 사인여천 사상으로 그리고 의암에게서 인내천으로 발전했다고 말하지만 이는 모두 이미 수운에게 있었던 것이다.[255] 수운의 사상을 계승한 후계자들에 있어서 달리 설명되는 것은 표현의 차이일 뿐이다. 이들에게는 공통적으로 수운에게서 보여졌던 <불연기연적 세계관>과 <무왕불복의 역사관> 그리고 <侍天에 따른 성경신의 수련>이 솥의 3발처럼 교육적으로 구조화되어 재현되고 있다. 그리고 이것이 시대적 영향 아래 근대적 담론으로 새롭게 표현되었던 것이다. 천도교는 수운이즘을 표방하고 인내천주의를 내세워 인간무궁성 실현의 교육이념 아래 교육운동을 실천했던 것이다.

1) 동학에서 천도교로의 개칭

동학이 천도교로 개칭되는 데에는 역사적 요인과 더불어 종교의 체계화를 위한 요구가 개입된 것으로 볼 수 있다. 동학혁명이 실패로 돌아가고 정부는 계속 東匪라 하여 잔인한 탄압은 그치지 않았다.[256] 해월은 삼암 즉 손병희, 손천민, 김연국을 후계자로 세웠으나 손천민은 1900년 8월에 관군에 체포되어 처형되었고 또 김연국도 1901년 6월에 체포되어 종신형에

255) 표영삼, 「인내천과 사인여천」, 『신인간』 476, 1998.1.
256) 『황성신문』 1904년 4월 12일자를 보면, 도내 각군에 동학이 大熾하였고 日兵과 함흥군수가 농비 십수 명을 포착하여 포살했다는 기사가 있다. 그리고 『황성신문』 1904년 6월 2일에는 "태인군수 손병호가 東匪巨魁 李利老爲名漢을 포착하여 소위 錄名冊子를 得하였는데 도당이 수천 명이더라"는 기사가 있다.

처해졌다. 손병희는 일본에 망명하여 동학에 대한 선처와 정치혁신을 간곡히 탄원했다. 그는 40여 명을 일본에 유학시키는 한편 보국안민의 策을 세가지로 제시했다. 첫째는 혁명을 일으켜 '廢昏立明'하자는 것이고 둘째는 惡정부를 청소하고 新정부를 조직하는 것이며 셋째는 日露전쟁에 참여하여 그 우승을 佶得하자는 것이었다. 그리고는 군자금 만 원을 일본육군성에 損助하였다. 그는 "日露戰은 滿韓을 위한 전쟁인 고로 일본이 승리하나 露國이 승리하나 韓이 이에 좇아 망할 것이 명약관화한즉 이때에 있어서 우리 도인 수 10만이 발기하여 전쟁에 참여하고 보면 일본이 위급존망의 秋에 당하여 반드시 譴을 내외에 요구할지니 내 이때에 있어 일본 당국과 한정개혁의 밀약을 굳게 맺은 뒤에 일본을 위하여 露를 치고 일변 국권을 잡은 뒤에 제정을 혁신하면 이에 한국의 재생의 길이 있을 뿐이라"[257] 하고 국내의 신도들을 모아 민회를 조직하도록 지시하였다. 민회를 조직하고자 한 것은 독립협회의 경우 민회형태로 국내에서 활동하고 있었으므로 이러한 전례에 따라 동학도인의 자유로운 활동을 도모하고자 함이었다.

손병희로부터 지시를 받고 돌아온 두목들은 장차 대거할 일을 논의하고 會名을 大同會라 하고 비밀리에 도인을 조직하였는데 그 조직이 날로 강화 확대되어 한 고을 내에도 수천 명씩 회원이 확산되었다 한다. 이 해(1905년) 7월에는 대동회를 中立會라고 이름을 고쳤다. 그러나 이제 회명을 무엇이라고 고쳐도 그것이 동학집단이라는 것을 감출 수는 없었고 관헌은 그것이 지난날의 동학당이라고 하는 이유만으로 무턱대고 강압했으며 이에 따라 회원들의 희생도 커갔다. 회원들은 각지에서 피살되고 獄死하며 각지 府·郡에서 관리들의 잔학은 극에 이르렀던 것이다.[258] 의암은 9월에 권동진, 오세창, 조의연 등과 상의하여 회명을 다시 진보회라고 고쳤다. 이에 크게 놀랜 조정에서는 진보회의 조직을 지난날의 동학당의 기포로 단정하고 군대를 동원하여서라도 토벌하려 하였다.

한편 일본의 이등박문은 장차 露日戰에서 일본이 승리하고 한국을 먼저

---

257) 이돈화편, 『天道敎創建史』, 1933, 43쪽.
258) 이돈화편, 『天道敎創建史』, 1933, 44~45쪽.

일본세력 밑에 넣고 마음대로 이용하려면 자기들 통솔 하에 부속된 정당을 만들어 둘 필요가 있었다. 그 필요에 의해 선택된 것이 송병준이었다. 송병준은 일찍이 독립협회의 회원이던 윤시병, 윤갑병, 염중모 등과 합세하여 유신회를 조직하고 이어 일진회라고 이름을 고쳐 일본군의 보호 하에 명맥을 유지하고 있었다. 일진회가 진보회의 대기함을 보고 놀래는 한편 매우 기뻐하면서 당시 진보회장 이용구를 만나 통합을 요청하여 일을 성사시켰다. 그리고 진보회를 구출하기 위해 발벗고 나섰다. 즉 10월 22일에는 정부에 上書하여 진보회 '討伐剿討砲刑' 지시를 곧 취소할 것을 강경히 요구하였다.259)

원래 진보회는 동학의 신도에 의해 조직된 민간단체로서 처음부터 정치적이라고 하기보다 종교적인 성격이 강하였다. 동학의 신앙자유를 실현하려는 것이 진보회의 가장 큰 목표였다. 그러나 일진회가 매국적인 친일집단으로 백일하에 드러났을 때 동학신도인 이용구가 회장의 직책까지 받았고 온 국민은 동학을 매국적 집단으로 노골적으로 증오하게 되었다. 이 때 손병희는 이용구를 불러 공포한 바 성명서의 뜻을 물으니 "한국으로 하여금 일본의 보호를 받아서 장차 완전독립을 하고자 하는 시의에서 나온 것"이라 하였다. 이에 손병희는 그에게 "보호를 받고자 하면 독립을 버려야 하고 독립을 하고자 하면 보호를 버려야 하나니 어찌 보호라는 이름 아래 독립을 하고자 하느냐"하고 다시는 말하지 않았다고 한다.260) 이리하여 손병희는 이해 12월 1일에 敎名을 천도교로 고치고 천하에 廣布하였다.

夫吾敎는 天道之大原일새 曰 天道라 吾敎之創明이 及今 四十六年에 信奉之人이 知映其廣하며 如是其多하되 敎黨之不遑建築은 其爲遺憾이 不容提說이오 現今人文이 闡明하여 各敎之自由信仰이 爲萬國公例오 其敎黨之自由建築도 亦係成例니 吾敎會黨之翼然丈立이 亦應天順人之一大標準也라 惟我同胞諸君은 亮悉함261)

---

259) 최철극, 「天道敎의 近代化運動(上)」, 『신인간』 310, 1973.10.
260) 이돈화편, 『天道敎創建史』, 1933, 52~53쪽.
261) 『제국신문』 1905년 12월 1일자.

동학을 천도교로 개칭한 명칭의 유래는『동경대전』에 '道雖天道 學則東學'262)이라는 데서 따온 것이고 天道에 敎字를 붙인 것이다. 금일 세계문명 각국이 종교의 자유를 구가함을 말하여 천도교의 종교적 위상을 부각시키고 자유로운 교당설립과 자유신앙을 촉구하고자 한 동기를 볼 수 있다. 이 광고에서 보면 천도교가 46년 전에 창명되었다는 것만을 말하고 동학이라는 말은 피하고 있다. 이것을 보아도 동학에서 천도교로 개칭한 것은 동학혁명으로 인한 탄압으로 더이상 동학이라는 이름을 공적으로 내세울 수 없었고 그간 대동회에서 중립회로 그리고 진보회라 하는 이름으로 자꾸 고쳐 민회운동을 하게 된 전말을 볼 수 있다. 동학이 아닌 천도교라는 종교적 형태로 개칭한 것도 그 당시 세계 추세가 종교의 자유를 법으로 정하고 있으므로 이러한 흐름에 힘입고자 한 의도가 있었다. 그리고 한편 진보회가 일진회에 휘말려 동학의 신도가 나라를 팔아먹는 일진회의 수족이 되어 있다는 치명적인 오해를 벗어나기 위해 천도교라는 이름으로 새로 출발함으로써 동학에 붙어 다니는 나쁜 인상과 낙인을 떨어버리고자 했던 것에 그 역사적 요인이 있다.263)

진보회에서 천도교로 넘어가는 일련의 과정은 동학에 대한 탄압과 일진회로부터 오명을 씻기 위한 것이었다. 천도교로 개칭한 이후에 정치중립 즉 정교분리를 선언한 것은 정부와의 마찰을 피하기 위한 것이었음을 알 수 있다. 이러한 천도교의 태도를 통해 정부로부터 종교자유와 자금을 지원받을 수 있었고 정부를 도와 일진회를 해산하는 데 힘을 기울일 수 있었다. 일진회 해산이라는 공동목적이 시기적으로 생겨 동학은 더 이상 정부의 탄압에 시달리지 않게 된 것이다.

기존 연구에 의하면 천도교와 손병희의 친일성을 문제삼는 예가 있다. 일본에서의 손병희의 생활은 매우 호사스러워 쌍두마차를 구입하여 타고 다녔고 일본에 군자금을 준 것 등을 혐의 삼는다.264) 그러나 이러한 단편적인 사실은 좀더 전체상황과 연결시켜 보아야 한다.265) 손병희를 일제 식

262)『동경대전』논학문.
263) 최철극,「天道敎의 近代化運動(下)」,『신인간』311, 1973.11.
264) 최기영,「한말 동학의 천도교로의 개편에 관한 검토」,『한국학보』76, 1994.

민시대의 친일파와 동류로 볼 수는 없다. 갑신정변의 개화파를 그들의 친일적 성격을 들어 일제 식민시대의 친일파와 동일시할 수 없는 것과 마찬가지다. 동학의 이름을 사용하지 못했던 것은 탄압 때문이었고 더구나 정교분리를 선언한 것도 이러한 맥락이 크다. 손병희를 문명개화론자[266]로만 이해하는 것도 오산이다. 그는 어디까지나 동학교도요 시대의 用時用活로써 문명을 얻고자 하는 맥락을 간과해서는 안 된다.

한편 이세권은 해월 이후 천도교가 동학의 하날님을 한울님으로 개칭한 것은, 日帝의 수중에 들어가 많은 부분이 말살되고 변조된 것으로 천도교, 상제교 등의 경전이 되었다고 주장한다.[267] 하지만 이는 근거가 빈약하다. 이들 목판본은 모두 해월 당시 활자화된 것으로 해월 자체가 人是天을 말했고 이는 수운의 侍天과 다르지 않은 면모를 보이고 있다. 그런데 하날님[268]이 한울님으로 개칭된 것만으로 미루어 동학경전이 일제에 의해 변조되었으며 사상자체까지 변조되었다고 주장하는 것은 무리가 있다. 그리고 실제로 오늘날 쓰고 있는 천도교 경전을 보면 이세권이 번역한 원문과 크게 차이가 없다.[269] 다만 이세권은『용담유사』목판본 그대로 '하날님'으로 옮겼을 뿐이고 천도교에서는 이를 '한울님'으로 부를 뿐이다.

---

265) 최기영이 의암의 친일적 행각으로서 인용한 의암전기의 전후 문맥은 다음과 같다. "선생의 쌍두마차 이용을 가리켜 혹자는 교도의 성금으로 저다지도 호사를 부린다고 비난하는 자도 있었고 혹자는 한 나라의 수백 만 교도의 교조로서는 당연히 갖추어야 될 위엄이라고 두둔하는 자도 있었다. 선생은 이러한 세평에 일체 개의치 않았다. '하늘을 두려워할 줄 모르는 왜놈들, 그들이 얼마나 우리 겨레를 천시하고 천대하였던가. 갖은 곤욕과 서러움 속에서 헤매는 우리 겨레에게 저들 극악한 왜놈들은 얼마나 자존망대 거드름을 피워왔던가. 내 비록 일신의 호사를 누린다 지탄받을지라도 저들 왜놈을 제압하는 위세를 부림은 비단 나 개인의 통쾌함에 그치랴. 그토록 없우임을 당하는 우리 겨레의 자존심을 과시하여 민족의 울분을 씻어주는 快事가 아닌가. 이 얼마나 통쾌한 일이랴' 하였다(의암손병희선생기념사업회,『의암손병희선생전기』, 1967, 168쪽)".
266) 최기영,「한말 동학의 천도교로의 개편에 관한 검토」,『한국학보』76, 1994.
267) 이세권편,『동학경전』, 정민사, 1986, 1~3쪽.
268) 계미년 목판본에는 ᄒᆞᄂᆞᆯ님으로 표기되어 있다.
269) 이세권은 자신이 편집한『동학경전』과『천도교경전』을 대조표로 그려 차이를 나타내고 있으나 큰 의미는 없다.

이세권은 또한 의암 이후 서양의 근대사상을 수용하면서 교리 역시 근
대화라는 미명 하에 서양의 근대사상으로 변조했다고 비판한다.[270] 대표적
으로 유불선 삼교합일을 말하는 이돈화의 글[271]을 들고 있다. 이돈화는 일
본의 다까하시(高橋亨)가 쓴 「조선에 대한 삼교합일론의 역사」라는 글을
인용해서 삼교통일을 실현한 수운의 큰 업적을 밝히려 한다는 것이다.[272]
하지만 동학의 종지를 유불선 3교의 종합으로 해석하려는 시도는 이미 교
주 최제우의 복원을 위해 1893년 손천문이 작성한 상소문에 보이고 있
다.[273] 해월도 수운의 도를 삼교와 유사하면서도 이를 극복한 무극대도라
한 바 있다. 그러니 삼교합일이란 말은 다까하시가 먼저 말한 것이 아니라
초기동학에서부터 있던 말이다.

차성환도 이세권의 논리를 이어받아 동학 교주 최제우의 초세계적이며
인격적인 신개념이 그를 계승한 지식인들에 의해서 세계 내에 존재하는
비인격적이며 신비적인 존재로 변형되었다[274]고 한다. 또한 제2대 교주 최

---

270) 이세권, 『東學思想』, 경인문화사, 1987, 232쪽.
271) "高橋亨氏의 此論은 역사적으로 三敎合一論을 考證함에 자못 그 宜를 得하였다
할지라. 과연 三敎合一의 사상은 조선인의 全體사상이라. 동시에 동양인의 전체
사상이라 하여도 과언이 아니로다. 思컨대 儒佛仙이 있어 온 이래 數千載의 光陰
에 동양인은 此에 根柢가 深하였고 그 理想 그 文化를 蒙한지 久하였나니 동양
인으로 이를 통일코자 함은 필연의 理想이며 又歸結의 理諦가 아닌 것이냐. 然하
면 大神師의 三敎統一이 사실로 실현되어 一世를 풍미케 됨도 또한 奇怪의 事라
云치 못할 것이오. 當然 又 必然의 사실이 大神師의 위대한 人格에 의하여 諦現
하였다 할지로다. 然한데 大神師는 여하한 理想으로서 三敎를 통일하였을까.
…… 抑 종교의 통일론은 현대를 통하여 동서 일반이나 이제 그 사상을 대표할
만한 一意見을 擧證키 위하여 일본에 유명한 彼 浮田和民氏의 '將來의 宗敎論'
一節을 소개하건대 氏는 曰 余는 장래의 종교는 대개가 이러한 調和下에서 出來
하리라 생각하노라. 먼저 불교라든지 유교라든지 기독교라든지 하는 현재의 종교
가 상호접근하고 融化하여 결국 統一契合한 新宗敎가 자연히 出來하리라. 그리
하여 此 신종교는 불교의 방면으로 見하면 佛의 進化한 者, 基督敎의 방면으로
觀하면 基督의 발달한 자, 유교의 방면으로 見하면 유교의 完成한 者라 云할 만
한 것으로 결코 서로 충돌함이 없으며 又 一이 他를 倒하고 己 獨히 天下를 獨專
함이 없이 融化한 者 아니 됨에 不可하다(『개벽』 2, 66~67쪽)".
272) 이세권, 『東學思想』, 경인문화사, 1987, 275쪽.
273) 이돈화, 『천도교창건사』, 1933, 52쪽.

시형이 문맹자였기에 창시자의 카리스마를 담고 있는 사상적 전통이 동질성을 유지한 채 전수되지 못하였다고 한다. 그러나 수운에 있어서도 내재초월적 신앙과 비인격적 면은 공존하고 있었다. 그리고 사상이란 시대의 조건으로부터 탄생하고 시대를 위해 생명을 발휘하며 이러한 맥락에서 다음 세대로 발전하는 것이다. 人乃天이라는 말은 의암의 법설을 담은 대종정의(1907)에 처음 보이는데 이는 수운의 『동경대전』에서 그 맥락이 말해진 바 있다. 『東經大全』 논학문에서 보면 "내 마음이 곧 네 마음이니라(曰吾心卽汝心也)" 또는 "한울님 마음이 곧 사람의 마음인즉(曰天心卽人心則)"이라 말하고 있고 해월은 "사람이 바로 한울이요 한울이 바로 사람이니 사람 밖에 한울이 없고 한울 밖에 사람이 없느니라(人是天 天是人 人外無天 天外無人)"[275] 하였다. 즉 "사람이 바로 한울이니 사람 섬기기를 한울같이 하라(人是天 事人如天)"[276) 하였던 것이다. 해월에 있어 '人是天 天是人', '人卽天 天卽人', '心卽天 天卽心'[277]이 말해지는 것은 의암의 인내천으로 계승되는 동학의 핵심맥락이다. 그러나 이는 수운사상의 변조가 아니라 수운에게 있었던 것을 보다 발전시킨 것이다. 수운은 "도가 있는 바를 알지 못하거든 내가 나를 위하는 것이요 다른 것이 아니니라(不知道之所在 我爲我而非他)"[278]라 하였다. 이는 인내천을 말하는 것으로 수운 자체에 인내천개념이 없는 것이 아니다. 따라서 해월은 "내가 바로 한울이요 한울이 바로 나니 나와 한울은 도시 일체니라(我是天 天是我也 我與天 都是一體也)"[279]라 하였다.

274) 차성환, 『한국 종교사상의 사회학적 이해』, 문학과지성사, 1992, 163쪽.
275) 『해월신사법설』 天地人·鬼神·陰陽.
276) 『해월신사법설』 待人接物.
277) 『해월심사법설』에는 '人是天 天是人'이라 표현하고 있으나 『天道敎書』에는 "人은 卽 天이며 天은 卽 人이니 人 外에 別로 天이 無하고 天 外에 別로 人이 無하니라. 心은 何方에 在하뇨 卽 天에 在하고 天은 何方에 在하뇨 卽 心에 在하니 故로 心卽天이며 天卽心이라 心 外에 別로 天이 無하고 天 外에 別로 心이 無하나니 此理를 透하면 可히 道에 庶幾할지로다. …… 天을 信한다 함은 즉 자기가 자기의 心을 信하는 것이니라(『天道敎書』, 『아세아연구』 10, 1962.11)"라고 하여 보다 다양한 표현을 사용하고 있다. 하지만 모두 같은 의미로 해석된다.
278) 『東經大典』 後八節.

그러나 여기서 수운이 말한 첫 번째의 我는 현상적 我요, 두 번째 我는
본체적 我다. 그러므로 매순간 현상적 我가 본래적 我를 공경해서 본래적
我를 현현시키는 것이 곧 시천주요 인내천인 것이다. 이를 불교에 비추어
볼 때 첫 번째 我는 중생심의 我이고 두 번째 我는 공적영지한 불성으로서
의 我이다. 중생심이 곧 불성이요, 평상심이라 하는 것은 경계분별을 떠난
수행으로 중생심이 불성이 되는 것이지 수행 없이 그대로 상즉하는 것을
말하지 않는다. 김철도 人是天이건 人卽天이건 이는 모두 해월이 선택하
여 쓴 글자가 아니고 제자가 선생 말씀을 자기 생각대로 자유로 표기한 것
이므로, 이 글자 한 글자 때문에 종지나 진리가 바뀌는 것은 아니라고 한
다. 人是天이다 人卽天이다 人乃天이다 天人合一이다 해도 진짜 天이 없
는 하나가 아니며, 다만 侍天主 즉 한울과 내가 다같이 함께 있는 둘의 합
일이라는 것이다. 人乃天이든 人是天이든 또는 人卽天이든 侍天主의 奉
事上帝의 개념은 다 있는 것이고 이러한 侍天主를 염두에 두지 않을 때
人卽天을 오해하는 것이며 人乃天도 몰이해하게 되는 것280)이라 하였다.
　인내천의 天은 일제하 공간에서 한울님으로 불려지게 된다. 원래 동학의
하날님은 하늘님에서 유래한 것으로 하늘(天)을 뜻하는 '한'이라는 말에서
온 것인데, '크다' '밝다'라는 의미를 지니고 있다. 이는 고대로부터 내려오
는 천신신앙에 바탕한 것이기도 하다. 동학의 하날님이 천도교에 와서 한
울님으로 바뀌는 데에 대한 의미 차이를 규명하는 것이 필요하다.
　동학의 ᄒᆞ늘님이나 천도교의 한울님은 기본적으로 같은 것으로 보지만
분명 차이가 있다. 한울님은 동학사상을 계승하여 보다 더 체계화한 개념
이다. 한울은 한울타리로서 우주 전체를 포괄하는 의미인 동시에 하나를
뜻하는 개념이다. 우주를 한 몸으로 하는 한울님신앙에서 자신을 비우고
한울님과 하나되는 신앙이다. 인간 내면의 초월적인 절대자로서만 하날님
을 공경하는 것이 아니라 범신론적 초월신이 자신 안에 있어 이를 신앙하
는 것이다. 김기전은 "사람은 한울이요 한울(一圈)은 하나라는 인내천사

279) 『海月神師法說』 修道法.
280) 김철, 「人是天, 人卽天, 人乃天」, 『신인간』 427, 1985.11.

상"281)을 말하였다. 한울神(한울님)이란 우주를 포괄하는 전체로서의 의미와 인간내재적 초월성을 동시에 지닌다. 이는 초기 동학의 하날님 개념을 보다 선명하게 드러낸 것이다. 그러니 수운사상의 발전적 개념으로 봐야지 이와 무관한 변조라고는 할 수 없다.

인내천은 인간성-무궁으로도 표현된다. 김기전은 '人은 天'이라 한 종지를 『용담유사』 홍비가의 "무궁한 이 울 속에 무궁한 내 아닌가"에서 말한 무궁성으로도 말하였다. 이돈화도 『신인철학』에서 인내천은 곧 '인간-무궁성'임을 말했다.282) 이는 수운의 가르침에서 인내천의 宗旨를 이끌어낸 것이다. 수운은 『동경대전』에서 자신의 도를 <天道>라 하고 <無窮之道>283)라 하였던 것이다.

끝으로 大神師(수운), 神師(해월), 聖師(의암)라는 명칭을 새로 쓴 것에 대해 간략히 언급하면 그 당시 수운을 대선생, 그리고 해월을 선생으로 불러오던 것을 정식 명칭으로 바꾼 것이라 할 수 있다. 대신사 또는 신사라는 말은 천도교 종령 제76호(1907.8.26)에 聖師라는 말은 종령 제4호(1908.3.16)에 처음 선포된 것이다.284) 이는 일본의 神社와 관련된 명칭으로 무엇인가 영향받았을 오해를 불러일으킬 수 있는데 분명 神道의 神官 명칭과는 다르다285)

281) 김기전, 「新人難」, 『신인간』 6, 1926.10.
282) 妙香山人, 「天道教少年會의 設立과 그 波紋」, 『天道教會月報』 131, 1921.7. ·
283) 『동경대전』 논학문.
284) 趙基周編, 『天道教宗令集』, 天道教中央總部出版部, 1983, 71쪽.
285) 일본 神道의 神祇제도를 살펴보면 다음과 같다. 神祇官은 太政官과 더불어 2관 중 하나로 태정관보다 상위다. 그 아래 長官伯 및 장관백을 보좌하는 大·小副 각 1인, 大·小祐 각 1인, 서기, 大·小史 각 1인 그 밑에 神部 30인 直丁 2인이 있다. 신기관의 소관 업무는 天神地祇의 제사, 神社에 근무하는 祝部의 명부관리, 신사령의 민호인 신호의 명부관리, 大嘗祭, 鎮魂祭, 무의와 점복 등이다(村岡典嗣, 박규태역, 『일본신도사』, 예문서원, 1998, 68쪽). 古神道의 神祇제도는 중앙정부에 神祇官을 두었고, 지방에는 國司가 있어 국가의례를 담당했다(『宗教學辭典』, 東京大學出版會, 1973, 428쪽). 또한 美保神社에는 특별히 神主라고 하는 직위가 있다. 一年神主-休番神主-客人神主-頭家神主-小忌人-供人 등과 혹은 上官, 神官 등 다양한 개념이 보이고 있는데 이는 신사의 제사보다는 운영을 분담하는 직위들이다. 그리고 지방의 분파적 神社마다 神官, 宮司라 칭하는 직위

2) 의암 손병희의 '心卽天'과 '自心自拜'의 교육

(1) 心卽天과 空寂活潑

수운의 삼교합일이면서도 불교와 같은 비실체적 본체관에 바탕한 일원론적 사유체계가 해월에게서 더욱 두드러지게 나타나고, 의암(1861~1921)에게서는 '性心理氣의 一元'으로 표현된다.[286] 수운의 '至氣一元'이 '心本虛'로 해월의 '一理氣'가 '心是虛靈'으로 전체와 개체를 통일하는 통체적 사상으로 표현되었다면 의암은 다음과 같이 '性理·心氣一致'의 '空空寂寂'을 말하고 있다.

> 마음은 곧 신이요 신은 곧 기운이 이루는 바다.[287] …… 성품은 이치니 성리는 空空寂寂하여 가이 없고 양도 없으며 움직임도 없고 고요함도 없는 원소일 뿐이다. 마음은 기운이니 심기는 圓圓充充하여 넓고 넓어 흘러 물결치며 움직이고 고요하고 변하고 화하는 것이 때에 맞지 아니함이 없다. …… 성리가 없으면 마음이 없는 木人과 같고 심기가 없으면 물 없는 곳의 고기와 같다.[288]

의암은 수운이나 해월과 맥을 같이 하고 마음, 神, 기운 등의 하나됨의 이치를 말하여 一圓的 사유를 전개한다. 의암에게 있어 性이란 理요 理는 공공적적하고 무변무량한 것으로 動靜이 없는 근원이다. 또한 마음은 氣로써 두루 충만하여 다함 없이 크다. 지눌이 마음을 空寂靈知로서 설명한 것과 연관지어 보면 空寂은 性理로서 한울(天)을, 靈知는 心氣로서 일심을 재현한 듯하다. 그러나 성리와 심기는 하나로서 성리가 없으면 마음이 없는 木人과 같고 심기가 없으면 물 없는 고기와 같다. 따라서 그는 性,

---

가 있다(和歌森太郎, 『美保神社の研究』, 國書刊行會, 1955, 2~3쪽).

286) 『의암성사법설』 覺世眞經, "陰陽合德而具體者 謂之性 外有接靈而內有降話者 謂之心也".

287) 『의암성사법설』 無體法經, "心卽神 神卽氣運所致也".

288) 『의암성사법설』 성심신삼단, "性理也 性理空空寂寂 無邊無量 無動無靜之原素而已 心氣也 心氣圓圓充充 浩浩潑潑 動靜變化 無時不中者 …… 無性理如無心木人 無心氣如無水魚子".

理, 心, 氣, 神이 하나된 이치임을 거듭 말한다. 그러므로 의암에게 있어 性
心의 본체는 원인도 아니요 결과도 아니며 증거할 것도 없고 닦을 것도 없
고 또한 모습도 없다.289)

　마음이 성품 속에 들면 空空寂寂하고 성품이 마음 속에 들면 活活潑潑
해진다. 비고 고요하고 활발한 것은 내 성품과 내 마음에서 기인된 것이
오 내 성품과 내 마음은 내 마음의 본바탕이니 도를 어느 곳에서 구할 것
인가 반드시 내 마음에서 구할지니라. …… 성품은 빈 것도 고요함도 없
으며 빛깔도 형상도 없으며 움직임도 고요함도 없으나 그러나 기운이 엉
기어 혈맥이 서로 통하면 때로 움직임이 있나니 이것을 한울이 있다 사람
이 있다 정이 있다 신이 있다 말하는 것이다.290)

　性(한울), 또는 마음(心)이란 공공적적하고 活活潑潑한 것이다. 마음이
성품 속에 들면 공공적적하고 성품이 마음 속에 들면 활활발발해진다. 의
암은 "무릇 성리란 비고 고요하나 자체의 비장한 속에 크게 활동할 만한
동기가 있다"291) 하였다. 그러므로 의암이 말하는 '공적'과 '활발'의 不二不
染의 眞心292)은 곧 지눌이 말한 '공적영지'를 뜻하는 '眞心'과 같다.

　공적하기에 모양이 없고 모양이 없으므로 크고 작음이 없다. 크고 작음
이 없으므로 한계가 없고 한계가 없기 때문에 안팎이 없으며 안팎이 없기
때문에 멀고 가까움이 없다. 멀고 가까움이 없기 때문에 저것과 이것이
없고 저것과 이것이 없으므로 가고 옴이 없으며 가고 옴이 없으므로 나고
죽음이 없고 나고 죽음이 없으므로 예와 지금이 없으며 예와 지금이 없으
므로 미혹과 깨침이 없고 미혹과 깨침이 없으므로 범부와 성인이 없으며

---

289) 『의암성사법설』後經 二.
290) 『의암성사법설』後經 二, "心入性裏 則空空寂寂 性入心裏 則活活潑潑 空寂活潑
　　 起於自性自心 自性自心 吾心本地 道求何處 必求吾心 …… 性無空寂 無色相 無
　　 動靜 然氣凝 血脈相通 有時有動 此之謂有天有人 有情有神".
291) 『의암성사법설』無體法經, "夫性理 空寂自體秘藏中 有大活動的動機".
292) 『의암성사법설』無體法經, "解脫卽見性法 見性在解脫 解脫在自天自覺 自心自
　　 守而不失 固而不流 自心自然解脫 …… 故眞心 不二不染".

범부와 성인이 없으므로 더럽고 깨끗함이 없고 더럽고 깨끗함이 없으므로 옳고 그름이 없으며 옳고 그름이 없으므로 모든 이름과 말이 있을 수 없다. 그러나 모든 법이 다 공한 곳에 신령스런 앎이 어둡지 않아 무정한 것과는 같지 않게 성이 스스로 신령스러이 아나니 이것이 바로 인간의 비고 고요하며 신령스러이 아는 청정한 마음의 본체라 한 것이다.293)

의암이 말하는 마음(본래의 나, 한울)은 無善無惡,294) 不生不滅, 無始無終, 眞眞如如, 無體性, 空空寂寂, 活活潑潑 등으로 표현되는데 이는 모두 불교 용어로 빛깔도 형상도 없고, 움직임도 고요함도 없으나 모든 것을 밝히 알고 두루 통하여 하지 않음이 없는 불교의 一心, 또는 여래와 같다. 불교의 여래와 수운의 한울님은 양자 모두 이를 믿고 공경하는 것에서 한울됨과 여래됨을 실현한다.

색깔도 없고 형상도 없으며 근원도 없고 머무르는 곳도 없다. 남도 없고 멸함도 없다. …… 머무름도 없고 또한 감도 없으며 취함도 없고 버림도 없다. …… 보는 바 없음(無)을 공경하는 것이다.295)

이러한 性·心의 본체는 바로 불교의 一心이요, 空과 같은 것이어서 '覺天卽覺心'을 말하게 되는 이유가 된다. 의암에게서는 해월보다 더 불교 용어가 상당부분 수용되고 있다. 수운의 한울은 의암에게 있어서 '心卽天',296) '心是天'297)으로 말해지고 있고 불교의 一心은 我心으로 표현되어 마

---

293)『韓國佛敎全書』4冊, 710c,「修心訣」, "不空之體 曰亦無相貌 …… 旣無相貌 還有大小麼 旣無大小 還有邊際麼 無邊際故無內外 無內外故無遠近 無遠近故無彼此 無彼此則無往來 無往來則無生死 無生死則無古今 無古今則無迷悟 無迷悟則無凡聖 無凡聖則 無染淨 無染淨則無是非 無是非則一切名言 俱不可得 旣摠無如是一切根境 一切妄念 乃至種種相貌 種種名言 俱不可得 此豈非本來空寂本來無物也 然諸法皆空之處 靈知不昧 不同無情 性自信解 此是汝空寂 靈知淸淨心體 而此淸淨空寂之心".

294) 수운의 표현으로 하면 '不擇善惡'하는 자이다.

295)『如來莊嚴智慧光明入一切佛境界經』卷下, 大正藏 12, 247c, "無色無形相 無根無住處 不生不滅故 …… 不住亦不去 不取亦不捨 …… 敬禮無所觀".

296)『의암성사법설』講論經義, "心與天 本無二物 心卽天 天卽心 守其心 正其氣 無

음이 천지요 상제이며 만법을 구비한 한울로서 모든 것이 마음 안에 갖추어 있음을 말하는데, 의암은 바로 이 마음으로부터 일원적 세계관을 설명하고 있다. 따라서 한울님을 모신다는 것은 곧 내 마음을 깨달아 붓다가 되는 것과 다르지 않고 守心正氣의 수심이라는 것도 이 일심을 지킴이며, 그의 각천에 따른 수행은 곧 불교적 깨달음과 다르지 않다. 즉, 의암은 수운이 말한 '侍天主'를 '覺天主'로 말하여, 수운의 侍字는 '각천주(한울님을 깨달았다)'의 의미요 천주의 主字는 '我心主(내 마음을 섬김)'의 뜻이며, 한울님을 깨닫는 것(覺天)은 곧 자신의 참마음을 깨닫는 것(覺心)과 같고 한울을 섬김은 내 마음을 섬김과 같다고 하였다. 왜냐하면 '天是心'이므로 내가 내 마음을 깨달으면 바로 내 마음이 상제요 한울이 되기 때문이다. 한울도 내 마음이요 천지도 내 마음이기에 삼라만상이 모두 내 마음에 갖추어져 있다.298) 이는 분명 수운보다 짙은 불교적 성향을 더하는 대목이다. 한울은 곧 一心이요 我心이다. 물론 수운도 一心을 말했다. 그러나 의암처럼 구체적으로 언급한 것은 아니었다. 의암은 見性覺心(성품을 보고 마음을 깨달음)하면 내 마음이 극락이라 하여299) 내 마음이 있고서야 이치도 있고 한울도 있으며 옛과 지금이 있고 사물도 조화도 있다고 했다. 이는 불교적 見性成佛과 맥락이 일치한다. 또한 내 마음은 곧 천지만물 고금세계를 스스로 주재하는 하나의 조화옹이다.300) 마음을 떠나서는 한울도 이치도 또한 물건도 조화도 없다.301) 이 조화옹되는 마음이란 본래 빈 것302)으로 변함이 없으나 스스로 화해 나며, 움직임이 없으면서도 스스로 나타나 천지를 만들고 다시 천지의 본체에 살아 만물을 내며 만물 자체에서 산

所不通也".

297) 『의암성사법설』 無体法經, "自心自覺 身是天 心是天 不覺 世自世 人自人".

298) 『의암성사법설』 無体法經, "侍天主之侍字 卽覺天主之意也 天主之主字 我心主之意也 我心覺之 上帝卽我心 天地我心 森羅萬象 皆我心之一物也".

299) 『의암성사법설』 無体法經, "見性覺心 我心極樂".

300) 『의암성사법설』 見性解, "我心則天地萬物 古今世界 自裁之一造化翁 是以心外無天 心外無理 心外無物 心外無造化".

301) 『의암성사법설』 無体法經, "心外無天 心外無理 心外無物 心外無造化".

302) 『의암성사법설』 無体法經, "心本虛".

다. 天體를 인과로 하기에 '무선무악'하고 '불생불멸'303)하는 이것을 <본래
의 나>라고 말한다.304) 의암이 말하는 '본래 나'라는 것은 불교에서 말하는
'불생불멸의 법 가운데 현전하는 性'과 다르지 않다. 시천이라는 것도 이러
한 본래의 性(我), 즉 '我心인 我를 我侍'하는305) 것으로 眞我(참된 나)는
곧 眞心(참된 마음)이다. 사람은 이렇게 다 모신 한울이 있어 그 성품을 보
고 마음을 깨달으면 곧 天心이 된다.

성품의 한쪽은 불생불멸이요 마음의 한쪽은 만세극락이다. 사람의 성품
을 깨닫는 것은 다만 자기 心과 자기 誠에 달려 있는 것이요 한울과 스승
의 권능에 있지 않다. 自心을 스스로 깨달으면 몸이 바로 한울이요 마음
이 한울이다. 깨닫지 못하면 세상은 세상대로 사람은 사람 그대로이다. 그
러므로 성품을 깨달은 사람을 천황씨라 하고 깨닫지 못한 사람을 범인이
라 한다. …… 마음 외에 빈 것도 없고 고요함도 없고 불생불멸도 없고 극
락도 없고 동작도 없고 희노애락도 없다. 오직 도인은 自心을 自誠하고
자심을 自敬하며 자심을 自信하고 자심을 自法하여 털끝만치라도 어김이
없으면 가는 것도 없고 오는 것도 없으며 위도 없고 아래도 없다. 구할 것
도 바랄 것도 없어 스스로 천황씨가 되는 것이다.306)

이와 같이 의암이 말하는 性·心이란 불교에서 말하는 성품으로 불교
경전의 핵심용어들인 空空寂寂, 不生不滅, 無去無來하는 一心이다.307) 이

---

303) 불교경전 『십지경』에는 性을 불생불멸이라 설명하고 모든 것이 이 법 가운데 현
전하는 것임을 아는 것이 곧 반야바라밀이라 말하고 있다(『십지경』 卷5, 大正藏
10, 556b, "於性不生不滅法中現前之忍 是彼般若波羅密多").
304) 『의암성사법설』 三性科, "常無住處 不能見動靜 以法而不能法 萬法自然具體
…… 無變而自化 無動而自顯 天地焉 成出 還居天地之本體 萬物焉生成 安居萬
物之自體 只爲天體因果 無善無惡 不生不滅 此所謂本來我也".
305) 『의암성사법설』 無体法經, "我心我侍".
306) 『의암성사법설』 無体法經, "性一邊 不生不滅 心一邊 萬世極樂 人之覺性 只在自
心自誠 不在乎 天師權能 自心自覺 身是天 心是天 不覺世自世 人自人 故覺性
者謂之天皇氏 不覺者 謂之凡人 …… 心外 無空空 無寂寂 無不生 無不滅 無極
樂 無動作 無喜怒 無哀樂 惟我道人 自心自誠 自心自敬 自心自信 自心自法 一
毫無違 無去無來 無上無下 無求無望 自爲天皇氏也".

러한 성품의 자각은 自心, 自天, 自誠에 있다.308) 이를 깨닫기만 하면 붓다
요 한울이다. 따라서 의암은 성품을 세 가지로 나누고 인간이 깨닫기 위해
서는 이 세 가지 성품을 잘 지켜 잃지 않아야 性心을 깨닫게 되는 것이라
한다. 의암에게 있어서 修心이라는 것은 티끌에 가려진 거울을 닦는 것처럼
마음을 닦는 것으로 본래 마음이 티끌에 가려지지 않도록 지키는 것이다.
　그가 말하는 마음 성품은 첫째 圓覺性, 둘째 比覺性, 셋째 血覺性이다.
원각성은 萬法으로 인과를 삼아 함이 없이 되는 성품이고, 천지만물이 조
판되기 전 無爲로써 이루어지는 인과관계를 말한다. 비각성은 萬象으로서
인과를 삼아 나타남이 있으나 헤아림이 없는 성품이다. 혈각성은 禍福으로
서 인과를 삼아 선도 있고 악도 있어 수시로 서로 보는 것이니 선을 위하
여 세상의 성과를 얻으려는 사람은 좋은 化頭를 가려야 할 것이라 한다.
이러한 세 성품으로 과목을 삼아 잘 지키어 잃지 않으면 성품을 보고 마음
을 깨닫는 것이 時에 있고 刻에 있다309) 하였다. 이는 불교의 삼성, 즉 원
성실성, 의타기성, 변계소집성을 뜻하는 것이기도 하다. 의암은 불교 유식
의 삼성을 자기의 표현대로 풀이한 것이라 할 수 있다. 즉, 원각성은 삼성
에 있어서 원성실성, 비각성은 의타기성, 혈각성은 변계소집성에 대응된다.
　또한 불교에서 三性, 三無自性의 三性觀310)에 따라 成所作智, 妙觀察

---

307) 의암은 이외에도 여러 글에서 이들 용어를 인용하고 있다(『의암성사법설』降書,
　　"無去無來 吾心永守 不遷不易 大道朗明";『의암성사법설』無體法經, "性心玄
　　玄妙妙 應物無迹 如有如生 性本無無 無有無現 無依無立 無善無惡 無始無終
　　心本虛 萬事萬量 億古億今 無形無迹").
308)『의암성사법설』無体法經, "解脫卽見性法 見性在解脫 解脫在自天自覺 自心自
　　守而不失 固而不流 自心自然解脫 …… 故眞心 不二不染".
309)『의암성사법설』無体法經, "無變而自化 無動而自顯 天地焉 成出 還居天地之本
　　體 萬物焉生成 安居萬物之自體 只爲天體因果 無善無惡 不生不滅 此所謂本來
　　我也 …… 我體用之 實有三性 一曰圓覺性 二曰比覺性 三曰血覺性 圓覺性以爲
　　萬法因果 無爲而爲故 守心煉性者 不得法體因果 難得善果 比覺性以爲萬相因果
　　有現無量 修心見性者 若非正觀思量 不得眞境 血覺性以爲禍福因果 有善有惡而
　　無時相視 爲其善而世得果者 擇其好好化頭 以此三性爲科 善守不失 見性覺心
　　有時有刻".
310) 모든 존재방식과 본성을 有와 無, 假와 實이라 하는 것으로부터 갖가지 因緣의
　　가립된 존재가 생겨나는데 이를 실체라 誤認하는 것을 遍計所執性, 모든 존재는

智, 平等性智, 大圓境智의 四智311)를 말하는데 의암도 이를 이룬 마음을
종합하여 허광심, 여여심, 자유심으로 나누어 설명한다. 의암이 말하는 三
心은 四智에서 성소작지를 뺀 나머지 셋과 대응된다.

　道에는 세 가지 마음의 단계가 있다. 마음을 닦고 성품을 보는 자는 이
세 가지 단계의 묘법이 아니면 善果를 얻을 수 없다. 첫째는 虛光心이니
한울과 한울, 물건과 물건이 각기 성품과 마음이 있어 자체가 스스로 움
직이는 것이 다 법상과 색상에 말미암은 것이다. 부지런히 하여 쉬지 않
고, 깨달아서 어둡지 아니하며 적막하여 혼미하지 아니하고 빈 속에서 빛
이 나면 반드시 모든 이치가 갖추어 있어 형상 없는 법체가 깨닫는 곳에
나타나며 형상 있는 色體가 돌아오는 빛이 돌려 비치어 밝지 아니한 곳이
없고 알지 못함이 없다. 이를 허광심력이라 한다. 이에서 또 한 단계를 올
라가면 둘째는 如如心이다. 한번 윗 지경에 뛰어 오르면 비이고 비어 고
요하며 물을 것도 없고 들을 것도 없으니 마음과 같고 참과 같아서 삼라
만상과 본래 내 몸 일체도 오직 하나요 둘이 아니다. 나와 너, 선과 악, 좋
은 것과 나쁜 것, 나고 죽는 것이 모두 이 법체의 스스로 하는 작용인 것
이니 사람이 어찌 지어서 이루리오. 또한 법 가운데 묘하게 작용하는 것
이 다 내 성품과 마음이라. 성품과 마음의 본체는 비이고 또 끊겼으니 무
엇을 이밖에 구하리오 마는 쉬고 쉬어 숨을 돌려 다시 한 층계를 더 나아
가라. 셋째는 自由心이니 한울도 비지 아니하며 물건도 또한 끊기지 아니
하니 도가 어찌 빈 데 멎으며 물건이 어찌 끊긴 데 멎으리오. 성품은 근본
과 끝이 없어 이치는 처음과 나중이 없고 다만 내 마음 한 가닥에 기인하
여 만법만상을 헤아려 생각할지니라. …… 모든 일과 쓰임을 마음 없이
행하고 장애가 없으면 이를 한울본체의 공도공행이라 한다.312)

───────────

　인연에 의해 일어난다고 하는 依他起性, 그 진실의 체인 眞如의 圓成實性, 이 3
　종을 三性이라 한다. 삼성은 각각 자성이 없고 空이므로 三性三無性이라 부른다
　(『成唯識論』, 大正藏 31, 45c).
311) 성소작지란 自他의 마땅히 해야할 것을 성취하는 智, 묘관찰지는 諸法을 바르고
　정당하게 관찰하고 추구하는 智, 평등성지는 諸法의 평등을 알고 평등을 구현하
　는 智, 대원경지는 거울과 같이 법계의 萬象을 그대로 현현하는 智를 말한다(『成
　唯識論』, 大正藏 31, 39a).
312) 『의암성사법설』 三心觀, "道有三心階梯 修心見性者 若非三階梯妙法 難得善果

도를 닦는 세 가지 단계 중에서 첫째 단계인 <虛光心>은 쉬지 않고 부지런히 하여 마음을 닦고 성품을 보아 '惺惺不昧'하고 '寂寂不昏'하여 빈 가운데서 빛이 남을 뜻한다. 이는 무형의 법체가 나타나 유형의 모든 현상을 이로부터 두루 비치니 밝지 않은 곳이 없고 알지 못하는 바가 없다. 둘째 단계는 <如如心>으로 한번 경계를 뛰어 오르면 '空空寂寂'하고 '如心如眞'하여 온 우주와 하나됨이다. 나와 너, 선과 악, 좋음과 나쁨, 생과 사가 모두 이 법체의 스스로 하는 작용이기에 삼라만상과 내 몸은 일체요 법 가운데 묘한 작용이 모두 나의 성품과 마음이다. 성품과 마음의 본체는 空이기에 일체가 하나되고 평등한 여여심을 이룬다. 셋째 단계는 <自由心>으로 한울 또한 '不空'하고 만물 또한 끊어지지 아니한다. 여여심처럼 마음과 성품이 空斷으로서 그치는 것이 아니라 삼라만상의 모든 현상에 집착이 없는 無心行과 걸림이 없는 무애행을 통해 현실에서 구체화되는 것이다. 이것이 바로 한울본체의 공도공행이라 하는 것이요 인간이 한울의 조화를 실현하는 단계이다. 여기서 의암이 말한 不空이란 의미는 『의암성사법설』중 「後經」에서 '空空이란 본래 빈 것이 아니다(空空本無空)'라 표현되었다. 그리고 '처음이 없는 성품은 바로 '無體性'으로 '생사도 없고 더함도 샘도 없으며(不有生死 無漏無增)', '본성의 인연없이 생겨남(無緣有生)' 이니, '眞眞如如'라 하였다. 불교에서 진여란 본체를 뜻하는 것으로 참된 실상의 모습을 말한다. 이는 모두 空과 不空을 함께 표현하는 승조의 '眞空妙有', 지눌의 '空寂靈知', 해월의 '虛靈'과 같다.

의암의 이러한 三性觀, 三心觀은 불교의 三性과 四智로도 이해될 수 있다. <허광심>이란 마음을 비고 고요하게 한 마음이요, <여여심>이란 비

一曰虛光心 天天物物 各有性心 自體自動 皆有法相色相也 修者念頭 必在兩端 勤勤不息 惺惺不昧 寂寂不昏 虛中生光 必是萬理具存 無相法體 覺所現發 有相色體 回光返照 無所不明 無所不知 此曰 虛光心力 止此不求 吾必不贊 自肅奮發 且進一階 二曰 如如心 一超上界 空空寂寂 無問無聞 如心如眞 森羅萬象 本吾一體 唯一無二 我我彼彼 善善惡惡 好好惡惡 生生死死 都是法體自用 人何作成 且以法中妙用 皆吾性心 性心本體 空亦斷矣 何求此外 休休喘息 更加一層 三曰自由心 天亦不空 物亦不斷 道何止空 物何止斷 性本無末 理無始終 但因吾心一條 萬法萬相 量而考之 …… 每事每用 無心行無碍行 此之謂天體公道公行".

고 고요한 마음으로 인하여 평등히 세계와 하나되는 마음이며 <자유심>은 모든 일과 쓰임에 있어서 마음없이 행하고 거리낌없이 자유롭게 행하여 公道公行을 이룬다. 이는 각각 불교의 묘관찰지, 평등성지, 대원경지에 대응된다. 성인과 범인의 차이란 성인은 자기 성품을 물들이지 않고, 자신의 마음을 변치 아니하며 게으르게 하지 않는 데에 있다. 그러나 범인은 자기 성품을 알지 못한다.

(2) 自心自拜의 교육

범인은 탐착의 마음인 物情心에 얽매여 본래 한울을 돌아보지 못한다. 그러나 성인은 항상 나의 본래를 잊지 않고 굳건히 지켜 모든 이치가 본체를 갖추게 하고 망념이 없어 해탈심을 행한다.

> 젖먹이가 눈으로 물건을 보고 사랑하는 마음이 생기어 기뻐하며 웃다가 물건을 빼앗으면 성내어 싫어하나니 이것을 물정심이라 한다. 물정심은 곧 제이 천심이니 사람마다 여기에 얽매어 벗어나지 못한다. 그리하여 나의 본래 한울을 돌아보지도 찾지도 못하고 다만 물정심으로써 세상에 행하니 이것을 범인의 어리석은 것이라 한다. 성현은 그렇지 아니하여 <항상 나의 본래를 잊지 않고 굳건히 지키며 굳세어 빼앗기지 않으므로 모든 이치의 근본을 보아 얻어 모든 이치가 체를 갖추게 하며 마음속에 머뭇거리어 둥글고 둥글어 그치지 아니하며 스스로 놀고 놀아 슬기로운 빛 안에서 고요하지 아니하며 일만 티끌 생각이 꿈같으니 이것을 해탈심이라 한다. 해탈은 곧 견성법이니 견성은 해탈에 있고 해탈은 자천자각에 있는 것이다.[313]

따라서 인간은 物情心을 갖느냐 해탈심을 갖느냐에 따라 한울과 합하느

---

313) 『의암성사법설』無体法經, 진심불염, "乳兒眼見物 發愛心 喜而笑 奪物 怒而厭 此曰物情心 物情心卽第二天心 人人億億 皆留不脫 然我本來天 不顧不尋 但以 物情心 行于世 此曰凡愚 聖賢不然 恒不忘我本來 固而守之 强而不奪故 觀得萬 理根本 萬理具體 徘徊心頭 圓圓不絶 自遊遊不寂于慧光內 萬塵之念 自然如夢 想 是謂解脫心 解脫卽見性法 見性在解脫 解脫在自天自覺".

냐 합하지 못하느냐가 정해지고 성인과 범인이 구별된다. 해탈은 견성에 있고 견성은 해탈에 있으며 해탈은 自天自覺에 있다. 결국 견성, 自天自覺, 해탈은 같은 것이다. 이는 모두가 내 마음을 공경하여 나의 본래를 잊지 않고 萬法을 내 마음에 구비하는 것이다. 만법만상이 내 마음에 갖추어지면 이치가 엇갈리지 않아 자연히 내 마음이 해탈되어 자유롭게 된다. 우주를 한 몸으로 하여 자기를 집착하지 않을 때 모든 것이 걸림 없이 되어진다.

> 내 마음을 내가 지키어 잃지 아니하면 굳건하고 흐르지 아니하여 내 마음이 자연히 해탈이 되나니 만법만상이 일체 마음에 갖추어져서 일과 이치가 엇갈리지 아니하면 한울이 둘이 아니요 성품과 마음이 둘이 아니오 성인과 범인이 둘이 아니오 나와 세상이 둘이 아니오 삶과 죽음이 둘이 아니다. 그러므로 진심은 둘도 아니오 물들지도 아니하니 한울의 체를 스스로 쓰며 내 땅을 내가 쓰며 내가 쓰는 것을 자유로 하라.314)

守心을 하면 나와 한울은 둘이 아니요 성품과 마음, 성인과 범인, 나와 세상, 삶과 죽음, 이 모두가 하나이기에 나의 眞心은 물들지 않는다. 이 진심은 곧 無體로서 생멸이 없는 空이다. 이 마음을 지키면 자연 해탈이 되어 만법만상을 구비하고 한울과 인간이, 인간과 세계가, 그리고 성품과 마음이 둘이 아니게 된다.

> 처음도 없는 천성은 바로 무체성이니 나고 죽는 것이 있지 아니하여 진진여여한 것이다. …… 저 한울과 땅이 생긴 이후로 많은 중생의 하는 운동과 일체 선선악악이 다 바로 사람사람의 마음에 달린 것이니 마음으로 인하여 나타나는 것이 내 성품과 내 마음이다. 이 본래의 마음을 제거하면 마침내 별다른 한울이 없는 것이오 이것을 떠나면 다시 구할 곳이 없나니 자성과 자심에서 스스로 구하라.315)

---

314) 『의암성사법설』 無休法經, 진심불염, "自心自守而不失 固而不流 自心自然解脫 萬法萬相一切具心 事理不錯 我天不二 性心不二 聖凡不二 我世不二 生死不二 故眞心不二不染 天體自用 自地自用 吾用自由".

이와 같이 의암은 마음을 '無體性', '無始無終', '眞眞如如'라 칭하고 있
다. 이 모두 불교경전에 나오는 말이다. 마음을 떠나면 한울도 없고 구할
곳도 없는 것이 마음이다. 마음은 곧 한울이나 그 본체는 텅 비어서 가지
려 해도 가질 수 없고 버리려 해도 버릴 수 없다. 가고 옴도 스스로 있고
미묘해서 보기도 어렵다. 그러나 이는 사람이 제 마음대로 움직이고 쓸 수
있는 것이다. 그러면 이 한울을 믿는다는 것은 무엇인가. 이에 대해 또 의
암은 다음과 같이 말하고 있다.

묻기를 사람이 제가 능히 움직이고 쓸 수 있다면 어찌하여 한울을 믿습
니까. 대답하기를 내 마음을 내가 믿으며 내 한울을 내 마음으로 하며 스
스로 아는 것을 스스로 움직이며 내 한울을 스스로 법으로 삼나니 그러므
로 옛부터 많은 경전과 법설이 내 마음을 스스로 법 삼는 것이요 밖으로
부터 오는 것이 아니다.316)

한울을 믿는다는 것은 나의 마음을 내가 믿고 한울을 내 마음으로 하며,
스스로 아는 것을 스스로 움직이며 나의 한울을 스스로 법 삼음을 말한다.
그러므로 의암은 수운 사상의 요지가 곧 인내천이라 하여 인내천을 인정
하는 마음이 그 주체의 자리를 차지한다. 이는 내 마음을 법 삼아 내가 숭
배하는 敎體가 되는 것이며 한울의 極岸에 서는 것이라 하였다.317) 따라서
그는 믿는 바의 숭배로부터 육신을 靈으로 바꾸라는 以身換性說을 말하게
된다.

몸을 성령으로 바꾸라는 것은 대신사의 본뜻이다. …… 육신으로 성령

---

315) 『의암성사법설』 후경 二, "無始之性 是無體性 不有生死 眞眞如如也 …… 夫天
地有生以來 億億衆生 施爲運動 一切善善惡惡 皆是人人由心 由心所發 是我性
我心 除此本心 終別無天 離此本地 更無求所 自求自性自心".
316) 『의암성사법설』 후경 二, "曰 人能自動自用 何以信天也 曰 自心自信 自天自心
自知自動 自天自法 故古來千經萬說 自心自法 自外不由".
317) 『의암성사법설』 대종정의, "大神師 吾敎元祖 其思想博從約至 其要旨人乃天 人
乃天敎客體成 人乃天認心 其主體位占 自心自拜敎體 天眞素的極岸立".

을 바꾸는 사람은 먼저 괴로움을 낙으로 알아야 한다.[318] …… 수련의 극치에 이른 사람이라야 비로소 대신사의 성령출세를 알 수 있다. 사람은 누구나 각자 본래의 성품인 본체성을 깨달으면 혈각성의 선악과 강유에 있어서도 능히 천만년 전 사람이나 천만년 후 사람이나 현대 사람이 같은 것을 알 것이다. 이것을 깨달은 사람은 대신사요 이것을 깨닫지 못한 사람은 범인이다. …… 한울님께 복록 정해 수명을랑 내게 비네 하였으니 이것은 몸으로써 성령과 바꾸어야 한다는 말씀이다. 한울이 있음으로써 물건을 보고 한울이 있음으로써 음식을 먹고 한울이 있음으로써 길을 간다는 이치를 투철하게 알라.[319]

몸으로 성령을 바꾸려는 사람은 먼저 괴로움을 낙으로 삼아야 한다.[320] 인간 주체가 깨닫고자 하면 육체가 힘들고 괴로움이 많다. 그러나 육체가 안락하고자 하면 주체인 性靈은 들뜨게 된다. 인간은 수련의 극치에 이른 사람이라야 본래의 성품을 깨달을 수 있다. 진심을 깨달으면 평상심과 다르지 않다고 한 지눌의 말과 같이 한울을 깨달아 행하면 일상의 모든 것이 한울의 행함이다. 이렇게 말하는 의암 자신도 그가 만난 眞仙이 바로 자신 마음의 형상임을 깨달았는데 수운이 상제를 만나고 仙語를 들었던 것이나 해월이 강화를 들은 것 모두가 자기 자신의 마음과 다르지 않음을 말한다. '吾心卽汝心'이다.

---

318) 『의암성사법설』이신환성설 一, "以身換性 大神師本旨 …… 肉身性靈換者 先苦樂知可".
319) 『의암성사법설』이신환성설 二, "修煉極致至人 大神師性靈出世 各自本來性品本體性 血覺性善惡強柔 千萬年前人 千萬年後人 現代人同一知 此覺者大神師 此不覺者凡人".
320) 의암의 이신환성은 나아가 성신쌍전으로 발전하여 천도교 강령이 된다. 性身雙全에서 性은 개성을 이름이요 身은 사회적 생활을 이름이며 全은 해방으로부터 완전에 나아감을 이름이니 인내천주의에 있어 성신쌍전은 개성의 완전해방과 사회적 생활의 완전해방을 말한다. 인간지상주의로 보아서 사람은 역사적 과정에서 개성의 완전해방과 사회적 생활의 신적 속박을 받아온 것은 사실이었다. 그리하여 인내천주의는 그 兩的 해방을 목표로 한 것이다(김병제, 「성신쌍전의 의의」, 『신인간』79, 1934.5)

내 이름은 셋이 있으니 믿고 들으라. 첫째는 靈이라 말하고 둘째는 마음이라 말하고 셋째는 늙은이라 하지마는 신선 늙은이라 하는 것은 세상 사람들이 높혀서 일컫는 이름이다. …… 나의 사람됨이 어떻게 사람이 되었으며 나의 나라 됨이 어떻게 나라가 되었으며 나의 세상 됨이 어떻게 세상이 되었습니까 물을 것이 세 가지 있습니다. 늙은이가 말하기를 후에 반드시 그런 것을 밝게 가르치리니 마음을 급히 하지 말라. 정성을 맺히도록 서로 대하다가 홀연히 깨달으니 선경은 어데인가 신선 늙은이는 바로 이 내 마음의 형상한 것이로다.[321]

의암은 眞仙을 만나는 종교적 체험을 이루었는데 이는 궁극적으로 마음 닦음의 공부를 통해 얻어진 것이요 의암이 만난 신선은 곧 마음의 형상이었다. 한울은 사람에 의지하여 변화가 무궁하고 사람은 밥에 의지하여 생명을 존속시키고 만사를 행한다. 한울을 공경하고 한울을 믿는다는 것은 곧 한울을 내 마음으로 하여 내 마음을 믿음이다. 그렇기 때문에 의암은 '自心自拜'[322]하는 것이라 말한다. 경전을 만 번 외우고 한울을 보고 천 번을 절한다고 해서 성품을 보고 마음을 깨닫는 것은 아니며 道는 내 마음에서 구하는 것이다. 그러나 인간은 오랫동안 苦海에 빠져 뜬구름이 햇빛을 가리운 것처럼 자기 성품과 마음을 깨닫지 못한다.

보통 사람의 안목은 다만 자기의 감각 영식으로 빛 안에서 대조할 뿐이오 빛 외에 한량없이 넓고 큰 본성은 알지 못한다. 묻기를 한량없이 넓고 큰 것은 어디에 있습니까. 대답하기를 너의 감각이 미치는 것은 형상이 있고 빛깔이 있는 것뿐이오 너의 감각이 미치지 못하는 것은 이것이 한량없이 넓고 큰 것이다. 너도 또한 한량없이 넓고 크고 맑고 깨끗한 지경으로부터 온 것이다. 그러므로 본래는 業因과 장애가 없었거늘 오랫동안 고

---

321) 『의암성사법설』입진경, "吾有名三 信聽 一曰靈 二曰心 三曰翁 仙翁也者 世人尊稱之號也 …… 我之爲人何之爲人 我之爲國 何之爲國 我之爲世 何之爲世 問者三也 翁曰 後必有然然明敎 勿爲心急 款曲相對 忽然覺之 仙境何處 仙翁正是我心所形者".

322) 『의암성사법설』대종정의, "人乃天 敎客體性 人乃天認心其主體位占 自心自拜敎體 天眞素的極岸立 此人界初創 大宗正義謂足".

해에 빠져 뜬구름이 햇빛을 가리운 것 같으니라. 네가 자기의 성품과 마음을 깨닫지 못하면 비록 몸이 깨트러져 티끌같이 될지라도 끝내 크게 이루지 못할 것이오 네가 자기의 성품이 스스로 크며 자기의 마음에 도가 있다는 것을 알지 못하면 비록 천 가지 경전을 만 번 외어서 설득하더라도 반드시 분변치 못한다. 도를 자기의 성품에서 구하고 법을 자기 마음에서 구하라. 성품과 마음이 있는 곳은 저기도 이곳도 아니요 위도 아래도 아니요 다만 내게 있는 것이다. 내 한울을 내 도로 하면 천도의 한량없는 것이 또한 내게 매었나니 내가 높고 높으면 위도 없고 위도 없어 삼천의 위에 높이 있다.[323]

그러므로 수운이 말한 '同歸一體'는 의암에게 있어 '同歸一心'으로 표현되고 한울(마음)을 공경함에서 모두 일심으로 돌아간다. 모두가 한울과 일심을 깨달아 하나로 돌아갈 것을 말한다. 이는 불교의 선종에서 不立文字, 直指人心, 以心傳心의 同歸一心[324]은 곧 수운이 말한 '同歸一體',[325] '同歸一理'[326]임을 알 수 있다.

만물이 하나로 돌아간다는 것은 곧 진심의 회복을 통해 무궁한 세계를 이루는 것이다. 동귀일심은 이러한 깨달음을 수반할 때 이루어지는 것이지 막연한 萬物一體가 아니다. 그러므로 인간이 자신의 마음을 깨달아 性 · 心 · 身을 개벽하지 못하면 廣濟蒼生도[327] 불교에서 말했던 弘益衆生도 없다.

---

323) 『의암성사법설』후경 二, "凡夫凡眼 但以自身感覺靈識 對照於光內 不知光外 無量廣大之性 曰無量廣大 何處在 曰爾之感覺所到 是有相有色而已 爾之感覺不到 是無量廣大 爾亦自無量廣大 淸淨界中來 故本無業障 久沉苦海 如浮雲蔽日 爾不覺自性自心 雖身破如塵 終不得大成 爾不知 自性自大 自心有道 雖說得千經萬讀 必不辨 道求自性 法求自心 性心所在 非彼非此 非上非下 只我在我 我天我道 天道無量 亦繫我也 我尊我尊 無上無上 尊於三天之上".

324) 『의암성사법설』後經 二, "三天大氣混然相應 同歸一心 前聖後聖 不立文字 但以心傳心也".

325) 『용담유사』권학가.

326) 『東經大全』歎道儒心急.

327) 『의암성사법설』이신환성설 二.

3) 야뢰 이돈화의 '인간성-무궁'과 心告의 수행론

수운의 시천주 사상은 해월이나 의암에게 있어 '虛靈心', 혹은 '心卽天'으로 설명되었다. 그리고 이는 불교의 본체인 일심과 같은 맥락임을 앞에서 살펴보았다. 한울이란 인격적 신을 가리켜 하는 말이 아니라 부분에 대한 全的인 의미로 소아에 대한 大我를 뜻하는 것이기 때문이다.[328] 이돈화에게서는 수운의 한울님이 곧 '인간성-무궁'으로 표현되는데, 그는 동학에서 말하는 한울님이 조선고유의 신적 대상이었던 하나님과는 다른 것으로 차이가 있다 하였다.

이돈화가 말하는 무궁성이란 시간상 무기한으로 존재한다는 의미가 아니라 시간을 초월한 무궁으로 自存을 뜻한다. 그리고 인간 개체로부터 사회 및 전체가 생긴 것이 아니라 全的이고 先存적인 한울의 본체적 계통으로부터 만유가 생긴 것이기에 만물은 곧 한울의 표현이다. 이 표현된 한울이 곧 무궁성이다. 무궁이란 말은 수운의 『용담유사』에서 표현된 말이다. 만물은 한울에 의하여 창조된 것이라기보다는 한울의 자율적 창조성으로 말미암는 '한울 스스로의 표현'이다. 그리고 그 한울님의 생명운동을 지기라 말한다. 만유에 내재한 한울님은 범신론처럼 평등한 것을 말하는 것이 아니라 '만유신의 성장'으로 본다는 점에서 범신론과 다르다. 동학에서 인내천이라 하는 것은 인간이 곧 이 만유의 성장을 대표하는 것으로, 무궁성이요 한울이기 때문이다. 또한 그는 '人間格'이라는 표현을 쓰는데, 이는 우주의 모든 격 중에 가장 완전한 격을 이름하는 것이다. 그러므로 인간은 우주격을 대표하는 최고의 格이다. 인간격은 이상적 인격이 되는 것으로 이것이 우주 중심이 되어 무궁에서 무궁으로 발전한다. 인간의 운동이 향상하면 향상할수록 우주 중심의 인간격에 참여하는 것으로 흔히 창조라 하는 것, 또는 성자라 하며 수련이라 하는 것은 이러한 인간격에 참여하는 노력을 의미한다. 神이라 하며 佛이라 하며 내지 鬼神이라 하는 것은 모두 이 인간격에서 나타나는 것이다. 사람은 진화론처럼 어떤 시대에 돌연 출생한 것이 아니라 무궁자인 한울성이 천지만물을 통하여 사람에게 이른

---

328) 이돈화, 『신인철학』, 천도교중앙종리원신도관, 1924, 2쪽.

것이다. 그러므로 무궁자인 神이란 인간 자신의 본성으로 수운의 한울님은
인격신도 범신론도 아니며 이를 합친 범재신론도 아니다. 또한 인간은 한
울의 표현이기에 진화된 것도 창조된 것도 아니다.[329] 따라서 교육이란 최
고 인간격인 인간 무궁성을 실현하는 것으로 인간의 전면적인 진리를 가
르치는 것이다.

(1) 물심일치의 지기일원론

이돈화는 우주와 세계의 생성원리를 물심합치의 지기일원론으로 수운의
지기를 설명하고 있다. 그는 수운의 지기를 해월이 말한 一理氣와 같은 개
념으로 설명한다. 한울의 생명운동인 지기는 靈이면서 純靈도 아니고 氣
이면서 純氣만도 아닌 물심양면을 표현하는 조화의 존재요 神靈이다.

> 지기일원설은 수운선생의 우주관 중 가장 특색을 잘 나타낸 점이다.
> …… 至는 極이라 하였다. 극은 명사와 형용사 두 가지로 해석하여야 한
> 다. 극을 명사로 보면 東洋理學에서는 우주의 본체를 무극 또는 태극이라
> 명명하였다. 고로 至는 곧 우주의 본체라는 뜻이다. 지기는 곧 우주본체의
> 元氣, 靈氣, 활력 등을 표시한 氣가 된다. …… 선생은 물질 극치 즉 지기
> 를 물질이라는 의미로 쓰지 않고 곧 허령창창이라 형언하였다. 氣는 이미
> 物의 質인 것을 氣字 위에 至一字를 붙여 놓고 곧 虛靈이라 命한 것이다.
> …… 극은 무한소를 의미하는 것이므로 지기의 무한소의 극치는 어느덧
> 물질이 아니오 허령이 된다는 뜻이다. 그러고 보면 지기는 물질과 영계의
> 경계선상에 있는 어떤 존재로 보인다. 지기는 영이면서 純靈도 아니며 기
> 이면서 純氣도 아닌 물심양면을 표현할 가능성을 가진 조화의 존재라 할
> 수 있다. 그러므로 지기는 바로 性靈, 精神, 心性, 思考, 認識 등의 무형적
> 본능을 가진 동시에 우주는 무한의 각종 형상을 표현시킬 외적 능력과 외
> 적 질료도 가진 것이다. 그리하여 그를 표현시킬 만한 무한능력을 자체에
> 내장한 조화적 神物이다. 그러므로 지기는 일종의 신령으로 인정할 수 있
> 다.[330]

329) 이돈화, 『신인철학』, 1924, 4·11~15·63~66·100쪽.
330) 이돈화, 『신인철학』, 1924, 238쪽.

324 동학·천도교의 교육사상과 실천

지기는 본체와 질료를 함께 지칭하는 것이고, 분리할 수 없는 물심일치의 氣다. 이러한 물심일치의 지기일원론을 통해 이돈화는 우주생명과 인간 개체가 하나임을 설명하고 있다. 지기를 다만 물질의 극치로만 본다면 의식이 없는 물질적 질료에서 기화가 이루어질 리가 없다. 또한 순령의 극치로 보면 물질적 질료 없이는 의식이 있어도 기화할 무엇이 없다.

수운은 '무궁한 이 이치를 무궁히 살펴내면 무궁한 이 울 속에 무궁한 내 아닌가'라 했는데, 이돈화는 이 말 한 마디만으로 수운이 만국의 사표가 되는 대각자라 한다. 여기서 <무궁한 이치>란 것은 神의 이념인격을 이름이며 <무궁한 이 울>이란 것은 神의 이념이 형상으로 표현된 대우주 전체를 이름이며 <무궁한 내>라는 것은 유한인이 무한신에 합일된 大我의 境地를 이름이다. 이돈화에 있어서 대아의 경지란 神과 인간이 결합된 인내천의 대경지를 말함인데 이것이 바로 인간학의 구극이라 했다. 사람이 神을 直覺하면 神卽人으로서 神에 합일된 神이 된다. 이는 자력도 아니고 타력도 아닌 神人一致의 힘이며 이는 범신도 아니요 일신도 아닌 인내천의 신이며 지상신선이다. 또한 이는 유심도 아니요 유물도 아닌 물심합치의 지기일원론이다.331) 至氣의 虛靈 中에는 心과 物, 양 기능을 표현할 가능적 조화력을 가졌고 그리하여 지기는 영묘무궁의 氣化神으로서 그 무한한 신성 중에는 理的 형상과 理的 질료를 구비하였다. 그러므로 현상계의 모든 형상은 이미 정해져 있는 理的 형상과 理的 질료의 결합이 시간 공간의 인연법을 따라 나타난 것으로 우주는 이 有와 無 양자를 포함한 절대 무궁의 존재이다.332) 수운의 표현으로 하면 理的 형상이란 불연이고 理的 질료는 기연이 된다.

또한 이돈화는 반대일치의 원리로서 神觀을 새롭게 정립하였다. 신사회가 요구하는 새로운 신관은 正體를 理想하고 동경하는 神觀이라 한다. 이는 두 가지 특성을 가지는데 <반대일치되는 신관>과 <인내천의 신관>이 그것이다.

---

331) 이돈화, 「東學之人生觀(附)」, 『신인철학』, 1924, 216쪽.
332) 이돈화, 「東學之人生觀(附)」, 『신인철학』, 1924, 243쪽.

그에게 있어 신이란 무궁이기에 영구불변하면서 변하는 것이다. 여기서 변하는 것은 세상이며 事象으로 생멸적 無常이다. 생멸이 없는 본체는 죽은 본체이고 지속이 없는 생멸은 일종의 환상에 지나지 않는다. 그리고 불변자는 순수지속이다. 지속과 생멸은 神의 二位一體적 행위다.[333] 이는 불교적 패러다임을 재현시키는 것이기도 하다. 이돈화는 본체의 순수지속과 현상의 생멸적 無常을 통해 神을 설명하고 불교에서 말하는 제행무상, 제법무아, 열반적정의 실상을 인용하고 있는 것이다. 무상(虛變)과 영구불변의 반대일치적 결합이다.

> 생물의 생사는 생물의 본체를 지속케 하는 방법이며 수단이며 현상이다. '무릇 형상이 있는 것은 모두가 허망한 것이니 만약 모든 것이 모습이 없는 것임을 알아보면 여래를 본 것이다(汎所有相皆虛妄 若見諸無相卽見如來)'라 했으니 허망은 생멸을 이름이다. 무상은 변화를 이름이며 여래는 본체를 이름이다. 본체의 지속을 위하는 방법이 諸相無常의 변화이다. 이를 覺하는 자가 覺이 된다는 뜻이다. 그러므로 생멸은 실법이 아니오 방법이며 虛變이다. 實相의 본능표현이다. 실상은 영구불변의 존재이다.[334]

둘째로 인내천의 신관이란 우주는 神의 표현으로 인간이 비교적 완전한 모형이 되는 것을 말한다.

> 인류의 지위는 가장 높은 정도로 표현된 것이다. 즉 신의 본질이 가장 완전히 인류에게 표현되었다. …… 인간의 이상은 어디까지든지 진보하는 도중에 있는 문제요 목적지에 도달하고 본 문제는 아닐 듯 하다. …… 신은 자재자율적 자체 무궁의 본질을 가졌다 하나 우주는 신의 궁극적 본질의 피전개자다. …… 인간의 영원한 이상은 신의 영원한 이상의 표현이다. 신은 자기 貌形과 같이 우주를 실현한다. 그러므로 극소한 자 중에도 신의 모형은 전체로 들어 있다. 그리하여 인간에서 그 모형의 전개가 비교

---

333) 이돈화, 「東學之人生觀(附)」, 『신인철학』, 1924, 229~230쪽.
334) 이돈화, 「東學之人生觀(附)」, 『신인철학』, 1924.

적 완전히 나타났다 하면 우리는 신의 전지전능의 일단을 찾고저 할 때에
무엇보다도 인간 자기 중에서 찾아야 한다.[335]

神은 자재자율적 무궁의 본질을 가지는데 이 궁극적 본질의 전개가 곧
우주다. 미소한 것 중에도 神의 모형이 전체로 들어 있고[336] 그 중 인간은
신의 모형의 전개가 비교적 완전히 나타난 것이다. 그러므로 여기에서 인
내천적 神觀을 말하게 된다. 그러므로 '시천주 조화정'이란 한울님이 곧 자
기 마음임을 철저히 알아 사람성 무궁의 원리를 체인하고 사람성 무궁과
합일하며 모든 인류가 한울의 一團임을 깨달아 사람을 한울같이 대하면
사람과 사람 사이에 기화가 있어 무위자연의 극락을 얻을 수 있다고 하였
다.[337]

(2) 인간 무궁성과 종교성의 교육

인간은 '근본초월자' 즉 神에서 출생한 것으로 인간과 신은 하나의 근본
에서 나누어진 一根二體다. 神은 無形無限한 본체요 인간은 有形有限한
현상이다. 이돈화는 이 유형유한한 인간이 신의 본체와 결합하고자 하는
운동이 곧 종교라 했다.[338] 종교란 인간의 총체적 삶을 이끄는 궁극의 지
향점이요 살아있는 자아를 연구하는 인간학이다. 인간의 참된 자아를 연구
하고 인간 心情의 유래를 파악하는 것은 현상을 초월한 초월자에서 근인
된 불가사의의 것이므로 이는 보통교육과 같은 개념의 교육 따위로는 도
저히 될 수 없는 일이라 한다.[339] 그러므로 진정한 의미에 있어서 교육의
본질은 바로 종교성에 있다고 할 수 있다. 종교란 어떤 특정 교리와 의식
체계에 귀속되는 것이 아니라 인간의 궁극적 관심과 궁극자에 대한 합일

---

335) 이돈화, 「東學之人生觀(附)」, 『신인철학』, 1924, 233~234쪽.
336) 이는 一이면서 多요, 多이면서 一이기에 一의 전개가 多가 되고, 多의 통일이 一
     이 되는 불교의 화엄사상으로 본 인내천이다.
337) 이돈화, 『인내천요의』, 1924, 112쪽.
338) 이돈화, 「東學之人生觀(附)」, 『신인철학』, 1924, 254쪽.
339) 이돈화, 「東學之人生觀(附)」, 『신인철학』, 1924, 255쪽.

을 스스로 갈망하고 노력하는 자기교육을 수반하기에 교육은 종교성를 떠나서는 이루어질 수 없다고 한다. 그러므로 이러한 종교적 교육은 直覺과 직관의 교육이 아니면 안 되는 것이고, 직관의 교육은 타인의 訓教에 의하여 되는 것이 아니라 직접 자기의 실천자각에 원인한 것이기에 자기로서 자기를 교육하지 않아서는 안 된다. 이돈화는 인간은 자기가 자기를 교육하게 되는 그 무엇을 본능적으로 가지고 있다고 본다. 그 본능이란 인간의 독특한 점으로 인간의 초월자인 大我 즉 神을 자각할 본능을 뜻한다.

인간의 현상적 자아라는 것은 곧 念에 지나지 않는다. 念이라는 것은 인간이 육체적 오관의 감각과 합하여 일어나는 현상이다. 불교의 '識'과 같다. 그러므로 육체와 念은 인간 모두에게 있어서 상대적인 것으로 이 양자를 초월한 원리가 있다는 것을 쉽게 알 수 있는데, 이것을 고금에 佛心이라 하며 道心이라 하며 天心이라 하며 천명지위성이라 했다는 것이다. 이돈화에게 있어서 인간은 자기 자신의 현상적 자아를 초월한 본원적 원리를 자각하는 것에서 신을 실현해 간다. 신은 인간의 오관에 제한되지 않은 본래적 존재로서, 이를 수운은 내유신령이라 했다. 이는 신으로 투사되는 신의 이념이기도 하다는 것이다.[340] 또한 그는 사회진화설을 수용하여 인간 무궁성 우주표현을 진화론적으로 설명하고 있다. 만물이 한울로부터 창조된 것이 아니라 다만 한울의 자율적 창조성으로 한울이 한울 스스로를 표현한 것이 곧 만물이라 한다.[341]

적은 芥子종자 속에도 생명이 머물러 있고 원형질 세포에도 생명이 있고 물질의 원자, 전자에도 拒力, 吸力이 있는 것으로 보아 우리는 저 우주에는 일대 생명력이 있음을 알 수 있다. 이 활력을 수운주의에서는 지기라 하고 지기의 힘을 한울이라 한다. 그러므로 대우주의 진화에는 한울의 본체적 활력, 즉 생생무궁의 생명적 활동의 진화로 만유의 시작을 전개한 것이라 보는 것이다.[342]

340) 이돈화, 「東學之人生觀(附)」, 『신인철학』, 1924, 259쪽.
341) 이돈화, 「東學之人生觀(附)」, 『신인철학』, 1924, 18쪽.
342) 이돈화, 「東學之人生觀(附)」, 『신인철학』, 1924, 17쪽.

인내천의 요의는 神을 사람성 무궁과 일치한 것으로 보는 것이다. 그러므로 사람성 무궁이란 사람성과 신성이 일치됨을 이르는 말이 된다. 이 점에서 인내천은 범신관과 일신관이 통일된 경지다.[343] 수운이 '나는 도시 믿지 말고 한울님만 믿었어라 네 몸에 모셨으니 사근취원 하단말가' 하고 노래한 것도 이는 실로 인간초월적 상제를 부인하고 사람의 영성을 곧 상제라 가르침이라 말한다.[344] 수운의 한울님 혹은 상제는 해월이나 의암에 의해 '心'으로 이돈화는 '神', 혹은 '사람무궁성', '靈性'이라 불려진다.

> 무소부재한 한울님의 法性은 사람성과 따로 존재한 것이 아니요, 사람성 무궁이 곧 한울님의 법성인 것을 알아야 한다. …… 그러므로 天으로써 보면 사람성 무궁은 곧 천이 되는 것이요 人으로써 보면 천은 곧 사람성 무궁이 되는 것이니 이것이 한울님을 허공에 구치 아니하며 명색에 구치 아니하고 오직 사람성 무궁에서 구하는 신앙이라.[345]

수운의 21자 주문에 있어서도 天主라 하는 것도 인간 자신에게 있는 신령의 위대함을 깨달아서 부모와 같이 섬기라 하는 뜻이요, 造化라 하는 것도 천지자연의 무위기화하는 대도대덕을 순응하여 사람성 자연을 거슬리지 말라는 뜻이다. 定이라 함은 안으로 있는 신령의 德에 그 마음을 합하여 신인합일의 경지를 말한 것이요 永世不忘은 수도의 과정을 그치지 않고 계속하라 함이며 知라 함은 내유신령의 도를 알아 그 신령의 知를 知로 한다 함이다. 따라서 주문 삼·칠자는 사람이 자기 안의 한울을 깨닫고 한울의 덕과 합하여 한울의 知를 응용하며 밖으로 만유동화의 계기를 지음인데, 이는 바로 인내천의 정신이 주문에 의해 표현된 것이다.[346]

사람의 본원은 원래 사람성 무궁에서 기인한 것으로 천지가 생기기 이전은 누가 생각하든지 一物도 없는 絶對空일 것이다. 한울님인 우주는 절대공으로 空이란 크고 작음이 없고 옛과 지금이 없으며 시작과 끝도 없고

---

343) 이돈화, 『인내천요의』, 1924, 150~151쪽.
344) 이돈화, 『인내천요의』, 1924, 27쪽.
345) 이돈화, 『인내천요의』, 1924, 31~32쪽.
346) 이돈화, 『인내천요의』, 1924, 27~28쪽.

상하 전후가 없음을 말하는 것이다. 이 역시 불교의 무자성을 바탕한 화엄적 사고를 보여주는 면모다.

> 우주는 絶對空 至大無較 日絶對오 無朕 日空이니 空者는 無大小 無古今 無始終 無上下 無前後의 意義라[347]

수운이 말한 불연기연을 통한 우주이해와 야뢰가 설명하는 절대공을 통한 우주이해는 상통한다. 수운 이래 해월, 의암, 이돈화에 이르기까지 그 본맥은 변질없이 계승되고 있음을 본다. 그 절대공를 칭하여 이돈화는 한울님 靈性이라 하며 혹은 佛 혹은 神이라 한다는 것이다. 그런데 이 無一物의 절대공은 자기의 창조력으로 인하여 천지가 되며 만유가 되며 생물이 되며 인류가 되어 왔다. 이렇게 보면 신은 실로 위대한 자기의 창조력으로 영겁의 노력에 의하여 스스로 인류가 되어 온 것이다. 그러나 믿음의 힘이 없는 사람은 마치 종자가 없는 과실과 같아 능히 현상적 미관은 있다 할지라도 사람성 무궁의 힘에 의한 영구적 정신활동은 능히 얻지 못한다.

종교교육은 바로 이 믿음의 힘을 근본으로 하는 것이다. 이는 인간 자신 스스로가 한울님을 깨달아 믿고 한울님과 합하고자 하는 염원 속에서 인간형성이 이루어지기 때문이다. 그러므로 세계를 설명하는 철학이나 일반 지식만을 전달하고자 하는 교육은 진정한 교육이 될 수 없다. 수운이 말한 지상천국은 인간격이 발달됨에 따라 이루어지는 것이고 또한 그 내용이 무궁히 진전되는 것으로[348] 이 사람성 무궁을 실현하는 것이 종교교육의 목표라 할 수 있겠는데 사람성 무궁은 <인간격>이라고도 말한다. 인간격이란 보통 사용하는 개인적 인격을 이름이 아니라 전 우주격이 인간에 의하여 표현된 것을 말한다. 우주격, 즉 한울격은 인간에 의하여 비교적 완전한 형태로 나타났으므로 한울격은 인간격에서 볼 수 있으며 한울격은 곧 인간격이 된다.[349]

---

347) 이돈화, 「우주설」, 『천도교회월보』 21, 1913.4.
348) 이돈화, 『신인철학』, 1924, 163쪽.
349) 이돈화, 『신인철학』, 1924, 51쪽.

인간격이라는 것은 우주의 모든 格 중 가장 완전한 격을 이름이니 우주격을 대표한 최고격을 이름이다. 원래 우주는 절대한 유일의 격으로 볼 수 있는데 그 유일의 격을 우주 자체의 무위이화의 법칙에 의해 천차만별의 격을 일러 놓았다. 인간격이란 전 우주격의 표현이다. 인내천사상은 신본위의 사상이 아니다. 영본위의 사상이 아니다. 이들은 유심적 사상을 이름이니 현세를 부정하는 태도로 나아간다. 또한 物을 본위로 한 사상이 아니다 ……350)

인내천은 곧 우주격이 인간격에 의하여 표현된 것을 이름이다. 이돈화가 이해하는 서구사조에 의하면 인내천주의는 개인주의의 니체적 권력만능주의와 배리되고, 사회주의의 경우 경제본위는 인내천주의의 일부는 될 수 있으나 동등한 입각지는 되지 못한다. 그리고 또한 인내천주의는 자연주의도 아니고 지력주의도 아니다. 자연주의는 정신이 감각의 일부일 뿐이라고 주장한 주의이므로 인내천주의는 긍정하지 않으며, 또한 지력주의는 자연주의와 동일한 경향이면서 자연주의와는 전혀 반대이기에 그렇다 한다.

기존 연구에서 보면 이돈화가 서구의 영향을 받아 서양철학을 통한 교리의 철학화를 시도하였다고 한다. 즉 교리의 철학화라는 방향에서 천도교의 사상적 요지인 인내천을 비인격적 합리주의로 풀이하였다는 것이다.351) 그러나 해월이나 이돈화나 모두 수운의 사상을 종교나 철학에 편향시키지 않았다. 다만 시대가 다르고 지배담론이 다르기 때문에 표현상의 문제가 있다 하겠다. 현대철학의 수용에 따라 시대의 표현을 빌어서 설명한 것이지 근본적으로 본래의 흐름을 변질시킨 것은 아니다. 이돈화는 다음과 같이 말한다.

인간은 인간 자기가 곧 우주인 것을 직각할 때에 인간의 모든 행사는 우주의 행사이며, 우주의 행사는 신의 행사인 것을 깨달을 수 있다. 그러므로 신과 우주전개의 시종으로 보아도 좋다. 신은 우주의 因, 사람은 우주의 果, 우주만유는 신과 인간의 중간적 전개의 단계적 존재라 비유하자.

350) 이돈화, 『신인철학』, 1924, 51쪽.
351) 최동희, 『한국종교사상사 - 천도교편』, 연세대출판부, 1993, 77쪽.

그렇다고 하여 사람 그 자체가 곧 신으로 경신 과신하여서는 안 된다. 인
내천 신앙에서 제일금물은 이 점이다.352)

神은 우주의 因, 사람은 우주의 果報로서 우주만유는 신과 인간의 중간
적 전개의 단계적 존재라 하는 것이다. 그러나 그가 분명히 말하는 것은
사람 그 자체가 곧 신이 아니라는 것으로 인내천신앙을 돈독히 함에 있어
서 우선적으로 금할 점이라 한다. 이돈화에게서도 분명 신앙과 수련이 있
으며 수운의 사상이 근본적으로 불교적 사상을 토대로 깔고 있고 불교적
신관을 갖고 있듯이 이돈화도 이를 현대적 담론을 빌어 설명할 뿐이다.

(3) 교육방법으로서의 '心告'와 '후천개벽'

이돈화는 인내천주의에 있어 사람이 한울이라 한 것은 사람들의 현재
가지고 있는 심법과 행위가 곧 한울의 본성이라 함이 아니라 사람은 그 본
래적 성능에서 한울의 영명을 발휘할 만한 소질을 가졌다 하는 말이라 한
다. 인간 누구나가 시천주하고 각천이 아닌 것은 한울님과 합함이 없기에
그렇다. 그러므로 수운은 불교에서 대해와 파도의 관계로 비유되는 체용의
관계를 빌어 현상적 사람과 창조적 사람을 구분하고 창조적 사람을 가르
쳐 인내천이라 하였다.

현상적 사람을 파도라 한다면 창조적 사람은 대해와 같은 것이다. 파도
로부터 바다가 생긴 것이 아니요 대해로부터 파도가 생긴 것을 알고 보면
따라서 현상적 사람으로부터 창조적 사람이 생긴 것이 아니요 창조적 사
람으로부터 현상적 사람이 생긴 이유를 알게 된다. 창조적 사람은 영원이
며 항구며 진여며 무진장이며 완전한 데에 비하여 현상적 사람은 잠시 있
는 것이며 무상이며 유한이며 불완전인 것을 알지라. 그리하여 천도교는
창조적 사람을 가르쳐 인내천이라 하는 것이다.353)

---

352) 이돈화, 「東學之人生觀(附)」, 『신인철학』, 1924, 235~236쪽.
353) 이돈화, 『인내천요의』, 1924, 114~115쪽.

인내천의 한울은 곧 창조적 사람을 가리키는 것인데 영원, 진여, 무진장으로서 능동과 생명운동의 진화성을 뜻한다. 사람이 神에게 귀의한다 함은 현상적 사람이 창조적 사람에게 귀의하는 것으로 여기에는 心告의 수련방법이 요구된다.

이돈화의 심고는 해월의 敬心이나 의암의 '自心自拜'를 위한 구체적 실천방법이다. 심고라 함은 현상적 사람이 자기 안의 창조적 사람의 지도를 받음이라 정의한다.354) 심고는 개성과 보편성의 대립 혹은 現象我와 神我의 대립을 의미하고 小我가 大我를 향하여 구원을 청하는 기원(기도)이다. 즉 심고는 우주 보편아의 한울님이 되기 위한 수행이다. 심고가 독실한 사람은 확실히 강화의 교가 있다고 이돈화는 말한다. 강화의 교는 無言不聞의 영감을 이른 말인데 이는 예술감을 통해서도 알 수 있다. 예를 들어 詩人이 得意의 구절을 얻을 때 이는 의식으로 나온 것이 아니요 순전한 情적 영감으로 솟아오르는 것이다. 화가가 名畵를 그릴 때나 조각가가 名手를 내릴 때 모두가 다 지식적 의식으로 나온 것이 아니라 부지불식의 영감에서 조화적 묘가 솟아나온 것이다. 강화의 교라는 것도 인간에 있어서 자신의 참된 我가 드러날 때 체험되는 것이다.

이돈화는 이 '心告'를 '告天'이라고도 하였다. 그에게 있어서도 心과 天은 같은 것이기 때문이다. 告天은 사람의 번뇌를 끊고 인간의 진정한 행복을 받기 위하여 일동일정을 한울님께 고하여 氣化神의 감화를 받는 수행이다.355) 21자 呪文이 한울로부터 인간에로 감응을 받기 기원하는 수행이라면 심고(고천)는 인간으로부터 한울에 합하고자 하는 의지이다. 심고의 효과를 얻는 사람은 만사에 허망이 없고 취할 것을 취하고 버릴 것을 버려 그 靜함에 잠용과 같고 그 動함에 風虎와 같다. 심고의 수도를 통하여 얻는 참된 我는 我로써 我를 얻는 것이요 我로써 我를 해방하는 것이다. 그러나 이 我의 해방이라는 것은 개인적 我의 해방과 사회적 我의 해방, 두 가지 측면이 있고 이는 함께 수반되는 것이다.

---

354) 이돈화, 『인내천요의』, 1924, 115쪽.
355) 이돈화, 『천도교경전석의』, 243쪽.

수도의 결과는 得我이다. 득아 즉 아로써 아를 얻는 것이다. 득아의 득
은 아의 해방이다. 새장에 갇혔던 새가 숲속으로 돌아가면 이것이 곧 아
를 얻은 것이다. 감옥에 갇혔던 죄수가 본가에 돌아오면 이것이 곧 아를
얻은 것이다. 아를 해방하는 데는 두 가지가 있다. 하나는 개인아의 해방
이란 것이고 하나는 사회아의 해방이란 것이다. 개인아의 해방은 곧 정신
의 내부적 해방이다. 우리의 심리에는 物을 사역할 만한 마음과 物에게
사역되는 마음이 있다. 물을 사역하는 마음은 아를 완전케 하는 마음이요
물에게 사역되는 마음은 아를 失하는 심이다. 그러므로 내부적 정신으로
아를 得하는 것은 구름을 헤치고 명월을 보는 것과 같이 우리의 主心의
위에 덮여 있는 모든 부정한 마음을 배제하는 것이다. 우리의 惡知, 악습,
편견, 고집, 아집, 아착 등을 해탈하여 버리고 내부적으로 대아 즉 영부심
의 본체에 부합하여 자아의 번뇌, 우수를 소극적으로 탈겁하는 방법이다.
사회아를 해방한다 함은 사회라 하는 대아를 외부적인 논리상 도덕상 정
치상 종교상으로 혁신하여 사회아로 하여금 가장 자유있고 행복이 있도
록 조직하는 것이다. 대종교가 대철인 혹은 대혁명가는 사회적 감옥을 확
실히 초월하는 식견을 가진 사람들이다. 우리가 만일 내부적으로 자아의
眞性이 인습의 감옥에 갇혀 있고 사회아의 생활이 악제도의 감옥에 갇혀
있음을 아는 식견을 가지고 그를 능히 해방하는 힘을 가졌다고 하면 그
사람은 곧 完全我를 득한 것이요 완전아의 생활을 실현할 수 있다.356)

개인아의 해방은 곧 정신의 내부적 해방으로 物에게 사역되어 我를 잃
지 않고 오히려 物을 사역하여 모든 惡知, 편견, 아집 등을 해탈하고 大我
에 합하는 것을 말한다. 사회아의 해방은 사회라는 대아를 도덕적, 정치적,
종교적 혁신을 통해 가장 자유롭고 행복이 있는 사회를 조직하는 것이다.
대종교가 대철인은 物에 사역당하지 않고 사회적 인습과 감옥을 초월하는
자들이다. 반면 物에 사역당하고 사회적 惡제도와 인습에 갇혀 있는 자는
완전아를 실현할 해방의 능력이 없는 자다.
따라서 이돈화가 말하는 심고란 세 가지로 요약될 수 있다. 첫째는 인간
내면에 현상적 사람과 창조적 사람이 있어 현상적 사람이 창조직 사람에

---

356) 이돈화, 『신인철학』, 1924, 47~48쪽.

게 지도를 받음이요, 둘째는 '降話의 敎'를 체험함이며, 셋째는 자아의 개인적 我와 사회적 我의 해방이다.

이돈화는 수운이 말한 <수심정기>나 <성경신>을 이와 같은 心告로서 축약하여 이해하고 이를 바탕으로 수운의 수련체계를 새롭게 설명하고 있다. 이돈화에 의하면 <守心>은 放心과 상대되는 것으로 마음을 지키라 함은 곧 마음을 잃어버리지 말라 함이다. 이는 한편으로 마음에 애착이 없음을 이름이요 또 한편으로는 마음에 항상 대원력의 主義가 있어 그 '주의(굳게 지키고자 함)'를 실현하고자 노력 분투함을 말한다. 마음에 애착이 있으면 이는 마음을 잃은 증거다. 또한 마음에 주의가 없으면 守心이 생기는 법이 없고 守心하면 이미 주의가 있다고 볼 수 있다.357) 여기서 주의는 곧 믿음이라 할 수 있는데 이는 경험적 숙명적 믿음을 말하는 것이 아니라 원력적 믿음을 말한다. 경험적 숙명적 믿음은 죽은 믿음이요 원력적 믿음은 산 믿음이다.

<원력적 믿음>이란 인사를 닦고 천명을 바라는 믿음으로 이돈화는 이를 세 가지로 설명한다. 첫째는 대원력이다. 개인을 표준한 원력이 아니라 인류라는 유기단체의 대아를 표준한 희망인데 그 희망에 의하여 대원력이 생겨나는 믿음이다. 둘째는 초인적 절대세력을 믿는 신앙이다. 초인적 절대세력을 믿는다 함은 그 세력에 의뢰한다는 말이 아니오 그 세력을 자기가 능히 파지하였다는 자신이다. 인간의 一動一靜이 인간의 적은 힘과 적은 지식으로 나온 것이 아니라 한울님이라 하는 초인적 세력이 자기의 몸에 實與되는 것이라고 믿는 것이다. 이것은 인격적 神을 의뢰한다는 것과 天壤의 차이가 있다고 그는 말한다. 셋째는 희생적 정신만 풍부한 신앙이다. 이는 만인의 일을 만인의 희망에 대표하여 내가 먼저 나서리라 하는 활기를 말한다. 억지로가 아니라 스스로 그렇게 되어지는 정신이 생겨진다는 말이다.358)

수운이 '信이 誠에 앞서 존재한다'고 말한 바와 같이 마음에 아무 애착

---

357) 이돈화, 『수운심법강의』, 1924, 51쪽.
358) 이돈화, 『신인철학』, 1924, 56쪽.

이 없음은 마음에 주의(믿음, 신념)가 선 까닭이며 주의심이 있음으로써 다른 구구한 생각이 생길 여지가 없이 誠을 발현하는 것이다. 이는 이돈화가 말하는 심고에 있어 현상적 我가 창조적 我로 들어가는 것과 같고 誠이 발현될 때 강화지교를 체험하는 것이기도 하다. 誠이라는 것은 대우주 대생명의 힘이 되고 인사에 대하여는 心力이 된다. 誠은 곧 주의의 힘으로 주의가 없이 誠을 이루고자 하는 것은 토지가 없이 씨를 뿌리는 것과 같다고 한다. 주의는 誠의 주체요 誠은 주의의 그림자다.

또한 <正氣>는 '지기금지원위대강'이라는 지기에 접함을 말하는데 수심과 정기는 차의 양바퀴와 같다고 한다. 수심만 있고 정기가 없으면 이는 그 몸을 善하게 할 뿐으로 사람과 物에 기화의 힘이 없어 세상에 이익이 없고, 또한 정기만 있고 수심이 없으면 이는 근원없는 샘물과 같다. 이는 이돈화가 심고의 성격을 我的 해방에 있어서 개인적 아의 해방과 사회적 아의 해방을 동시에 말한 것과 같다. 이돈화의 설명에 의하면 수심은 정기를 내뿜는 근원적 샘과 같은 원천이요 정기는 사람과 物을 기화하는 힘이다. 여기서도 교육은 종교성과 분리될 수 없음을 시사받게 된다. 일반 학교교육은 수심이 갖는 근원적 힘의 원천을 교육하지 못하고 지식만을 나열하는 데 반하여 종교성의 교육은 근기와 심지를 먼저 심고자 한다.

이돈화는 수심과 정기의 관계를 나무 전체와 잎으로 비유하고 있다. 가령 한 그루의 나무가 있다 하면 그 한 그루의 나무는 뿌리로부터 잎에까지 나무 전체의 생명력이 나무를 지배하고 있다. 그리하여 나무 전체의 생명력을 護持하는 것이다. 이 경우에 일개 잎의 동화작용은 어느덧 나무 전체의 생명력이 되어 자체의 영생을 도모한다. 그러다가 그 잎이 쇠퇴한다 해도 그 쇠락하는 부분은 잎의 형체뿐이오 잎이 일생을 두고 노력하던 동화작용의 영생력은 그대로 나무 전체에다 남겨두는 것이다. 만일 잎이 본래부터 병적이어서 일생 동화작용의 힘이 없었다면 그 잎은 잎의 형체가 떨어짐과 동시에 동화작용의 영생력도 본체에 남겨둠이 없을 것이다. 여기서 동화작용이란 곧 역사운동이요 사회변혁을 뜻한다.

이돈화가 살던 시대의 운동과제는 물적 조건의 개조에 있었다. 사람은

정신과 물질이 합해진 존재이기에 물질생활이 개조되지 못하면 정신생활
도 개조되지 못한다고 하였는데, 이는 1920년대 사회주의의 영향이기도 하
겠지만 이돈화 나름의 일원적 사고의 전개 결과일 것이다.

> 사람은 정신으로만 사는 물건이 아니다. 정신과 병행하여 물질의 생활
> 이 있다. 물질의 생활이 개조되지 못하면 정신의 생활도 개조되지 못한다
> 함은 유물론자의 선견의 明이라 할 수 있다. 물질상 평등이란 사회제도의
> 개조 그것이라 한다. 개인은 사회에 의뢰하고 사회는 개인생활을 지배하
> 는 이상 사회제도의 불평등은 直히 개인과 개인의 불평등이 되는 것이다.
> …… 그러므로 물질상으로 사람성 자연은 사회제도의 완성을 기하는 데
> 있다.359)

개인은 사회에 의뢰하고 사회는 개인생활을 지배하는 이상 사회제도의
불평등은 곧바로 개인과 개인의 불평등이라고 이돈화는 단언한다. 교육에
있어서 개인의 정체감이라는 것도 사회가 부여하는 것이다. 사회화란 그
사회구성원을 자연스럽게 그리고 당연한 듯이 개인이 의식하지 못한 채
사회구조 안으로 편입시키는 것이기에 완전한 사회가 없으면 완전한 개인
도 없게 되는 것이다. 따라서 인간은 사람성을 발전시키기 위해서는 사회
제도를 개조하지 않으면 안 되고 사람성 자연은 사회제도의 완성을 기하
고자 한다. 인간과 사회를 나무에 비유하면, 인간 개체는 잎과 같은 것으로
잎이 나무 전체의 생명력에 의하여 지지됨과 같이 개인의 생명적 영은 사
회적 생명의 발아요 사회적 생명은 대우주 대생명의 발아다.360)

그는 분명히 물심양면을 지향하여 어느 한쪽에 편향하지 않는다. 현대의
인간이 뿌리를 잃은 연고가 과학문명의 편중과 분별적 지식으로 인해 천
지만유를 고립케 한 데에 있다고 한다. 사람이 나고 죽는 것은 길옆에 무
심히 낳다 무심히 쓰러지는 버섯과 같아서 사람의 존재와 근거가 사려져
버리고, 또한 과학적 문명은 물질계에서 사람을 고립케 하며, 황금만능의

---

359) 이돈화, 『수운심법강의』, 1924, 89~91쪽.
360) 이돈화, 『수운심법강의』, 1924, 94쪽.

사상은 사람과 사람 사이의 애정을 끊어 버렸다고 한다.361) 따라서 事人如天을 실행하여 사람대하기를 반드시 한울과 같이 하여야 된다고 하였다.

세상사람들이 천주는 공경할 줄 알되 사람은 공경할 줄을 알지 못하는 것은 천주와 사람을 갈라 보는 까닭이요, 만일 사람이 한울이요 한울이 곧 사람인 것을 안다면 어찌하여 사람을 한울같이 섬기지 못하느냐는 것이다. 이돈화는 해월의 三敬說에서 天을 공경하는 것은 우주의 원리를 사랑하는 것이요, 人을 공경하는 것은 사람을 한울로 보는 데서 나온 것이며, 物을 공경하는 것은 物吾同胞의 의미에서 나온 것이라 하였다. 결국 수운이 말하는 후천개벽이란 하늘, 땅, 인간의 새로운 해방으로서 新天, 新地, 新人을 목적한 것이며 개인과 사회의 해방을 인간이 나아가야 할 방향으로 제시하였다고 본다. 분명 인간과 신, 인간과 자연, 인간과 사회가 분리되지 않는 일원으로 보면 대립과 투쟁의 갈등은 自他不二의 인간이해로 바뀐다. 보통 현대인은 자신과 타인이 대립되고 자연과 분리된 존재라 생각하기에 대립적 투쟁의식과 고통이 생기고 두려움이 생긴다. 그러므로 여기에 삼경의 교육실천이 필요함을 이돈화는 말한다.

敬天 사람성은 당연히 우주의 대법성에 대하여 경외지심을 가져야 한다는 것이다. 그리하는 것이 자기의 품성을 키우며 자기와 우주를 동화케 하는(대아의 경지에 들어가는) 인간격이 발휘됨으로써이다. …… 우리가 만일 사람의 전생활이 거기에 시작하여 한 동물적 我 외에 이보다 고상한 이상아 즉 대아가 있을 것을 단정하고 그 신념에 의하여 직각으로 대아를 감상한다면 대아의 웅보는 그제야 이상의 문을 열고 천천히 아의 관념세계로 들어 올 것을 알 수 있을 것이다.

敬人 첫째는 神과 人을 갈라 보지 않는 것이니 이는 곧 경천과 동시에 경인을 일치케 하라 함이다. …… 둘째는 인간격 숭배를 고조하는 것이니 사람은 이 사인여천의 실행에 의지하여 인간의 深遠隆高한 지위를 깨닫고 인간의 자재한 우주생활 중 최고격을 알아낼 수 있다 함이다.

敬物 첫째는 자연에 대한 혜택이니 수운주의에서 이른바 사람성 자연

361) 이돈화, 『수운심법강의』, 1924, 122~123쪽.

이란 것은 개성과 자연과 사회적 작용의 총화를 이름인즉 인간성의 한부
분은 원리상 자연 그것의 영역이다. 이 의미에서 자연을 공경하란 말은
사람성의 본원을 공경하라는 말이 된다.362)

　이돈화에 있어 敬天이란 우주의 大法性에 대해 경외심을 갖는 것이다.
이로부터 인간 자신은 자기의 품성을 키우고 우주와 하나될 수 있다. 敬人
이란 한울(神)과 인간을 둘로 보지 않는 것이다. 사인여천의 실천에 의해
인간의 최고격을 알게 된다. 敬物이란 인간 자체가 자연과 개성과 사회적
작용의 총화로부터 형성되기에 자연은 인간성을 이루는 한 부분이 된다.
자연(物)을 공경한다는 것은 사람성의 본원을 공경하는 것과 같다. 인간은
현실의 자아를 넘어서는 한울(인간무궁성)에 대한 공경과 신념에서 비로소
이상적 大我를 발휘할 수 있다. 그리고 인간과 한울을 둘로 보지 않는 사
인여천의 敬人으로 말미암아 인간을 신뢰하고 교육행위를 할 수 있다. 이
러한 신뢰는 교육의 전제가 된다. 교육은 인간의 무궁성에 대한 신뢰로 오
직 이를 위해 교육을 포기하지 않는다. 그리고 이와 더불어 경물의 실천은
결국 우주와 인간을 한 몸으로 세계를 창조하는 교육을 목적한다.

　이상과 같이 물심일치의 일원적인 세계관으로 인간을 이해할 때 인간은
자신과 타인이 둘이 아니고 인간과 자연만물이 하나의 몸으로 이루어진
한울님이라는 것에서 자신이 곧 세계완성을 이루어 가는 주체적 조화자라
는 역사의식을 갖게 된다. 궁극적으로 교육이 의도하는 바는 만인의 마음
속에 잠겨 있는 산 혼을 불러 일으키는 것이다. 수운의 심법이라는 것도
사람의 산 혼을 가리켜 하는 말로 사람의 마음속으로부터 이를 불러 일으
키고자 하는 것이다.363)

4) 오성 김형준의 현대사상비판과 '한울我'의 인간관

　한 민족의 전통과 문화는 교육에 있어서 인간형성을 이루는 바탕이다.

---

362) 이돈화, 『신인철학』, 1924, 195~204쪽.
363) 이돈화, 「新人間 第一回 說法」, 『신인간』 2, 1926.6.

역사적·문화적 시공을 떠난 인간의 인식과 교육실천은 존재하지 않는다. 민족의 이상은 민족의 생명과도 같다. 그 당시 이돈화는 민족주의란 世界 一家主義를 실현하기 위한 것으로 민족의 평등을 요구하는 것이 민족주의 요 이는 약소민족을 의미한 민족문제라 하였다. 자기민족 중심으로 타민족 을 배제하자는 것이 아니다.364) 강대국은 민족을 거론하지 않더라도 자신 의 성장을 방해받지 않고 성장할 수 있지만 강대국의 간섭과 지배를 받는 약소국가에게 있어선 민족의 주권이 필수가 되기 때문이다. 한국근대 교육 사상 중에서도 천도교의 김형준과 같은 교육론의 가치는 그들이 민족주체 사상에 바탕하여 조선민족의 이상을 제시하고, 서구 현대사상을 받아들이 면서도 그 맥을 잃지 않았던 점에 있다.

(1) 김형준의 현대사상 비판

김형준(1908~1953)365)은 현대철학의 유물론과 유심론, 객관주의와 주관

---

364) 이돈화, 『신인철학』, 천도교중앙총부, 1924, 153~155쪽, "① 민족은 인류주의로 나아가기 위해서라도 민족적 평등을 얻고 점차로 민족과 민족의 차별을 융화케 하여 상호의 행복을 도모케 하는 것이 세계일가주의의 순서라 할 것이다. ② 민족 지위의 향상 - 기존 세계평화의 표준은 국가표준에서 민족표준으로 옮겨져야 한 다. ③ 금일의 민족문제란 것은 약소민족을 의미한 민족문제이다. - 민족과 민족상 평등을 요구하는 민족주의요 자기민족만 표준하고 타 민족을 배제하는 민족주의 가 아니다".

365) 김형준은 천도교 조선농민사 상임이사로 동경 日本大學에서 철학과를 졸업하고 1926년 용천 소작쟁의를 지도했으며 1927년에는 학생독서회 사건으로 검거되었 었다. 1931년에는 일본에서 천도교종리원의 청년활동을 지도했고 1932년 천도교 잡지인 『農民』, 『신인간』을 편집했다. 1938~1939년까지 동아일보, 조선일보와 각 종 잡지에 문학과 철학에 관한 글을 발표했다. 1945년 8월 건준에 참여하고 11월 조선인민당 선전부장을 맡았으며 전국인민위원회 대표자대회에서는 조선인민당 을 대표하여 축사를 했다. 1946년 2월 민전(민족주의민족전선)결성대회에서는 중 앙위원 및 사무국 선전부장을 맡았고 5월 『조선인민보』 편집국장으로서 당국에 대한 비방혐의로 군정재판에 회부되었다. 8월 미군정에 의해 좌익에 대한 대대적 인 체포령이 내려진 후 검거되어 징역 3월을 선고받았다. 12월 남조선노동당 중 앙위원이 되었고, 1947년 1월 한때 검거되었다가 그해말 월북했다. 1948년 8월 해 주에서 열린 남조선인민대표자대회에 참석하여 제1기 최고인민회의 남조선 대의

주의를 극복하고자 했고, 딜타이의 상대주의 입장에 동조하면서도 이 역시
수운사상으로 비판하여 천도교의 핵심사상을 뚜렷이 하였다. 그는 지금까
지 인간을 객관적 존재로, 혹은 주관적 존재로만 파악하여온 태도는 극복
되어야 한다고 말한다. 희랍의 자연철학으로부터 18세기의 기계적 유물론,
19세기의 자연과학적 유물론, 그리고 마르크스주의의 유물사관에 의해 발
전을 거듭해 온 실증주의 철학은 인간을 자연적 존재와 같이 객관적, 물질
적 존재로 보아 한 개의 진화된 물질적 기계로 보았다는 것이다. 그러므로
이들은 인식에 있어서나 역사적 발전에 있어 인간의 주체적 기능, 즉 능동
적 정신을 인정하지 않는데,[366] 이는 옳지 않은 것이라 했다.

또한 관념론의 주장과 같이 인간의 인식에 의한 사유가 객관적 실재를
초월해 있다면 인간의 정신은 객관적 존재를 대항하는 기능을 나타낼 수
없다. 객관적 존재를 떠난 정신은 객관적 실재를 자의적으로 규정해 봤자
객관적 실재에는 아무 영향도 미치지 않을 것이기 때문이다. 그러므로 유
물론과 같이 정신을 실재의 기계적 반영으로 보는 한 그 기능을 발휘할 수
없고, 정신이 물질적 실재에 제약되어 있는 한 자기제약자인 그 실재를 능
동적으로 극복할 수 없다. 인간을 단지 객관적 존재로 또는 주관적 존재로
만 보는 한에서는 인간은 불안을 극복할 수 없으며 능동적 정신도 발휘될
수 없다. 그러므로 그는 인간을 객체와 주체의 대립적 통일물로서 파악해
야 한다고 말한다.

    인간은 그 생활이 객관적 모든 존재와 결부되어 있는 한에서 그것을 자
    연적 한 계열로 본다면 의연히 객관적 존재의 일부다. 왜 그러냐 하면 인
    간의 생활도 다른 모든 자연적 존재의 상호작용과 같이 다른 존재와의 교
    호작용을 하는 자연적 관계라 아니할 수 없는 것이다. 더욱이 인간의 생
    활은 여러 가지 방면에서 객관적 자연적인 것에 지배 또는 제약되어 있는
    점에서 객관적 존재의 일부다. 인간은 환경의 지배를 아니 받을 수 없다.
    자연적 환경이 우리들을 지배할 뿐 아니라 인간 자신이 지어 놓은 사회적

    원으로 선출되었다. 1953년 종파분자로 지목되어 숙청되었다.
366) 김형준, 「인간의 능동성문제」, 『신인간』 90, 1935.3.

환경도 우리를 여러 가지 의미에서 지배 제약하고 있다. 이러한 점으로
보아서 인간은 객관적 존재의 일부분이다. 그러나 인간은 이와 같이 객관
적 존재의 일부이면서도 또한 자기 밖에 있는 모든 존재를 대립시켜 가지
고 그것에 대항하며 그것을 정복하며 그것을 변혁시켜 가지고 인간자기
네의 생활자료를 삼는다. 뿐만 아니라 인간은 객관적인 모든 존재에 인간
자기네의 의미를 부여하며 자기네의 개념에 의하여 체계적으로 종합하며
통일한다. 이러한 점에서 인간은 또한 다른 객관적 존재에 대하여 주체적
존재가 되지 않을 수 없다. …… 우리는 여기에서 인간은 그 자신 객관의
일부이면서 객관을 초월하여 다른 모든 존재를 자기의 생활목적에 자기
의 인식개념에 적응시키는 주체가 되어 있음을 알 수 있을 것이다.[367]

인간의 정신은 그 자신이 객관적 존재의 일부이지만 자기를 다른 존재
와 구별하고 이와 대립하고 이를 극복하려는 생활실천에 의해서만 발휘될
수 있다.[368] 여기에 유물과 유심, 객관과 주관을 통일하여 인간을 보는 인
간형성의 논리가 세워진다.

① 관념론 비판

김형준은 현대문화가 개인적 자유주의의 기초 위에 서 있지만 이 자유
주의는 처음부터 자기모순을 가져 파시즘화되었다고 말한다.[369] 그에 의하
면 근대의 관념론적 사상의 가장 큰 특징은 개인주의와 주관주의인데, 근
대의 관념론적 사상은 이 두 가지 방면에서 자체의 파멸을 맞고 있다는 것
이다. 이들은 인간의 개성을 절대 존중하여 모든 것을 개성의 주관적 기능
에 맡기는데 금일의 사회현상은 어떠한 개성의 기능도 허용치 않으며 자기
네가 지어 놓은 사회현실의 제약 밑에서 신음하고 있는 것이 금일의 개성의
운명임을 그는 주장한다.[370] 그는 다음과 같이 관념론자들을 비판한다.

첫째, 봉건사회를 전복하여 이룬 근세사회는 자연과학적 기술의 발달과

---

367) 김형준, 「인간의 능동성문제」, 『신인간』 90, 1935.3.
368) 김형준, 「인간의 능동성문제」, 『신인간』 90, 1935.3.
369) 김형준, 「세계문화의 신전망」, 『신인간』 87, 1934.12.
370) 김형준, 「현대사상의 동향」, 『신인간』 92, 1935.6.

함께 이전에 보지 못하던 盛觀을 이루게 되는데 이러한 개인주의적 인간
해석은 결국 인간을 물질 즉 자본의 노예로 전락시키게 된다. 개인의 자유
를 절대적이라고 보는 근대의 관념론은 개인의 자유를 억제할 어떠한 권
력도 기관도 없다. 개인이 어떠한 행위를 감행하거나 또는 어떠한 이익을
소유 획득하거나 그것은 그 개인에게 속한 절대의 자유이다. 이러한 개인
적 자유주의는 결국 자유경쟁을 낳지 않을 수 없고 각 개인이 자기의 자유
기능을 발휘하려면 어쩔 수 없이 다른 사람과 경쟁하지 않을 수 없다. 그
리하여 근대사회는 이른바 자유경쟁의 기초 위에 형성되어 있다. 이러한
자유경쟁은 우승열패, 약육강식이란 생존경쟁의 비참한 사실을 나타내지
않을 수 없고, 처음에 일반적으로 부여되었던 개성과 자유는 자유경쟁을
통하여 모든 권익이 한편으로 집중됨에 따라 민중과 괴리된다.371)

둘째, 관념론자들이 인간을 이성, 의식 등으로 보았던 것은 결국 자신의
육체까지 이성, 의식 등의 소산이라는 역설에까지 도달하게 되어 객관세계
의 온갖 실재까지도 인간 두뇌의 소산물이라는 망상에 떨어지게 되었다.
인간은 감각을 통하지 않는, 또는 객관에 의존하지 않는 순수한 이성 또는
의식으로의 인간존재를 생각할 수 없다. 이성은 감관의 활동을 통제하는
능력이다. 그러나 인간은 이성을 감성으로부터 독립시킬 수 없다. 감성에
의하여 지각한 개개의 현상이 이성에 의해 결합될 뿐이다. 그러므로 이성
과 감성은 서로 不可離의 관계에 있다.372)

셋째, 진리란 역사적으로 변화되고 轉化 발전하며 또한 계급적 성질을
가진다. 우리가 보는 객관세계는 초자연 혹은 초인간의 절대적 神, 혹은 절
대 진리가 있어 거기에 지배되고 창조된 것이 아니다. 인간과 객관세계의
자연을 떠나 절대 독존하는 神이나 진리는 없다. 우주의 만유는 오직 자기
자신의 自偉的 실천(행위)에 의해 시간의 경과에 따라 역사적 단계적으로
생성될 뿐이다. 끊임없는 流轉과 변화, 생성, 소멸의 모든 현상은 오직 이
자연과 인간이 무궁히 성장하는 한 형식에 지나지 않는다. 진리란 어떤 초

---

371) 김형준, 「현대사상의 동향」, 『신인간』 92, 1935.6.
372) 김형준, 「현대사상의 동향 二」, 『신인간』 93, 1935.7.

자연 초인간의 선험적 존재의 상태에서 구할 것이 아니라 우주(자연 내지 인간)자신의 부단한 변화와 성장, 다시 말하면 우주자신의 영원무궁한 역사적 과정에서 생성되는 과정으로서의 진리이다.[373]

넷째, 앞으로의 문화는 적어도 금일의 과학의 성과를 섭취하고, 과학적 정신을 기초로 하지 않고는 그 존립가치를 갖기 어렵다고 볼 때, 관념론은 생산성이 결여된 것이다.[374] 예를 들면 물리학에 있어서 물체를 연구하는 데는 형이상학적 사유와 같이 어떤 가상의 원리에 의하여 연역적으로 설명하거나 또는 선험적 방법과 같이 인간의 경험 이전의 선천적 사유능력이라는 어떤 개념에 의해 판단해서는 그 물체의 본질을 파악할 수 없다.[375] 그러나 과학 이외의 모든 문화를 거부하는 것 또한 배격한다. 모든 문화형태에 대한 과학의 우위를 그대로 승인해서는 안 된다.[376]

② 유물론 비판

김형준은 관념론과 달리 마르크스의 사적유물론의 입장을 일정 부분 수용하면서도 이는 인간의 주체성을 간과하고 있는 것이라 비판했다. 인간은 물질적 생산자 또는 물질적 모든 조건에 제약되어 있는 이른바 물질적 인간으로, 인간의 이상이란 것은 인간 개개인의 의지와는 독립하여 이루어지는 사회관계의 반영물로서 나타나지만 이는 반만의 진리라는 것이다.

> 우리는 맑스주의자들의 이상에 대한 태도에서 처음으로 인간의 이상을 사회적 입장에서 파악하려는 태도를 발견할 수 있다. 지금까지의 모든 관념론자나 또는 기계적 유물론자들은 이상을 오직 개인적 주관적인 것으로 보았으나 맑스는 이상을 사회적 소산 또는 객관적인 것으로 보았다. 그런데 이러한 이상은 單히 인간의 주관적인 사유의 생산이 아니라 인간의 실천에 의하여 또는 실천과 결합되어서 이뤄진다고 하였다. 맑스주의에 의하면 실천은 진리(즉 이상)를 결정하는 규준인 것이다. 이러한 것은

373) 김기전, 「천도교의 출현과 그 필연성」, 『신인간』 38, 1929.8.
374) 김형준, 「현대와 철학의 중요성」, 『신인간』 69, 1933.7.
375) 김형준, 「문화의 위기와 그 전망」, 『신인간』 64, 1933.2.
376) 김형준, 「현대와 철학의 중요성」, 『신인간』 70, 1933.7.

확실히 맑스주의가 가진 정당성이라 할 것이다. 그러나 맑스주의자들은
진리 또는 이상을 單히 물질적 생산의 반영으로 보는 데서 또는 思想(理
想)은 그 자신 역사를 갖지 못한다고 보는 데서 우리는 그 태도를 정당하
다고 승인할 수 없다.[377]

김형준은 변증법적 유물론이 종전의 기계적 유물론자들과 다른 점은 외
부의 사물이 단지 수동적으로 우리의 두뇌에 반사되는 것이 아니라 인간
의 노동 또는 생활과정, 즉 실천을 매개로 하여서만 반영된다 함에 있다고
하였다. 인간은 실천 즉 생산노동을 통해서만 외부의 사물을 인간 두뇌에
반영시켜 인식할 수 있다. 그러므로 인식의 진위를 판단하는 기준은 실천
이 된다. 여기에서 변증법적 유물론은 인식의 역사성을 주장하게 된다. 인
간의 인식은 역사적 사회적으로 제약되어 있는 그 시대의 생산노동 실천
의 정도에 의존한다는 것이다. 인간은 생활을 위하여 생산에 참가하자말자
각 개인의 의사와는 독립된 관계 즉 생산관계를 맺게 되는데 이 생산관계
의 기초 위에 법률적, 정치적, 도덕적, 종교적, 문화적, 온갖 관계가 건축된
다. 그러나 이러한 생산관계는 어느 일정한 발전단계에 이르면 生産諸力
을 제약하는 질곡이 된다. 그러나 변증법적 유물론자들은 역사적 과정을
객관적 필연성에 의한 것으로만 보아 개성의 기능을 너무 무시한다고 김
형준은 비판한다. 그는 마르크스처럼 인간의 인식작용을 물질의 운동과 한
가지로 볼 수는 없다고 말했다. "아무리 실천을 인식의 매개 또는 기준으
로 설정한다 하더라도 실천은 의식 또는 企圖를 전제로 하지 않고는 성립
될 수 없는 까닭이다. 인간에 대한 객관적·역사적 사회는 필연의 법칙을
갖고 있다면 역사적 사회에 대한 주체로서의 인간의 실천은 능동적 자유
를 갖고 있다. 능동적 자유를 떠난 실천은 불가능하다"[378]는 것이다.

③ 상대주의 비판
김형준은 이상과 같이 유물론과 관념론을 비판하면서 상대주의의 객관

---

377) 김형준, 「수우주의자의 인간적 태도 六」, 『신인간』 83, 1934.8.
378) 김형준, 「현대사상의 동향 二」, 『신인간』 93, 1935.6.

과 주관의 통일을 정당하게 여긴다. 그러나 그는 상대주의의 입장을 지지
하는 편이기는 하지만 상대주의가 갖는 회의론적 결함을 극복하고자 했
다.379) 19세기 이후에 생겨난 세계관의 하나로서 이 상대주의자들은 '절대
진리란 없고, 진리란 오직 사물을 인식하는 그 순간에 의거하여 있는 상대
적 가치밖에 갖지 못한다'는 입장을 가진다는 것이다. 그는 딜타이의 표현,
이해, 해석의 세 가지 인식단계를 언급하면서 사물을 인식하는 것은 인식
하려는 사물이 자기 내부에 비추인 것을 표현하는 것이고 이어서 자기의
표현내용을 이해하려고 하는 인식단계를 거쳐 자기이해, 자기해석에 이르
게 된다고 한다. 그러므로 인간이 인식한 가치는 언제든지 절대적인 것이
못 되고 항상 인식자의 자기표현, 이해, 해석의 정도에 의거하여 있는 상대
적인 진리에 불과하다 했다. 따라서 김형준은 이러한 상대주의가 인간의
진리에 대하여 확고한 신념을 갖지 못하는 점에서 주관적 회의에로 전락
되기 쉬우며 더욱이 그들은 이상에 대한 절대적 신념을 갖지 못한 데서 개
인주의적 무정부주의나 현대의 激流하는 파시즘의 이론적 근거가 되는데
지나지 않음을 알 수 있다고 했다.380) 그러면서도 김형준은 딜타이의 입장
을 바탕으로 일체의 관념형태나 순수경험을 기초로 하는 과학까지도 모든
사유가 생활체험을 바탕으로 생겨나는 것임을 분명히 하여 이를 정당하게
받아들인다.

생활체험이란 외적 경험적 사실을 자기자신의 문제로서 내적 문제로서
몸소 체험하는 것을 이름이다. 그러므로 경험이나 지각은 이지적 이성적

---

379) 김형준은 상대주의의 흐름을 다음과 같이 정리한다. "18세기의 사유철학에 반기
를 들고 나타난 셸링을 위시한 낭만주의 문화를 시발로 19세기 말엽부터 대두된
니체, 딜타이, 짐멜 등 생의 철학의 일군이 그들이다. 또한 베르그송이 사유대신에
직관을 인식의 유일한 기초로 하고 있는 것, 훗설 등의 현상학파가 사유 또는 지
각으로서 얻은 경험적 지식을 假象知라 하여 제한을 하고 현상학적 방법에 의한
본질직관을 주장하고 있는 것, 또는 하이데거, 야스퍼스 등의 인간학파가 사유보
다 情意에 입각한 직관철학을 주장하고 있는 이러한 온갖 경향이 사유만을 유인
외 기초로 하는 인식론철학의 비진리성을 여지 없이 폭로하고 있다(오성, 「신앙
과 직관」, 『신인간』 90, 1935.3.)."
380) 김형준, 「수운주의자의 인간적 태도 四 - 이상에 대한 태도 3」, 『신인간』 82, 1934.7.

이라면 생활체험은 주로 정의적이라고 볼 수 있다. 대상의 외적 영향은 인간의 내적 체험을 기초로 하여 그 해결에 나아가게 되는 의미에서 일체의 관념형태는 순수경험을 기초로 하는 과학까지도 이러한 내적 체험을 계기로 하여서 생겨난다.[381]

인간은 사유하기 전에 먼저 행동하며 생활한다. 행동과 생활이 인간의 본능이라면 사유는 경험과 환경과 교양 등에서 얻은 가공적 지식이다. 어머니 뱃속으로부터 세상에 나오는 갓난아이는 어머니의 실재나 세계의 실재를 생각하기 전에 먼저 본능적으로 먹을 것을 위하여 행동한다. 뿐만 아니라 인간역사의 시초는 인간의 사유에서부터가 아니라 그들의 생활행동에서부터이다. 원시인은 진리탐구를 위한 사유자, 철학자가 되기 훨씬 이전에 먼저 생활의 탐구자였으며 생활을 위하여 행동하였다. 인간역사의 오랜 기간은 사유활동이라기보다도 생활활동의 시기였다. 그러므로 수운도 사유활동 이전의 인간역사를 가리켜 '전만고후만고를 넉넉히 생각해도 말도 없고 글도 없네'라고 하였다는 것이다.

김형준은 딜타이의 사상을 '주지주의에 반대하는 知·情·意의 통일체'로 파악했다.[382] 딜타이는 생의 계기를 셋으로 나누어 체험, 표현, 이해라 하였다.

첫째로, 체험이란 일종의 내부적 경험으로 외부존재와 접촉할 때, 내부적 조건 밑에서 경험되는 것을 말한다. 그러므로 체험은 의욕, 감정, 표상이 전체적으로 관련되는 것으로 의욕과 감정은 체험의 중심이다. 그리고 表象은 인간의 의욕과 감정의 기초 위에서만 성립되는 것이고 다시 그 위에 지각, 기억 및 사상계열과의 결합이 형성되게 된다. 이러한 의욕, 감정, 표상의 전체적 관련은 생의 본질이며 인간의 사유가 만들어낸 개념이 아니다. 체험은 끊임없이 유동하기에 인간은 항상 형성과정에 있다. 그리고 체험은 과거와 미래에 대한 계기를 포함한다. 즉 현재의 체험 가운데는 과거의 체험과 연결되는 계기가 있는 동시에 미래에로 이끌려는 계기가 있

381) 오성, 「신앙과 체험」, 『신인간』 88, 1935.2.
382) 오성, 「반주지주의적 경향」, 『신인간』 96, 1935.9.

고, 현재의 체험 가운데는 언제든지 과거와 미래가 움직이고 있다. 여기서 인간 생의 시간성이 생기는 것이다.[383]

둘째로, 체험이 생의 내면화라면 표현이란 생의 외면화, 객관화를 의미한다. 생은 하나의 정신물리적 통일체다. 인간 생은 단지 정신만도 신체만도 아니다. 생의 기본구조는 인간과 환경과의 작용관련을 의미한다. 그러므로 인간의 정신생활은 한편으로는 환경에 제약되어 있으면서 다른 한편으로는 그 환경에 작용을 가하는 것이다. 인간은 자연적 물질을 이용하고 그것을 변화시킴으로써 인간 자기를 표현한다. 그리고 개개인의 물질적 생활의 同形性은 정신적 활동의 상호관계를 유형짓는다. 이 심적 상호관계를 하나의 목적 연관에 결합시키는 데서 이른바 문화체계라고 하는 예술, 학문, 종교 등이 성립되는 것이다. 더 나아가서 이러한 관계를 하나의 전체적 구속 밑에 결합시키는 데서 외적 조직이라고 하는 국가, 교회, 가족 등이 형성되는 것이다. 이는 모두 인간의 외화, 즉 자기표현을 의미한다.[384]

셋째, 이해는 체험의 내면화와 표현의 외면화를 통일시키는 것을 말한다. 이해는 표현에 의하여 외화된 생을 내적인 것에 귀입시키고, 체험에 의하여 내재화된 것을 외적인 것에 이입시키는 생의 환원과정이다. 즉 인간의 일상적 체험을 역사적, 사회적 실재에 옮겨 그 실재성을 확보하는 동시에 인간의 외적 표현에 의하여 이루어진 문화체계를 인간의 일상적 새로운 체험으로 가져와 그 생명성을 주는 것이 이해이다. "인간의 내적 체험을 역사적 사회에 이입시키는 데서 인간의 삶은 역사성을 갖게 되고, 사회적 실재를 내적 체험에 이입시키는 데서 역사적, 사회적 실재는 생명성을 갖게 된다."[385] 이것이 딜타이에 있어 주관과 객관의 통일을 설명하는 방식이 된다. 김형준은 바로 딜타이의 이러한 입장을 지지하면서 동시에 딜타이가 갖는 주관적 회의론을 극복하고자 물심일치의 세계관을 말했다.

383) 오성, 「반주지주의적 경향」, 『신인간』 96, 1935.9.
384) 오성, 「반주지주의적 경향」, 『신인간』 96, 1935.9.
385) 오성, 「반주지주의적 경향」, 『신인간』 96, 1935.9.

(2) 김형준의 '인간성-무궁'론

① 전체와 부분의 통일

김형준은 현대 서구사조를 비판·수용함과 더불어 현대적 표현으로 수운사상을 설명하였다. 인내천에 있어 인간이 한울이라는 것은 전체와 부분의 통일을 말한다. 사람과 한울의 관계는 小我에 대한 大我, 부분에 대한 전체, 특수에 대한 보편을 의미하는 것이라면 소아, 부분, 특수는 大我, 전체, 보편의 어떤 목적에 의한 피조물이 아니요 그것과 동시에 '所與된 것'이라 김형준은 말한다. 물론 한울을 대아, 전체, 보편으로 볼 때에 이러한 한울이 소아, 부분, 특수보다 선재적인 것은 사실이다. 인간의 발생은 시간적이며 그 생존은 유한함에 반하여 한울의 생성은 무시간적이며 무한적, 영구적이기 때문이다. 이러한 의미에서는 인간은 한울 속에서 이루어진 피조물이라고도 할 수 있다. 그러나 이것은 한울과 인간을 한 현상형태로서 보는 데서 생기는 피상적 견해에 지나지 않는다. 우리가 일상적인 인간의 현상형태를 떠나서 인간의 본원을 더듬어 본다면 인간의 생명은 우주의 始起와 함께 소여된 것임을 알 수 있다는 것이다. 인류학자의 말처럼 인간이 태초의 무기물로부터 생성되었다 해도 무기물 가운데 인간이 생성될 만한 생명적 요소가 잠재해 있었음을 인정하지 않을 수 없기 때문이다.

그러므로 한울은 인간보다 선재적인 것이나 전체인 한울의 내부에는 이미 부분인 인간존재의 소질을 갖고 있었다는 것을 승인치 않을 수 없는 점에서 한울과 인간은 그 기원에서 동일하다는 것이다. 인간은 한울의 품속에서 생활하고 있으나 그러나 한울의 피조물이 아니요 한울의 일부분으로서 전체인 한울과 동일한 기원을 갖고 있다. 전체와 부분은 서로 대립적이면서도 또한 서로 떨어질 수 없는 관계를 갖고 있으며, 전체를 떠나 부분이 존립할 수 없고 부분을 떠나 전체를 생각할 수 없음은 이 까닭이다.

그는 또한 근대 물리학의 결함을 말하는데, 이는 '전체가 부분의 합성체'임을 발견하였을 뿐, 전체와 부분 간의 대립적 통일을 이해하지 못했다고 했다. <자연계는 부분의 합성체이기 전에 먼저 전체적인 통일체이며 그리하여 전체의 운행법칙에 의하여 각 부분의 작용을 나타내는 것이다.> 더욱

이 人乃天은 객관세계 즉 자연계를 단순히 물리학적 설명과 같이 한 개의 물체의 현상으로 보지 않고 소아에 대한 대아 즉 인간에 대한 한울의 기화작용으로 보는 점에서 객관세계를 무질서한 합성으로 보지 않는다. 따라서 인간은 이러한 한울의 기화작용으로서의 자연현상의 지배 또는 제약을 면할 수 없음을 이해할 수 있는 것이다. 그러나 인간은 자연현상의 일부이며 자연의 지배 제약 밑에서 생존하는 한에서 <한울의 운행에 참여하는 기회>를 얻는다는 것을 잊지 말아야 한다[386]고 하였다.

② 주관과 객관의 통일

그는 인간이란 사회적 존재로서 사회를 떠나서 인간은 될 수 없다 말한다. 그리고 그러한 인간 자신은 그저 막연한 사회적 존재가 아니라 각각 독특한 개성으로서 사회에 대립하면서, 그 대립을 통해 통일되는 사회적 존재의 일부[387]라 하였다. 인간을 지배하는 사회제도, 예술작품, 종교, 과학, 기술, 시민적 법률은 모두 인간의 생의 최고계단에서 산출된 문화의 형식이다. 그러나 이러한 문화는 처음에는 인간의 생을 위하는 것이 되나 그 문화는 완전한 형태를 이루자말자 생의 발전을 위하던 처음의 문화와는 반대로 인간을 속박하며 압박하는 것으로 전화된다. 끊임없이 유전하는 인간의 생과 고정 불변하려는 문화의 형식과는 서로 모순과 충돌을 낳게 되는데[388] 이러한 전통과 인습으로부터 벗어나는 데서만 후천의 창건이 가능하다. 물론 그 전통과 인습은 쉽게 극복될 수 있는 것이 아니다. 김형준은 그 전통과 인습의 속성에 대해 다음과 같이 말한다.

첫째, 전통과 인습은 사람들로 하여금 자기의 현실적 지위를 망각케 한다. 이전 세대들이 행하던 것을 모두 절대적인 것, 모범적인 것으로 보게 된다. 그리하여 전통과 인습에 얽매인 사람들은 현재의 자기를 항상 과거의 규준에 의하여 평가하게 된다.

둘째, 역사적 전통은 그 속에서 살아온 사람들의 의식을 지배하게 된다.

386) 오성, 「인내천에 의한 인간해석」, 『신인간』 100, 1936.2.
387) 김형준, 「우주에 대한 인간의 지위 - 능동적 인간관 五」, 『신인간』 101, 1936.3.
388) 김형준, 「新人間의 史的 地位」 『신인간』 57, 1932.7.

그리하여 이러한 전통적 의식은 마치 고추에서 난 벌레가 고추 매운 줄을 모르는 것과 같이 사람들로 하여금 전통과 인습의 폐해를 자각치 못하게 한다. 그러므로 전통적 의식을 가진 사람들은 항상 보수적 입장에 머무르게 되며 현실의 새로운 방향을 인식치 못하게 된다.

셋째, 역사적 전통은 일상적 교화력을 갖고 우리들의 정신에 침전되고 있다. 가정의 교훈에서 선배의 지도에서 그 지방의 습속에서 또는 목사나 승려들의 설교에서 온갖 역사적 교육에서 사람들의 의식은 차츰 현실을 망각하고 조상의 과거사실을 존숭하는 회고적 정신을 갖게 된다. 그리하여 자각적 의식은 이 전통적 교화력에 의하여 마비된다.

넷째, 역사적 전통은 현실적 힘을 갖고 온갖 사람들을 지배한다. 기성종교의 戒則, 윤리도덕의 규범, 풍속, 습관, 제도 등으로서 인간의 행동을 지배하며 제약하게 된다.

다섯째, 역사적 전통은 일종의 유전력을 갖고 있는 까닭에 그 폐해를 인식하는 사람들도 오랜 시간과 부단한 노력을 쌓지 않고는 그것으로부터 완전히 해탈할 수 없는 것이다. 그러므로 역사적 전환기에 있어 새로운 건설을 뜻하는 사람들은 무엇보다 이러한 역사적 전통과 싸우게 된다[389] 하였다.

인간은 이와 같이 한편으로 객관적 필연성에 의해 지배되고 자신을 형성하게 된다. 그러나 다른 한편으로 인간은 객관에 대한 주체적 행동에 의하여 영위되는 대립적이고도 모순적인 통일체다. 이러한 의미에서 인간은 우주자연의 일부이고 우주자연에 지배되며 동시에 자연을 자신에게 대립시켜 이를 극복, 변혁, 재생산하여 새로운 창조와 발전을 가하는 주체다. 인간은 우주(한울)의 중심생명으로서 자연을 인간(한울) 중심으로 재건 발전시키는 우주의 주격(한울我)이다.[390] 사회가 인간 주체와 객관세계의 통일이듯이 인간 자신도 주관과 객관을 통일시키는 존재다. 객관주의나 주관주의에 만족치 못하는 현대인이 이러한 주관과 객관의 구체적 통일체인

---

389) 김형준, 「신인간이 되기 위하야」, 『신인간』 86, 1934.11.
390) 김형준, 「우주에 대한 인간의 지위 - 능동적 인간관 六」, 『신인간』 102, 1936.5.

인간의 탐구로부터 재출발하려는 인간주의를 절규하게 된 것은 극히 당연한 현상이라고 그는 말한다. 또한 근래에 제임스, 듀이 등에 의하여 제창되는 실용주의에서도 이러한 휴머니즘을 말하는데 그러나 그들은 개인의 주관을 존중시하여 모든 가치가 오직 각 개인의 실용 여하에서 결정되는 것에 주관적 모순이 있다 하였다.

③ 인간본위로의 복귀

김형준은 위에서 언급한 인간주의적 경향이 벌써 오래 전부터 천도교의 교리로서 인내천주의에 나타났다 한다. 그는 수운의 '山河大運이 盡歸此道하리라'는 말도 인류역사를 통찰한 것에서 확신을 가지고 장래를 예언한 진리적 양심의 표현이라 하였다. 오늘날 인간주의의 절규는 이러한 '산하대운 진귀차도'의 한 兆懲이요, 오늘의 인간주의적 경향의 성황을 사상적 또는 문화적 동귀일체의 현상이라고 한다. 물론 금일의 온갖 인간주의 사상은 각자 주장하는 바에 따라 상이하고, 또 도저히 수용할 수 없는 점도 있다고 한다. 즉, 그들 가운데는 "인간을 건전한 존재로 보지 못하고 병적 존재로 보아 불안, 고뇌, 우울 등을 인간의 본질이라 하거나 또는 인간을 내적 인간과 외적 인간으로 분리시켜 보는 경향은 인내천의 입장에서는 도저히 수용할 수 없는 것"이라 하였다.

현대의 인간주의적 경향은 지금까지 인간의 정신문화를 지배해 온 주관주의와 객관주의의 파산으로부터 생긴 것으로 그 출발과 방향에 있어서는 이미 수운 자체가 오래 전에 타개한 길을 걷는 것이라 할 수 있다는 것이다.[391] 그러나 수운이 뜻하는 인간주의란 인간이 한울로서 이 무궁성을 스스로 실현함에 있다고 김형준은 말한다.

인간은 객관세계를 인식할 때 그 사회의 관습과 규범을 통해 받아들이지만 그 주입받는 것으로만 머문다면 인간의 창조성과 능동성은 소멸된다. 지금까지 변화 발전되어 온 인간의 역사적 과정을 과학적 혹은 직각적으로 관찰 체득하여 역사적 前尖이 지시하는 것으로써 인간 자신의 중추사

391) 김동준, 「종교인의 근본태도」, 『신인간』 101, 1936.3.

상을 삼아 그로써 실천하여 가지 않으면 안 되는데, 여기서 그 중추사상이
란 것은 사람은 한울이요 한울(一圈)은 하나라는 인내천사상이다. 이 세계
의 궁극자는 곧 인간 안의 한울로 이 한울을 깨달아 이와 합하고 스스로
실현해 갈 때 인간은 보편이 되는 것이다. 그러므로 사람과 사람이 하나요
사람과 우주가 하나라는 말이 성립된다.392) 천도교의 인간되는 핵심이 여
기에 있다. 인간은 일상생활에 있어 모든 일을 시작하고 마칠 때 그리고
자기의 몸에 크고 적은 변화가 생길 때마다 자기의 붙잡은 중추적 사상을
위해 충실히 실천해 나가지 않으면 안 된다.393)

이상과 같이 김형준은 관념론과 유물론 및 상대주의를 비판하면서 상대
주의가 갖는 주관과 객관의 통일적 측면을 수용하고 동시에 천도교의 인
내천주의로 우주와 개체, 객관과 주관, 인간주의의 의미를 주체적으로 설
명해내고 있다. 인간이 지향할 궁극적 목적은 관념론자들이 말하는 순수의
식도 아니고 유물론자들이 말하는 객관에 의한 지배도 아니라고 한다. 인
간은 객관에 의해 자기의식과 정체성을 형성하는 가운데 자신의 주체적
능동성으로 인하여 세계에 작용을 가하고 자신도 스스로 변화해 가는 존
재라는 것이다. 그러면서도 상대주의가 갖는 회의론을 벗어나 무궁성의 준
적을 잡아 이를 충실히 실천해 가는 인간교육의 방향을 제시하고 있다. 따
라서 인간은 한울(전체)과 합하는 보편에 이르도록 끊임없이 창조활동을
하는 것이 인간 삶의 의미임을 강조하고 있다.

5) 소춘 김기전의 '인간건축'으로서의 교육론

小春 김기전(1894~1948)은 천도교 신문화운동의 핵심적 거두라 할 수
있다. 그는 1920년『개벽』편집국장에 취임하고 1921년에는 천도교소년회
를 조직하여 방정환의 배후에서 어린이운동을 지도하였다. 또한 오심당활
동을 전개한 민족운동가394)로 모든 천도교 부문운동에 받침대 역할을 한

---

392) 金起田,「新人難」,『신인간』6, 1926.10.
393) 小春,「심고를 꼭꼭 勵行합시다」,『신인간』19, 1927.12.
394) 김정의,『한국의 소년운동』, 혜안, 1999, 51쪽.

인물이다. 그러한 그가 교육이론에 있어서도 일가견을 피력하고 있는데 이는 동학에 바탕한 인간형성의 이해를 <건축>에 비유하여 근대적인 표현으로 설명을 가한 것이다. 앞에서 김형준은 철학적으로 이론을 전개했다면 김기전은 같은 맥락에서 이를 건축에 비유하여 인간교육의 구체적인 방향을 제시하였다.

> 인간의 삶은 시간적으로 억천만 년의 역사와 직접하였고 공간적으로 십수억 만을 헤이는 인류사회에 담기워 있는 바 역사와 이 사회는 한 가지로 인생을 깊게 하며 넓게 하며 크게 함이 될 것이다. 즉 백년이라는 짧은 생명과 오척이라는 적은 몸을 導線으로 이 우주의 전 역사를 섭취하고 이 사회의 전 내용을 포착하여 얼마라도 오래 살고 얼마라도 크게 될 수 있는 것이다.
> 우리는 일종의 건축업자!
> 사람의 일생은 한 개의 훌륭한 건축업이다. 남을 위하여 건축하고 그 대신 임금을 받는 건축업이 아니라 오직 자기로서 건축하고 자기로서 살기 위하는 한 개의 건축자다.[395]

먼저 그의 인간이해를 보면, 인간 삶은 현재로서 독립된 것이 아니라 시간적으로 억천만 년의 역사와 직접 닿아 연결되어 있고 공간적으로 십수억 만을 헤아리는 인류사회에 담기여 있다. 이는 앞에서 말한 김형준의 우주와 인간의 통일됨을 말하는 것이기도 하다.

인간은 이 시간과 공간을 통해 자신의 삶을 성장시킨다. 현재는 과거로부터 생겨난다. 인간 삶은 과거 역사를 내장하고 태어나고, 이 우주의 전 역사와 이 사회의 전 내용에 담긴다. 그리고 오직 이를 통하여 자신의 인생을 건축하는 기초를 만들게 된다.

모든 것은 변화하며 성장하는 것이다. 그리하여 낮은 데로부터 높은 단계에, 단일로부터 복잡에 나아가는 것이다. 따라서 여기에는 시간이 있으며 역사가 있다. 다시 말하면 이 우주 안에 현존한 일체의 것, 사람과 자연

---

395) 김기전, 「일상생활의 의식적 건축」, 『別乾坤』 7, 1929, 144쪽.

을 물을 것 없이 모두가 시간적 역사적 산물 아님이 없다. 시간이 없이 역사가 없이 어떤 순간에 문득 생겨서 또한 시간의 추이와 관계없이 그대로 존재하는 것은 없다. 인간은 사회로부터 받는 통유성이 있기에 그로부터 자기를 형성할 수 있는 발판을 얻는다. J. 듀이도 다음과 같이 말한다.

> 상상력의 작용은 이미 존재하고 있는 것을 새롭게 조립하여 새로운 사물을 제작해 내는 것과 같은 관념을 확보한 것에 불과하다. 똑같은 사실이 화가에게도, 음악가에게도, 시인이나 박애주의자나 도덕적 예언자에게도 적용될 수 있다. 새로운 시야는 결코 무에서부터 생기는 것이 아니다. 그것은 가능성의 형태로서 즉 상상력의 형태로서 옛 사실을 발현함으로써 일어난다.[396)]

만약 인간이 감관은 있으나 대상을 볼 수 없는 어둠 속에만 있거나, 혹은 아무 소리도 들을 수 없는 공간에 있다면 인간 의식에 있어서는 시간의 흐름도 존재의 형성도 생겨나지 않는다. 그러므로 존재의 형성은 역사적 시공의 경험들과 연결되어 있다.

인간은 부모나 교사 등으로부터 직접간접의 가르침을 받고 사회환경으로부터 크고 작은 感戟을 받으며 자라는 것이다. 그러나 인간이 자기의 의식이 명료하게 되는 때에 이르러서는 지금까지 받아왔던 사회적 통유성에 자기라는 특수성을 참여시켜 자기건축의 구체적 도안을 얻는다. 이는 교육적으로 매우 중요한 의미다. 인간이 태어나면서부터 교육받는 사회화는 곧 김기전이 말하는 통유성으로 여기에 인간 개인자신의 특수성을 불어 넣어 자기건축의 도안을 얻지 못하면 교육은 사회화에서 그치고 만다. 김기전은 만일 이 특수성을 가하여 자기건축의 도안을 얻지 못하면 인간의 일생은 무의미요 공허요 뒤죽박죽이요 지리멸렬이라 하는 것이다.

> 우리는 아무러한 자의식이 없는 어릴 때에서부터 건축의 기초작업을 하고 있는 것이다. 선배 부형의 직접간접의 가르침을 받는 것이 그것이요

---

396) J.Dewey, *A Common Faith*, Yale University Press, 1934, 49쪽.

사회환경으로부터의 크고 적은 感戟을 받으며 자라는 것이 그것이다. 그리하여 자기의식이 명료하게 되는 때에 미쳐서는 인간이라는 통유성에 자기라는 특수성을 가참시키어 정밀 자기건축의 구체적 도안을 얻는 것이다. 만일 이것이 없으면 인생 일생은 무의미요 공허요 뒤죽박죽이요 지리멸렬이다.[397)]

자신의 특수성 즉 실존성을 부여하여 자기건축의 도안을 설정하지 않으면 인생은 목적 없이 무의미하게 표류할 뿐이다. 건축도안 없이 건축은 할 수 없기 때문이다. 한편 이돈화는 김기전이 말한 <특수성의 설계도안>이라는 표현을 인간성의 '능동적 주관'이라 하였다.

인간성은 결코 石鏡과 같이 무능한 수동적 물건이 아니다. 수동적으로 모든 것을 무차별하게 暎出하는 자가 아니다. 인간성은 능동적으로 외계의 物을 분별하여 어떤 물건은 배척하고 어떤 물건은 영입하는 작용을 가지고 있는 것이다. 인간성은 多物多事의 中에서 자기에게 適應한 것만을 선택하여 그 부분만을 心의 창고에 저축하는 것이다. 그러므로 인간성의 활동은 곧 선택이다. …… 우리는 이 세계를 완성된 일정불변의 것으로 보지 않는다. 우리들이 일러 객관세계라 하는 것은 이보다 一層大한 전체로부터 우리에게 不用한 대부분을 제거하고 남은 부분의 것이다. 즉 선택하여 얻은 것뿐이다. 인류의 오천년 역사는 사람성 능동적 주관이 자기에게 맞도록 선택한 몇 가지뿐이다. 그러므로 우리는 보다 이상의 선택방법에 의하여 어떻게든지 세계를 개조하여 나갈 수 있다.[398)]

이돈화에 의하면 객관세계는 곧 인간의 능동적 주관의 선택에 의한 것이다. 그러므로 이 세계는 인간의 보다 높은 이상의 선택에 의하여 개조되어야 한다. 김기전 또한 만일 인간 개인이 통유성에 특수성을 능동적으로 가하여 자기 건축의 도안을 세우라 하고, 세웠다면 그 다음으로 일상행위에 몰입해야 한다고 말한다.

---

397) 김기전, 「일상생활의 의식적 건축」, 『別乾坤』 7, 1929.
398) 이돈화, 『신인철학』, 1924, 75~79쪽.

일상행위의 총동원!

사람의 일생이 한 개의 건축이라 하면 우리는 그 건축을 낙성하기 위하여는 우리의 일상행위를 그를 위하여 총집중, 총동원하지 않으면 안 될 것이다. 즉 일동정, 一語默이 그를 위하여 있지 않으면 안 될 것이다. 이 점이 난점인 동시에 묘처이다.

사람들 중에는 혹 자기의 행위를 자기의 일생(전적건축) 준적에서 분리해서 생각하려는 이가 있으며 또 많이 무의식 중에서 그리들 한다. 다시 말하면 어떤 행위는 문제가 되지 못할 영세한 행위라 하여 자기가 준적으로 하는 그 일 전적건축에 비춰어 보려 하지 아니하고 어떤 행위는 성질이 다른 것이라 하여 역시 무관심하게 분리시키고 만다. 그러나 이것은 분명한 잘못이다. 사람의 일생은 시시일일의 영세한 행위로써 성립되는 것으로서 거기에는 어떠한 이유로써도 무관계한 예외를 지을 수가 없는 것이다. 이것은 마치 어떠한 위대한 건축이라 할지라도 모래 한 알 돌조각의 영세한 부분을 집성하여서 지어지는 것과 한 가지다. 우리는 우스운 이야기 한 번하고 산보 한 번하는 것이라도 우리의 그 위대한 건축에의 흙 한 줌을 삼지 않을 수 없고 신문 한 장 보고 게시판 한 번 보살피는 것도 이 造大한 공사의 벽돌 한 개 보태는 것을 상기않을 수 없는 것이다. 오직 위대한 목적의식 통제있는 범주 하에서 자기의 대소행동을 규율하여 어느덧 그러한 식의 관습을 지어 놓으면 불면지중으로 스스로 그리됨이 있을 것이다.[399]

사람의 일생이 한 개의 건축이라 하면 인간은 그 건축을 낙성하기 위하여 일상행위를 총집중시켜야 한다. 인간의 일상행위는 어느 것 하나 간과됨이 없이 자신의 건축물에 포함된다. 이것은 마치 어떠한 위대한 건축일지라도 모래 한 알 돌조각의 미세한 부분을 집성하여서 지어지는 것과 같다. 우스운 이야기 한 번하고 산보 한 번하는 것이라도 인간은 그 위대한 자기건축에 흙 한 줌 삼지 않을 수 없고 신문 한 장 보고 게시판 한 번 살피는 것도 그 건축공사의 벽돌 한 개 보태는 것과 같다. 그러므로 오직 위대한 목적의식인 자기의 건축도안에 따라 자신의 삶을 통제하고 자기의 대

---

399) 김기전, 「일상생활의 의식적 건축」, 『別乾坤』 7, 1929.

소행동을 규율하여 그러한 행위와 습관을 형성하면 알지 못하는 사이에 건축이 되는 것이다. 그 건축물을 위해 모든 정성과 열정을 다하는 것이 참된 인간건축의 길이 된다. 이 일상행위의 총집중과 총동원의 유무에 따라 한울 됨과 되지 못함이 있다. 자신의 건축완성을 위하여 살고 또한 그것을 위해 죽는 그 무엇, 즉 一動靜, 一語默이 이를 위하여 있을 것을 인간에게 요구하고 있다. 인간건축의 완성이란 수운의 표현대로 하면 한울님과의 합일이며 이돈화의 표현대로 하면 인간무궁성의 실현이다. 그러나 일상행위의 건축을 위한 몰입을 위해서는 역사적 비판의식이 있지 않으면 안 된다.

먼저 역사적 비판의식을 가질 것!

모든 것은 변화하며 성장하는 것이다. 그리하여 낮은 데로부터 높은 단계에, 단일로부터 복잡에 나아가는 것이다. 따라서 여기에는 시간이 있으며 역사가 있다. 다시 말하면 이 우주 안에 현존한 일체의 것, 사람과 物을 물을 것 없이 모두가 시간적 역사적 산물 아님이 없는 것이다. 시간이 없이 역사가 없이 어떤 순간에 문득 생기어서 또 시간의 추이에 관계함이 없이 그대로 존재하는 것은 없는 것이다.

1. 이 우주에는 초시간 초역사의 절대적 무엇이라곤 없는 것이다.

2. 우리 인간을 통해서 계속적으로 지어져 나아가는 역사적 상태의 일체는 낮은 데로부터 높은 데에 이르는 인류사회의 무궁한 발전상에 놓인 잠시적 단계에 지나지 못한다. 각 단계는 그야말로 필연의 것으로서 그 단계를 발생케 한 그 시대와 그 조건과에 대해서는 존재할 이유를 가지나 그것이 노쇠함으로 말미암아 그 자신의 태내에서 점차 발달해서 나타나는 더 높은 더 새로운 조건에 대해서는 그 존재할 이유를 가지지 못하는 것이다. 그리하여 그 전단계는 소폐되고 그보다 더 새로운 단계는 지어지는 것인바 이것이 그 시대사람으로서 실천에 의해서 파악할 현실이라는 것이다.

3. 이 현실을 붙잡아 이 단계의 사람이될가 지나간 소폐된 粗粕을 그대로 널어 취생몽사를 할가

卑近!

일상의 비근한 실례에서 해석되고 실행되지 아니하면 안 된다.[400]

자신의 건축도안에서 추구하고자 하는 것은 현존하는 기존세계를 딛고
서 가능한 것이다. 그러나 인간은 기존세계를 벗어나야만 자기건축의 도안
에 따라 건축을 실현할 수 있다. 그러므로 인간은 자기건축의 도안에 따라
현실과 역사를 비판하여 자기 건축도안의 실축을 위해 일상행위에 몰입해
야 하는 것이다. 만약 인간이 이 현실만을 부여잡아 그 단계에만 남아 안
주하고자 한다면 그 사람은 이미 존재할 이유를 가지지 못하는 것이며, 소
멸될 세계에 육신을 널어 취생몽사하는 꼴이라고 김기전은 주장하는 것이
다. 이는 실존철학적 교육에서 인간의 자기창조를 위해서는 현실의 순응과
안주보다 용기와 기투적 결단이 필요함을 말하는 것과 맥락이 같다.

---

400) 김기전, 「일상생활의 의식적 건축」, 『別乾坤』 7, 1929.

제5장 천도교의 교육실천과 운동

　한국에 있어서 근대 교육운동은 사회주의, 자유주의, 천도교 세 계보의
활동을 추적하여 접근할 수 있다. 한국 교육사 기술에 있어서 기독교 및
자유주의자들의 공과는 많이 언급되었지만 사회주의나 천도교와 같은 민
족주의세력의 실상은 간과된 측면이 있다. 분단과 이념대립으로 사회주의
나 중도파는 희미하게 기술될 뿐이었다. 1920·30년대의 일제하 교육운
동¹⁾은 조선의 독립운동과 떨어질 수 없는 사회운동 민족운동으로서 사회
주의나 천도교의 활동을 빼놓고는 이해되기 어렵다. 1920년대 사회주의가
풍미하던 시기에 천도교와 사회주의는 상호 결합을 하였고, 신간회를 함께
발기하여 계급과 민족을 하나로 하는 민족유일당 운동에 합의했었다. 1930
년대에 가서는 양자 간에 사상논쟁이 일고 계급운동과 민족운동은 분리되
게 된다. 천도교는 민중을 기초로 한 전 민족의 운동을 전제하였고 사회주
의는 일본 자본제국주의 대 조선 프롤레타리아의 계급투쟁을 구도로 독립
을 꾀하여 프롤레타리아 헤게모니를 위한 계급투쟁을 주장하였다. 한편 자

---

1) 이와 관련한 선행연구로는 이문원의 연구(「일제의 대한식민지 정책과 한국인의
민족교육관」, 『한국교육사학』16, 1994.3)가 있다. 이 연구에서는 당시 일제의 식
민교육정책에 저항한 한국인의 민족교육관을 역시 세 계보로 나누고 있는데, 민
족주의우파, 민족주의좌파, 사회주의가 그것이다. 이는 1920·30년대 한국근대교
육사상의 성격을 가늠하는 최초의 연구라 할 수 있다. 그리고 여기서 그는 사회주
의자들의 교육활동을 연구하여 교육사 연구에서 미흡한 부분을 메꾸는 작업이 진
행되어야 한다고 제언하고 있다. 또한 필자의 연구(「1920·30년대 한국근대교육
사상의 전개와 그 평가」, 『한국교육사학』22-2호, 한국교육사학회, 2000.12)가 있
는데, 여기서는 앞에서 말한 것처럼 자유주의, 사회주의, 천도교의 세 계보로 파악
하여 근대교육사상을 고찰하였다.

유주의자들의 활동도 간과할 수 없지만 이들은 정치분리를 전제하였기에 말 그대로 계몽운동이었다. 본 장에서는 1920·30년대의 사상적 배경을 검토하면서 천도교의 교육운동이 어떠한 사상적 영향을 받았고, 어떠한 교육이론에 기반하였는지 살펴보아 그 교육운동적 특성을 고찰하고자 한다.

이 당시의 교육운동은 민족운동, 그리고 사회운동과 분리될 수 없다. 특히 일제에 의한 제도권교육의 식민교육이 아닌 민족교육을 지향하기 위해서는 제도권 밖에서 교육을 설정할 수밖에 없었고 이는 곧 조선본위의 사회교육으로 전개될 수밖에 없었다. 그러므로 교육운동은 사회운동의 전개 측면에서 파악되는 민족운동이다. 이 당시 천도교는 300만에 달하는 교인을 가지고 있었고 민중 대다수에게 있어서 보편적으로 널리 인식되었으며 하나의 종교라기보다는 생활이었다. 사회주의자들이 천도교와 결합하여 운동을 펼쳤던 것도 천도교의 조직을 높이 샀기 때문이다.

천도교를 중심한 1920·30년대 교육운동의 양상은 현대교육에 있어서 매우 의미 있는 역사인식의 단서를 준다고 하겠다. 즉, 이 시기는 사회주의와 민족주의, 그리고 자유주의가 공존하면서 각기의 논리를 전개한 시기이고, 서구 이념대립을 대리적으로 싸워준 남북분단의 현실을 극복하는 데 하나의 역사인식을 제공한다. 천도교의 민족주의는 자생적인 사상을 기초로 민족변혁을 이룬 역사주체이기에 자유주의나 사회주의를 주장하더라도 서구사조에 기초한 자유주의나 사회주의와 다르다. 그러면서도 민족을 기반으로 하는 자유주의자나 사회주의자와는 하나될 수 있고 결합될 수 있었다. 역사적으로 민족과 민중에 기초하지 않는 자는 어떠한 이념을 내세워도 민족분열과 권력추구에 지나지 않았음을 본다.

1. 천도교와 시대사조의 상호작용

1920·30년대에 풍미했던 사조를 대표적으로 꼽으면 구한말 애국계몽기 때부터 진행되었던 다양한 사회진화론과 인종론 및 개조론, 그리고 사회주의를 들 수 있을 것이다. 그리고 전체적으로는 동도와 서기에 대한 개념적

갈등이 간헐적으로 보인다. 그러나 이 시대의 주된 사조는 사회주의라 할 것이다. 3·1 운동이 전민족적 역량을 드러낸 독립운동이었지만 실패로 돌아가자 이동휘와 같은 민족주의자들은 사회주의 이념을 받아 들여 일본을 자본제국주의로서 조선 식민지를 무산자 프롤레타리아의 구도로 시대정세를 파악했다. 이는 결국 무산자인 식민지 조선이 하나로 단결하여 일본 자본제국주의와 계급투쟁을 벌여야 한다는 인식이었다.

1) 道器論의 전개와 東道의 변혁

東西·道器론은 구한말 때부터 논의된 것으로 외세의 문물위협은 지식인들로 하여금 도기론을 둘러싼 다양한 입장을 분출케 하였다. 東道東器를 고수하는 위정척사파, 東道西器를 주창했던 온건개화파, 西道西器의 입장에 가까웠던 급진개화파 그리고 東道의 변혁을 이룬 동학이 있다. 수운은 서구의 문명과 근대성을 마주하여 동도서기나 서도서기론자들이 지닌 입장과 달리 나름대로 주체적 수용과 동도의 변혁을 이루었고 이는 계속 일제하 천도교의 민족운동에도 계승되었다고 하겠다.

동도서기론은 갑오개혁 정부의 통치목표이기도 하였다. 말 그대로 제도와 기술은 서양 것을 취하되 정신적인 도덕과 지향점은 東道에서 구하는 것이었다. 대표적으로 한성사범학교를 보면 근대식 학교제도 형식을 모방하였지만 실제 과목은 몇 개의 근대학과 외에는 모두 전통교과목이 그대로 삽입되었음을 볼 수 있다. 동도서기의 긍정적인 의미는 서구 문화와 고유 문화의 결합논리에 있다. 전통의 이념을 바탕으로 서양문물의 수용을 통한 자강론이라는 점에서 採西思想이라 할 수 있고 이는 서양의 기술을 수용하지만 道는 전통의 유교이념을 계승하고 있다는 점에서 東道西器론이라 불려진다. 윤선학은 "배와 수레, 병기, 농기의 기계로서 백성에게 편하고 나라에 이로운 것은 외형적인 것이다. 내가 고치고자 하는 것은 이 도구(器)요, 도리(道)가 아니다"라고 주장하였다. 또한 안종수는 1881년에 쓴 『농정신편』에서 다음과 같이 말하고 있다.

대개 동양 사람들은 형이상에 밝기 때문에 그 도가 천하에 홀로 우뚝하며 서양 사람들은 형이하에 밝기 때문에 그 기는 천하에 대적할 자가 없다. 동양의 도로써 서양의 기를 행한다면 지구의 5대주도 족히 평정할 수 있다. …… 진실로 우리의 도를 잘 행한다면 서양의 기를 행하는 것은 매우 쉬울 것이니 이처럼 도와 기는 서로 필요하며 떨어지지 않는 것이다.[2]

안종수는 동양이 형이상학에 밝고 서양은 형이하학에 밝기 때문에 동양의 도로써 서양의 기를 행하면 5대주도 족히 평정할 수 있다 하였다. 그러나 동도서기론자(온건개화파)의 동도는 일반적으로 동양적인 정신문화를 가리키지만 그것을 좀더 따져 보면 동양적인 정치체제로서의 전제주의적 지배체제로 그리고 지배원리인 성리학적 원리로 좁혀져 동도서기론의 반역사성을 볼 수 있다. 즉 주체적이고 민족적인 근대화론과는 거리가 있다. 이는 역사적으로 지배계층이 외세의 침략 앞에서 그 지배체제를 유지하기 위한 방책의 하나로서 제시한 것이었고 서양 자본주의문명의 침략 앞에서 그 지배권력을 유지하기 위해서는 서양의 기술문명만을 수용하여 우선 부국강병을 이루려 한 것이다.[3]

또한 道는 東의 것을 취하고 器는 西의 것을 취한다는 것도 논리적으로 문제점이 따른다. 안종수 자신의 말처럼 道와 器는 함께 가는 것이지 도는 동양의 도, 기는 서양의 기라 하는 것은 처음부터 모순을 내포한 것이라 할 수 있다. 서양의 근대 기술문명도 이념과 문화를 포함하는 상부구조와 함께 수반하여 발전해 온 것이지 분리되어 전개된 것이 아니기 때문이다. 서구에 있어서 자본주의의 맹아는 르네상스시대부터 발전되어 온 것이다. 그러나 동양은 농업사회에서 가부장권과 가족윤리, 그리고 이것이 확대된 국가윤리로서 충효존비의 신분사회, 또한 기술을 천시하고 文을 숭상하는 문화풍토를 지니는데 이러한 토양 위에 서양 기술문명만을 옮겨 심는다고

---

2) 安宗洙, 『農政新編』序, "盖中土之人 明於形而上者 故其道獨尊於天下 西國之人 明於形而下者 故其器無敵於天下 以中土之道行西國之器 則環球五洲不足定也 …… 苟能擧吾之道 則行彼之器 亦猶反掌爾 若是乎道與器之相須而不離也".
3) 강만길, 「동도서기론이란 무엇인가」, 『마당』5, 1982, 202~208쪽.

쉽게 뿌리 내릴 수 있는 것이 아니었다. 처음부터 道와 器를 二元論的으로 구분한 것부터가 모순이었다.

조선의 동도서기론자들은 시대적 과업과 현실을 떠나 있는 감이 든다. 그들의 입장은 조선의 道를 잘 행하면 서양의 器를 쉽게 행할 수 있다는 것인데, 이런 측면에서의 접근은 어떻게 서양의 기를 이용할 것인가에 관한 절박한 현실과는 상관없이 관념적으로 흐르기 쉽다. 결국 이는 현실과 유리된 것으로 갈 수밖에 없는데, 실제로 신기선이 몸담은 온건개화파의 갑오개혁정부는 형식만 서구의 교육제도를 실행했을 뿐 내용은 미미했다. 존왕충군과 유교적 내용의 답습, 그리고 신식기술교육은 미비했던 만큼 결국 일제에 합방되고 만 것이다.

동도서기파는 서양의 과학기술에 대해서는 그 우수성과 보편성을 인정하면서도 정신문화는 동양의 유교가 훨씬 우월한 것으로 자부함에 도취하였다. 반면 서도서기에 기운 김옥균이나 박영효, 서재필 같은 문명개화론자들은 서양의 과학기술뿐만 아니라 정신문화에 대해서까지도 보편성과 우월성을 인정하는 태도를 보였다. 그리고 그들은 구래의 동도는 이미 낡은 것으로 새로운 시대의 보편문화가 될 수 없다고 인식하였고 절대적 모방만이 살 길이라는 자세를 보였다. 그러나 자신의 역사 속의 발전맥락을 다시 회생시켜 모방을 접속시켜야지 절대적 거부는 곧 역사의 단절이요 민족과의 단절로 연결되기 쉽다.

이들 문명개화론자들은 서양문화를 '새로운 시대의 보편문화'로 인정하고 서양문화의 전면적 수용을 주장한 한국 최초의 지식층이었다고 할 것이다. 그러나 그들은 또한 서양 근대문화의 기저에 흐르고 있는 민주, 자유, 평등의 이념에 대해 충분한 이해를 갖고 있지는 못했다. 그들이 이해하고 있는 서양문화는 '부국강병'을 중심으로 한 것에 지나지 않는다. 그리고 그들은 '부국강병'의 이면에 있는 자본주의 국가들의 제국주의적 속성에 대해서도 충분히 인식하지 못하였다. 단지 부국강병의 자본주의 열강은 조선이 따라가야 할 모범으로 간주되었을 뿐이다.[4] 더구나 김옥균의 개화사

---

4) 한국역사연구회, 『한국사상사의 과학적 이해를 위해』, 청년사, 1997, 144~166쪽.

상이 실학의 북학사상을 계승한 것이면서도 한편으로는 일본으로부터 관념적으로 수용하는 데 지나지 않았다. 민중의 지지기반 없이 비굴할 정도로 일본에 전적 의존한 거사의 도모는 문제를 더욱 복잡하게 만드는 요인이 되었다. 김옥균은 일본이 자신들을 이용하여 청일전쟁의 빌미를 노리고 있고 그들이 영향받았던 후쿠자와 유기치의 문명론이라는 것도 조선침략을 전제하고 있었음을 간파하지 못했다. 일본인 다케소에게 자신의 국왕을 보호해 주도록 부탁하는 것이 얼마나 무모한 일인지 그는 몰랐던 것이다. 이러한 피상적인 서구문명의 답습과 추종은 1920년대 자유주의자들뿐만 아니라 사회주의자들도 빠지기 쉬운 함정이었다. 이들에게 있어서 동도는 변혁이 아닌 파기의 대상이었다.

한편 일본의 경우를 볼 때, 그 대표적 문명론자인 후쿠자와 유기치는 외국의 문명을 취할 때는 자기 나라의 인심 풍속을 살피며 그 국체에 따르고 그 정치를 지켜 그에 알맞는 것만을 취사 선택 잘해야 비로소 조화의 묘를 얻게 된다고 하였다. 문명에는 밖으로 나타나는 사물과 안에 존재하는 정신의 구별이 있는데 한 나라의 문명을 꾀함에 있어서는 먼저 그 안에 존재하는 정신을 생각하고 그리고 나서 쉬운 물질을 생각해야 된다고 했다. 아직 어려운 것을 얻지 못했는데도 우선 쉬운 것부터 베풀려고 할 때는 소용이 되지 않을 뿐 아니라 도리어 해로운 일이 된다는 것이다. 다시 말해서 서구의 물질문명을 제대로 이용하려면 물질보다 그 자국과 타국의 정신(道)을 생각해야 문명의 발전을 꾀할 수 있다는 논리이다. 후쿠자와가 말하는 정신이란 국민의 기풍으로 시대에 초점을 맞추면 時勢이고, 사람에 초점을 맞추면 인심이라 이름할 수 있으며, 나라에 초점을 맞추면 國俗 또는 국론이라 이름할 수 있다. 따라서 그는 서양의 문명을 섭취함에 있어 우선 제 나라의 인심 풍속을 살펴 서양의 정신을 이에 맞게 걸러야 한다고 말한다.5) 여기서 중요한 것은 서구의 器를 취하려면 자신의 道에 맞는 서구의 道을 취해야 한다는 것이다. 이는 초점 자체가 '서구의 器를 이용하려함'에 있다. 이는 그들 현실의 절박함에서 오는 발상이었다. 그리고 서구의

---

5) 후쿠자와 유기치, 정명환역, 『문명론』, 홍익사, 1986, 23~25쪽.

器를 선별하는 것에는 결국 자국이 지향하는 문명적 속성에서 결정된다. 일본이 서구의 과학적 문명과 제국주의를 도입해 가는 데는 자국의 國俗에 맞는 부분을 찾아 국론을 이끌어내고 자국에 맞게 동화시켜 가는 과정이 있었다.

조선의 혜강이나 수운 같은 경우도 서구 근대문명을 마주할 때 그 수용과 배제를 동도에 기준하여 선별하게 된다. 그러나 일본과 조선이 추구하는 역사적 이상이 다르기에 그 선별기준 역시 다를 수밖에 없다. 수운은 서양의 힘과 물질문명을 높이 평가하면서도 그들의 제국주의적 속성과 기독교적 세계관에 비판을 가한다. 그리고 동시에 전통성리학을 변혁하고 인간평등과 생명공동체로서의 보편성을 지향하여 계급타파와 생활의 합리성을 실현해 가고자 했다. 동학은 구한말 안팎의 시대적 위기의 산물로 태어난 것으로, 그 시대를 사는 역사의 주체자로서 대안적 사상을 제시한 것이다. 타문화의 器를 이식하려면 기존의 도를 고수해서는 안 되고 자체 내의 道를 변혁시키면서 동도에 맞게 타문화를 걸러 도기를 함께 수용하지 않으면 안 된다. 이것이 양자가 결합될 수 있는 문명발전의 통로라 할 수 있고 수운의 태도는 이러한 하나의 예라 할 수 있다.

동학을 계승한 천도교도 서구 근대문명을 인내천 道의 표준에 의해 비판을 하고, 인내천 道와 유사한 것은 포용적으로 받아들여 주체적 민중운동으로 성장하여 갔다. 동학혁명 이후 3·1운동과 6·10 만세, 그리고 신간회나 신문화운동의 각 부문 운동에 있어서 민중을 움직이고 운동의 주체세력으로 발전할 수 있었던 것은 바로 이러한 성격에 있었다고 하겠다.

동도서기론파는 시대의 변혁에 따라 동도를 개혁해내지 못하였고 西道를 걸러내어 자신의 도에 결합시키는 주체적 노력이 없었다. 이에 반하여 동학·천도교가 중요한 역할을 한 점은 <東道의 變革>을 이루어낸 것이다. 새로운 문물, 새로운 전환을 맞는 시기에 이전의 것을 그대로 고수해서는 위기를 감당할 수 없었다. 그렇다고 개화파들처럼 절대거부로 가면 자신의 정체도 없어지는 것이라 할 때 동학은 근대를 준비한 사상으로 자리매김될 수 있다. 사상은 끊임없이 물과 같이 흘러야 한다. 정체되면 썩는다. 그리고 민족자신의 사상체계에 터를 잡아야 중심을 잃지 않는다. 도기론은 1920·30년대 각 운동의 이념을 성격지우는 한 요인이 된다. 자유주의자나 사회주의자들은 서도서기에 바탕한 것이고 천도교는 동학의 도기론적 입장을 계승하여 변혁과 수용을 회통시켰다 할 수 있다. 동학을 계승한 천도교는 자본주의를 기초로 하는 근대문명의 도전에 응전하기 위해 기존의 것을 변혁하고 서구 근대가 의미하는 역사성을 읽어내 주체적으로 시대를 구성하고자 한 조선의 힘이라 할 수 있다.

2) 서구 사회진화론의 영향

구한말에 도입된 사회진화론은 식민지 조선에 있어 자유주의적 교육운동의 토대가 되는 역할을 했다. 1920·30년대에는 약육강식의 진화론에 기초한 실력양성운동이 과학교육운동으로 계승되었다. 여기서 먼저 분명히 해두어야 할 것은 그 당시 사회진화론이라는 것이 헉슬리나 스펜서류의 사회진화론만을 지칭하여 쓰인 것이 아니라 넓게는 사회진화사상 안에 사회계약설이나 크로포트킨의 상호부조론, 마르크스의 역사법칙에 따른 계급투쟁론 등 모두를 포함하여 사회진화론으로 명명한 예가 많았다는 것이다. 박형병,[6] 이돈화,[7] 이성태[8] 모두 서로 다른 사회진화사상의 내용을 말하면서도 사회진화론이라 명명하였다.

원래 사회진화론은 다윈의 자연진화론, 즉 생존경쟁, 자연도태, 약육강식의 논리를 헉슬리나 스펜서 같은 후학자들이 인간사회에 적용한 것이다.[9]

---

6) 박형병, 『사회진화론』, 사회과학연구사 팜플렛(9), 1927.
7) 이돈화, 「사회진화사상」, 『신인철학』, 1924.
8) 이성태, 「適者의 生存」, 『신생활』 3, 1922. 그는 이 글에서 다윈의 진화론을 크로포트킨의 방식으로 해석하면서 고상한 도덕적 감정이 일층 진보한 상호부조가 되어 진화의 유력한 요소가 된다고 하였다.
9) 제레미 리프킨은 다윈의 이론 자체가 산업자본주의의 발흥시기에 태어났다는 점에 주목하여 다윈이 사회시스템론을 자연과학에 도입한 것이라 주장한다. 약육강식의 자연도태란 자연계에서보다는 인간사회에서 볼 수 있는 현상으로 다윈 이전에 맬더스에게서 주장되었다. 그는 산업자본사회 자체가 다윈의 이론을 낳은 것에 불과하다고 주장한다(제레미 리프킨, 김용정역, 『엔트로피 II』, 원음출판사,

다윈의 진화론에는 개체 간의 생존경쟁만이 아닌 집단 간의 경쟁도 밝히고 있었다. 집단 간 경쟁에 있어 한 집단 내부의 희생, 헌신, 협동, 상호부조원리가 잘 이루어진 집단이 경쟁에 이겨 살아 남는다는 것이다. 하지만 헉슬리 등의 후학들은 한쪽에 치우쳐 생존경쟁의 원리만이 사회진화의 법칙인 것처럼 말하여 타인을 멸망시키지 않으면 타인에게 자기가 멸망당한다는 극단의 설을 토하였다. 이러한 관점의 사회진화론은 식민지 조선에 있어 부국강병, 실력양성 등의 계몽운동을 펼치는 이념적 토대를 마련해 주었다. 이는 약육강식에 있어 약자의 패배를 당연시하여 처음부터 열등감을 조성한 것으로 비판받기도 한다.

그러다 1920년대 후반에 가면 어떤 계보에 속해 있든 간에 크로포트킨의 상호부조론적 사회진화론으로 기울게 된다.[10] 이는 민족유일당 운동의 확산 차원에서 배태된 것일 수도 있겠지만 민족정서에 부합되는 면도 있었다. 원래 크로포트킨은 다윈이 말한 집단 내의 상호부조론을 적자생존의 사회진화법칙으로 말하여 스펜서와는 다른 관점을 제시하였는데, 이는 1920년대 초 이성태에 의해 본격적으로 조선에 소개되었다.

사회생활과 상호부조는 생존경쟁의 최상의 무기외다. 그러고 이 무기를 잘 갓추어 잇는 자야말로 생존의 경쟁에 승리를 어들 만한 適者외다. …… 갓흔 種屬 안에서 저희끼리 서로 생존을 다토는 것이 아니오 한 종속과 다른 종속이 생존을 경쟁하는 것이외다. …… 온갖 외계와 투쟁해서 한 종속의 생존을 완전케 하는 것은 언제든지 단결의 힘이외다. 곳 社會生活이외다. 곳 相扶相助외다. …… 그러치마는 사회생활은 이에 상응한 사회적 감정이 발달하지 아니하면 행하지 못합니다. 공동생활에는 먼저 공통한 정의의 관념이 발달해서 그 단체간의 습관이 되는 것이 第一의 요건이외다. …… 사회적 감정이 발달한 동물의 間에는 일층 고상한 단결이 행하고 정의의 관념이 발달한 동배간에는 저절로 진보한 사회와 상호부조가 나타납니다 ……. 아름다운 道德的 感情은 社會生活의 必然한 선물

1984, 103~115쪽).
10) 자유주의자들도 상호부조론을 말했다(柳絮역, 「크로포트킨의 호조론개관」, 『동광』 1926.12 ; 方未芨, 「크로포트킨의 교육관」, 『동광』 1927.6).

이오 만한 動物間에 이 感情의 發達을 보는 것은 조곰도 이상하지 안습
니다. 동물이 서로 憐愍하는 情은 멀지 아니하야 道德的 感情에 오르는
第一步이오 그 高尙한 道德的 感情이 곳 一層高尙한 社會生活이 되고
一層進步한 相互扶助가 되어서 進化의 有力한 要素가 되는 것이외다.[11]

이성태는 상호부조가 생존경쟁의 최상의 무기로 진화의 유력한 요소가
된다 하였다.[12] 또한 인류의 진화법칙은 인류행복의 방향을 향한 것이고
이는 정의와 실력의 원칙 하에서 진화가 이루어지는 법칙이라 했다.

> 크로포트킨은 먼저 인류의 행위를 律할 만한 최고법칙은 행복 적은 생
> 활로부터 가능한 최대량의 행복된 생활까지의 인류의 진화법칙이라고 말
> 하엿습니다. 그래서 이 진화의 법칙으로부터 정의의 명령과 실력의 명령
> 을 추론하엿습니다. …… 생존경쟁의 過中에 잇서서 인류의 사회는 인류
> 의 최대의 행복을 획득키 위하는 최선의 조건을 엇는 방향을 指하야 발전
> 합니다.[13]

이는 동물간에도 공동의 적을 방어하기 위하여 단결이 나타나고, 개미나
벌처럼 상호부조의 이익 때문에 협동이 이루어지는 것과 같은 것이다.[14]
이렇게 크로포트킨의 사회진화론은 상호부조, 공존공영에 의하여 이루어
지는 것임을 거듭 밝히고 있다. 이성태뿐만 아니라 다른 사회주의자들에게
있어서도 크로포트킨의 사상은 많이 인용되고 있다. 기안생이란 필명자는
약한 개인들이 단결할 때 태산도 움직일 힘을 얻게 된다는 것이 크로포트

---

11) 이성태, 「適者의 生存」, 『신생활』 3, 1922, 32~35쪽.
12) 이성태는 기존의 크로포트킨 연구에 대해 "맑스나 레닌에 관한 문서는 유행하나
    정치적이거나 기만적 강권적 집권적이 아닌 크로포트킨에 대한 문서는 없다. 구
    태여 찾아보면 윤자영이 大杉榮著의 『크로포트킨 연구』를 번역한 글(「상호부조
    론연구」, 『아성』 34), 김명진이 第一章을 번역한 글(「청년에게 訴함」, 『동아일
    보』), 그리고 無我生이 전문의 반 정도 번역한 것(『공제』 78호)이 있을 따름"이라
    하였다(이성태, 「크로포트킨 학설연구」, 『신생활』 7, 1922.7).
13) 이성태, 「適者의 生存」, 『신생활』 3, 1922.
14) 이성태역, 「사회생활의 진화」, 『신생활』 2, 1922.3.

킨의 결론이라고 말하고 있다.

> 개인의 힘은 약하지만 그 약한 개인의 힘이 국민의 요구와 합치케 해버린 때 비로소 태산이라도 움즈길 만한 힘이 생기는 것이외다. 이 인생의 큰 秘義는 다만 진정한 위인만이 깨달앗습니다. …… 이것이 크로포트킨의 결론이엇습니다.[15]

또한 신일용은 이광수가 비정치성을 표방하며 민족개조운동을 부르짖은 데 대해 그리고 민족의 모범으로서 영국민족을 든 데에 대해 크로포트킨의 입장에서 반박의 글을 썼다. 즉 야만족의 살인이나 강자로 칭하는 군국주의의 군벌이나 살인을 일삼는 것은 마찬가지로서 이는 사회진화의 모범을 삼을 수 없다는 것이다.

> 식인 야만종족의 추장이 두개골을 만히 차고 소유하는 것으로 자랑거리를 삼는 것과 갓치, 군국주의 국가의 군벌의 훈장도 사람 만히 죽엿다는 자랑이라고 痛罵한 크로포트킨의 말이 얼마나 참된 말인가.[16]

사회주의자들은 대체로 역사유물론과 결합하여 사회진화론을 설명하였지만, 크로포트킨의 상호부조론을 사회진화의 원리로 삼아 사회운동을 펼치고자 한 사람도 많았다. 특히 김사국의 경우, 그는 약육강식의 생존경쟁론을 비판하고 상호부조와 人道正義에 입각한 사회진화사상을 펼쳤다.

> 사람은 다같이 한사람으로써 어떤 사람이 어떤 사람을 압제하며 쏘는 어떤 사람이 어떤 사람에게 천시를 바들 理라 잇스리오. 그런데 우승열패하고 약육강식하던 獸人時代는 어느덧 지내가고 오늘날은 곳 상호부조의 평화시대임을 불구하고 아즉까지 어떤 사람들은 생존경쟁을 유일 조건으로 알고 人道正義를 전연무시함과 공히 필경 사람으로써 사람을 죽이며 …… 생존경쟁이 不遷不易의 진리라 하면 나는 어대까지던지 不服하고

15) 飢雁生, 「지식계급의 실패」, 『신생활』 7, 1922.7.
16) 신일용, 「춘원의 민족개조론을 평함」, 『신생활』 7, 1922.7.

정의인도에 공소상고까지라도 하겠습니다.17)

이와 같이 사회주의자들은 약육강식적 인종차별의 사회진화론에 거부감
을 가졌다. 물론 다윈과 교분이 있었던 마르크스도 생존투쟁의 사회진화론
에 영향을 받아 계급투쟁과 역사발전의 법칙에 적용하였다고 하지만 결국
자신의 유물사관에 따른 사회진화법칙을 말하고 있다. 근본적으로 지배계
급과 인종주의를 옹호하는 사회진화론은 마르크스의 사상과 연관시킬 수
는 없는 단절이 있다.

사회주의자 박형병은 사회진화론을 마르크스적인 계급투쟁에 의한 역사
발전법칙으로 적용하여 1927년『사회진화론』이라는 제목의 글을 발표하였
다. 그는 마르크스가 다윈이 자연적 진화법칙을 발견한 것처럼 인류역사의
사회발전법칙을 발견하였고 이는 무엇보다도 하부구조의 탐구와 이를 위
한 투쟁을 주장하는 것으로 소개하였다. 각 사회 인류생활의 발전 내지 성
장이 유물사관에 의한 사회진화의 필연적 원인에 기초함을 말한다.18)

(맑스는) 경제사를 토대로 하여 인류생활을 논급한 후 그로부터서 사회
진화의 필연적 법칙을 발견하고자 다윈이 유기적 자연의 발전법칙을 발
견함과 同樣으로 맑스는 인류역사의 발전법칙을 발견하였다. 엥겔스의
말과 같이 인류는 정치, 과학, 예술, 종교, 기타를 행하기 전에 무엇보다
먼저 의식주라는 사실을 탐구치 아니하면 아니되며 또 그것을 위하야서
투쟁함을 마지아니한다.19)

김경재도 같은 맥락에서 다음과 같이 말하고 있다.

社會의 變革이란 엇더한 制度나 個人의 偉力에 依하야 左右할수 업는
것이고 거긔에는 반듯이 一定한 歷史的 進化의 法則이 有하다는 것이다.
실컨 조컨 그時代 그社會의 環境은 그時代 그社會의 物質的의 條件이

17) 김사국, 「현대경제조직의 결함」,『개벽』18, 1921.12.
18) 박형병,『사회진화론』, 사회과학연구사 팜플렛(9), 1927, 62~63쪽.
19) 박형병,『사회진화론』, 사회과학연구사 팜플렛(9), 1927, 3~4쪽.

그를 支配하고 잇다. 封建制度의 社會가 資本主義의 社會가 된 것도 거
긔에 基因한 것이고 다시 資本主義의 社會는 坯한 必然的으로 다른 새
社會를 胚胎하고 그를 形成케 하는 것이다.[20]

그도 유물론적 사회진화론에 입각하여 사회변혁이란 어떤 제도나 개인
의 힘에 의해 좌우될 수 없는 것이고 일정한 역사적 진화법칙에 지배받는
것이라 한다. 또한 신백우는 이러한 사회진화법칙을 인식하는 것이 곧 사
회주의운동이며, 굶주림이 없고 자유평등한 세계를 향하고자 하는 것이라
고 말하고 있다.

(사회)주의의 운동은 인위적 위조품이 아니오 사회역사의 발전됨을 짜
러서 인류의 자연의 충동으로 아모리 避코자 하여도 회피치 못할 명백투
철한 진리일까 합니다. 이 현실의 비인간적인 淚의 사회, 飢의 사회, 寒의
사회, 죄악의 사회, 허위의 사회, 부패의 사회, 불평의 사회, 고통의 사회,
一言에 略하면 자본주의 사회에서 초연히 蟬脫하야 笑의 사회, 不飢不寒
의 사회, 자유평등의 사회, 쾌락의 사회, 花園의 사회 곳 이상이 실현한
사회를 동경하는 것이 진리가 이니고 무엇인가요.[21]

사회주의적 입장에서 사회진화는 역사발전법칙에 따른 진화로서 비인
간, 허위, 飢寒, 불평등의 사회로부터 자유평등의 이상사회로 발전하여 가
는 것이라 보았다. 따라서 각 계보가 취했던 사회진화론은 곧 교육운동의
성격에도 드러나고 있다. 첫째, 스펜서적 사회진화론을 수용하여 실력양성
운동을 벌였던 자유주의적 진화론자들은 先실력양성, 後독립을 주장하게
되고 교육에 있어서 강자인 서구의 모방을 절대화함에 따라 교육근대화를
서구화로 이해하게 하는 발판을 마련했다. 또한 이들 진화론적 시각은 근
대화를 지상의 가치로 인식하여 식민지 하의 종속적인 발전을 용인할 수
있다는 타협적인 자세를 취하였다.[22] 그리고 조선 교육의 현실에 뿌리박아

20) 김경재, 「문화운동자의 대두」, 『개벽』 64, 1925.12, 52쪽.
21) 신백우, 「社會運動의 先驅者의 出來를 促함」, 『신생활』 2, 1922.
22) 정순우, 「근대교육 도입기에 있어서의 교육정책」, 『한국교육사학』 14, 1992, 21쪽.

철저한 이해와 운동론을 성립하지 못하고 관념적, 수양적 교육론에 머물게
되었으며 점차 약육강식을 인정하여 약자로서 패배의식을 지니게 되었다.

둘째, 유물론적 사회진화론에 바탕 한 사회주의자들은 마르크스의 역사
발전법칙을 맹신한 나머지 조선현실과 운동방향을 검토하지 않은 채, 조선
인의 정서에 뿌리내리지 못하고 투쟁의식을 고취하기 위한 수단으로서 교
육을 경직화시켰다. 따라서 사회주의자들은 계급의식의 고취, 학생의 '의식
화'와 동맹휴학의 '정치화'를 주된 목표로 하게 된다.

셋째, 천도교는 다윈의 진화론과 크로포트킨의 상호부조론을 받아들
여23) 천도교 특유의 사회진화론을 말하고 있다. 東道를 변혁했던 천도교
는 사회진보 역시 서구의 약육강식, 생존투쟁에 의한 진보논리로서가 아니
라 사람 무궁성의 진화로 우주전체를 한 몸으로 하는 인간 주체의 무궁성
이 발현된 자기표현을 <진화>로 이해했다.24) 따라서 천도교는 조선 민중
을 중심으로 민족유일당 운동을 지속적으로 추구하여, 민중의 당면 이익과
현실적 투쟁을 통해 조선 식민지현실을 극복하고 농민, 노동자, 학생, 소년,
여성, 청년 등 각계 계층을 향한 교육과 부문운동의 통일을 지향하게 된다.
스펜서적 사회진화론에 기초한 교육운동이 결과적으로 경쟁적 교육풍토를
조성했다면 천도교의 사람성 자연의 진화론은 인간이 경쟁자이기 이전에
자기를 우주와 하나되는 생명으로 보고 우주전체와 더불어 진화한다는 사
상이기에 차이가 뚜렷하다.

3) 사회주의의 대두와 천도교와의 사상논쟁

일반적으로 1920년대 급격히 성장한 사회주의운동은 민족주의운동과 구
별되어 민족모순보다 계급모순을 우선한 계급투쟁으로 인식되고 있다. 즉
민족적 항일투쟁으로 보기보다 공산주의의 맹목적 이념운동으로 보는 경
향이 강하였다. 그러나 최근에 사회주의운동도 민족 해방을 위한 민족운동

---

23) 이돈화, 『신인철학』, 1924 ; 신영철, 「동물의 호상부조 - 사이좋은 악어와 좀새」,
   『어린이』, 1932.6, 60쪽.
24) 이돈화, 「사람성의 해방과 사람성의 자연주의」, 『개벽』 10, 1921.4.

에서 시작되었다는 점을 새롭게 인식하여 이를 민족주의운동 안에 넣고
있다. 그리고 3·1 운동 당시 민족운동을 펼쳤던 사람들이 사회주의자로
전환했던 것을 인식하게 됨으로써 사회주의도 교조주의자와 민족적 사회
주의자를 구분하여 인식할 필요성을 느끼게 되었다.

계급과 민족이 대립되지 않으며 민족구성원 모두를 하나로 감쌌던 민족
적 사회주의자들은 천도교와 연합하여 사회운동을 벌여 나갔다. 이에 천도
교는 사회주의자들과 연계하면서 계급의식의 필요성을 주장하였고 궁극적
으로는 이 계급단계를 초월하는 것에 목적을 두었다.

조선독립을 둘러싼 노선에 있어서 무장투쟁의 노선을 지향하는 민족주
의자들은 민족개량주의자들의 자치론이나 외교론보다 일본과의 전면전을
목표로 하였다. 따라서 자연히 이들은 자유주의적 민족주의자들보다는 사
회주의자들과 결합되었다. 레닌정부의 지원을 희망하는 움직임도 나타났
다. 여기에는 당시 서구국가들의 원조는 희박해지고 서구에 대한 환멸은
점차 짙어가는 상황에서 볼셰비키파에 대해 호감을 갖게 된 시기적 요인
도 있다.

볼셰비키 지도자들이 극동 피압박민족의 해방을 열렬히 주장하자 공산
주의는 조선 독립운동가들의 관심을 모았다. 이는 당시 조선의 해방운동에
가장 중점으로 부각되었고, 많은 민족주의자들에게 광명으로 다가왔다.[25]
사회주의는 분명 민족운동의 일환이었으며[26] 독립운동의 방편이었다.[27]

25) R.A. Scalapino, 이정식역, 『한국공산주의운동의 기원』, 청계연구소, 1988, 3·36쪽.
26) 배성룡은 조선사회운동을 크게 순수민족운동기와 사회운동 1, 2기의 3기로 나누
  어 구분하고 있다. 이를 보면 조선사회운동 안에 민족운동과 사회운동이 포함됨
  을 알 수 있다(배성룡, 「조선사회운동의 사적 고찰」, 『개벽』 67, 1926.3).
  ① 순수민족운동기 - 1919~1920
  ② 사회운동 제1기
    1920~1921 ; 민족 대 社會界線의 불분명한 운동기
    1921~1923 ; 민족 대 사회의 분립운동기
    1923~1924 ; 部門的의 분화운동기
    1924~1925 ; 양적의 조직운동기
  ③ 사회운동 제2기 - 1925년 이후 ; 질적의 조직운동기
27) 김호일, 『한국근대학생운동연구』, 단국대학교 박사학위논문, 1988, 113쪽.

선진 자본제국주의에서가 아닌 소련이나, 중국, 조선 등 농업경제국가에서 공산주의운동이 일어나는 것은 철저히 정치적 맥락에서이고 외세에 맞서기 위한 방편에서였다. 즉, 조선 사회주의자들이 민족문제에 계급을 중요시했던 것도 3·1운동이 실패로 돌아가면서 민족적 운동만을 가지고는 일본 자본제국주의에서 벗어날 수 없다는 인식이 싹트면서 계급투쟁을 내세우게 된 것이라 볼 수 있다. 3·1운동이 비록 정신상으로는 한 시기의 획을 그은 중대사였지만 표면상으로는 막대한 동족의 희생을 바친 이외에 어떠한 효과도 얻지 못하였다는 인식 아래 사회주의운동이 조선 내에서 대두하기 시작한 것이다.

　　민족운동에 파산을 당한 운동자들은 그 鬱結한 가슴을 비록 潛行的일망정 發露해 볼길은 사회운동 밖에 다시 남지 아니한 것으로 생각하였다. 하물며 당시는 전 세계적 사조가 이미 이 의식에 기울어졌고 一方勞農露西亞는 동양공산화를 획책하는 중이라 노령 및 북만주 일대에 산재한 동포는 물론이고 빈민이 많은 조선 내지의 민중에게도 계급의식을 고취함에 그리 어려운 일이 아니었다. 따라서 공산주의운동은 확실히 성공할 수 있을 줄로만 생각하게 되었다.[28]

　사회주의운동은 조선 식민지의 무산자 대 일본 자본제국주의의 구도로서 투쟁할 것을 말한다.[29] 그들은 민족운동의 주체세력이 무산자계급이 되는 당연성과 또한 비타협 중간층과 지식층이 여기에 가담할 수밖에 없음을 주장한다. 그리고 더 나아가 조선 현실을 다음과 같이 진단하였다.

　　일본 자본주의의 발전은 구주 자본주의제국에 비하여 가장 뒤떨어진 경제기구였다. 세계자본주의가 점차로 반동적 제국주의적 단계에 들어감에 반하여 일본 부르조아지는 겨우 지주와 병립할 만한 경제적 세력을 갖는 데 불과하였다. …… 일본 자본주의가 발전함에 그 한 요소로서 식민지 조선은 그 발전번영을 위하여 온갖 노력과 희생을 다하였나니 원래 조선

28) 김영진, 「공산당사건의 진상」, 『신민』 1927.10.
29) 김만규, 「조선의 신흥운동의 조직문제에 관한 일고찰」, 『조선지광』 1927.3.

은 중공업의 원료가 다량으로 생산되지 못하는 관계상 거대한 공업적 발
전을 볼 수 없었지만 일본의 공업생산품의 판매시장으로서 경공업생산물
의 원료공급지로서 국가자본에 의한 농업경영지로서 또는 넘치는 자본의
출처로서 봉사하기를 마지아니하였다. …… 농업국이던 조선은 그 생산의
기초가 되는 토지를 점차로 조선총독부와 동척과 개인 일본인의 소유로
전화하게 함에서 또는 조선에서의 자본주의의 발전은 일본자본가의 독점
과 그 발전에서 금일의 현상을 초래하게 되었으니 조선인의 생활기초는
이와 반비례로 위축되어 가는 것을 추지할 수 있을 것이다.[30]

　일본 자본주의가 발전함에 따라 식민지 조선은 그 발전 번영을 위해 판
매시장과 원료공급지로서 희생되어 가고 있음을 말한다. 그리고 戰後 자본
주의사회가 퇴축하고 세계무산계급이 각성하여 세력이 팽배해지며 이러한
현실을 러시아혁명이 확인시켜주던 상황에서, 조선도 자본제국주의로부터
벗어날 수 있다는 확신을 가지게 되었다.
　중국의 경우도 李大釗가 최초로 사회주의를 받아들인 것은 이념 자체를
목적한 것이 아니라 외세의 침략과 위협으로부터 민족독립을 쟁취하고자
한 것이었다.[31] 소련도 레닌이 사회주의혁명을 일으키고 스탈린이 계승해
나간 것은 표면상 민족을 부인하는 것 같지만 그들이 의도한 바는 민족주
의의 발로였다. 전제황권으로부터 민중을 해방하고 외세의 위협으로부터
벗어나기 위한 극복이었다.
　조선의 지식인들은 마르크스, 레닌 등의 사회주의 사상을 번역하기 시작

30) 진영철, 「외래자본주의의 조선안에서의 발전」, 『혜성』 1931.5.
31) 李大釗는 인생의 목적은 자기자신의 삶을 발전시키는 데에 있다고 했다. 삶의 발
　전이 삶의 희생을 요구할 때가 있고 이는 불타는 희생이 정상적 발전보다 삶의
　아름다움을 더 연장할 때가 있기 때문이라 했다. 그는 이러한 맥락에서 사회주의
　에 몸을 던졌고 그리고 사회주의를 선택한 것은 민족의 위기를 해결하고자 하는
　과정으로서였다. 그에게 있어 사회주의의 매력은 순수한 이성적인 것에 있는 것
　이 아니고 자본주의의 서양에 대한 깊은 민족주의적 분노를 반영하는 것이 대부
　분이었다. 이대조는 계급투쟁이론을 개변시켜 마르크스의 결정론을 약화시키고
　의식적인 인간활동에 집중해 민족주의적 분위기를 띤다(모리스 메이스너, 권영빈
　역, 『이대조 : 중국사회주의의 기원』, 지식산업사, 1992, 24~168쪽).

하였다. 천도교의 『개벽』지에서도 민족과 계급을 논하며 근세사회사상사
를 실어 맑시즘을 소개했다.[32] 또한 중국의 공산주의자인 이대조를 『현대
평론』에 소개하여 중국혁명의 일군으로 추앙하였다.[33] 선진 독립국에서는
무산계급이 진정한 계급운동을, 그리고 식민지 및 반식민지에서는 피압박
민족이 장쾌한 민족운동을 벌이는 것이 역사적 흐름이라 인식하였다. 따라
서 조선 정치운동의 방향은 민족통일을 목표로 투쟁을 준비하는 것이라
하여 식민지 민족운동과 세계무산계급운동을 결합시켰다.[34]

> 일민족에 한한 순부르조아적 운동에만 그쳐서는 무력한 것이오. 현세계
> 의 비판 주체인 세계 프롤레타리아트의 운동과 연결되어야 비로소 유력
> 한 운동으로 진전할 수 있는 것이다. …… 조선사회운동은 그 초기에 있
> 어 조선민족운동에 대하여 무자비하게 싸웠다. 그러한 그 운동이 1927년
> 부터는 그 스스로가 조선민족운동을 일으키게 되었다. 이곳에 운동의 변
> 증법적 발전이 있는 것이다.[35]

(1) 천도교와 사회주의의 결합

이와 같이 1920년대 사회주의는 모든 조선 지식인에게 있어 공감을 하
든 안 하든 유행적인 사조로 확산되었다. 천도교 역시 민감한 반응을 드러
내어 두 가지 양상을 나타낸다. 하나는 최동희와 같이 공산주의의 계급편
파성을 거부하고 자체적으로 무산 민중을 중심으로 한 무장투쟁운동을 전
개하여 '고려혁명당'이 결성된 것이고,[36] 둘째는 사회주의와의 결합을 도모

---

32) 『개벽』 51, 1924.9.
33) 「今」, 『현대평론』 1928.5, 140쪽.
34) 노정환, 「조선사회운동의 사적 고찰」, 『현대평론』 1928.2(노정환은 안광천의 異名
임).
35) 노정환, 「조선사회운동의 사적 고찰」, 『현대평론』 1928.2.
36) 해월 최시형의 맏아들인 최동희는 단재 신채호를 만나고 무장투쟁론에 대한 깊은
감명을 받아 독립자금을 지원했으며, 레닌과도 만났다. 정규선이나 형평사 핵심인
물인 이동구 등과 함께 고려혁명위원회를 결성하여 고려혁명당 결성을 주도했다.
또한 그는 1930년대에 민족단일당 운동을 주도적으로 펼쳤던 김원봉과 화요계 사
회주의자의 중진 김약수, 이여성과 의형제를 맺었다(최정간, 『해월 최시형가의 사

한 것이다.

천도교 구파나 신파 모두 사회주의자들과 함께 사회운동을 벌였다. 구파의 경우 6 · 10 만세나 신간회 결성에 함께 관여했고, 신파의 '조선농민사' 창립이나 『개벽』 등의 잡지발간에 사회주의자들이 함께 참여 활동했다. 이돈화는 신문화운동을 제창하면서도 조선농민사 창립후 조선농민사 이사회의 명의로 적색농민인터내셔날에 가맹청원을 냈고(1925년 10월),[37] 고려혁명당을 조직했던 최동희는 레닌에게 조선혁명을 지원해 줄 것을 요청했으며,[38] 박인진을 중심으로 한 천도교인들은 김일성과 함께 조국광복회 활동을 했다.[39] 그 당시 양명도 현재 조선 내 실제운동에 종사함에 있어 민족, 사회의 양파세력을 무시하거나 또는 양파와 아무런 관계를 짓지 않고는 힘있는 운동을 펼치기는 不可할 것이라 하였다. 그 시대는 민족주의가 사회주의요 사회주의가 민족주의인 시대였다.

케케묵은 傳來적 관념으로 현대 조선민중의 생활에 간섭함도 한 망상이거니와 외래적 개념을 민중의 요구보다 먼저 함은 근본적으로 틀린 태

람들』, 웅진출판, 1994, 233~234 · 247쪽). 김약수는 현하의 자본주의 위기로 인하여 제국주의의 모든 국가가 프로레타리아혁명의 전야가 되는 현계단에 있어 부르조아 민주주의혁명은 곧 프로레타리아혁명에로의 直走的 서곡이 되지 않을 수 없다 하여 민주주의혁명과 사회주의혁명을 한 개의 철로에 놓인 두 바퀴와 같다고 한 인물이다(김약수, 「조선운동의 신전개」, 『비판』, 1932.2). 김원봉은 의열단 단장으로서 민족혁명당, 인민공화당 등을 조직했다. 의열단의 성명서에는 '민족의 절대 다수가 노농대중이고 가장 혁명적인 층도 그들이므로 현재 급속히 진전한 조선 노농계급의 운동을 더욱 발전시키고 독립운동과 연락시키는 것이 협동전선의 최대조건이 되지 않으면 안 된다'고 하였다(염인호, 『김원봉 연구』, 창작과비평사, 1993).

37) 조규태, 『1920년대 천도교의 문화운동연구』, 서강대학교 박사학위논문, 1998.
38) 최정간, 『해월 최시형가의 사람들』, 웅진출판, 1994. 한편 고려혁명당 주도세력에 대해서는 여러 견해가 있다. 신주백은 천도교연합회의 지도자인 최동희와 정의부의 후견인 역할을 하고 있던 양기탁이 함께 주도한 것으로 보고 있다(신주백, 『만주지역 한인의 민족운동사 : 1920~45』, 아세아문화사, 1999, 118~119쪽). 그러나 최정간은 창당 초기의 주도세력은 최농희를 비롯한 천도교 혁신세력으로 나중에 정의부가 함께 결성에 참여한 것으로 보고 있다.
39) 성주현, 「1930년대 천도교의 반일통일전선운동」, 『한국민족운동사연구』 25, 2000.8.

도이다. 조선민중의 요구를 기초로 한 조선 실제사정에 적용될 만하고 생명있는 발전가능성을 가진 주의가 아니면 민중이 응할 리도 없으려니와 그 주의는 민중 생활의 표면에서 겉돌고 있는 죽은 개념에 불과할 것이다. 물론 외래적 관념이라도 민중의 요구와 합치한다면 우리는 조금도 서슴지 않고 이것을 흡수할 것이며 만일 진정히 민중의 요구를 기초로 한 주의라면 그것이 레닌주의와 합치되거나 혹 워싱턴주의에 공명하거나 우리는 조금도 주저하지 않고 악수할 것이다. …… 금일의 조선에는 민족주의와 사회주의의 대립이 민중의 요구의 반영이 아니요 다만 사상경향의 차이에 불과한 것이니 어느 민족주의자든지 물어보라. 그는 사회주의자의 정강보다 다른 것으로 대답하지 못할 것이다. 어느 사회주의자든지 물어보라. 그는 민족주의자의 말과 크게 다를 것이 없을 것이다.[40]

양명은 조선의 문제를 해결함에 있어 케케묵은 전래적 관념으로 한다는 것은 망상이요 외래적 이념을 민중의 요구보다 먼저 함도 잘못된 것이라 한다. 오직 조선민중의 요구를 기초로 하고 조선 실제사정에 적용될 만하며 생명있는 발전가능성을 가진 주의라야 민중이 응할 것이라 한다. 외래적 관념이라도 민중의 요구와 합치하기만 한다면 레닌주의든 워싱턴주의든 주저할 이유가 없다는 것이다. 그는 사회운동에 있어 민중 기초를 분명히 하였고 이 전제 하에 민족과 계급이 결합할 수 있음과 나아가서 천도교와 사회주의의 결합을 설명해냈다.

실제로 1920년에 사회주의자 이봉수(천도교인), 주종건, 최팔용, 김철수, 김종철, 이증림, 도용호, 엄주천 등 상해파 인물들은 최린의 집에서 천도교인 최혁(최린의 아들), 김달호 등과 함께 최초의 사회주의운동결사인 '사회혁명당'을 조직하였다. 특히 상해파의 박진순은 타협적 운동기관이었던 신파의 천도교청년당을 코민테른에 소개하기 위하여 전력을 다하였고 천도교청년당원인 김기전 등은 레닌과도 만났다. 이는 최혁과 김달호를 매개로 천도교와 사회혁명당이 일정한 관계를 맺고 있었기 때문일 것이다. 또한 1925년 10월 천도교 조선농민사가 창립되는데, 이 창립에 이봉수, 한위건,

---

40) 양명, 「여시아관」, 『개벽』 65, 1926.1.

홍명희 등 사회주의자들이 참여하였다. 박진순은 3·1운동 당시 합법적으로 국내에 존재할 수 있었던 것은 종교밖에 없다고 했는데 그는 천도교의 계급성을 가장 높이 평가했다. 천도교 3백 만의 구성원은 빈농 및 중농, 그리고 백정 및 급진적 인텔리겐차로 이루어져 있었다. 따라서 상해파 사회주의자들은 천도교의 진보적 성격과 조직을 인식하여 이들과 통일전선을 구축하고자 했던 것이다.[41]

　1920년대 천도교와 사회주의자들의 민족, 사회 각각의 운동은 조선사회의 물적 기초와 외세적 충동으로 당연히 일어나지 않을 수 없었고 민족운동과 사회운동의 전선이 같음을 주장하였다. 그리고 백남운이나 이광수, 최린 등의 자치론에 대해서는 철저한 비판을 가했다.[42] 민족개량주의자가 말하는 자치제도라는 것은 '그 선거권에 있어서 제국신민인 연령 25세 남자로서 독립으로 생계하고 1년 이상 해당 지역에 거주하며, 1년 이상 조선총독이 지정한 세금액 5원 이상을 납입한 자'라 규정한 일본안을 염두에 둔 것이었다. 하지만 실제로 조선인으로서 5원 이상 납부한다는 것은 불가능했다. 호구 수는 많아도 유권자는 적으니 호구 수는 적어도 유권자는 많은 일본인이 우세한 상황임이 뻔하고 그러니 조선인에게 아무 이익이 없다는 것이 천도교와 민족적 사회주의자들의 입장이었다.[43]

　최린이 비록 천도교 신파의 거두였지만 그의 자치론은 천도교 신파의 노선과는 무관했다고 볼 수 있다. 따라서 최린이나 정광조가 내세운 자치운동을 의식하여 천도교를 민족개량주의로 보는 것은 성급하다. 천도교와 조선사회주의자들은 농민, 노동자, 무산자계급이 주체적으로 움직이는 민족독립운동을 구상한 점에서 결합되었다. 민족개량주의자들의 자치운동이나 비정치적인 문화운동, 분리운동과는 달랐다.

---

41) 이균영, 「김철수연구」, 『역사비평』 3, 1998 겨울호 참고.
42) 김동진, 「동화와 자치와 독립의 구분」, 『현대평론』 1928.
43) 이학종, 「지방자치와 조선사람」, 『혜성』 1931.5, 52쪽. 천도교의 자치론자인 최린
　　은 천도교 내에서 개인적인 행로로 평가된다. 이 낭시 천도교청년동맹과 김기전,
　　이돈화를 비롯한 천도교청년당은 자치론 표명에 대해 반대를 분명히 한 바 있다
　　(『조선일보』 1930년 4월 9일자).

기존 연구[44]는 천도교의 문화운동을 수양동우회 계열의 안창호나 이승만, 주요한 등의 그룹과 또는 흥업구락부 계열인 이승만, 신흥우, 윤치호, 이상재 등이 벌인 문화운동의 범주에 같은 색깔로 집어넣고 있는데 천도교의 신문화운동은 이들 미국에 영향받은 기독교 자유주의자들의 문화운동과 구별되어 평가할 필요가 있다. 또한 박찬승은 천도교가 자신의 자치운동세력을 보다 강화하고자 사회주의자들과 연합하여 조선농민사를 만들고 후에 청년당 소속으로 완전히 귀속시켰다고 말하는데[45] 조선농민사의 분리는 다른 관점에서 볼 수 있다.[46] 천도교 내 신문화운동도 최린의 자치론적 입장과는 별도로 이루어진 것으로 보아야 한다.

1920년대의 사회주의자들은 민족유일당을 결성하기 위해 비타협 민족주의자와의 연계를 모색하는데, 그들 가운데 조선에서 가장 세력있는 천도교를 끌어들이는 것이 급선무며 또 유효하다고 판단하여 천도교를 주된 대상으로 한다.[47] 1926년 6·10 만세 사건을 둘러싸고 사회주의자들과 천도교인들이 만든 격문을 보면 그 통일전선의 성격을 알 수 있다.

우리는 일찍이 민족적 및 국제평화를 위하여 1919년 3월 1일 조선의 독립을 선언했다. 우리는 역사적 복수주의를 반복하려는 것이 아니라 일본의 통치로부터 벗어나려는 것뿐이다. 우리의 독립선언은 정의의 결정이며 평화의 상징이다. 그럼에도 불구하고 제국자본주의의 횡포한 일본 정부는 학살, 고문, 징역, 교수 등의 악형을 가지고 우리를 대하고 있다. 우리는 죽음의 땅에서 헤어나지 못하여 눈물을 흘리고 있다. 그러나 우는 것만으로는 죽음의 땅으로부터 탈출하는 것이 불가능하므로 정의의 결합을 한층 강고히 하여 평화적 요구를 더욱더 강력하게 내걸고 싸우지 않으면 안 된다. 2300만 민족의 마음이 하나가 되어 더욱 단결하면 광폭한 총검도 무서울 것이 못 된다. 현재 세계정세는 식민지 민중 대 제국주의 군벌의

44) 박찬승, 『한국근대정치사상사연구』, 역사비평사, 1992 ; 서중석, 『한국근현대의 민족문제연구』, 지식산업사, 1989.
45) 박찬승, 『한국근대정치사상사연구』, 역사비평사, 1992, 344쪽.
46) 이성환 개인의 독단성으로 인한 것으로 초점이 모아진다.
47) 김준엽·김창순, 『한국공산주의운동사 2』, 청계연구소, 1988, 454쪽.

투쟁과 무산자계급 대 자본자계급의 투쟁으로 전개되고 있다. 제국주의 군벌에 대한 식민지 민중의 투쟁은 민족적 정치적 해방을 목적으로 하는 것이다. 그러므로 식민지에 있어서는 민족해방이 곧 계급해방이고 정치적 해방이 곧 경제적 해방이라는 것을 알지 않으면 안 된다. 식민지 민족이 총체적으로 무산자계급이며 제국주의가 곧 자본주의이기 때문이다. 그러므로 현재 우리는 당면한 적인 침략국 일본으로부터 정치적 경제적인 모든 권리를 탈환하지 않으면 죽음의 땅을 탈출하는 것은 불가능하다.[48]

이는 천도교 민족주의와 공산주의가 민족해방을 목표로 하여 합류하는 근본적 요인을 말해 준다. 1927년 신간회가 발족한 것도 이 6·10 만세운동의 연장선 상에서 이해되어야 할 것이다.[49] 사회주의의 수용은 시대정세상 민족독립을 위한 것임이 분명히 드러나고 있으며, 조선인의 단결을 통하여 자본제국주의와 싸워야 하는 조선무산자 식민지 현실을 말하고 있다. 그들이 내걸은 교육구호도 그들 결합의 산물이었다. 이 당시 조선인의 학교교육에 대한 요구는 기존 식민지 관제학교의 확산을 요구하는 것이 아니라 조선인 본위의 학교로서 조선어 교육과 조선인 교장을 요구한 보통교육의 확대였다.

> 조선인 교육은 조선인본위로! 보통교육을 의무교육으로! 보통학교 용어를 조선어로! 보통학교장을 조선인으로! 중등이상 학생집회를 자유로! 대학은 조선인을 중심으로![50]

(2) 신간회 해소를 둘러싼 각 세력의 입장과 대립

1920년대 초기에 천도교가 사회주의자와 결합하여 민족운동을 벌이고, 함께 농민운동을 한 것은 같은 정세파악에서 나온 것이었지만 결국 천도교는 그들과의 이념적 차이로 갈등을 드러내게 된다. 민족유일당인 신간회

---

48) 이재화편역, 『한국근대민족해방운동사 I』, 백산서당, 1986, 138~139쪽에서 재인용.
49) 표영삼, 「6.10만세와 천도교」, 『신인간』 509, 1992.12.
50) 이재화편역, 『한국근대민족해방운동사 I』, 백산서당, 1986.

가 해산되자 사회주의자는 더욱 교조적으로[51] 그리고 자유주의자는 보다 비정치적 표현단체로 분리되었다. 천도교는 사회주의와 결합하여 활동했던 그 동안의 입장을 정리하고 보다 천도교적 민족주의 입장으로 돌아가 운동론이 분열되는 양상이 일었다. 1930년대로 넘어가면 천도교와 사회주의자들 간의 논쟁이 치열하게 일어나고 사회주의자들은 천도교와 자유주의자들을 함께 묶어서 비판했다.

> 우리는 이광수의 국제적 哀訴가 우습기 여지업는 것이다. 민족문화와 이광수=자본주의 주구만세! …… 그러타 그들은 절대적 합법주의를 이용하야 예술적 형식을 빌어가지고 맑쓰주의를 쓰면서 일반을 기만하려고 하는 것이다. 이리하여서 계급적 부르조아지 역할을 다하려고 하는 것이 최근의 최서해, 김동환, 개벽사 잡지기자 등등의 행동이 그것이다. …… 우리는 인류역사 발전과 다수민중 행복을 위하는 문화를 건설하기 위하여 이들을 무자비하게 비판하고 그들의 연극행동을 타도하는 데 용감하자.[52]

교조적 사회주의자들은 이광수를 자본주의 주구로서 비판하고 나아가 카프문학을 주도했던 최서해나 김동환, 그리고 여기에 개벽사 기자를 포함하여 마르크스의 탈을 쓰면서 민중을 기만하려는 자라 비난하였다. 이들이 주장하는 무산자 헤게모니 전취는 전민족적 민중운동을 펼치는 천도교와 다를 수밖에 없다. 천도교는 민족과 계급을 하나로 이해했기에 계급 우선의 헤게모니 전취를 주목표로 하는 것에는 반대하였다. 1927년 신간회 결성 당시 사회주의자들의 참여는 정치운동으로서 비타협 민족주의자들과의 협동전술을 목적으로 한 것이었다. 그러면서도 한편 식민지 조선에 마르크

---

51) 신간회 해소 당시 사회주의자들의 양상은 대략 세 부류로 인식된다. 첫째, 프롤레타리아 헤게모니 전취를 부르짖는 계급투쟁적 양당파로 교조적 사회주의자, 둘째, 민족과 계급을 대립으로 보지 않고 결합하고자 했던 민족적 사회주의자, 셋째, 자치론자까지지도 포용하여 연합전선을 그대로 유지할 것을 제기하고 신간회 해소 반대를 표명했던 청산론자다. 신간회가 해소된 것은 첫째 부류의 인식이 강하게 지배하고 있었음을 말해 준다.

52) 민병휘, 「예술시감」, 『비판』 1932.8.

스 사상을 이식시켜 프롤레타리아 헤게모니를 전취하고자 하였으나 많은 문제점이 따랐다. 조선인 대다수가 노동자가 아닌 농민으로 이루어져 있고 일제의 치안유지법에 따른 혹심한 억압은 정상적으로 사회주의운동을 뿌리내리기에 척박했다. 거기에다 일제에 의한 조선공산당의 잦은 취체와 이에 따른 와해로 공산주의자들은 더욱 교조화되어 가는 경향을 띠었다. 신간회 내에서 노동계급의 헤게모니 전취론이 대두되고 민족개량주의자들에 대한 신랄한 비판과 함께 당파적 성향으로 기울어 갔다.

황하민은 조선청년총동맹의 조직 당시에 무산청년의 독자적 투쟁을 강화하여 기계적 조직과 인정적 결합을 피하고 노동조합 및 농민조합 등에 청년부를 조직하고 투쟁을 통하여 계급진영의 편성을 기하였더라면 금일의 결과를 낳지 않았으리라 한다. 그 당시 청총의 강령은 '사회를 혁신할 事, 세계의 지식을 廣求할 사, 건전한 사상으로 단결할 사, 덕의를 존중할 사, 건강을 증진할 사, 산업을 진흥할 사, 세계문화에 공헌할 사'였다. 그는 이러한 강령을 비판하여 '정신주의적, 관념적, 文化軟化主義的 환희'라 했다. 이는 벌써 그 조직권 내에 개량주의적 투기주의적 요소를 포함하고 있었다는 것이다.[53]

결국 신간회 해소 후 사회주의의 각 사회단체는 민중 재조직에 들어가는데 박문희는 "조선의 맑스주의자는 노동자 농민과 조직적 활동을 등한시하고 혹은 대중에게 유리되고 혹은 대중보다 先走하여 대중을 직접 지도하지 못하였다"고 반성하여 전위와 대중의 긴밀한 결합을 촉구했다. 노동자 농민이 직접 투쟁하는 곳을 중점두어 대규모의 공장지대에 활동을 집중시키며 지금까지 무관심했던 노동파업을 지원하고 노동자 농민의 쟁의를 자연생장적 활동에 그치지 않고 정치화시킬 것을 그는 말했다.[54] 박만춘은 식민지의 민족운동은 새로운 조건 하에 있는 무산계급운동의 계속이요 연장이라 하여 무산계급은 경제적, 기술적 및 문화적 건설의 임무를 전사회적 의의에 있어서 전개시킬 수 있으며 농민문제를 완전히 해결할

---

53) 황하민, 「조선청총은 어디로 가나」, 『혜성』 1931.4, 40쪽.
54) 박문희, 「사회단체에 보내는 독촉장」, 『혜성』 1931.5, 50쪽.

수 있기 때문에 식민지에 있어서는 민족운동의 담당자로 자처하는 것이라55) 했다.

한편 김경재는 식민지운동은 농업(운동)을 그 중심적 문제로 하는 부르주아 민주주의(혁명)인 동시에 국민운동이라 하여, 민족운동과 계급운동이 분리될 수 없음을 강조하고, 민족주의 전체를 배격하려는 것은 레닌주의 원칙을 무시하는 것이라 항변하였다.

　식민지에 있어서는 근대적 공업이 아직 대규모로 발전되지 못하여 생산수단의 집중, 노동의 사회화, 임금노동자의 계급적 결성 등이 유약하며 전경제적 기구 특히 농촌에 있어서 생산관계는 중세적 봉건적 방법에 의하여 되고 있는 까닭이라는 것이다. 조선의 현 단계에 있어서 프로레타리아트의 일반적 전략상의 기준은 부르조아 민주주의혁명인 동시에 국민적 운동인 것이다. 그러므로 따로 민족운동과 계급운동을 이 단계에서 전략상으로는 분리하여 볼 아무러한 조건도 가지지 아니한 것이다. 그러나 일반이 인식하기는 프로레타리아트는 민족운동을 파기, 배격하는 동시에 사회주의적 운동에만 치우치는 줄로 생각한다. 이것은 확실히 민족계급 양운동을 분리시켜서 관찰하는 경향이나 일반적으로 식민지 민족운동은 계급적 연대성을 갖는 것이고 또한 이 운동이 무산계급 지도 하의 민족운동이라야 그 성과를 가릴 수 있는 것이다. 민족주의 전체를 배격하려는 것은 레닌주의 원칙을 무시하는 것이니 한 기준적 지도적 지시를 작성할 때에는 한 국가의 국민적 특질과 국민적 특수성을 반드시 고려하여야 한다.56)

김경재는 신간회 해소를 둘러싸고 방향제시에 있어서 민족운동과 계급운동은 결코 분리될 수 없음을 분명히 하고 현 단계에서는 부르주아 민주주의혁명임을 제시하였다. 그는 천도교 언론지의 주된 사회주의자 논객으로서 천도교의 민족노선과 결합할 수 있는 입장을 기본적으로 깔고 있다. 그는 그를 반박하는 김약수 등에게 전략과 전술의 그 원칙상 문제를 레닌

55) 박만춘, 「안재홍씨의 표현단체재건론을 駁함」, 『혜성』 1932.2, 68쪽.
56) 진영철(김경재 異名), 「조선운동의 신전망」, 『혜성』 1931.10, 4쪽.

주의 서적에서 열심히 등사하여 발표하는 것보다 조선이 가지고 있는 일반전략 상의 규정을 과학적으로 해명하는 것이 더 가치있는 일[57]이라고 일침을 가한다. 따라서 이 당시 천도교는 민족과 계급을 분리하여 무산자 헤게모니 전취에만 열을 올리는 관념적 양당론적 사회주의자나 무분별하게 자치론자까지도 옹호하는 청산파적 사회주의자의 입장보다는 상해파나 김경재와 같은 국내 사회주의자들의 입장을 상호 지지하였다고 볼 수 있다.

천도교는 분명 사회주의의 정세파악을 일정 부분 인정하면서 사회주의와 합류하여 신간회를 결성하고 통일전선 하에서 운동을 전개하였고, 1930년대에는 신간회 해소론을 둘러싼 정세인식으로 점차 천도교의 정체성을 명확히 하게 된다. 원래 사회주의자들은 계급의식을 기조로 하여 운동하지 않는 자에 대해서는 이류단체라 비판하여 개선을 촉구하거나 궤멸책을 썼다.[58] 민족운동과 사회운동은 성질상으로 협동되지 못함을 말하고 있고 다만 전략상으로 일시적 협동, 즉 비상 때에 임하여 공동전선에서 공동의 적을 대하는 시기가 있음이라고 사회주의자들은 말한다.[59] 사회주의의 유물론적인 입장은 인내천주의를 표방하는 천도교와도 마찰을 빚어 충돌을 겪게 된다. 한편 자유주의자들의 신간회 해소 비판은 결국 민족운동을 사회운동으로부터 분리를 선언한 것이었다.[60] 이에 대해 사회주의자들은 마치 장개석이 국민당 내에서 당을 제외시키려는 기도와 유사한 것으로 비판했다.[61]

(3) 천도교와 사회주의의 사상논쟁

신간회 해소 이후 천도교와 사회주의자 간에 일어난 사상논쟁의 논점은 세 가지 정도로 요약된다. 즉 천도교 수운이즘과 사회주의자들의 反종교운

57) 진영철, 「김약수군의 『조선운동신전개』에 답함」, 『혜성』 1932.3.
58) 「서선과 남선의 사상상 분야」, 『개벽』 51, 1924.9.
59) 신일용, 「치안유지법의 실시와 조선사회운동」, 『개벽』 60, 1925.6.
60) 『조선일보』 1931년 1월 1일자 사설.
61) 김동수, 「각사회단체 해소론」, 『혜성』 1931.4.

동, 천도교의 영도권 주장과 계급 헤게모니, 물심일치론과 마르크스주의적 유물론에 대한 상호논쟁이다. 일단 발단은 천도교가 영도권문제를 제기한 것에서 시작된다. 이들의 논쟁을 통해 천도교는 사회주의를 긍정하는 측면과 부정하는 각 측면을 표명하고 교조적 사회주의자들에 대해선 철저한 비판의 입장을 취했다. 그리고 사회주의자들 역시 천도교를 매춘부라 비난하는 등 비판의 수위를 높여 가는 갈등의 국면을 겪게 된다.

이러한 사상논쟁에 있어서 천도교의 주된 논객은 조기간, 김형준, 이척, 백세명 등이라 할 수 있고, 사회주의자들의 논객은『비판』지와『신계단』지를 중심으로 한 안병주, 유진희(화요파), 남철수, 김동민, 김약수(화요파), 유해송(화요파) 등이다. 이들은 대부분이 화요파 계열로 민족상황보다 민족소멸과 국제주의노선을 주장하는 공산주의 계파다. 천도교는 1920년대 초기에 상해파 사회주의와 결합하여 협동노선[62]을 폈지만 1930년대에 가서 화요파와는 대립되었음을 볼 수 있다.

① 주도권과 반종교운동을 둘러싼 논쟁

신계단과 천도교 간에 일어난 싸움이 사회적 대 논쟁으로 확대된 것은 1932년 9월 천도교청년당의 잡지인『新人間』지에 조기간이 천도교가 사상과 역량, 그리고 계급과 조직훈련의 측면에서 영도적 지위를 주장한 것[63]에서 발단되었다. 이에 1932년『신계단』지 11월호에 편집국이 게재한「종교시평」에서 남만희가 천도교를 정녀의 탈을 쓴 매춘부라 공격하자, 이에 천도교 청우당은 신계단사를 습격하여 편집인이자 발행인인 유진희를 폭행하는 일이 발생하였다. 이에 격분한 신계단사 및 사회주의 잡지인『비

---

62) 김철수의 증언에 따르면 천도교조직은 상해파와 밀접히 관계되었고 조공 2·3차, 및 춘경원당 결성시 상해파가 주도하여 통합하여 갔기에 이들 사회주의자들의 노선은 민족협동전선으로 신간회결성을 보게 되었다. 그러나 이르쿠츠크파와 연결되는 화요계는 국제주의노선이 강했기에 민족협동전선과는 대립된 면이 있었던 것이다.

63) 조기간,「조선운동과 영도문제 : 모든 운동을 속히 진행시키는 선결문제」,『신인간』 59, 1932.9.

『판』도 신계단사에 가세하여 천도교에 대한 비판적 기사를 다음과 같이 실었다.

> 천도교 청우당 대표 이응진과 수명이 작당하여 11월 19일 신계단사를 습격하여 동지 발행인 유진희씨에게 그 기사의 취소와 사과를 요구하다가 씨의 강경한 계급적 입장으로써 정당하다는 말에 청우당원들의 분노를 더욱 싸서 결국 유진희에게 폭행을 가하였다.[64]

폭행당한 유진희는 앞으로 천도교에 관한 모든 내용을 철저히 조사하여 反개량주의운동의 차원에서 천도교 배격운동에 적극적으로 진출할 것을 대책으로 내놓았다. 이에 11월 21일 신계단 측 재경동지회는 <천도교정체 폭로비판회 창립대회>를 열었고 신계단 특집호를 발간하여 천도교를 공격했다. 창립대회 출석자는 김약수,[65] 정희찬, 유진희,[66] 김추성, 이찬, 이기영,[67] 이남철, 방두파, 박동수, 백철, 이송규, 우봉운, 박호진, 정병, 박일복 등이다. 그들은 유진희가 쓴 글에 대하여 다음과 같이 옹호했다.

> ① 該 논문은 우리들이 영도권문제에 대하여 이론적으로 투쟁하는 전 과정의 一部面 표현이고 금시돌발한 문제가 아니다.
> ② 該 논문은 천도교의 농민 기만적 정체와 정치적 조직에 있어서의 개량주의적 동향 등에 관련시켜 이러한 집단이 조선운동 領權을 주장하는

---

64) 「신계단사 습격사건과 … 천도교 정체 폭로비판회 조직 경과 ……」, 『비판』 1933.1.
65) 김약수는 1922년 사회주의 사상단체 '북성회'의 결성을 주도하고, 1923년 3월 기관지 『척후대』를 발간했다. 1925년 북풍회 임시총회를 개최하여 화요회와의 합동을 결의했다. 1차 조공사건으로 투옥되었다가 출옥 후 1931년 잡지 『비판』을 발간했다. 1945년 9월 한국민주당에 참여하여 조직부장이 되었다.
66) 유진희는 충남 예산 출신으로 1921년 5월 고려공산당 대표자회의에 국내대표의 일원으로 참가하고 중앙위원으로 선임되어 기관지부를 담당했다. 1924년 10월 시대일보 기자가 되었고 이 무렵 화요회에 참여하여 중앙집행위원으로 선임되었다. 1925년 조선공산당 결성에 참여 체포되어 1928년 징역 4년을 선고받았다. 1932년 『신계단』 발행인 겸 편집인이 되었다.
67) 잡지 『조선지광』과 『신계단』 기자.

것을 배격할 것.

③ 그들이 정녀의 탈을 쓰고 매춘부라는 문구만을 들어서 모욕이라고 말
    하는 것은 해 문구와 전체 논문을 분리시켜 영도권을 주장한 자기들의
    근본오류를 은폐하고 그 포악한 감정적 행동을 합리화시키는 구실에
    불과하다는 결점에서 이 논문을 정당한 것으로 결정하고 ……

그러나 『신계단』이나 『비판』지가 천도교에 대한 비판과 말살을 주장하
는 입장과 달리 오히려 이를 비판하는 사회주의세력도 많았다. 예를 들면
진영철의 「조선운동의 신전망」[68]과 잡지 『비판』에서 좌익민족주의자와 민
족개량주의를 구분할 필요 없이 양자 모두를 투쟁대상으로 하여 계급 헤
게모니를 전취해야 한다는 글[69]에 반박을 가한 '「비판의 비판」의 반비
판'[70]의 논박이 있다. 여기서 진영철은 민족주의자와의 제휴를 주장하고
오직 주도권 확보를 위해 폭로투쟁을 하는 사회주의자들을 비판했다. 또한
『비판』과 『신계단』 사회주의자들과 초기에 활동을 같이 했던 <사회실정조
사소> 연구원들로 기관지 『이러타』지에 신계단 반박문을 낸 이남철, 김수
성 등이 있다.[71] 그리고 상해파였던 장덕수는 국제주의와 계급노선을 강조
하는 화요파 사회주의자들을 '不良紳士'라 비판하였다.[72] ML계인 이재유
는 전체 사회주의자들의 총체적인 파벌의식에 분노하면서 특히 화요파를
비판하여 '국제적 지령을 기계적으로 적용하려 한 유학생단의 부동적 조
직'[73]이라 하였다. 이재유는 상당수의 공산주의자들이 민족주의를 개량주
의로 매도하면서 계급주의에만 매몰되어 있었던 것과 달리 민족혁명적 관
점을 일관되게 주장했다.

한편 당사자인 천도교의 조기간은 다음과 같이 사회주의자들을 비판하

68) 『조선지광』 1930.8. 여기서 진영철은 '식민지 민족운동은 계급적 연대성을 갖는
    것이고 또한 이 운동이 무산자계급의 지도 하에 민족운동이라야 그 성과를 가릴
    수 있는 것'이라 하였다.
69) 「비판의 비판 - 좌익민족주의자와 조선운동」, 『비판』 1931.11.
70) 진영철, 『혜성』 1931.12.
71) 김동민, 「社調는 어데로 가나 - 다시 그들의 표명문에 대하야」, 『신계단』 1933.3.
72) 『동아일보』 1922년 2월 15일자 사설, "不良紳士를 배척하라".
73) 김경일, 『이재유연구』, 창작과비평사, 1993, 21쪽.

여 맞대응했다.

① 생활로서 중간에 있고 ② 생활이 중간임으로 지식을 조금 닦을 수 있었음으로 인테리층임으로 시대의 변천을 비슷이나마 아는 것 ③ 특권계급에는 신용을 잃어서 쓰여지지 못하는 것 ④ 무산계급 조직에는 희생정신이 없어서 몸을 아끼게 되며 봉건사상의 지배적 횡포의 발로로 깨여지지 못하는 것 ⑤ 글자를 알므로 마음으로는 소부르조아의 심리를 전형적으로 가지면서도 혀끝과 붓끝으로는 계급주의 운운을 외치면서 보호색과 완충지대를 기묘하게 만들어 놓고 그 안에 재간있게 들어 앉아서 밥을 벌어 먹어가는 그 따위가 자연히 생겨서 민중운동을 교란하며 현란케 하여 방해하게 된다.74)

조기간은 사회주의자들을 소부르주아층으로 규정하는 동시에 봉건사상에서 벗어나지 못한 채 계급만을 부르짖을 뿐 무산계급조직에게는 희생정신이 없는 자들이라 하였다. 그들은 민중이 속으리만큼 민중을 현혹케 하고 민중운동을 방해하는 단체로서 그들의 <비판>은 非비판이요 <신계단>은 구계단이라 비난했다. 이와 같이 이응진은 조기간의 입장을 지지하여 천도교의 영도적 역량에 대하여도 다음과 같이 말했다.

어떤 집단이 그 사회에서 영도적 실력을 가지고 있느냐 없느냐를 논할려면 그 집단이 1) 어떠한 계급에 속하였는가 2) 모든 개벽적 세력을 잘 결합시키었는가 3) 실천적 경험이 있는가 4) 이론으로 무장하였는가 이러한 점을 알아 보아야 한다. 첫째, 천도교의 구성원은 대부분이 농민이요 그 다음은 노동자이다. 그러므로 천도교는 어떠한 층에 속하였는지 알 수 있을 것이다. 그런데 조선의 사회관계는 개벽부대 주력층의 遷移를 보게 되었다. 그러므로 우리의 집단은 농민중심의 조직으로부터 차츰 노동층 중심으로 옮아가고 있다. 이러함에도 불구하고 南君은 천도교는 농민을 중심으로 한 집단이므로 과거에 있어서는 마치 1860년경 러시아에 있어

---

74) 조기간, 「계몽운동의 대필요 - 신계단 및 비판사의 미몽을 파함」, 『신인간』 63, 1933.1.

서 농노해방과 함께 나로드니키!의 자유주의적 활동과 같은 역할을 하였
으나 농민은 오늘날 사회에 있어서 기본적 계급이 되지 못함으로 천도교
의 집단은 할 일을 다 하였다고 하였다. 이 얼마나 천박한 생각이랴 ……
둘째, 모든 개벽적 역량을 잘 결합시키었다. 이 계단에 있어서 역사적 임
무를 수행할 역량은 (한 부류의 민중만 결합한 것은 아무 가치가 없다고
하여도 가하다) 전체 하층민중의 힘을 결합한 것이라야만 한다. 그런데
우리 천도교의 전위 청우당 지도하에 농민, 노동자, 청년, 학생, 여성, 소년
등 각층 하층민중을 조직, 훈련시키고 있다. …… 셋째, 우리는 실천적 경
험이 충분하다. 아무리 새역사를 창건할 임무를 띤 집단이라고 할지라도
그 집단이 형성 도중에 있다든가 실천적 아무 경험이 없는 것이면 역사적
임무를 다할 수가 없는 것이다. …… 이러한 辛苦한 경험 없이 소수 인테
리층의 호언장담이나 또는 약간의 여직공 閑散노동자들의 실천경험으로
서뿐 되어지는 것이 아니다. …… 넷째, 우리는 이론으로 무장하였다.[75]

한 집단에 있어서 그 사회의 영도적 실력은 그 집단이 어떠한 계급에 속
하고, 모든 개혁적 세력을 얼마나 잘 결합시키었는가, 그리고 실천적 경험
과 이론의 무장이 있는가를 기준삼을 때 천도교의 역량은 이에 합당하다
는 주장이다. 천도교는 대부분이 농민이요 노동자로서 민중 주체세력을 담
지하고, 모든 전체 하층민중의 개벽적 역량을 잘 결합시켜 농민, 노동자,
청년, 학생, 여성, 소년 등 각 부문을 조직하였고, 또한 실천적 경험과 이론
으로 무장하였다는 것이다. 그러나 이러한 주장은 사회주의자들의 반발을
더욱 부채질하는 결과를 낳아 서로 간의 주도권 논쟁은 쉬지 않았다. 한철
호는 천도교인 백세명의 글 「청년농민의 사명」에 대해 『신계단』 12월호에
비난문을 발표하였고, 이에 백세명은 "쓸데없는 野蠻的 태도로서 오히려
참되게 농민운동을 진전시키는 편을 향해 앙탈하는 나쁜 심술을 경계한
다"고 했다. 그리고 조선에서 중심세력이 턱지어진 천도교 농민운동 때문
에 자기네들의 아무것도 하지 않는 가짜 농민운동이 조금도 진전되지 않
는다고 비명을 발하는 것이라 논평하였다.

75) 이척, 「사이비운동이론의 비판 - 영도권문제에 대한 재론」, 『신인간』 63, 1933.1.

한군은 생산관계니 사회관계니 하여 그것이 무슨 절대의 진리나 되는 것처럼 중언부언했더라만은 사실에 있어서는 그것이 인간의 의식과 행동을 통해서만 모든 조건이 결정되는 것이다. 극단의 유물론적 경향을 비웃으련다. 이 세상 모든 일은 항상 그만한 내외관계가 있는 것이다. 그러나 그 내외란 것은 하나이오 둘이 아니다.76)

극단의 유물론적 경향을 비판하는 이러한 입장은 일찍이 1920년대에 천도교 내부에서 표명된 바이기도 하다. 최동희와 함께 고려혁명당 조직에 참여했던 정규선은 다음과 같이 입장을 천명했었다.

계급적, 도당에 불과한 사회주의는 초국가적 세계를 만국을 통하여 노동자 외에도 각 민중의 연대사회를 건설코자 함에 노력할 것이다. 그러면 이 점에서 사회주의는 사회연대의 정신을 근본으로 할 것이어늘 왕왕이 피등은 전혀 일부의 자본계급에 대한 투쟁의 관념에만 幽囚되었으며 진실한 만민동포의 관념에서 基하는 공산사회의 실현에 향하여는 그 향방을 不知한다. 장래의 사회는 진실한 인류동포형제적 관념으로 한 공산적 사회가 아니면 불능할 것을 思하노라. …… 공산주의자가 칭함과 같이 재산의 공동분배로만은 결코 신효한 양약이 되지 못할 것이다. …… 소위 다대한 정신적 요구를 갖은 인생이 다만 재화의 소득으로만 영구의 만족을 구입함이 결코 아니니 재화로만 만족하는 여사한 사람은 몰이상, 무지각, 저능자에 不外하다. 그러므로 공산주창은 사회연대정신을 발휘시키는 근본의 자격은 없으며 향로와 방법이 완전치 못하니 십년적대에 대하여 일시복통을 그치는 일점 초약에 불과한 감이 유하다. …… 오인은 무계급적 민중주의의 사회생활을 하시에든지 요구함을 마지아니할 것이다.77)

사회주의자들은 계급적 도당으로 자본계급에 대한 투쟁관념에만 갇혀 진실한 만민동포의 관념에 기초하는 공산사회의 실현에 대해서는 알지 못한다는 것이다. 장래의 사회는 진실한 인류 동포 형제적 관념의 공산사회

76) 백민, 「자격없는 소위 농업이론비판자에게」, 『농민』 1933.1.
77) 정규선, 「개조문제에 관여하는 사회연대의 정신」, 『개벽』 27, 1922.9, 25쪽.

가 아니면 불가능하다는 입장에서 무계급적 민중주의를 주장한다.

1929년에는 천도교의 <조선노동사>가 창립된다. 노동 현장에 들어가 그들을 계몽하며 나아가 현실적 과감한 투쟁을 전개하려 함에 목적으로 두어 그 지침을 다음과 같이 제시하였다.

　　실제로 노동하는 사람을 본위로 공장, 직장 등의 집단 속에 들어가 그들을 계몽하며 나아가 현실적 과감한 투쟁을 전개하려 한다.
　　一. 노동대중의 현실적 불안에 대한 생활권 확보를 기함.
　　一. 노동대중의 의식적 훈련을 기함.
　　一. 노동대중의 공고한 단결로써 전적운동을 지지함[78]

천도교는 시대정황에 따른 판단에 따라 노동운동을 전체운동 안에 끌어들이고 조선현실을 기점으로 하여 민중운동을 한층 더 강화하여 갔다. 농민과 노동자를 주력층으로 하기에 민중투쟁의 역량을 확보하고 있었고, 많은 실천경험과 확고한 이론으로 무장되었음을 자부하면서 천도교의 운동노선을 그려내고 있었다. 정규선이 말한 것처럼 무계급적 민중주의를 기초로 반일민족통일전선을 지향함이다. 천도교는 신간회 해소를 사회주의자의 양당론파처럼 프로레타리아의 헤게모니나 계급투쟁 의식의 전취 차원에서가 아니라 민족 단일당의 성격을 민족주의로 재규정함에서 해소론을 정리하고, 향후의 운동방향을 다음과 같이 말하였다.

　　계급적 입장에서 보면 농민노동단체를 확대강화하여 비표현단체인 **당 지도 밑에서 조선의 무산자(투쟁)을 도모하여야 한다는 이론을 수립할 것이나 그러나 조선의 정세는 이상과 같은 이론을 要치 않는다. 조선은 他의 자주국의 무산자운동과는 전연 차이가 있음을 알아야 한다. 요컨대 조선운동은 현실적 당면투쟁은 **에서 떨어져 나오는 첫째 계단을 먼저 過程하여야 한다. 그러면 다만 무산자 그룹만이 그 역할을 수행할 수 있느냐 하면 그런 것이 아니다. 기존한 모든 단체의 총연결체인 협동전선당

78) 「조선의 동태」, 『농민』 1931.6.

이라야 가능하다. 그러나 이 속에 있어서 농민 노동자는 핵심 즉 전투부
대란 것을 잊어서는 안 된다.[79]

　조선의 민중운동은 무산자운동으로서 자주국의 무산자운동과 달리 계급
적 당파성이 아닌 협동전선당이어야 가능하고 이 중에서 농민, 노동자는
전투부대임을 잊어서는 안 된다고 주장한다. 천도교는 사회주의자들이 개
량주의로 비판한 것처럼 그리고 자유주의자들이 비정치성을 표방한 것과
는 달리 사회운동의 주체로서 사회주의자들과 함께 결합도 하고 노선의
모순에 따라 때로 결별도 하지만 근본적으로 항일이라는 이름 아래 통일
전선을 추구하고 있었다. 따라서 천도교의 문화운동은 애초부터 사회변혁
운동과 함께 하는 것이었다.

　　지금에 우리가 高調하는 문화운동으로 논의하면 문화운동 그 자체가
　틀렸다 하거나 혹은 그러한 문화운동으로 구제된 실례가 업섯다 함도 아
　니다. 오늘의 우리 형편에 잇서는 그와 같은 운동은 너무나 원칙적이오
　너무나 평범하다. 밥을 먹으며 사는 것이 원칙이나 당장 중병에 걸리어
　죽으려 하는 사람까지 반다시 밥을 먹어야 사는 것은 아니다. 가령 우리
　의 지금 형편이 김옥균씨 일파의 분주하던 갑신년간만 같고 일본이 維新
　하던 明治初年만 같다 하면 금일의 문화운동으로써도 구제될지 모른다.
　그러나 오늘의 형편이 그때가 아닌 것은 누구라도 認하는 바가 아닌가.
　이제 우리가 문화운동의 필요를 認한다 하면 그 정도는 다못 원칙이다 하
　는 거기에서 즉 어느 때라도 그것은 할 것이다 하는 거기에 한할 것이오,
　만일 여기서 한걸음을 그릇하야 문화운동으로써 우리가 완전히 구제될
　것으로 믿는다 하면 이는 큰 잘못이다.[80]

　일찍이 신채호도 일제가 정치, 경제적으로 압박을 가하여 경제가 날로
곤란하고 생산기관이 전부 박탈되어 의식의 방책도 마련하기 어려운 때에
어떻게 실업을 발전시키며 교육을 확장할 수 있겠느냐고 하였다.[81] 천도교

79)「조선의 동태」,『농민』1931.6.
80) 民族一致,「大同團結을 云爲하는 이에게」,『開闢』35, 1923.5. 15쪽.

에 있어서도 문화운동은 절대적 목표가 아닌 한 과정에 지나지 않는 것으로 새삼스럽게 거론할 필요가 없는 것이었다.

　　인류의 역사는 투쟁에서 발전이 된다. 투쟁이 없는 사회는 멸망을 의미하는 것이다. 대중의 투쟁의식은 나날히 날카로워가고 그 의식의 재생산은 步一步 심각화하여 간다. 여기에서 우리는 새로운 시대의 새로운 사회의 서광을 볼수가 있다. 그러나 대중의 투쟁은 그 자연성장과 아울러 선각자의 의식적 지도가 없이는 정당한 발전을 바랄 수가 없는 것이다. 여기에 계급의식을 파악한 동반적 인테리겐챠의 중대한 임무가 있는 것이다. 동반적 인테리겐챠는 파악한 이론에 입각하여 투쟁선상에 당당히 나설 열과 용기가 있어야 한다. 세계를 갖가지로 설명하는 게 아니라 그것을 개조하는 것이 철학자의 임무다. 즉 인테리겐챠의 임무다. 우리는 너무도 민중과 가까움이 적었다. 열과 혈의 기개가 있으되 그것은 대중이 돌아보지도 아니하며 돌아볼 수도 없는 지상의 론이었었다. 인테리겐챠여! 대중으로 더불어 가두로 진출하라![82]

　　지식인들의 임무는 세계를 설명하는 것이 아니라 개조하는 데 있다 말한 마르크스의 문구를 인용하지만 계급투쟁보다는 대중투쟁으로의 운동노선을 분명히 한다. 계급의식을 파악한 인테리겐챠에 의해 지도되는 대중투쟁을 목표로 한다. 또한 김치옥은 협동전선을 농민 노동자 소시민층의 협동일 것이니 자본가는 벌써 투쟁의 능력을 잃었을 뿐 아니라 이미 반동화하고 있다고 했다. 여기에 반동이라 함은 계급운동의 입장에서 말함이 아니요 민족적으로 보아 이미 그들은 반동하고 있고 타락하였다는 것이다. 따라서 금후의 협동전선이란 농민이 토대가 되고 노동자가 그 중심이 되어 선두에 나서고 소시민층을 붙잡고 나아가는 그런 조직이 필요할 것이요 따라서 필연으로 그런 조직이 올 것이라 하여 협동전선을 윤곽지었다. 그리고 그는 천도교의 조직을 높이 꼽고 있다.

81) 신채호, 「조선혁명선언」(1923), 『신채호전집 下』, 형설출판사, 1982, 38~40쪽.
82) 권두언, 『별건곤』 1931.1, 1쪽.

　조선에는 종교란 대중조직이 있음을 잊어서는 안 된다. 종교 그 중에도 여러 가지가 있어 확연히 민족을 해독하고 있는 종교도 있으나 과거 또는 장래에서 많은 공헌과 기대를 갖는 종교가 있다. 그들은 농촌에 그 토대를 두었고 다수의 농민을 包藏하였으며 조직과 훈련이 있어 정치적 경제적으로 진취된 대중을 갖고 있다. 조선의 과거운동에 있어 그들은 언제나 중대한 역할을 하였고 또는 하려고 한다. 그를 종교단체라 하여 일축해버리기보다 그를 몰아서 협동전선의 대부대의 큰 역량과 큰 임무를 감당시키어야 한다. 그가 금후의 협동전선 특히 신간회 해소 후의 민족적 협동전선에 있어서 당면의 중대한 문제일 것이다. 민족적 협동전선 그는 농민이 지반이 되고 노동자가 그 선두에 나서고 소시민층을 붙잡아 그 전선에 집중시키며 농민 조직의 대중단체인 종교와 협동하여 구체적의 행동을 제시한 그런 투쟁과 조직이 전개될 것을 믿는다. 따라서 신간회의 해소가 곧 협동전선의 파멸이라고 보아서는 안 된다.[83]

　신간회 해소 이후 천도교는 농민이 기반이 되고 노동자가 선두에 나서며 소시민층을 포함한 협동전선을 형성, 투쟁을 전개해 나가는 방향을 제시하였다. 신간회 해소가 곧 협동전선의 파멸이 아님을 강조하며, 농민대중단체인 천도교와 협동하여 민족민중전선으로 나아갈 것을 주장한 것이다.

　1930년대에는 더욱 더 각 지방에서 농민운동이 머리를 들고 일어났으며 도시에서는 노동운동이 힘차게 전개되어 갔다. 그 결과 당시의 농민총동맹과 노동총동맹이 그 조직을 개편하여 확대 강화를 도모하였으며, 새로운 운동방침을 세우기도 하였다.

　이 운동은 필연의 세로 종래의 관념운동이나 사상운동에서 형태를 고치어 현실운동이 힘있게 전개될 것이다. 구체적의 투쟁조건을 갖고 한걸음 한걸음 운동의 진전을 도모하게 될 것이니 가령 여기에 실례를 들어보면 소작료는 전 수확물의 4할, 사음은 철폐하고 일절의 공과금은 지주가 부담한다는 것 등이고 노동운동에 있어서는 노동시간을 하루 8시간, 부녀나 소년의 노동종류 급시간의 제한, 단결권의 법률상 획득 등의 현실운동이

　83) 金致鈺, 「신간회 해소 후의 민족적 협동전선을 어쩔가」, 『별건곤』 1931.4, 4쪽.

전개되고야 만다. 탄압 때문에 현실투쟁의 방향으로 바꾸는 것이 아니요 이는 운동의 진전이요 당연의 도정인 것이다. 우리의 운동은 사상운동이나 개념적 운동에서 한걸음 약진하여 현실의 이해관계를 가진 문제를 투쟁의 재료로 취급하여 비록 적은 이익이라도 한 가지의 승리는 그만큼 투쟁의 역량이 더하여 가는 것이다. 금후의 운동은 인테리겐챠 또는 소부르의 손에서 영도되는 때가 많았다. 그러나 금후의 운동은 인테리겐챠 소부르운동선에서 손을 떼이지 아니치 못할지니 농민운동은 농민이 하여야 한다. 노동운동은 노동자가 한다.[84]

협동전선의 주된 조직으로서 천도교도 금후의 대중운동은 농민운동과 노동운동에 중점을 두게 된다. 1930년대 천도교의 민족해방운동은 인내천주의적 세계관 아래 민족과 계급의 일원화와 민중을 중심으로 한 노선을 표방하고 막강한 농민 노동자 조직을 통해 독립운동을 주도해 나가고자 했다. 이러한 주체적 인식 아래 천도교의 영도권을 주장하고 또한 비밀결사단체인 <吾心黨>을 조직했다. 처음에 천도교청년당의 전신인 천도교청년회에서 조선민족의 절대적 독립을 목적하여 1923년 <不不黨>을 결성하였는데, 이를 1929년 오심당으로 개칭하여 독립운동을 계속해 나갔다. 이것이 1934년 일제의 강화된 취체에 의해 발각되어 김기전, 조기간, 김병준, 백세명, 김영환 등이 체포되는 사건이 있었다.[85]

한편 김형준은 사회주의자들이 종교는 아편이라 하여 反宗敎운동을 벌이는 것에 대하여 다음과 같이 반박했다.

맑스는 그 유명한 「포이엘바하에 관한 테제」에서 이렇게 말하였다. "종래의 모든 유물론의 주요결함은 대상, 현실, 감성이 오직 객체 또는 직관적 형식 아래서 파악되었으며 감성적, 인간적 활동 실천에 의하여 파악되지 못하고 주체적으로 파악되지 못한 데 있다"라고. 맑스의 이 말은 무엇을 의미함인가? 종래의 유물론자들은 모든 대상물과 현실을 객관적으로만 보는 데 반하여 맑스주의는 인간적 활동 즉 인간이란 것을 주체적으로

---

84) 박군식, 「신간회해소후의 대중운동은 엇케될가」, 『별건곤』 1931.7, 4쪽.
85) 『조선일보』 1934년 11월 21일자.

하여서 모든 사물 또는 현실을 파악하여야 한다는 말이 아닌가! 그러나
모든 맑스주의 反종교이론가들은 이 맑스의 유명한 사상을 부인하는 셈
인가? 아니 맑스 자신도 종교에 있어서만은 자신의 以上의 테제에 나타
난 사상을 스스로 부인한듯 싶다.86)

여기서 보면 인간의 주체적 활동이 곧 인간 자신의 종교성임을 암시하
여, 마르크스가 인간 주체적 실천에 의해 형성되는 종교성 자체를 부인하
는 것이 아님을 알 수 있다. 김형준은 사회주의자들의 반종교운동이 기성
종교가 민중을 억압하는 폐해를 박멸하는 것에 급급한 나머지 종교의 본
질을 파악하지 못하고 독단적으로 영원 파멸을 주장한다고 비판하였다. 스
피노자나 포이에르바하 이후로 인격적 神은 제거되었는데도 불구하고 사
회주의자들은 오직 종교를 人格神을 전제하여야만 가능한 것으로 인식하
여 종교의 發展轉化를 부정한다고 했다.87) 또한 이들 조선의 사이비운동
자들은 아무런 실천력이 없는 룸펜, 지식인들로 사회현실의 특수성 같은
것을 전연 무시한다 하였다.88) 반면에 천도교는 기성종교의 세기말적 악행
에 대하여 레닌보다 더 강렬하게 반대하여 왔고 수운이 이미 70년 전에 철
저히 폭로했다고 주장한다.89)

이에 유해송은『비판』지에 조선의 천도교는 토착자본벌을 옹호하는 간
디와 다르지 않다며 천도교의 운동노선을 비판했다. 인도의 간디는 민중투
쟁을 부인하는 영국 자본가들과 다르지 않아 노농운동을 말살시키려 한다
는 것이다.

인도의 간디가 종교의 무저항주의로써 영국 자본가들을 설복하여 민중
의 공권을 애걸함으로 민중의 투쟁을 부인하는 일방 英 자본가들과 한 가
지로 노농운동을 말살시키려고 애를 쓰는 것과 같이 조선의 토착자본벌

86) 김일우,「맑스주의반종교이론비판」,『신인간』58, 1932.8.
87) 김일우,「맑스주의반종교이론비판」,『신인간』58, 1932.8.
88) 김일우,「사이비적 반종교운동의 비판 - 맑스주의반종교투쟁비판의 續」,『신인간』
63, 1933.1.
89) 김일우,「맑스주의자들의 반종교투쟁비판」,『신인간』59, 1932.9.

들을 옹호하는 천도교 일파가 간디의 가는 길을 추종함을 우리들은 날마
다 보고 있는 바이며 ……90)

또한 사회주의자 안병주는 『신계단』지에서 "종교는 인간 두뇌의 공상적
산물로 인간 두뇌의 산물은 관념론자의 생각과 같이 독립적 주체적 존재
가 아니고 그 근거에 있어서 인간의 물질적 활동과 인간의 물질적 교통에
유래한 것"91)이라고 하면서 반종교운동을 표명했다. 그는 "천도교가 농민
에게 무슨 이익을 준단 말인가"라고 하면서 사회주의 사상에 바탕하여 무
산자운동을 옹호하고 일부 천도교의 자치론을 공격하였다.92)

② 유물론에 대한 천도교의 물심일치주의적 비판

『신계단』과 『비판』을 중심으로 한 교조적 사회주의자들은 반종교운동과
더불어 천도교의 영도권 주장에도 대항하였다. 또한 그들은 계급헤게모니
의 전취라는 목적과 아울러 철저한 유물론에 입각하여 물심일치를 표방하
는 천도교를 반박하였다. 천도교가 말하는 물질도 아니고 정신도 아닌 物
心쌍전의 인간 이해란 기계적이고 유치한 견해요 무식의 소치라 하였다.

> 물질과 정신 사이의 관계의 변증법적 파악 …… 피등은 如斯한 것을 연
> 구하여 볼 필요가 있을 것이다. 변증법적 유물론! 이것은 결코 그러한 기
> 계적이며 유치한 견해와 동일한 것이 아닌 것이다. 그리고 君들의 소위
> 물질도 아니요 정신도 아닌 사람이란 것은 무슨 소리인가? …… 물질과
> 정신, 우주와 사회, 사회와 인간 등 여사한 문제에 대하여 피등은 난체로
> 떠들기 전에 변증법적 유물론과 사적 유물론을 좀 연구하여 봄이 좋을 것
> 이다.93)

또한 한철호는 모든 것이 변증법적 그리고 사적 유물론에 기초하여 파

---

90) 유해송, 「1933년과 조선운동」, 『비판』 1933.1.
91) 안병주, 「우리는 왜 종교를 반대하는가」, 『신계단』 1933.2.
92) 안병주, 「천도교가 농민에게 무슨 이익을 준단말가」, 『신계단』 1933.7.
93) 편집부편, 「종교시평」, 『신계단』 1932.11.

악되어야 함을 전제하면서 천도교는 봉건적 수운이즘과 마르크스주의 언사를 빌려와 농민을 획득하고 있는 개량주의라 하였다.

> 천도교는 건덕이 섞인 종교와 봉건적 수운이즘과 차용하여온 맑스주의적 언사로써 가장 다수의 농민을 획득하고 있는 개량주의의 일종이다. …… 현재 농촌의 파멸적 막다른 골목적 상태는 과연 어떠한 변동, 어떠한 타개의 사회적 필요에 切迫되어 있는 것을 의미한다. 그러나 이러한 변통과 그 결정적 추진력과 담당자는 오로지 생산관계 사회관계 내지 계급관계에서만 그것에 의하여서만 결정할 수 있는 것이다. 결코 어떤 혈기, 의기, 진취성에 찬 청년들에 의하여 결정되는 것은 아니다.[94]

이 문건을 보면 천도교청년당은 의분으로 가득 차 있고 그 당시 가장 큰 농민조직을 갖고 있었으며 마르크스적 색채를 지니고 있음을 알 수 있다. 그러나 사회주의자들이 천도교를 개량주의라 하는 것은 농촌의 파멸적 상황의 타개란 오로지 생산관계의 계급인식에서만 성취될 수 있기 때문이다. 어떤 혈기, 의기, 진취성에 찬 청년들에 의해 결정되는 것이 아니라는 것이다. 그러므로 그들은 동학의 발생원인도 당시의 사회적 조건에 기인한 역사발전의 필연적 법칙에 의한 것이며,[95] 인내천주라는 것은 지금에 와서는 최소한의 정신적 생존욕, 인간성의 본능을 익사케 하는 정신적 독주로 나타나고 있다[96]하였다. 근본적으로 『신계단』지의 논객들은 정신이라는 것은 물질의 한 속성에 불과하다고 한다. 천도교가 말하는 것처럼 물질과 정신은 동일한 존재가 아니라 어디까지나 물질이 근본이라며[97] 천도교의 물심일치주의를 비판하였다.

이에 대해 천도교의 김형준은 다음과 같이 말한다.

94) 한철호, 「조선내 제운동적 流派의 농민=농업이론을 비판함」, 『신계단』 1932.12.
95) 박일형, 「동학당과 동학란」, 『신계단』 1933.1.
96) 조선지광사편집부, 「천도교폭행건의 전말과 우리의 성명」, 『신계단』 1933.1.
97) 蘇因, 「유물변증법의 정당한 이해를 위하여 - 조기간의 계몽운동의 대필요를 읽고」, 『신계단』 1933.2.

　　맑스주의자들은 진리, 또는 이상을 단지 물질적 생산의 반영으로 보는 데서 또는 사상(이상)은 그 자신 역사를 갖지 못한다고 보는 데서 우리는 그 태도를 정당하다고 승인할 수 없다. 왜 그러냐하면 이상은 그것이 물질적 생산과 한 가지로 인간의 생산물인 점에서 단지 사회적 물질적 생산의 반영이 아니며 그러므로서 그 자신 독특한 역사를 갖고 있는 까닭이다. …… 그들의 맑스주의자는 사상, 이상은 그 자신 역사를 갖지 못한다고 하나 우리는 일정한 역사적 근거가 없이는 새로운 사상 또는 이상도 생각할 수 없는 것이다. 그 어느 시대에 새로이 나타나는 사상은 그것이 그 사회의 온갖 관계 즉 그들의 생활관계의 반영으로서 나타나는 것이 사실이나 그러나 그 사상 또는 이상이 그 시대의 확호한 지배적 세계관이 되기까지 체계화하려면 다시 그 전시대의 사상과 문화의 유산을 역사적으로 계승하지 않고는 불가능한 것이다.[98]

　　마르크스주의자들은 진리 또는 이상을 단지 물질적 생산의 반영에서 오는 것으로 보는데 이를 김형준은 승인할 수 없다는 것이다. 왜냐하면 이상은 그것이 물질적 생산인 동시에 인간의 생산물인 점에서 단지 사회적 물질적 생산의 반영이 아니며, 그 자체로서 독특한 역사를 갖고 있기 때문이라는 것이다. 한 시대에 새로 나타나는 사상은 그 사회의 모든 관계, 즉 그들의 생활관계의 반영으로서 나타나는 것이 사실이나 그 사상 또는 이상이 그 시대의 확고한 지배적 세계관이 되기까지 체계화되려면 그 전시대의 사상과 문화의 유산을 역사적으로 계승하지 않고는 불가능하다. 마르크스주의자들이 유물사관만을 인정하고 사상과 이상은 물적 생산관계의 반영으로 사상의 독자적 역사를 인정하지 않는 것에 대하여 김형준은 반대적 입장을 표명한다. 또한 천도교 김기전은 물질과 정신(마음)의 관계를 다음과 같이 설명하고 있다.

　　우리는 손으로써 붙잡을 수 있는 물건, 눈으로써 볼 수 있는 것만을 파악하는 데 불과하나 마음의 개념으로써는 총자연 총우주적 자연을 파악한다. 그러나 그렇다고 해서 개념은 감각을 어떤 제한된 것이라는 이유로

---

98) 김형준, 「수운주의자의 인간적 태도 六」, 『신인간』 83, 1934.8.

천시할 수 없다. 心智의 중개가 없이는 눈은 보지 못하고 귀는 듣지 못하며 손은 붙잡지 못함과 같이 인간의 두뇌에 깊이 드러박힌 개념능력은 오감의 도움이 없이는 개념을 구성할 수 없다. …… 외계에 이해될 사물이 없이는 두뇌내부에 어떠한 悟性도 현실로 있을 수 없다. 이 사물의 관련을 간과한 것이 저 舊來 인식론자들의 과정이었다.[99]

김기전은 인간의 의식이 왜 물심일치인지를 사물, 감각기관, 마음작용 3자의 총결합에서 설명하고 있다. 마음의 개입 없이 눈은 사물을 보지 못하고 귀는 소리를 듣지 못한다. 또한 인간의 분별의식은 오감의 도움 없이 개념을 구성할 수 없다. 종래의 유물론자들은 바로 인간의 마음활동과 사물의 관련 속에서 형성되는 인간의식을 간과했던 것이다. 김형준도 마르크스주의자들이 진리는 구체적이라고 주장하지만 그러나 구체적 진리는 그들의 주장과 같이 역사적으로 변하는 즉 역사적 범주를 고정적으로 판단하는 데 있지 않고 그 역사적 발전과 함께 구체적으로 모든 사물의 연관성을 인식함에 있다는 것을 알아야 할 것[100]이라고 했다.

2. 천도교의 근대교육사상과 민족교육운동

1920년대는 사회주의가 국내에 도입되어 시대적인 유행사조가 되고 사회주의자들과 천도교가 결합하여 민족유일당 운동으로서 신간회가 창설되며 여기에 자유주의자들이 합세하여 다양한 운동양상과 갈등을 나타낸다. 이 흐름이 결국 오늘날 현대사에도 존속하고, 이에 따라 교육의 향방이 결정되었음을 볼 수 있다.

일제 하의 공간에서는 식민지 현실임에도 불구하고 다양한 이념이 조선인에게 존재했고, 서로의 이념을 비판해도 상호간의 교류와 친분이 가능했다. 그러나 해방 이후 외세에 의한 분단과 이에 합세하여 권력을 누렸던

---

99) 소춘, 「맑스주의자가 본 마음과 한울」, 『신인간』 25, 1928.7.
100) 金東俊, 「맑스주의기초이론의 비판」, 『신인간』 63, 1933.1.

국내의 파시스트에 의하여 남한은 오로지 자유주의만이 그리고 북한은 조선사회주의만이 허용되어 천도교나 김규식, 여운형과 같은 중도적 민족좌파는 사장되고 만다. 해방 이후의 시기는 분단고착과 아울러 서로의 체제를 유지하기 위한 이념교육이 교육정책이 되고 서로를 적대시하는 반민족적 시대이다. 이러한 시대를 깨고 공존과 화해의 통일시대로 나가기 위해서는 근대공간으로 돌아가 역사의 흐름을 다시 읽고 조국이 하나였음과 더불어 어디서부터 잘못되어 나갔는지 문제를 파악해 나가는 것이 필요하다.

구한말 신교육으로서 근대교육의 도입은 일제 식민지 하라는 현실 속에서 다양한 갈등양상을 드러내면서 전개된다. 원래 서구 근대교육이란 근대사회를 특징짓는 산업사회와 근대이념이라 할 수 있는 이성, 진보, 개인의 권리와 자유 등의 역사적 흐름을 반영한 것이다. 이는 인간의 자율과 존엄, 교육기회의 평등과 지적 자유로 간략히 말할 수 있다.[101]

---

101) 서구 근대교육의 이념은 근대사회의 이념으로부터 이끌어낸 교육이념으로 규정할 수 있다. 그리고 시민사회의 현실은 자본주의이며 따라서 자본주의 체제의 현실은 그에 걸맞는 교육을 필요로 하고 그러한 교육을 세우는 사상을 만들어낸다. 이에 따른 근대교육의 원칙을 掘尾輝久는 다음과 같이 말한다. "① 인권사상의 맥락에서 나온 아동의 권리확인과 학습권 내지 교육을 받을 권리가 있다. ② 근대적 친권관의 성립에 의해 부모는 자녀의 권리를 실현시키기 위한 현실적 배려의 의무를 지고 아동에 대한 의무를 일차적으로 수행할 권리를 갖는다는 것, 따라서 이 권리는 부모의 자연권에 속하는 것으로 된다. ③ 근대의 인간(시민)과 공민의 범주적 구별에 대응하여 교육의 목적은 공민을 육성하는 것이 아니라 인간의 형성에 둔다. ④ 인간의 내면형성에 관계된 문제는 국가권력이 간섭해서는 안 되는 私事로 한다. ⑤ 이상의 원칙으로부터 국가가 교육을 주재하고 지도하는 것은 자기임무의 한계를 넘는 것이므로 그렇게 해서는 안 된다. ⑥ 국가가 모든 교육을 맡아서 인간의 내면에까지 들어가서는 안 된다. ⑦ 교육방법으로는 아동이 학습할 권리를 확인함과 더불어 학생의 자발성이 존중되고 주입식 수업을 해서는 안 된다. ⑧ 이러한 제원칙을 관철시키기 위한 교육형태는 가정이고 부모 또는 가정교사에 의한 개인지도가 이상적이다. 그러나 이 초기 원칙들은 산업자본주의 사회의 영향에 따라 자본가 자신들에게는 이러한 이념을 적용하면서도 노동자들에게는 도덕적 길들이기와 획일화, 통치수단의 예외적이고 중층적인 원칙들을 적용했다. 19세기의 자본주의 성장기에 나타났던 의무교육제도는 말하자면 자본가의 이익과 임노동자의 이익 그리고 그 자녀들의 행복을 고려하여 주장하는 두 가지

그런데 이러한 근대교육이 실제로 서구사회에서 관철된 것은 아니었다. 산업사회는 인간자본 논리에 따라 부르주아계급과 노동계급에 대한 복선형이 형성되어 교육도 중층성을 띤다. 상층계급에게는 인간의 자기실현과 본성함양에 있어 국가가 간섭해서는 안 되고 오직 지적인 부분만을 공교육에 요구하는 기조가 적용되었고, 하층계급에게는 범죄를 예방하고 산업사회의 보다 훌륭한 노동력을 제공하고자 하는 관리적, 혹은 통치·수단적 길들이기 교육이 적용되었다. 19세기의 자본주의 성장기에 나타났던 의무교육제도는 말하자면 자본가의 이익과 임노동자의 이익을 고려하여 주장하는 두 가지 입장의 교차점에서 발생한 제도였다고 볼 수 있다.[102]

근대사회의 이념인 개인의 권리와 자유는 결국 무한경쟁체제로 빠지게 되어 약육강식의 사회진화론을 낳는데, 노동자들은 이에 맞서 자신들의 인간 성장에 도움이 안 되는 국가획일주의를 비판하고 노동자 자신들의 계급자유교육을 주장하게 된다. 서구의 계급자유의 교육은 조선에서도 사회주의자인 김경재에 의해 소개된 바 있다.

조선에 있어서 일제에 의한 근대교육은 근본적으로 일제 지배를 정당화하고 통치하기 위한 수단으로서 이식되었다. 일제 식민통치를 위한 근대교육제도의 개편은 조선인을 위한 교육이 아니라 일제의 황국신민화를 위한 것이었고, 따라서 조선의 지식인들은 제도권 학교교육에 대한 비판과 사회운동 차원의 사회교육을 시도하였다. 1920·30년대 초반의 학생맹휴운동의 급증은 이러한 인식을 반영하는 것이었다.

천도교와 같은 민족주의적인 입장의 경우는 사회주의나 자유주의 각파의 맥락을 일정 부분 긍정하여 조선인의 교육과 민족운동에 도움이 된다면 이것이 곧 자신들의 입장이라 하여 결합시켰다. 천도교의 인간완성을 지향하는 교육사상은 자유주의자들의 개성실현과 인격교육에 일치하는 점이 있었다. 그리고 천도교의 평등과 변혁사상은 사회주의자들의 학교비판

입장의 교차점으로 발생했던 제도였다(掘尾輝久, 「공교육의 사상」, 梅根悟外, 『근대교육사상비판』, 남녘, 1988, 240~244·258·411쪽)".

102) 掘尾輝久, 「공교육의 사상」, 梅根悟外, 『근대교육사상비판』, 남녘, 1988, 258·411쪽.

에 입각한 맹휴에 동조적이게 했다. 그러나 자유주의적 교육운동론자들이
개성실현이라 했을 때 이는 철저히 서구의 근대교육이념을 표방한 것이었
고 서구적 교육방법과 과학보급을 중시하는 것이었던 반면에, 천도교에서
의 개성실현이라 함은 인내천주의에 바탕한 한울 실현으로 이는 정신과
물질을 하나로 하는 物心雙全의 교육을 말하였기에 양자의 노선은 달랐
다. 또한 사회주의자들이 맑시즘에 입각하여 학교를 비판하였던 반면에,
천도교가 학생맹휴를 지지했던 것은 제도교육의 식민성을 비판하는 것이
었다.

자본의 논리에 대항하고 사회주의적 평등의 이상을 수용하면서도 계급
편향 운동을 배제했던 천도교의 민족주의는 결국은 자유주의나 사회주의
양자로부터 견제를 받게 된다. 자유주의는 주로 기독교적 신앙 전파와 외
교독립론을 주장하였으므로 천도교를 표방하여 민족주체적 힘을 주장한
것과는 입장이 다를 수밖에 없었고 권력추수적 성향을 강하게 드러냈다.
또한 사회주의는 철저한 유물론과 계급투쟁을 주장했기 때문에 물질과 정
신을 하나로 보고 인간 하나 하나를 한울로 보고자 하는 천도교와 대립하
게 된다. 해방 이후 자유주의와 사회주의가 남북한을 가름에 따라 중도
적·주체적 민족주의는 점차 축소되어 갔다.

일본의 식민지교육은 자칭 우수민족에 의한 열등민족의 지배를 합리화
하는 데 그 교육의 핵심이 있었다. 지배민족의 언어인 일본어를 국어로서
교육함으로써 조선인의 노동력을 이용하고자 하였고 조선인 자신들의 전
통문화에 대한 무시 내지 멸시의 감정을 심어주고자 하였다. 지배민족의
역사와 지리, 문화는 교육하면서도 식민지민족의 역사와 지리는 가르치지
않았다. 이들에게 있어 우수한 학생이란 바로 그들의 문화적 동화정책에
잘 적응하는 학생을 의미했다. 교육을 통해 민족적 주체의식을 가지지 못
하게 하는 한편 사회생활의 제 문제를 제도적 기준으로 생각하지 않고 민
족적 우열을 척도로 생각하게 하는 훈련을 시켰다. 다시 말해 토착민 일반
의 문화적, 정신적 발전을 억압하고 이것을 시들게 만드는 것이 식민지교
육이었다.[103]

이런 관점에서 볼 때, 천도교는 본질적인 교육의 요소를 바탕으로 교육 운동을 펴나갔다는 점에서 교육적 공과가 지대하다. 그것은 식민지 억압의 현실에서 조선의 언어와 역사, 그리고 조선의 땅과 혼을 조선 어린이들에 게 심어 주고자 함이었다. 천도교는 총제적이고 뿌리깊은 이념 및 전 부문에서 민중과 유리되지 않는 실천운동을 벌인 민족세력이었다. 아울러 천도교는 근대의 서양철학과 사회사상을 인내천주의에 결합시켜 조선적 바탕에서 이해하며 비판적으로 수용하였다. 이는 서양의 道器와 조선의 道器를 함께 회통하면서 사상의 주체자가 되는 입장이다. 그렇기 때문에 천도교는 사회진화론에 바탕한 자유주의나 유물론에 기초한 사회주의자들의 교육론과 입장이 다르다.

1) 천도교 신문화운동의 성격과 교육

천도교는 우파의 개량주의적이고 비정치적인 문화운동과는 달리 개인과 사회, 민족해방과 자신의 해방이 분리되지 않는 사고에서 문화운동을 구상했다. 천도교의 사회개혁은 급변하는 서구열강에 대처하기 위한 논리와 장차 국권회복의 토대를 마련하려는 논리로 압축된다고 볼 수 있다.[104] 천도교가 신문화운동을 제창한 것은 자유주의자들처럼 서구문명의 신문화를 말함도 아니요 사회주의자들이 말하는 무산자 중심의 계급문화를 말함도 아니다. 천도교는 신문화의 정의를 다음과 같이 내린다.

> 원래 어떤 민족의 문화건설에든지 그 민족의 문화는 결코 그 민족의 역사를 배제하고는 불가능하기에 그 민족의 역사를 배경으로 새로운 사상과 조화하여 얻은 결과를 신문화라 한다. 조선인의 신문화 또한 조선인의 역사를 배경으로 하고 신사상과 결합한 후에야 완전한 문화의 성립을 기대할 것이다.[105]

103) 송건호, 「민족교육의 사적 고찰」, 『창작과비평』 11-1호, 1976, 329~330쪽.
104) 동학혁명100주년기념사업회, 『동학혁명100주년기념논총 下』, 태광문화사, 1994, 565쪽.
105) 이돈화, 「신문화는 무엇에 의하야 건설되랴」, 『개벽』 13, 1921.7.

신문화란 조선의 역사를 배경으로 하여 신사상을 결합한 결과로서 얻어진 문화를 말한다. 이돈화에 의하면 이 당시 조선 신문화 건설에 대한 이론은 양파로 나누어지고 있다. 하나는 재래사상의 개선에서 신문화운동을 벌이는 것이다. 유불선의 각파가 신사상으로 개선하고자 함이다. 또 하나는 외래의 기독교적 교화를 통해 신문화를 건설하고자 하는 것이다. 그러나 양자 모두가 그 중추를 잃은 것이라고 이돈화는 비판하였다. 전자는 완고함 때문에, 후자는 역사적 원인을 경시하였기 때문에 폐단이 있다고 하였다. 그는 조선문화 건설의 중추를 얻을 수 있는 것은 新도 아니며 舊도 아니라 한다. 외부에 있는 것도 아니요 내부에만 있는 것도 아닌 오직 신구내외를 조화시킨 것이라야 한다는 것이다. 그리고 그는 수운이 제시한 사상이야말로 신구내외를 조화, 원만하게 할 신문화적 사상이라 주장한다.106) 이는 실력양성의 자유주의문화운동과 구별된다. 즉 "오직 외래의 문명에 대한 일종의 호기심을 가지고 물적 방면에나 정신 방면에나 일체 주입적이며 피상적이고 남이 하니까 우리도 이러하여야 하겠다는 식"의 자유주의 문화운동자들과 구분되는 것이다.107)

독립운동으로부터 문화운동에, 문화운동으로부터 사회운동에로 이 세 운동은 다른 한 운동이 새로 생겼음으로 해서 한 운동이 쉬여버리는 것이 아니라 계속된다. 오늘 가장 문제되는 것은 조선내지에 있는 문화운동자 즉 아직 사회운동으로 돌아서지 않고 또는 무력**주의로 환원치 않고 오직 실력양성주의를 고조하고 있는 그네들이다. 그네들(문화운동자 중의 軟派 혹은 舊派)는 언필칭 우리 조선사람으로서의 민족일치, 대동단결을 주창한다. 1924년인 금년에 들어와서는 그 주장이 점점 분명해져서 조선의회, 독립청원문제 같은 것을 꺼낸다. 그네는 토산을 장려한다 하여 유산계급과 더불어 손을 잡고 교육을 보급한다 하여 자유주의자와의 연결을 급히하고 인권을 확장한다 하여 관청출입을 빈번히 하는 등 그 행동은 흡연히 어떤 나라의 특권계급의 소위에 방불하다. 어쨋든 문화운동(달리 말하면 실력운동)의 최근 형세란 좀 別하게 된다. 작년초부터 그러한 싹이

---

106) 이돈화, 「신문화는 무엇에 의하야 건설되랴」, 『개벽』 13, 1921.7.
107) 凰山, 「품성과 지식」, 『천도교회월보』 1925.7.

눈에 띄우더니 이 새해에 와서는 퍽 현저해지는 것 같다.108)

천도교의 문화운동은 독립운동과 문화운동 그리고 사회운동이 맞물려 있다. 조선의 사상을 기초로 하면서 서양철학을 수용하고 또한 농민, 여성, 어린이, 학생 등 전 민중 전 계층을 망라하여 정신과 물질, 개인과 사회제도의 변혁이 함께 하면서 실현되는 운동인 것이다. 천도교는 사회운동으로서 행동하지 않는 관념적 문화운동을 배격하고 일제와 싸울 투지를 상실한 문화운동을 거부한다.

> 조선의 오늘 형편에 있어 교육보급, 산업발전 운동이 조선을 구하는 유일한 길이 되겠습니까. …… 설혹 실력양성을 힘쓴다 할지라도 힘쓰는 그 정신을 다른 무엇을 기성해 나아가는 데 보탬될 한 과정으로 하여야 할 것이 아닙니까. 이러함에도 불구하고 실력양성이면 그만이오, 동시에 실력양성운동만은 이 형편 밑에서도 얼마라도 할 수 잇다 함은 역시 일종의 잘못된 판단이 아니겟습니까.109)

위와 같이 김기전은 문화운동이 단순히 우파 자유주의자들처럼 교육보급, 산업발전운동을 구하는 것은 아니어야 한다고 한다. 설혹 이를 힘쓴다 할지라도 다른 무엇을 만들어 나가는 데 보탬이 될 한 과정으로 해야지 식민통치 하에서도 얼마든지 할 수 있다는 식의 실력양성론자들의 주장은 잘못된 판단이라고 한다. 이는 인간이 한울임을 아는 깨우침과 이를 위한 지상천국의 실현을 위한 투쟁 속에서 역사변혁을 성취하고자 하는 것이다.

2) 조선인 본위 교육운동

천도교의 교육운동이 다른 운동과 구별되는 것은 국제정세에 편승해서 그로부터 이념을 취하여 교육운동을 벌이고자 한 것과는 달리 조선인 스

---

108) 「점점점 이상해 가는 조선의 문화운동」, 『개벽』 44, 1924.2.
109) 기전, 「죽을 사람의 생활과 살 사람의 생활」, 『개벽』 57, 1925.3.

스로 자신의 세계관에 바탕하여 자신감을 갖고 이로부터 조선인의 문제와 민족해방의 문제를 풀어 가고자 한 점이다. 동학은 전통사상 속에서 인내천과 후천개벽의 개념을 끌어내어 민중 스스로가 근대화를 이루어낼 수 있는 힘을 교육적으로 배태하고 있었다. 그리고 이로부터 자신의 민중과 민족을 어느 누구보다도 심층적으로 이해하고 있어 허황되지 않았다. 민족의 현실과 민중으로부터 유리되지도 않았다. 실제에 천착하여 지속적으로 발전시켜 갈 수 있었던 것은 바로 이 때문이었다.

사회주의나 자유주의자들이 받아들인 근대문명과 유물사관적 무산자지배의 도래라는 운동이념은 조선사회에서 그리고 조선민중의 판단에 입각해서 충분한 여과 없이 절대시되고, 헤게모니 차원에서 민족보다 우선 되었기에 많은 문제를 안고 있었다. 자유주의자들이 인간의 개성과 자유, 그리고 봉건적 관습의 타파를 부르짖고 인격수양을 부르짖었지만 궁극적으로 조선독립은 부차적인 것이 되고 일제 말기에 갈수록 점점 더 본질과 멀어지는 현상을 보게 된다. 사회주의자들도 민족의 이름으로 이념을 수용하지만 점차 교조적이 되어 가면서 민족단일당 결성에 방해가 되는 양상도 보였다. 물론 그 중에는 계급과 민족을 결합시킨 부류도 있다. 그러나 근본적으로 계급을 우선시했던 사회주의자들과 천도교는 치열한 갈등을 벌이게 된다. 이는 대표적으로 조기간과 사회주의자들의 논쟁에서 뚜렷하게 나타났다.

천도교의 조선본위 교육은 교과서 편찬에 있어서 커다란 업적을 남겼다. 소년을 위한 소파 방정환의 『어린이독본』, 농민을 위한 이성환의 『농민독본』과 박사직의 『농민교과서』, 최진순의 『조선역사독본』 등이 저술되었다. 또한 중등학생을 위한 조선사 교과서로서 권덕규의 『朝鮮留記』와 조선어 교과서로 『조선어문경위』가 있다. 천도교는 이를 적극 추천하여 조선말과 조선역사의 중요성을 일깨웠다. 호암 문일평은 권덕규의 역사교과서 편찬을 "우리가 아직까지 조선인의 손으로 된 조선사의 완본을 가지지 못했으니 그 필요를 느끼는 오늘날 중등역사 교육에 있어 희소식"[110]이라 하였

---

110) 문일평, 「조선사의 교과서에 대하여」, 『동광』 1927.2.

고, 또한 조선문명론자 안확은 권덕규의『조선어문경위』를 매우 높이 평가
했다.111) 이처럼 천도교는 민족주의적 관점에서 운동을 벌였고 이러한 성
격을 갖는 교육운동은 조선인 본위의 교육으로 표방된다.

> 교육이란 인생의 내재적 천부의 능력을 계발하며 자연에 포장된 각종의
> 법칙을 발견하여, 현실세계에 처하는 인생의 행복을 증진케 하는 유일한
> 수단인 동시에 절대한 원동력이 되는 것이므로 적어도 교육을 받는 각 개
> 성에게 각각 그 고유한 歷史, 風俗, 觀習 등에 의하여 또는 그 환경과 실
> 사정에 鑑하여 그 특징을 발휘할 만한 기회를 주어야 한다. 조선에는 조
> 선적인 교육제도, 조선의 현실을 떠나지 않은 교육제도가 가장 필요하다.
> 그러나 止에 反하여 현하 조선교육제도란 것은 소학교로부터 고등학교에
> 이르기까지 획일적으로 일본제도를 그대로 쓰는 까닭에 이에서 더 불합
> 리한 제도는 없을 줄 안다.112)

최두선은 현하의 일본제국주의의 획일적인 군국주의 교육을 비판한다.
그는 조선인의 천부적인 능력을 개발하기 위해서는 조선 고유의 역사, 풍
속, 관습, 환경 등의 실 사정에 감하여 개성을 발휘하도록 기회를 주는 조
선적인 교육제도, 조선의 현실을 떠나지 않은 교육제도가 필요하다고 하였
다. 이에 천도교는 동덕여학교를 세웠다. "서양 일본식 교육이 지배하는 조
선에 있어 오직 조선적 신여자 양성에 주력하여 조선에 맞는 인물을 양성
하고자 한다"는 취지 아래 조선인 교사로 전부 충원하였다.113) 결국 천도
교가 갖는 교육인식은 제국주의적 지배교육을 비판함과 동시에 조선의 문
화와 실정에 맞는 조선적 교육을 주장함에 있다.

천도교는 조선인 자신의 인간실현은 사회와 분리되지 않는 물심일치를
표방한다. 인간에 있어서 물질과 과학은 중요하다. 물질이 결핍되면 이를
해결하고자 행동해야 하고 미신적 불합리가 있으면 이는 다시 합리성으로
나가야 한다. 천도교의 교육은 인간실현에 방해가 되는 사회조건을 변화시

---

111) 안확, 「조선어의 실제」,『동광』1926.12.
112) 최두선, 「현실에 입각한 교육의 필요」,『현대평론』2, 1927.3.
113) 일기자, 『신여성』1925.2.

켜야 인간이 변화할 수 있다는 유물론적 사고를 무시하지 않는다. 그러나 유물론에 빠지지 않고자 한다. 천도교에 있어 인간완성과 사회해방은 항상 함께 한다. 그러므로 조선인 본위의 천도교 교육운동이란 조선의 사상을 기초로 하여 인간을 이해하고, 인간이 한울님이라는 이해와 더불어 이의 실현을 교육목적에 두며, 또한 자신과 민족 그리고 세계가 한 몸임을 깨달아 민족의 해방 속에서 자신의 해방을 찾는 교육운동이었다.

3) 민족문화공동체에 기초한 교육 : 자연, 언어, 역사

천도교는 개인과 민족, 그리고 문화가 교육의 중요한 요소임을 말한다. 인간은 민족을 조건으로 하여 문화공동체에 태어나게 된다. 인간 자신이 태어난 민족문화는 곧 자신을 형성하는 주된 요인이 된다. 즉 조선인은 조선의 땅과 역사와 문화를 조건으로 자신의 생명을 키우고 개념을 정립하며 이로부터 자기라는 정체감을 형성하는 것이다. 그러나 이 문화는 민족을 단위로 이루어진다. 한 민족의 존재가치는 문화를 떠나서 민족의 삶을 생각할 수 없으며 민족 또한 민족단위를 떠나서 문화를 예상할 수 없다.

> 한민족의 존재가치는 문화를 떠나서 민족생활을 생각할 수 없으며 또한 민족단위를 떠나서 문화를 예상할 수 없을 것이다. 인류역사를 돌이켜 볼 때에 문화없는 민족이 없으며 또한 문화를 볼 때에 그 문화를 내게 한 어떤 민족을 반드시 생각케 되나니 민족은 곧 문화요 문화는 곧 민족이다. 그러므로 한 민족의 표현은 문화에 있으며 또한 그 표현인 문화를 거쳐서 그 민족성을 미루어 볼 수 있는 것이다. 그것은 마치 노동 즉 다시 말하면 사업 없는 개인에게 참된 개성을 줄 수 없는 것과 같이 문화 없는 민족에게 어찌 민족성을 줄 수 있으랴.[114]

민족과 민족을 구별케 하는 표준은 언어, 풍속, 습관, 제도, 과학 등의 다름에서 구분되지만 가장 뚜렷이 구분되는 것은 민족적 이상의 다름에서

---

114) 공탁, 「민족문화와의 관계」, 『농민』 1933.6.

찾을 수 있다고 한다. 영국인과 미국인은 언어, 풍속, 과학에 있어 거의 같으나 민족이상이 서로 다른 까닭에 英人과 米人을 혼동해 말할 수 없는 것인데, 민족에 따라 이상이 다르게 되는 까닭은 바로 지역과 기후에 있다고 말한다. 지역적 조건이 척박하면 내세주의적이 되고 해양국가가 농업사회보다 진취적 기질을 만들어내는 것과 같다. 그러나 이것으로 그치면 유물론적 사고가 되지만 천도교는 이 외부적 요인에 더하여 내부적 요인까지 들어 말한다. 내부적 요인이란 바로 역사적 理想이 담긴 전통과 民性 감정이라 한다.

> 민족에 따라 이상이 서로 다르게 되는 까닭은 어데 있나? 한 민족은 일정한 지역을 차지하게 되므로 그 지역의 넓고 좁음에 따라 또는 위치와 기후에 따라 그 민족의 산업을 지배하게 되며 나아가 그 민족성에 큰 영향을 주게 된다. 이것은 민족성을 이루게 하는 외부적 관계에 지나지 않지만 그 내부적 조건되는 역사적 전통과 民性 감정을 잊어서는 안 된다. 그리하여 한 민족의 이상은 외부적과 내부적 여러 가지 조건이 모이여 한 혼합체로서 나타나게 되는 것이다. 한 민족이 해체되지 않고 그 통일을 유지하며 민족성을 나타내려 함은 오로지 이 민족이상의 힘 때문이다. 개인에 있어서 개성을 나타내이려 하는 힘이 개인의지에 있는 것과 같이 민족에 있어 민족성을 나타내려 함은 민족의지의 힘 때문이다. 그런데 이 민족의지는 민족이상이 없이는 도저히 나올 수 없다. 한 민족을 구성하는 여러 분자가 아무리 혈통적 또는 감정적으로 같다 할지라도 이상! 다시 말하면 주의가 같지 아니하면 그 민족은 멀지 않아 해체되기 쉬운 법이다. 이와 반대로 같은 이상 아래는 혈통적으로 서로 먼 개인들이 합쳐서 넉넉히 훌륭한 민족이나 민족문화를 산출케 하는 것이다.[115]

개인에 있어 개성을 나타내려는 힘은 개인의 의지에 있는 것과 같이 민족성의 구현은 민족의지의 힘에서 비롯된다. 민족의지의 힘은 민족의 이상으로부터 나온다. 한 민족이 해체되지 않고 그 통일을 유지하고 발전해 가는 것은 민족이상의 힘 때문이라는 것이다. 한 민족을 구성하는 구성원이

---

115) 공탁, 「민족문화와의 관계」, 『농민』 1933.6.

혈통적으로 그리고 감정적으로 같다 할지라도 이상이 같지 않으면 그 민족은 해체되기 쉽다. 같은 이상 아래에서는 혈통적으로 먼 개인들이 합쳐졌다 해도 넉넉히 훌륭한 민족문화를 산출해 간다는 것이다. 따라서 민족생활에 가장 중요한 것은 理想의 통일성이다. 그리고 그 민족이상을 가장 철저히 나타내는 것이 종교라 했다.

한 민족은 그 민족이상 다시 말하면 민족문화의 전적 표현은 오직 종교를 통해서 할 수 있나니 종교는 민족이상의 구체화인 동시에 민족문화를 발생케 하는 원동력이 될 수 있는 것이다. 한 민족의 이상은 시대에 따라 다르며 또한 문화도 때에 따라 그 색채를 달리 하므로 종교도 마찬가지로 때에 따라 그 내용과 조직을 달리하게 된다.116)

종교는 그 민족의 이상이요 민족문화의 전적 표현으로 민족문화의 구체화인 동시에 민족문화를 발생케 하는 원동력이라 한다. 그리고 그 종교란 시대에 따라 내용과 조직을 달리하는 것이다. 또한 민족의 문화라는 것은 민족 개인 자신이 직접 손으로 조직하고 창조한 문화라야 자신의 문화가 된다. 따라서 조선의 문화도 조선인이 직접 창조한 것이라야 힘을 가진 문화가 될 수 있다. 그렇다고 조선문화가 반드시 서양문명을 수용하지 않는다는 것을 말하는 것이 아니다.

그러나 오늘날 조선민족을 대표할 만한 민족문화는 아직 건설되지 못하였나니 과거 오백년간 조선문화를 대표하던 유교문화가 무너지고 그에 代할 만한 새문화가 아직 건설되지 못하였다. 우리가 일상생활에 적용하는 서양문명의 과학적 이기는 표면생활의 한 수단으로 쓸 뿐이요 그것이 우리의 민족문화는 아니다. 우리의 문화가 반드시 서양문명을 수입치 않는 데 있다는 것은 아니나 우리의 손으로 조직하고 창조한 문화라야 우리의 문화가 될 수 있다. 앞으로 조선문화를 건설할 사명과 원동력은 나의 보기에는 천도교에 있다고 본다. 천도교는 우리 민족의 이상이므로 따라 우리의 민족문화를 내게 할 힘이 될 수 있다. 천도교를 어떻게 조직하고

116) 공탁,「민족문화와의 관계」,『농민』1933.6.

발전케 할가 함은 곧 민족문화를 어떻게 세울가 함이나 다름 없나니 우리
는 조선민족과 조선문화를 생각하게 될 때에 반드시 천도교의 존재를 잊
어서는 안 된다.117)

공탁은 우리 자신이 직접 손으로 조직하고 창조한 우리 자신의 문화로
서 조선문화를 건설할 사명과 원동력은 천도교에 있다고 말한다. 천도교는
민족의 이상이요 우리의 민족문화를 내게 할 힘이 된다는 것이다. 이 말에
따른다면 천도교는 곧 조선인의 교육을 위한 원동력이요 교육의 이상을
부여하는 원천이 된다. 종교란 인간변화를 위한 수단이요 힘이라 했을 때
천도교의 세계관과 전통적 역사성을 바탕으로 조선인의 정신을 빚을 수
있고, 힘을 얻어 자신을 형성하고 민족을 해방하며, 세계를 발전시켜 가는
인간상을 도출할 수 있다. 천도교에 있어서 민족과 문화 그리고 교육은 결
코 분리될 수 없다. 천도교를 통해 민족의 이상을 발견하고 또한 교육으로
확산시켜 갈 때 민족의 생명이 유지되는 것이다. 천도교는 단순히 종파로
서 위치지어지는 것이 아니라 민족문화의 이상으로 탈종교화되어 접근될
필요가 있다.

또한 권덕규는 문화운동을 '사람사람이 자신의 토대에 서서 모든 것을
해석하고 우주에까지 합일하기를 힘쓰는 것'으로 정의하여 인간은 오직 자
신의 민족과 문화를 토대로 인간이 될 수 있음을 말한다.

조선겨레가 존재의 가치를 얻고자 하면 이는 세계사상에서 영광스러운
지위를 차지함이니 조선사람이 이 榮地를 얻는 길은 오직 하나요 다시 없
는 文化의 길이요 朝鮮사람의 것이라고 일컬을 그러한 文化의 길이로다.
世界의 文明이 아직 完成한 것이 아니며 朝鮮사람이라고 文化人되지 말
라는 理가 어대잇스리요 하물며 文明을 갖은 民族 朝鮮사람이리요 ……
우리 문화운동이란 것은 오직 옛문화를 찾아 세워서 제 빛으로 假飾할 뿐
이라. 그리하여 이것을 늘릴 뿐이라 다른 말로 하면 조선사람의 사상, 감
정 곧 실사회에 접촉하는 그러한 것이며, 참조선과 관련이 뜬 모방적 문

117) 공탁, 「민족문화와의 관계」, 『농민』 1933.6.

명 그러한 것이 아니로다. …… 조선에 맞지 않는 철학이나 문학이 무슨 우주에 합일을 의논하리요 오직 사람은 사람사람이 저의 토대로부터 비롯하여 모든 것을 해석하고 우주에까지 합일하기를 힘쓰는 것이다. …… 진정한 역사는 오천년의 역사 그것이 아니라 높고 낮은 메나 맑고 흐린 바다들이며 우리의 철학이나 문학이 이제 우리 양복입고 과학을 말하는 젊은사람에게 있는 것이 아니라 늙은 父老며 약한 婦幼와 및 무식한 노동자에 있다 하노니 …… 제터에 지은 집이 아니면 언제든지 헐리리라.118)

이처럼 권덕규는 신문화건설은 조선인의 토양, 민족문화, 역사를 배경으로 하는 것으로 이는 조선인의 정서와 사상을 빚은 산하의 삶터와 이를 토대로 역사를 이루어온 민중의 이상과 삶에 있는 것이지, 이와 유리된 서구적 모방이나 화석화된 5천년 역사에 있지 않음을 강조하고 있다.

4) 인간한울의 자각과 교육의 의미

천도교 사상에 있어서 자아는 흔히 교육학에서 말하는 자아실현의 개념과 다르다. 서구개념에 있어서 자아란 인간마다 고유하게 독립하여 자리박혀 있는 그 무엇으로, 이것을 환경과 상호작용하여 실현하는 것으로 생각한다. 하지만 천도교에 있어서 자아는 인간 삶의 수행에서 얻어지는 한울자아의 획득을 진정한 자아 즉 眞我로 본다. 이 진아는 곧 우주자아요, 우주자아가 곧 진아다. 우주는 한울자아의 표현이요 개성의 발현이다. 그러므로 인간의 자아는 무진장한 보고로서 이를 개척하는 것에 인간 삶의 목적이 있다.

자아가 있는 곳에 우주가 있다. 우주는 곧 개성의 발현이며 천지는 곧 개성의 자각이다. 천지우주는 실로 이 개성의 능력 아래서 찬란한 광채를 내고 있는 것이다. 이 점에서 개성은 자아의 무진장한 寶庫라 할 수 있다. 오인은 이 보고를 개척함이 곧 개인필생의 대사업이며 인생 구극의 목적이라 할 수 있다.119)

118) 權悳奎, 「조선생각을 찾을때」, 『개벽』 64, 1925.12.

인간의 궁극목적은 자신의 개성적 능력을 개척함에서 우주를 완성하여 가는 것이고, 그 과정에서 부산물로 실현되는 것이 자아실현이다. 처음부터 자아라는 것이 있어서 이를 실현함이 아니라 자신의 무궁성을 개척함에서 얻어지는 결과가 우주적 표현이요 인간 개인으로 보았을 때는 이것이 자아실현이다. 따라서 자아실현이라 말하기보다는 자신의 무궁성을 개척하는 것, 즉 한울님과 합하고자 하는 인간성-무궁의 실현이라 말하는 것이 더 적절하게 된다. 따라서 여기에는 '大觀法'을 통한 '해탈'이 제시된다.

> 자기의 무진장한 보고를 발굴코저 하면 실험상 좌의 몇 조의 수양을 要치 안이함이 불가하다. …… 大觀法을 목표로 함은 산하대지가 이미 티클에 속하고 血肉身軀도 물거품으로 돌아감을 관하는 것이 大觀法이다. 중생은 욕망에 집착한 虛가 많은 故로 일체의 고민과 일체의 고통이 이에서 생하도다. 세상에 금전의 노예가 되며 연애의 노예가 되어 평생의 光陰을 미망의 가운데 허송하며 哀哀분통리에 埋送치 안을자- 몇사람일고[120]

대관법이란 산하대지와 육신이 모두 空으로 쓰러져 다시금 새로운 변형으로 운동화해 감을 관하여 욕망과 집착에 빠지지 않고 자신의 참된 非有非無의 무궁성을 이루어가는 것을 말한다. 그러나 대부분의 인간은 미망 속에서 허송하며 애통한다는 것이다. 따라서 이러한 속박으로부터 해탈해야 하는데 먼저 자기 마음의 속박 즉, 욕망, 허영심, 애정 등 오관에서 촉발하는 것과 종교의 속박에서 벗어날 것을 권유한다. 인간이 필히 自心自拜하고 自心自悟하여 자신의 한울이 大天과 융합, 일치되면 천지우주가 자신의 전체가 되어 인간의 정신은 일체에 간섭치 않음이 없게 되는 것이다. 그리고 이러한 사람의 한울성은 고정된 그 무엇이 아니기에 운동변화할 수 있다. 사람성 자연의 역사 즉 인간사회는 진화한다. 한울님의 표현인 우주도 진화하고 한울님도 진화한다.

---

119) 박응용, 「個性의 無盡藏」, 『천도교월회보』 1920.4.
120) 박응용, 「個性의 無盡藏」, 『천도교월회보』 1920.4.

우주의 진화법칙은 無爲理化요 인간사회의 진화법칙은 사람성 자연이
다. 무위이화는 우주성 자연이요 사람성 자연은 인간성 무위이화이다.
…… 인간은 자기의 발생과정에서 만유의 과정을 과정하였음으로 만유의
본능을 겸전한 이외에 어떤 독특성을 가진 것이 인간의 본능이다. 이 인
간의 본능은 자연계의 에네르기를 조절하는 데서 사람성 능률 즉 사회적
기능이 이루어지고 다시 주관적인 사람성 능률과 객관적인 사회적 기능
이 균형을 얻을 때에 이를 사람성 자연이라고 한다. …… 사람의 본능이
맨 처음엔 오직 자기보존 본능과 종속보존 본능만으로 자연계와 기화를
시작하였지만 거기서 어떤 경험을 얻고 그 경험을 반복하는 데서 경험은
다시 본능이 되고 본능은 또다시 경험을 나으며 一面 사람성은 여러 가지
경험을 통일하는 작용을 가지고 자기의 여러 가지 경험을 통일하는 동시
타인의 경험까지 모방하며 통일하여 사람성 자연을 시간적 공간적으로
성장시킨다.[121]

이와 같이 볼 때 인간의 본질이란 처음부터 고정된 것이 아니라 본능이
경험을 얻고 경험을 반복하는 가운데 경험은 다시 인간의 본능이 된다. 이
본능은 또다시 경험을 낳으며 자신의 경험을 통일하는 동시에 타인의 경
험까지 모방하여 통일한다. 이것이 사람성 자연이 성장된 것이라 한다. 이
는 인간의 성장과정에 있어 인간형성의 원리를 단적으로 보여주는 것이다.
이는 교육의 현상학적 설명과 같이 인간 개체가 결국 무엇을 의미하는지
를 설명해 주고 경험론과 관념론의 통일을 보여준다. J. 듀이의 표현대로
한다면 완전한 경험으로서의 교육적 경험의 성장은 곧 사람 자연성의 무
궁을 실현하는 과정이다. 이것이 개인적으로 보면 성장이요 자아실현이며
인류전체로 보면 역사발전이다. 그러나 이는 무아를 바탕으로 실천될 것임
을 천도교는 밝힌다. 천도교는 자아개념을 無我로 보며 또한 자기라 할 것
이 없어야 오히려 자아실현을 가져올 수 있으며 자신의 완성과 우주의 완
성을 이룰 수 있음을 말한다.

我라 홈은 相對者를 有흔 代名詞이라 그럼으로써 滿天下의 萬有는 統

---

121) 白重彬, 「人乃天의 體와 用」, 『신인간』 29, 1928.11.

히 我라는 義務下에서 各自의 本分을 發揮코저 惡戰苦鬪를 試ㅎ는 俳優
이라 그리ㅎ야 강자약자와 우자열자와 부자빈자와 귀자천자가 모다 시비
와 선악과 장단과 후박의 표준하에서 각자의 욕망을 盡히 만족키 ㅎ고져
홈이 伴ㅎ야 이에 人의 소유를 奪ㅎ며 己의 勝者를 厭ㅎ야 小ㅎ면 개인
이 서로 仇視ㅎ며 大ㅎ면 국가가 셔로 적대ㅎ야 동서고금에 攻取征服ㅎ
는 戰雲이 未霽ㅎ야 來혼 것이 쏘한 此에 기인홈이라 …… 상대적 아를
망ㅎ고 절대적 아를 각ㅎ는 동시에 개체적 我 가정적 我 국가적 我의 온
갖 것을 모다 망각ㅎ고 소ㅎ야도 세계적 我가 되야 세계를 위ㅎ야 활동ㅎ
며 세계를 위ㅎ야 생사ㅎ고 更히 進ㅎ야는 大神師的 我가 되야……122)

　자기(我)라 함은 상대자를 설정하는 의미다. 이러한 의미로서 자아는 강
자와 약자, 우월한 자와 열등한 자, 빈부, 귀천의 모든 시비와 선악과 장단,
후박의 표준으로 각자의 욕망을 만족시키고자 하게 된다. 이를 위해 사람
의 소유를 탈취하고 승자를 증오하며, 국가가 적대하여 약탈전을 벌이는
戰雲이 모두 여기서 기인한다. 서구 근대적 개념에서 자아라 함은 타자를
전제한 대명사다. 만인은 각자의 자아를 발휘하고자 악전고투를 시도하는
배우이기에 국가 간의 전쟁도 여기서 기인한다. 그러나 인간은 상대적 我
를 넘어서 절대적 我를 깨닫고 동시에 개체적, 가정적, 국가적 我에 제한되
지 말고 세계적 我가 되어야 진정한 자아를 얻게 된다는 것이다. 이것은
결국 수운이 보여준 我이기도 하다. 따라서 천도교는 이러한 상대적 我가
아닌 절대적 我, 세계적 我가 되어 세계를 위하여 활동하고 세계를 위하여
生死를 놓으라 하는데, 이는 궁극적으로 수운사상에서와 같은 한울님적 我
가 되라는 말이다.

　우주는 靈이오 宇宙內 一切萬物은 즉 靈의 表現이다. 그러면 吾人도
宇宙內 一切物中 一이니 吾人도 是- 靈의 表現임이 확연치 안이한가 是
點에 至하야 默然히 思하면 吾人은 死할 刹那에 곳 宇宙의 大靈과 合致
하도다.123)

---

122) 김홍선, 「소아를 忘ㅎ라」, 『천도교회월보』 1920.2.
123) 박태준, 「나의 사후관」, 『천도교회월보』 1920.4.

萬有는 우주 영이 표현된 것이요 만유 중 동물은 가장 진화한 표현이요 사람은 우주 영의 최종적 표현이다. 우주는 영이요 우주의 일체만물은 즉 영의 표현이라는 것이다. 인간도 우주 내의 일체만물 중 하나로서 우주 영의 표현이다. 따라서 인간의 죽음도 곧 우주의 靈과 합치하는 것이 된다. 이는 불교적 용어로 이해를 돕는다면 인간과 우주의 관계는 파도와 大海의 관계로 설명할 수 있다.

> 大海가 一水인데 泡子가 出沒한다. 宇宙가 一理인데 形殼이 去來한다. 生亦 其內요 死亦 其內라 오직 自然과 同歸하고 眞理와 同伴하야 死하나 生하나 我-動撓될 것 업다.[124]

대해에 출몰하는 파도는 같은 물이다. 우주가 한 이치로 형곡이 오고 간다. 출몰하는 파도나 오고가는 형곡, 인간의 삶과 죽음도 모두 전체 안에 있는 것이다. 따라서 오직 자연과 동귀하고 진리와 동반하여 사나 죽으나 동요될 것 없다는 것이 천도교의 자아관이다. 이러한 자유로운 삶은 그들로 하여금 자신의 생명을 돌아보지 않고 지상천국의 건설을 위해 몰입하게 하는 근본 동력이 되기도 하였다.

천도교의 교육운동에 있어서 핵심을 두는 것은 인간한울의 실현으로 이는 인간 본성의 해방에 있다. 당시 부르짖던 형평운동이나 노동운동, 여성운동도 물론 해방의 몸짓이겠으나 인간 본성의 해방이란 무엇보다 내재적 해방의 요구를 수반한다는 것이다. 이 본성을 순화하며 해방하는 길은 인내천을 떠나서 구할 수 없다[125]고 하였다.

김병순도 물질계를 초월하여 靈의 욕구에서 배태된 것으로 영의 安逸을 도모하며 영의 노래를 發케 하는 것이 문화라 했다. 따라서 물질문명의 건설은 몰락될 수 있고 부패할 수 있으나 완전한 문화의 건설은 몰락이 없고 부패가 없는 것이라 하는데, 이는 사람이 곧 한울인 줄을 알게 되는 때에 건설되는 인내천의·새문화라 하였다.[126]

---

124) 朴春坡, 「余의 觀한 生死問題」, 『천도교회월보』 1920.4.
125) 김진욱, 「인내천의 사명」, 『천도교회월보』 1923.7.

인간의 한울님 됨의 자각은 곧 자기해방이다. 자기해방이란 객관적 해방과 주관적 해방을 이름한다. 객관적 해방이란 물질에 관한 것으로 의식주 해방과 같은 경제적 자유를 말함이다. 이것이 없으면 주관적 해방, 즉 의지의 해방도 불가능하다. 해월은 食一碗(밥 한 그릇)으로서 만사지가 된다 했다. 즉 해월은 물질로부터 정신을 논급한 것이다. 영육일치의 점으로부터 물을 不踐하며 또한 靈을 존귀히 생각한 것이다. 한울은 만물을 만들고 만물의 가운데 존재한다. 그러나 만물 중 최령한 자는 사람이요, 사람이 곧 한울이다. 사람은 태어남으로만 사람되지 못하고 백곡의 자양을 받아 점차 그 靈力이 발달된다. 따라서 천은 사람에 依하고 사람은 食에 의하니 以天 食天的 主義 하에 세운 천도교는 반드시 식고를 하게 된다. 영육일치주의 와 肉의 해방 즉 의식주 해방을 구하고자 하는 현대 인심은 인내천주의와 멀지 않다[127]고 했다.

5) 물심일원의 세계관과 사회변혁의 교육

천도교의 교육목적은 인간한울의 자각을 통하여 한울과 인간이 합치되는 데에 있는데, 김기전의 표현을 빌린다면 자신의 건축을 위하여 역사적 비판의식 하에 일상행위를 몰입하는 것이다.[128] 인간형성은 사회변혁을 떠나 별도로 이루어지는 것이 아니다. 인간은 역사적 공간적 합치점에서 새로운 단계로 발전하는 역사의식을 가지고 공간 속에서 실현하고자 하는 일상행위 속에서 자신을 형성하고 동시에 사회를 변혁시킨다. 이돈화는 사람성과 의식태의 관계로 인간완성과 사회변혁의 일원론적 관계를 설명한다. 그는 인간의 의식을 3가지로 나누어 설명하는데 그것은 기계의식, 계급의식, 초월의식이다. 인간은 기계의식으로부터 계급의식을 지나 초월의식으로 넘어가는 것인데 그 과정에는 사회변혁의 의식이 자리잡고 있다.

126) 김병순, 「새종교와 새문화」, 『신인간』 27, 1928.9.
127) 이돈화, 「자기해방과 인내천주의」, 『천도교회월보』 1920.7.
128) 이 책의 제4장 2절 참조.

사람성과 의식태의 관계에 있어서 3가지 의식으로 나눌 수 있다. 의식
이란 생활력의 意的 활동이다. 생활력을 떠나 따로 의식이 없다. 생활력
이 정신적으로 표현되는 것을 이를 일러 의식이라 한다. …… 현대 사람
의 의식상태를 세 가지 의식 즉 기계의식, 계급의식, 초월의식이라 이름한
다. 기계의식이란 의식이 기계화된 것으로 의식의 작용이 순전히 자유와
창조적 본능을 잃어 버리고 어떤 특권행사나 혹은 물질행사의 노예가 된
것을 이름이다. 계급의식이란 기계의식이 기계적 노예성을 각파하는 순간
그를 해방코자 하여 모든 인습적 대상을 반항하고 일어나는 의식이다. 계
급의식의 가치 및 목적은 자기가 어느 계급에 있는 사람인 것을 의식하고
나아가 현대 사회제도에 있어서는 자기가 자기들의 창조적 노력이 아니
면 자기들의 행복을 보다 이상의 계급에 인상키 어려움을 確醒하는 의식
이다. 계급의식이 상대적인 점에서 이는 순전히 외래적 의식이다. 계급이
있으면 의식이 성립되고 계급이 소멸되면 이 의식도 소멸한다. 계급적 주
체요 의식은 그의 그림자이다. 그러므로 계급의식은 순수한 인간 자유의
지의 창조라 하느니보다 사회상태의 파문으로 영사된 투영적 의식이다.
계급의식은 기계의식을 타파하고 인간노예화를 방지한다. 사회진화를 촉
진하는 힘 있는 강력을 가진 의식으로 볼 수 있다. 초월의식이란 마치 식
물이 육체를 기르는 데만 필요한 것이 아니요 정신을 양함에도 필요한 것
같이 초월의식을 유심론자뿐 필요한 의식이 아니요 유물론자에게도 극히
필요한 의식이 된다. 계급의식을 고조한 칼 맑스의 정신 중에는 적어도
초월의식의 무궁성이 약동되었음을 명력히 볼 수 있다. 현대 인간은 한걸
음 더 초월의식의 계급에 올라가야 한다.[129]

이돈화가 말하는 기계의식이란 의식이 기계화된 것으로 의식의 작용이
순전히 자유와 창조적 본능을 잃어버리고 어떤 특권행사나 혹은 물질 행
사의 노예가 된 것을 말한다. 계급의식이란 기계의식이 기계적 노예성을
각파하는 순간 이를 해방코자 하여 모든 인습적 대상에 반항하여 일어나
는 의식이다. 계급의식은 기계의식을 타파하고 인간노예화를 방지하는 면
에서 사회진화를 촉진하는 강력한 의식이다. 또한 인간은 이 계급의식에서
한단계 더 올라가 초월의식에 이르러야 한다. 초월의식이란 마치 식물이

___

129) 이돈화, 「사람성과 의식태의 관계」, 『천도교회월보』 1925.5.

육체를 기르는 데만 필요한 것이 아니요 정신을 양함에도 필요한 것으로 유심론자뿐만 아니라 유물론자에게도 극히 필요한 의식이다. 초월의식이란 인간성-무궁을 뜻한다. 계급의식을 고조한 칼 마르크스의 정신 중에는 적어도 초월의식의 무궁성이 약동되었음을 명확히 볼 수 있다고 한다.

이돈화는 억압과 착취로 고통하는 조선 식민지의 정세에 있어 사회주의 운동에 역사적 의의를 부과하여 이를 인내천주의 실현의 한 과정으로 삼고 있다.

> 우주는 환경적 변화입니다. 환경에 심리가 변하고 행위가 달라지는 것입니다. …… 五,六년 전까지는 조선내지의 사상형편은 말할 것도 없이 누구나 민족운동자 아닌 것이 없었습니다. 그렇던 것이 최근에 이르러 오면서 시세의 所然이든지 사실의 불가피이든지 어찌되었든 사회운동의 세력이 커져간 것은 명확한 사실이었습니다. …… 당초에는 조선의 조선사람이나 혹은 조선을 평하는 외국사람들이 대부분 말하기를 조선에는 공업이 없는 나라이니까 즉 노동자가 적은 나라이니까 사회운동과 같은 것은 있더라도 큰 영향은 없으리라고 믿어 왔습니다. 그런데 사실인즉 이와 반대로 조선의 인심은 그쪽 편으로 많이 쏠리게 되었습니다. 이것이 조선민족과 가히 엄폐치 못할 중대한 인과율이 잠겨 있는 것이 아니겠습니까 물론 조선에도 공업국과 같이 노동자는 없습니다. 대부분이 농민입니다. 그러나 조선인은 민족적으로 무산계급입니다. 전부가 소작농민입니다. 조선사람에게 매인 소작인도 적지 않습니다. …… 조선특유의 민족운동자와 사회운동자와의 의견이 다소 상위가 날 것은 사실입니다. 우리도 벌자 부지런하자 그리하여 미국사람과 같이 되자 **을 하자 그러면 남과 같이 살 것이 아니냐 죄는 우리에게 있지 타국에 있지 아니하다 하는 의견은 민족운동편에 주장하는 말이오 …… 그러나 사회제도가 이 현상으로 있고 약육강식이 이 현상대로 내려가는 날에는 우리가 다만 그러한 목표만으로 조선을 구할 도리가 없는 것이다. 조선을 구할 도는 소작인이 부자와 상대하여 부자를 이기고, 부자와 경제적 평등을 구하려 하는 時代遲의 사상에 있지 아니하고 소작인과 부자 사이에 관계된 제도를 개선함에 있다. 이것이 바른 도리요 시대순서이다 하는 것은 左袒者 편의 하는 말이었습니다. 이 두 가지 말에 조선 사람의 귀에 쉽게 들어가게 된 것이 후자의

세력입니다. 그래서 양자가 암암리에 서로 투쟁도 없지 아니하였으나 최근에 와서는 조선사람이 특유한 형편과 경우에 따라 양자의 넓은 양해가 성립되어 너의 주장이 어느 정도까지 나의 주장과 반대되는 것이 아니라 하게 되었습니다. 어쨌든 조선의 사상계는 대개 이러하다는 일언을 참고로 여러분의게 올리는 것입니다.[130)

이돈화는 자유주의자들의 "우리도 벌자, 부지런하자 그리하여 미국사람과 같이 되자하여 그렇게만 하면 남과 같이 살 것이고, 죄는 우리에게 있지 타국에 있지 않다"는 주장은 역사적 대세에 부합되지 않는다고 말하였다. 사회제도가 이 현상 그대로 있고 약육강식이 이 현상대로 내려가는 형편에 단지 그러한 목표만으로 조선을 구할 도리가 없다는 판단이다. 또한 그는 조선을 구할 도는 소작인이 부자와 상대하여 부자를 이기고, 부자와 경제적 평등을 구하려 하는 時代遲의 사상에 있는 것이 아니라 소작인과 부자 사이에 관계된 제도를 개선함에 있다고 한다. 이는 자유주의와 사회주의의 성격을 단적으로 묘사하는 말이다. 이돈화는 사회주의의 역사적 대세를 민중이 인정하고 있음과 그 의의를 부과하고 천도교도 이와 입장을 같이하지만 궁극적으로는 천도교 입장에서 사회주의를 재해석하고 있다.

노동문제는 빈자의 실력과 권리를 향상코자 하는 한 가지 일에 귀착한다. 빈자의 실력과 권리를 증진케 하려면 불가불 부자의 실력과 권리의 일부를 상당한 방식 하에서 빈자에 讓頭하여야 할 것이다. 즉 빈부의 인격을 一視同仁하는 밑에서 도덕적 자비적 관념으로 양자의 극단한 차별을 일정 부분 조화케 함이다. 현대의 사조가 인도의 실현으로 목적을 삼으며 따라서 그 표준은 인내천이 되며 그 방침은 사인여천이 될진대 부한 자가 부를 독점하고 빈자를 천대함은 이 인도의 배반일 것이며 빈한 자 또한 그 빈에 自暴하여 불노자득하고자 함도 역시 인도의 어김이라 할지니 부자의 도덕적 자선적 개념과 빈자의 극기적 노력적 활동을 조화하여 양자간 차별을 天이라 운하는 최고이상적 평등표준 하에서 해결케 함이

---

130) 이돈화, 「재외동포에게, 특히 지도자되는 여러 선배에게」, 『개벽』 1925.8/『개벽지 압수원본선집』, 현대사, 1980, 195쪽.

是 금일의 최선급무가 아니랴 ……131)

노동문제는 무산자의 실력과 권리를 향상코자 하는 한 가지 일에 귀착하는 것으로 무산자의 실력과 권리를 증진케 하려면 불가피하게 유산자의 실력과 권리의 일부를 무산자에게 양도하지 않을 수 없다. 하지만 가진 자와 못 가진 자의 인격을 인도적 사상에서 一視同仁하는 가운데 양자의 차별을 조화시킬 것을 전제한다. 그 조화의 표준은 인내천으로서 그 방침은 사인여천이 될진대 가진 자가 富를 독점하고 못 가진 자를 천대함은 이 인내천의 배반일 것이고, 못 가진 자 또한 그 가난에 自暴하여 불노자득하고자 함도 역시 인도(인내천)의 어김이라 말한다.

따라서 이돈화는 정신개벽, 민족개벽, 사회개벽 등 3대 개벽을 제시하여 개벽 자체가 물심양면의 그리고 개인과 사회의 동시적 변혁과 발전을 위한 교육운동임을 나타낸다.

사람이 환경을 개조한다는 데는 반드시 意識문제가 따라가는 것이다. 의식으로 먼저 환경의 결함을 알고 환경의 부조화를 고찰한 후에 그것이 사상으로 변하며 양심의 고통으로 화하여 필경은 이것이 사회화되며 사상화되는 데서 처음으로 개조문제의 懸板이 나서게 되는 것이다.132)

인간의 환경개조에는 반드시 인간 개인의 의식이 따라가는 것이며 의식으로 먼저 환경의 결함과 부조화를 안 후에 그것이 사상으로 변하고 양심의 고통으로 화하여 사회화되고 사상화되는 데서 개조운동이 시작되는 것이다. 이돈화는 이러한 정신개벽에는 두 가지 법칙을 요하는데 하나는 사람성 자연에 대한 역사적 고찰과 반항도덕이라 한다.

정신개벽에는 필연적으로 두 가지 법칙을 요하게 된다. 하나는 사람성 자연에 대한 역사적 고찰이오 하나는 반항도덕이라 하는 것이다. 사람성

131) 이돈화, 「현대사조와 사인여천주의」, 『천도교회월보』 1920.3.
132) 이돈화, 『신인철학』, 1924, 149쪽.

자연에 대한 역사적 고찰은 역사적 원인에 대하여 장래의 결과를 고찰하
여서 냉정한 理智로써 事理의 是非曲直을 비판하여 前途의 順次를 지정
하는 법이오 반항도덕이란 것은 기성의 윤리 혹은 政制 안에서 그 결함을
알아 가지고 감정과 의지로써 그 부자연에 대하여 반항함을 이름이니 정
신개벽에 있어 반항도덕이 얼마만한 중요역할을 하는가를 역사적 사실에
비추어 보면 많은 흥미를 느낄 수 있다. …… 계급투쟁은 곧 인류의 반항
성을 이름이다. 노예와 자유민의 투쟁 농노와 영주의 투쟁 평민과 봉건계
급의 투쟁은 바로 사회진전의 원동력이었는데 반항의 결과로 모든 경험
과 지식을 얻게 된 것이다.[133]

여기서 사람성 자연에 대한 역사적 고찰이란 역사적 원인과 장래의 결
과를 고찰하여 냉정한 이지로써 사리의 시비곡직을 비판하는 것이다. 또한
반항도덕이란 기성의 윤리 혹은 정치제도 안에서 그 결함을 인식하여 그
부자연에 반항함을 이름이다. 이는 정신개벽에 있어 매우 중요한 것으로
이것이 바로 사회진전의 원동력이라 말한다. 계급투쟁도 인류의 반항성으
로 사회진전의 원동력이 되었다. 민족개벽이라는 것도 이러한 기초 위에서
민족의 문화와 생활 정도를 향상 발전시키고자 하는 것이다. 다시 말해서
민족개벽은 모든 이상주의 과도기에 있어서 최대의 표준적 기초가 된다.
민족주의는 인류주의로 나가기 위한 기초단계로 민족적 평등을 얻는 것이
급선무요 세계평화의 표준은 국가표준에서 민족표준으로 옮겨야 한다고
주장했다. 결국 민족문제란 약소민족을 의미한 것으로 민족 간의 평등을
요구하는 것으로 타민족을 배제하거나 침해하는 것을 뜻하는 것이 아니다.

　1. 민족은 인류주의로 나아가기 위해서라도 민족적 평등을 얻고 점차로
민족과 민족의 차별을 융화케 하여 상호의 행복을 도모케 하는 것이 세계
일가주의의 순서라 할 것이다.
　2. 민족지위의 향상 - 기존 세계평화의 표준은 국가표준에서 민족표준으
로 옮겨져야 한다.
　3. 금일의 민족문제란 것은 약소민족을 의미한 민족문제이다. - 민족과

---

133) 이돈화, 『신인철학』, 1924, 150~151쪽.

민족상 평등을 요구하는 민족주의요 자기 민족만 표준하고 타 민족을 배제하는 민족주의가 아니다.[134]

끝으로 사회개벽이란 인간격의 실현을 위한 전 단계요 수단이지 그것 자체가 목적은 아니라 한다. 경제투쟁은 인간의 최종목적이 아니요 최종이상은 창조투쟁 즉 최고 인간격을 실현하는 데 있다고 말한다.

> 수운주의가 사회주의이론과 차이되는 점은 유물적 경제문제에 있지 아니하고 인간격 중심문제에 있다. 사회주의의 중심문제는 경제로 최고이상을 삼는 데 대하여 수운주의 중심은 인간격으로 최고의 이상을 삼는 것이다. …… 인간이 아직도 먹을 것, 입을 것에 대하여 상호소유투쟁을 삼는 것은 인간의 체면상 유치한 일이며 아직도 비열한 동기로부터 완전히 해탈하지 못한 정도에 있다. 물론 금일의 경우로 본다면 의식주에 얽매인 민중이 여기에서 해방을 얻고저 하는 운동은 당연 이상으로 당연한 일이다. 왜 그러냐 하면 인간으로서 그 문제를 해결하기 이전에는 기타 최고의 인간격을 발휘할 여유가 없기 때문이다. 그러나 이것이 인간의 진화과정상 어떤 단계에 뿐 있을 문제이오 인간격의 영원한 이상으로 본다면 의식주의 투쟁이 인간의 최종목적이 아니오 최종 이상은 창조투쟁 즉 최고인간격으로부터 우주생활을 실현하는 데 있다는 것이 수운주의의 이상이다.[135]

따라서 천도교에 있어서 인간형성은 역사의식을 바탕으로 한 창조적 투쟁을 통해 형성되는 것으로 자신과 세계를 포함한 총체적인 변혁교육임을 알 수 있다. 유물론적 입장을 긍정하는 것은 의식주에 얽매인 민중이 자신의 최고 인간격을 발휘하기 위해서는 의식주를 해결해야 최종이상인 창조투쟁 즉, 최고인간격의 우주생활을 실현할 수 있기 때문이다.

이상과 같이 천도교의 교육운동은 총체적으로 보았을 때 세 가지를 축으로 하여 진행된 것으로 파악된다. 첫째, 민족문화공동체를 통한 교육, 둘째, '인간한울'의 자각, 셋째, 물심일원의 사회변혁적 교육이다. 이 세 원리

---

134) 이돈화, 『신인철학』, 1924, 153쪽.
135) 이돈화, 『신인철학』, 1924, 158쪽.

는 각 부문운동에서도 적용되어 인내천주의를 바탕으로 민족역사와 정서
를 중요시한 조선적 교육과, 독립운동의식의 고취를 위한 항일민족교육으
로 확산되었다.

3. 조선농민운동과 사회교육

천도교는 보성전문과 동덕여학교를 비롯하여 31개 학교운영에 기여하고
전국적으로 야학, 강습회, 강연 등을 열어 교육에 앞장섰는데, 제도권 학교
교육보다는 사회교육에 치중했다고 볼 수 있다. 학교교육에 순기능을 두는
것은 다만 직접 조선인에 의한 학교설립을 전제한 것이거나 문맹을 퇴치
할 수 있는 소학교 설립을 목적한 것에 있었다.

천도교는 1920년대 사회주의에 기초한 정세파악을 통해 인식을 전환하
면서 가장 핵심적 운동부문을 농민운동에 두었다. 점차 농촌현실에 밀착하
면서 문맹퇴치와 미신타파, 농민의식을 고조시킴과 더불어 공생조합운동
을 벌여갔다. 농민이 전 인구의 80% 이상 절대 다수를 차지하고 있는 조선
의 현실에서 농민운동은 곧 조선운동으로서 전 부문운동을 포괄하는 것이
었다. 농민운동은 조선 독립운동과 민족운동의 주된 노선이자 주체세력으
로서의 민중운동이었다. 그러므로 그 입장은 각 부문의 활동에도 영향을
미쳤다. 소년, 여성, 학생운동도 농촌의 소년, 농촌의 여성, 농촌의 학생을
주된 대상으로 설정하지 않을 수 없었고, 농촌의 현실은 바로 식민지 현실
에서 파생된 현장이었다. 이는 농민교육운동이 교육의 총체적 위상을 지니
게 됨을 전제하는 것이다.

이돈화는 조선 신문화건설을 위해 두 가지 교육방안을 제시했다. 하나는
농촌실정상 아이들이 돈을 내고 학교에 들어갈 수 없으므로 <사회교육>
을 전략적으로 실시하고, 문서활동 및 의식각성, 농촌개량, 전문인 확보와
과학화에 중점을 두었다. 둘째는 <보통교육>으로 이는 도시를 대상으로
하여 조선인 본위의 소학교 요구 및 증설과 도시 중심의 사상통일을 이루
고자 했다. 사상적 개혁가가 먼저 중추가 되어 신문화 건설이 이루어져야

한다고 말했다.136)

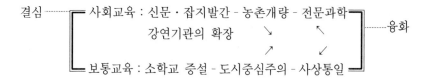

　　이돈화는 신문화건설의 제1보로 지식열의 요구를 말한다. 지식이 없는 경영은 맹목에 빠지게 되고, 지식이 없는 활동은 모순적 당착에 떨어진다. 여기서 이돈화가 말하는 지식은 전문적 지식을 지칭하는 것이 아니라 보편적으로 누구든지 실제에 부합할 만한 보통지식을 말한다. 이 지식을 위해 누구든지 우선 신문잡지의 가치를 이해하고 구독함이 최선급무라 한다. 그리고 강연기관의 확장을 통해서 사회교육137)을 펼치는 것이 우선된다. 또한 그는 신문화건설의 제2보로 교육보급을 주장한다. 서당교육을 개량하여 비록 원시적 교육일지라도 교육보급을 시킴이 문화건설에 필요한 급무로 본다. 여기에는 修身교육과 문자교육이 들어간다. 신문화건설의 제3보로 농촌개량을 들고 있다. 그리고 제4보로는 도시중심주의를 주장하고 있는데, 도시중심주의란 연결과 교류를 의미한 말이다. 행정 이외에 여러 가지 문화적 교화에 이르러는 아직 연결이 없고, 남과 북, 동과 서가 정치상에는 통일이 있으나 사상상에는 아직도 봉건시대적 상태를 가지고 있다는 인식이다. 물론 도시중심주의는 도시가 선각자된 위치에 있고 문화의 원천이 된다는 인식이 배경이 된다. 그 다음 제5보로 전문가를 꼽는다. 전문가

---

136) 이돈화, 「조선신문화건설에 대한 도안」, 『개벽』 4, 1920.10.
137) 일제가 조선에 제도적으로 사회교육과를 설치하여 사회교육이라는 말을 쓴 것은 1932년이지만 그 이전까지 일제는 '사회교화'라는 말을 주로 썼다. 이돈화는 1920년에 조선 내에서 사회교육을 말하였다. 조선인에 의한 사회교육은 일본 식민교육을 실시하는 학교교육을 탈피하고자 내세운 대안으로서 일제가 1930년내에 주장한 사회교육이나 그 이전의 황국신민화하기 위한 사회교화와는 성격이 상반될 수밖에 없다. 그리고 이 당시 사회교육이란 제도권교육의 한계를 벗어나고자 한 발로라는 점에서 오늘날의 개념과는 구별될 것이다.

될 사람은 오직 자기가 전문하는 과학에 전심하여 후일의 대성을 기하도록 힘쓰는 것이 우리민족에 이익이 될 것이라 한다. 제6보로 사상통일을 주장한다. 중심인물이 자신의 생각을 일반인의 공통된 사상과 통하게 되는 것으로부터 사상통일을 이루자는 것이다.

이들의 각 부문인 농민, 어린이, 학생, 여성 등의 사회운동에는 앞서 살펴본 천도교적 교육원리가 체계적으로 깔려 있다. 즉『조선농민』이나『어린이』지 그리고『학생』,『신여성』등의 편집구성은 '인간한울'의 자각과 물심일원적 사회변혁, 그리고 민족문화공동체에 바탕한 민족교육운동이 공통적으로 나타나고 그 중심에는 농민운동이 자리잡고 있었다. 그리고 1931년에 가면 朝鮮勞動社가 조직되어 농민과 노동자의 민중운동에 보다 더 주력하게 된다.

1) 朝鮮農民社의 성격

1920년대 사회주의의 신흥사상에 영향을 받은 각 계보들의 운동가들은 모두 하나같이 농민운동에 기치를 걸게 된다. 농민운동은 크게 자유주의자들의 YMCA와 동아일보를 중심으로 한 '브나로드운동', 천도교를 중심으로 한 '조선농민사 운동', 사회주의를 중심으로 한 '계급투쟁적 조합운동' 등으로 나눌 수 있다. 1929년 조선일보와 1931년 동아일보가 YMCA의 문맹퇴치운동에 합세하여 귀농운동을 추진하게 되는데 당시 학원가나 청년층에는 이미 시대조류로서 퍼져 나가 전국적으로 일반화되고 있었다. 천도교도 1925년 조선농민사 설립 이후 학생들에게 귀농을 권유했었다. 이러한 귀농운동이 혁명적 농민운동의 기초가 되거나 혁명조직으로 전환해간 사례도 있었다.

1920년대 농촌문화운동의 흐름은 문자보급과 계몽교육, 농민문학으로 확산된다. 문학에 있어서 대표적으로 이광수의 「흙」, 심훈의 「상록수」 등을 들 수 있다. 그리고 사회주의 문학연맹인 카프(KAPF)가 형성되어 무산자문학이 풍미를 이루게 된다. 특히 심훈의 작품은 천도교의 농민운동을 문학화한 것으로 볼 수 있다. 국문학계에서는 심훈의 작품을 사회주의의

농민운동을 주된 핵심으로 다룬 것이라 평하지만138) 오히려 이 작품은 천
도교의 농민운동 노선을 보여 주는 것으로 재고되어야 한다.139)

천도교의 조선농민사는 그당시 농민운동의 대명사였다. 사회주의자들과
결합하여 농민운동을 벌였고 화요계 사회주의자들과는 노선문제로 논쟁과
갈등을 일으키지만 민중민족주의에 입각해 실질적 교육운동을 벌였다.『농
민독본』발간을 통한 정치의식의 고취과 문맹퇴치, 그리고 과학적 농법의
보급과 문명비판을 겸하고 있었다.

(1) 사회주의와의 결합과 갈등

천도교는 1926년경에 이미 조선농민사에 의해 귀농운동과 문맹퇴치운동
을 전개하고 있었다. 계몽운동에서 벗어나 농민 주체적 공생조합 결성과
공동경작 실시140) 등의 본격적인 운동을 펴 민족운동의 대중화를 이루어

---

138) 김용성·우한용 편,『한국근대작가연구』, 1985, 삼지원, 318~319쪽.
139) 심훈이 진단한 프로문학의 네 가지 병통은 첫째, KAPF진영 내에 이론적 통일이
없다는 것이고, 둘째, 동지를 포섭하는 아량이 적다는 것, 셋째, 이론보다는 감정
이 앞선다는 것이며, 넷째, 프로문학을 전개하기 위한 체험의 폭이 좁다는 것이다.
기본적으로는 프로문학의 노선을 인정하면서도 그것에 전적으로 따를 수 없다는
반항적 논리를 '프로문학에의 직언'이라는 글로서 나타내고 있다. 그리고 이러한
태도는 심훈의 전체 문학작품에 거의 일관되게 나타난다(심훈,「1932년의 문단전
망 - 프로문학에의 직언」,『전집』3, 566쪽). 따라서 이러한 작가의 입장이 그러하
고 작품내용에 있어서도 천도교의『조선농민』에서 제시되었던 운동론이 많다. 공
동경작, 정신적 회망, 소비조합, 이발조합, 봉건적 관습타파, 고리대금타파, 천도교
가 발간한 농민독본의 강습교재 사용, 농사법개량, 표면적 문화운동에서 실질적
경제운동으로! 등 모두가 천도교의 운동노선을 그대로 그리고 있기 때문이다.
140) 김병순은 공동경작 실시에 대해 다음과 같이 제시하고 있다. "공동경작실시 단행,
이는 이상촌을 건설하는 근본운동이며 농민구제의 긴급책이다. 농산물의 정가판
매, 노동시간 절약, 생산비 절약 등을 공동경작에서 해결코자 한다. ① 노동에 관
한 이익 - 공동작업은 축력 및 기계력 등의 이용능률을 완전케 할 수 있다. 작업능
률을 증진한다. 노동시간을 절감한다. 徒勞를 생략한다. 잉여노력을 유효하게 이
용할수 있다. ② 비용에 관한 이익 - 기구기계의 공동이용에 의하여 설비비의 감
소. 건축등의 공동이용에 의한 건축비의 감소. 염가 구매. 소비경제에 도로를 생
략. 비료 飼量의 유효이용에 의하여 구입의 감소. ③ 생산비 증진에 의한 이익 -
전문기술 숙련 등을 응용하여 분업이 잘되므로 수량과 생산물의 품질향상. 지력

냈다.141) 1936년 만주의 재만한인 조선광복회가 천도교와 연합전선을 형성
하려고 했던 것도 조선농민사의 지방조직이나 농민야학 활동에 주목했기
때문이었다.142)

천도교는 1925년에『조선농민』지를 발간하여 농민운동의 중대성을 부각
시켰다. 조선농민사는『개벽』지의 주간이었던 김기전과 천도교청년당 대
표인 조기간, 동경의 천도교 종리원장이었던 박사직 등의 발의로 시작되었
다. 이에 김병준, 이돈화, 박달성이 더 가담하여 천도교 측 6인과 한위건
(ML), 홍명희(ML), 이봉수(상해파), 김준연(서울계), 이순탁 등 사회주의
자들이 발기인 모임을 가져 진전된 것이다. 이 때 결의된 사항은 첫째, 농
민계몽운동 즉 문맹타파운동으로 진출할 것, 둘째, 천도교청년당이 그 산
파역을 하고 또 이것을 진작시킴에 이르러는 천도교청년당이 직접 간접으
로 그 보모역에 서야 할 것, 셋째, 천도교청년당에서는 이 일을 가장 성의
있고도 가장 충실하고 또 이 방면에 지식을 가진 인물로 담당케 할 것 등
이다. 그리하여 조선농민사는 후에 이성환이 맡아 이끌게 되었으며, 천도
교의 조직기반으로서 농민운동을 급성장시키는 데 큰 공헌을 하였다.143)

천도교는 앞에서 기술한 바와 같이 1920년대까지만 해도 사회주의자들
과 함께 활동을 했다. 천도교 출판물인『개벽』지나『조선농민』에는 사회주
의자들의 필진이 한 구성원을 이루었고 개벽출판사는 정백의『사회주의』

<hr />

증진과 경지개량이 용이하며 생산물의 품질과 수량을 향상시킨다. 병충 해충의
방제를 완전히 한다. 비료용수의 유효활용에 의하여 생산을 증진시킨다. 경지관리
를 완전히 하므로 경작 면적을 증대하고 사육수량 등을 증가한다. ④ 생산품의 통
일과 대량생산에 의해 가격을 향상시킨다. ⑤ 판매법의 개량, 판로확장에 용이하
다. ⑥ 가공이 완전하고 용이하며 이익이 증대된다. ⑦ 공동 취사(炊事)를 하면
예산가계를 할 수 있다. ⑧ 자본금을 최유효 이용할 수 있다. ⑨ 자금차입이 용이
하고 상환법도 확정할 수 있다. ⑩ 공공사업 수행이 용이하다. ⑪ 일상 안심하고
유쾌한 생활을 할 수 있다. ⑫ 노약자 보호와 교육의 완전을 기할 수 있다. ⑬ 전
문기술 기타 연구가 용이하다(김병순, 「당면과제 ABC」,『농민』1932.2)."
141) 동학혁명100주년기념사업회,『동학혁명100주년기념논총下』, 태광문화사, 1994,
545쪽.
142) 동학혁명100주년기념사업회,『동학혁명100주년기념논총下』, 1994, 532~533쪽.
143)『조선농민』1930.5.

도 발행하였으며144) 순회강연에도 사회주의자들이 참여했다. 따라서 천도
교 조선농민운동의 핵심인물이었던 이성환은 김준연과 함께 소작제도, 농
촌문제, 조합진행법, 세계의 정세파악 등의 내용을 가지고 순회강연을 하
였고, 한위건 등과 함께『조선농민』지를 편집했다.

1930년대에 가면 조선농민사가 천도교청년당의 지도 하에 들어가게 된
다. 이 때의 조선농민사는 농민의 복리증진과 세력확장에 더욱 힘을 기울
이고자 하였고, 당시 사원은 3~5만여 명에 달했다.145) 1925년 조선농민사
창립 당시부터 천도교가 산파와 보모역을 하기로 한 만큼 세상사람들은
조선농민사를 천도교청년당의 한 부속운동으로 본 것이 사실이었다.146) 그
러나 극좌 사회주의자들은 조선농민사가 천도교청년당의 지도 하에 들어
간 것에 대해 거세게 반발했다. 이에 이성환은 탈퇴하여 독자적으로 활동
하였으며, 잡지『조선농민』은『농민』으로 그 이름이 바뀌었다.

천도교의 김병순은 사회주의자들이 단일당에 대한 백색공포를 느끼는
것은 대중조직을 뜻하지 아니하고 지도권에만 연연한 망상이라 한다. 그리
고 자신이 말하는 단일당은 대중조직 위에 세우는 전위당임을 전제하여
말하는 것으로 조직된 대중 속에 정련분자를 많이 뽑아서 결성하는 당이
라 했다.147) 신간회와 같은 과거의 단일당이라면 조선에 있어서 소부르주
아지가 지도권을 잡을 수밖에 없고, 그렇게 된다면 운동은 어느 단계에서
정체될 것이라 한다. 그러나 천도교는 소부르주아가 아닌 무산자에 기초하
면서도 계급과 민족을 포괄하여 접근할 뿐이라는 것이다.

그리하여 김병순은 규범운동을 거부하고 과학운동을 제시한다. 환경과

---

144)『신여성』1926.7.
145) 1930년 분규 당시의 상황을 보면 조선농민사 직속의 군농민사가 73개 소였고 그
    밑에 853개 소의 면・리 농민사가 있었으며 사원만도 3~5만 명이 되었다. 1934년
    에는 군농민사 150개 소에 20만 명 이상의 사원을 확보하는 등 우리나라 유일의
    최대 농민단체로 성장하였다. 농민공생조합만 해도 전국적으로 130개 소의 조합
    과 10만 명의 조합원을 가지고 있었다(편집실, 「조선농민사」,『신인간』356,
    1978.4).
146) 김항규, 「종교적 인상과 발전상 폐해」,『조선농민』1930.4.
147) 김병순, 「피압박계급의 운동방략은 엇더케 할 것인가」,『농민』1931.8.

사정에 근거하지 않고 이상에만 근거한 운동형태를 규범운동이라 하고 과학운동은 현실에 근거한 운동이라는 것이다. 그러나 그는 한편 마르크스적 과학운동과는 구별한다. 과학적 운동방법을 발견한 것은 마르크스이고 현실을 포착하여 경제조건에 의한 계급투쟁을 말하긴 했지만, 그가 주장한 만국노동자의 단결은 규범이론에 흐른 것이라 한다. 마르크스는 지역 개개의 사정을 과학적으로 관찰함에 등한하였고 노동자를 단위로 하여 세계혁명을 동일한 시각에서 功課를 얻으려 하였다고 비판한다.[148] 즉 마르크스의 사회운동에서 계급의식의 고취는 좋으나 민족을 무시한 채 '만국의 노동자여 단결하라'는 구호를 내세우는 것은 허구라는 것이다.[149] 이것이 그가 사회주의자와 다른 점이었고 갈등을 빚는 요인이기도 했다.

천도교와 사회주의자들이 노선을 달리 하는 것은 천도교는 사회전적 운동기관임을 표방하고 사회주의자들은 무산자계급운동의 독자성을 부르짖음에 있다고 김일대는 말한다.

> 어떤 시대를 무론하고 그 사회를 유지하려면 어떠한 부분층으로만은 되어지는 것이 아니다. 소년, 청년, 여성, 농민, 노동, 상민, 학생, 모든 부분이 균형있게 발전되어 가려면 사회전적 행복을 圖得하게 될 것이다. 어떤 소아병자들은 일부 운동의 독자성을 부르짖고 …… 천도교는 과연 전적 운동기관이다. 따라서 모든 부분운동을 천도교주의로써 지도할 수 있는 것이다.[150]

천도교와 사상논쟁을 벌였던 사회주의자로는 화요계의 유해송, 김약수, 유진희, 그리고 조선지광사 편집장인 김동혁 등이 있다. 이들은 이르쿠츠크파를 잇는 계보로 국제공산당과 계급헤게모니를 주장했다. 따라서 이들 사회주의자들은 천도교의 농민운동에 대해 '건덕이 섞인 종교와 봉건적 수운이즘에다가 차용하여 온 맑스주의적 언사로써 가장 다수의 농민을 획득

148) 김병순, 「규범운동에서 과학적 운동에로」, 『농민』 1931.6.
149) 김병순, 「규범운동에서 과학적 운동에로」, 『농민』 1931.6.
150) 김일대, 「천도교 농민운동의 이론과 실제」, 『동광』 1931.4.

하고 있는 개량주의의 일종'151)이라 비판했다.

> 인내천은 지금에 와서는 최소한의 정신적 생존욕과 인간성의 본능을 익
> 사케 하는 일종의 정신적 超毒酒다. 자본주의 종교적 용병, 천도교적 제
> 운동을 타도하라, 프로레타리아적 종교비판의 완전한 자유, 천도교 우상
> 의 배를 채우는 성미헌금을 거부하자, 천도교적 제출판물을 읽지 말자, 신
> 계단을 지지하라.152)

그러나 천도교가 보기에는 자신들의 열심과 투쟁성이 결코 사회주의자
들에 미치지 못한 것이 아니었고 또한 사회주의자들이 오히려 헤게모니
싸움에 골몰해 있는 것으로 인식되었다.

(2) 농민운동의 방향

『조선농민』지 창간사에는 농민운동의 목표를 다음과 같이 천명하고 있
다. 첫째, 반만 년 동안 짓밟히고 빈천에 결박되어 살아오던, 전 조선인구
의 9할이나 되는 농업대중의 인격적 해방을 위하여. 둘째, 파멸의 맨 밑바
닥 구렁텅이로 쏠려 들어가는 조선농촌의 그 참담한 경제적 현상을 구제
하기 위하여. 셋째, 더욱 이 중대한 사명을 다하는 데에 그 주춧돌이 되며
또 기둥이 되는 전 조선 절대다수의 농업대중의 지식적 각성을 재촉하기
위하여. 넷째, 이제 우리나라의 역사상 새 기원으로 조선농민사가 세상에
나왔으며 또 큰 목적을 달하기 위해 『조선농민』이라는 본지가 그 진용을
차려 온갖 혈성과 열애로 싸우기를 굳게 맹서한다.153)

조선농민은 식민지 현실을 가장 극심하게 경험하는 절대 다수층이다. 전
조선인구의 9할이나 되는 농민의 인격적 해방과 참담한 경제적 현상의 구
제, 그리고 각성을 재촉하기 위해 조선농민사는 설립되었다. 농민이 살아
있어야 역량이 커나가고 힘의 결집을 모아야 조선의 미래가 있게 된다는

---

151) 한철호, 「농민=농업이론을 비판함」, 『신계단』 1932.12.
152) 『신계단』 1933.1.
153) 『조선농민』 1925.12.

434 동학·천도교의 교육사상과 실천

인식이다. 따라서 조선농민사는 농민을 본위로 한 정치, 경제, 종교, 문학과
예술 그리고 교육을 말한다.

> 우리 조선은 농민의 나라이다. 모든 힘을 농민에게로 돌리자. 오는 세상
> 은 농민의 것이다. …… 조선의 장래는 조선농민의 것이 안될 수 없다 합
> 니다. 다시 말하면 농민의 손으로써 농민을 본위로 한 정치와 경제와 종
> 교와 문학과 예술과 교육 등이 존재하게 될 것이라는 말이올시다. 또다시
> 세계 대세를 살펴볼 때에 더욱 그러함을 느끼나니……154)

절대인구가 농민이고 농업국가인 조선에 있어서는 농민문제가 곧 조선
문제라는 인식에 변함이 없었다. 조선농민의 소작권 박탈 혹은 이동에 따
라 소작쟁의가 빈번하고 점점 확대되어 가는 추세에 따라 대책마련155)과
함께 끊임없는 활동을 펼쳐갔다. 이는 식민지 현실에서 군국주의자들을 대
상으로 한다는 것에 한계가 있고, 제시에 불과하나 크게 개선은 되지 않을
지라도 점차적으로 비료와 종자는 지주가 부담한다든가 하여 조선 농민들
의 이익을 확보해 나갔다. 농촌 금융의 완화책을 통해 경제적 당면이익을
확보하고 농민 문맹퇴치에 지속적으로 힘써 농민의식을 향상하며 이를 위
해 박사직은 『농민교과서』를 발행하였다.156) 또한 조선농민사의 경제운동
을 일층 강화시키고, 상호부조를 원리로 한 이상적 조합경제를 수립시키기
위해 본래의 간선부 명칭을 농민공생조합으로 변경하였다. 그리고 분산적
연립적이었던 그 조직체를 다시 유기체로 조직한 후 지도정신을 통일시키
기 위하여 노력하였다.157) 이 시기의 농민운동은 농촌경제를 중심으로 한

---

154) 이성환, 「조선농민의 삼대제창」, 『조선농민』 1925.12.
155) 그 대책을 보면 다음과 같다. "一. 소작료는 오할로 할 것 二. 지세와 일체 세금은
　　지주가 부담할 것 三. 비료와 종자는 지주가 부담할 것 四. 소작농물의 운반은 농
　　작물 소재지에서 오리까지는 소작인이 운반하고 그 밖은 지주가 부담할 것 五. 술
　　품제도 폐지 六. 계약연한은 10년 이상으로 하고 소작인으로서의 토지의 수선비
　　는 지주가 갚을 것 七. 수재나 한재로 수확이 없는 때는 당연히 소작료를 면제 또
　　는 감할 것(한완빈, 「소작쟁의의 원인과 대책」, 『농민』 1930.6)".
156) 『농민』 1930.5.
157) 승관하, 「조선농민공생조합운동의 작금」, 『농민』 1932.2.

이권획득까지가 목적이 된다. 농민운동은 농민의 권익을 확고히 하자는 것이요 농민의 지위를 일층 향상시키자는 것이다. 즉, 정치로의, 경제로의, 문화로의 권위를 획득키 위하여 농민자체가 움직이는 것이다. 이를 위해 계급의식을 고취하고 새 관념의 주입으로서 단체의식과 운동의식을 넣어 주며, 의지적 결합을 주장하였다.

> 농민을 동원시키기 제일 곤란한 점은 농민생활이 몇천년래에 최하층의 생활을 하여 최하급대우를 받아옴으로 해서 농민 스스로가 사회적 지위 획득에 무기력을 自期하여 자포자기적 무관심주의를 고집하여 계급투쟁에 관심치 않는 것과 농민은 항상 자연과 상대함으로 그들은 자연과 동화되어 그 순실하고 선량한 마음은 투쟁을 피하려 하며 그들 생활은 도시인과 같이 복잡치 않음으로 두뇌의 발달과 감정의 발달은 그 관찰력과 자극성에 예민치 못하며 따라서 진보적 사상이 적고 보수성이 풍부하여 닥치는 비애고통을 그대로 자당하겠다는 생각을 가지고 있다. 여기서 농민운동자는 농민의 그 보수성과 그 비굴적 태도를 깨우쳐 주며 계급이해를 말하여 정적 태도에서 동적 태도로 만들 것이다. 둘째 새관념주입이다. 먼저 단체의식과 운동의식을 넣어 줄 것이다. 셋째, 의지적 결합이다. 훈련과 실제운동에 있어서는 전투적 의식훈련도 필요하지만 실사회의 장면인물로의 활동적 자격교양도 급무가 되는 것이다. 구성원의 훈련도 급무이지만 실생활에 있어 당면투쟁도 병행하여야 한다. 농업경제를 보호하는 정신으로 자본주의를 퇴치하는 법안을 성립시켜야 한다.[158]

농민운동에 있어서 곤란한 점은 농민들이 수 천년 이래로 천대를 받아옴에 따라 농민 스스로 사회적 지위획득에 무기력하고 자포자기하여 계급투쟁에 관심치 않는 것이었다. 농민들은 진보적 사상이 적고 보수성이 짙어 닥치는 모든 비애 고통을 스스로 당하겠다는 생각을 지닌다. 이러한 보수성과 비굴적 태도를 깨우쳐 계급이해를 말하고 단체의식과 운동의식의 새 관념을 주입하며 의지적 결합을 끌어내고자 하였다. 따라서 의식훈련과 실생활에 있어 당면투쟁을 병행하고 농업경제를 보호하는 정신으로 자본

158) 김병순, 「농민운동을 여하히 전개할가」, 『농민』 1931.7.

주의를 퇴치하는 법안을 성립시키고자 하였다. 그리고 더 나아가 김병순은 단일당의 결성을 제시하게 된다.

1931년 김일대는 당시 조선 농민운동의 계통을 다음과 같이 정리했다.[159]

1. 당국의 식민정책에 의한 細농민구제사업
2. 기독교 포교정책에 의한 농촌진흥사업
3. 사회주의 실현정책에 의한 계급투쟁운동
4. 사회파괴정책에 의한 무정부주의운동
5. 지상천국건설정책에 의한 조선농민사 활동[160]

그는 농촌사업 중 가장 급하고 긴요한 것은 협동조합운동이며 그 다음 이 식자운동 그리고 그 다음이 소작운동이라고 하였다.[161] 또한 그는 천도 교의 농민운동이 사회주의와 분명히 구분되는 지상천국건설정책에 의한 활동, 즉 천도교 이념에 바탕한 운동임을 못박고, 암묵적으로 천도교가 농 민의 진정한 동반자임을 말하고 있다. 임문호[162]는 사람의 모든 운동은 잘 살겠다는 지상천국건설로 인내천주의를 지도원리로 하여 비로소 운동의 정궤를 얻는다 하였다. 조선농민운동의 총본영인 조선농민사는 인내천주

---

159) 1931년 일본에서 일어난 무혈 쿠데타의 주역 宇垣一成이 같은 해 조선총독으로 취임하면서 일선융화를 강화하기 위한 일환으로 농촌진흥정책을 폈다. 농촌진흥 정책이란 첫째, 춘궁기퇴치, 차금퇴치, 차금예방. 둘째, 운동의 대상을 개개의 농 민, 개개의 농가에 두어 총독부의 전 권력기구가 직접 집집마다 농가의 부엌에까 지 강제로 침입하는 체제를 택한 것. 셋째, 진흥운동에 있어서 물심일여운동으로 서의 전개이다. 이 역시 조선의 주체적인 농민운동에 대한 방해정책을 펴 주도권 을 빼앗고자 한 기만정책이었다.
160) 김일대, 「천도교 농민운동의 이론과 실제」, 『동광』 1931.4.
161) 조남현은 심훈의 작품 『상록수』가 김일대가 말한 것 중 1, 2, 3의 경향을 띤 활동 이라고 하는데(심훈, 「조남현 해설 주석」, 『상록수』, 서울대학교출판부, 1996, 368 쪽) 이는 좀더 재고되어야 한다. 채영신의 활동은 당연히 2에 가까울 수 있고 박 동혁의 활동은 5의 경향을 대변한 것이다. 그리고 전체적 배경에 있어 일제에 의 한 농민운동으로서 1이 삽입되고 있다.
162) 임문호는 1935년 『조선의 농민운동』을 저술했다. 그당시 농민운동의 중추적 역할 을 담당했던 천도교의 조선농민사를 중심으로 농민운동의 전개과정을 서술하고 있다.(『신인간』 1979.6~1979.8에 연재됨).

의를 지도원리로 천도교청년당을 지도당으로써 관계를 맺게 된다.163) 그리고 그는 『조선의 농민운동』에서 사회주의의 조선농민총동맹과 천도교의 조선농민사를 다음과 같이 비교하고 있다.

첫째, 농총은 그 지도정신을 유물론적 사회주의로 하였음에 반하여 조선농민사는 至氣一元論에 입각한 인내천주의로써 하였으며

둘째, 농총은 그 지도당을 러시아의 공산당으로 하였음에 대하여 조선농민사는 조선에서 생겨난 천도교의 전위당인 천도교청년당으로 하여온 것이며

셋째, 그 관찰과 견해에 있어서 농총은 오늘날 조선농민의 궁핍원인이 순수 외재조건, 즉 지주의 착취와 상공자본의 압박에만 있다고 보는데 대하여 조선농민사에서는 그밖에 내재적 조건인 정신적 제 원인도 그 한 반을 차지하는 것이라 보는 점이며

넷째, 그 정책에 있어서도 농총에서는 지주와 대립투쟁하는 것을 유일한 정책으로 하였음에 반하여 조선농민사에서는 그밖에 농촌협동조합과 농사개량 농민계몽 등의 운동도 함께 하려는 것 등이었습니다.164)

조선농민총동맹은 유물론적 사회주의에 기초하여 지도당을 러시아 공산당으로 하고 조선농민의 현실판단에 있어 궁핍원인을 외재적 조건, 즉 지주의 착취와 자본의 압박에 기인하는 것으로 보아 지주와의 계급투쟁을 유일한 정책으로 하였다. 이에 반하여 조선농민사는 지기일원적 인내천주의에 기초하여 천도교청년당의 지도 하에 농민현실을 외재적 조건만이 아닌 내재적 조건을 포함시키고 계급투쟁만이 아닌 조합운동과 농사개량 및 계몽운동도 함께 병행하려는 입장이었다.

1920년대의 『조선농민』지가 농민계몽에 역점을 둔 데 비해서 1930년대 『농민』지는 운동적 색채가 더 강했다. 공생조합의 확산과 농민고무공장의 설립 등으로 괄목할 만한 성장을 보였다.165) 1920년대에도 소비조합이나

163) 임문호, 「농민운동의 구극목표」, 『농민』 1933.11.
164) 『신인간』 370, 1979.8에서 재인용.
165) 동학혁명100주년기념사업회, 『동학혁명100주년기념논총 下』, 태광문화사, 1994,

생산조합 등 상호부조의 단결로서 산업조합이 제시[166]되었지만 본격적인 결성과 활동은 1930년대에 확산된다. 조선농민사의 경제책으로 소비조합 운동, 생산조합운동, 기술향상운동, 경제균형운동을 꼽고, 경제균형운동을 먼저 하면 그만이라고 하는 사회주의자들에게는 조선현실이 그리될 수 없다고 하였다. 경제균형운동만이 아닌 농민의 당면 이익을 위해 활동하고자 하는 것이 사회주의자들과 입장을 달리 하는 점이다. 사회주의자들은 대지주항쟁과 계급투쟁의 소작조합운동을 가장 우선 순위로 하였다.[167]

한편 마명은 '조선농촌의 진흥책'에서 구체적이며 분산적인 농촌운동 방법의 갈래를 제시하였다.

1. 각지에서 맹렬히 이러나는 文盲退治運動(夜學運動) 가튼 것은 그 전에도 업지는 안엇지만 이 기간에 興함을 보게 되엿나니 이에 이것을 영합하기 위하야 신문사에서는 뿌나로드운동을 계획하게 되고
2. 여기저기서 계획하는 模範村式 農村改良運動
3. 농민을 중심으로 한 消費組合運動

여기서 1번은 자유주의자들과 동아일보를 중심으로 한 브나로드운동을 말하는 것이고 1, 2, 3번 모두는 천도교의 운동경향을 말하는 것이다. 조선에 있어서는 농민문제가 노동문제의 대신으로 사회문제 중의 중요한 지위를 차지하는 특수성을 가졌고 조선의 자본문명이 변태적으로 발달된 점에서 조선의 사회문제는 노동운동으로 일어나는 것이 아니라 지주대 소작인의 농민문제로서 일어나는 데 있다[168]는 현실인식 아래 조선농민사는 농민운동의 핵심으로 뻗어 갔다. 천도교의 사회운동이 모두 그러하듯이 농민운동도 정신과 물질 양면이 일치하는 운동으로 정신방면으로는 봉건적 노예근성의 타파, 봉건시대의 산물인 운명관 타파, 문맹지옥의 타파, 협동정신의 고취를 주장하였고 물질방면으로는 借金정리문제, 소작조건문제, 부

390쪽.
166) 『조선농민』 1928.11.
167) 이항발, 「소작운동의 필요성」, 『동광』 1931.4.
168) 이성환, 「농촌순회강연자료 二」, 『조선농민』 1930.1.

당 손실의 방지, 영농의 증산책을 제시했다.169)

또한 천도교는 가요운동을 벌여 농민의 사회적 힘을 키우고자 했다. 노래를 부르는 것은 사람이 원기를 씩씩하게 하는 데 커다란 효과가 있다는 것이다. 더구나 한참 자라나는 어린 사람들에게 노래를 많이 부르게 하는 것은 얼마나 큰 효과를 주는지 모른다고 한다. 노래를 이용해서 대중에게 각성을 주고 앞으로 나아가는 진취성을 강하게 하는 데도 효과가 있다 하였다.

농민가170)와 같은 노래에서 보면 조선은 농업국이요 조선인 대다수가 농민이나, 지위나 권리가 보잘 것 없고 지배계급의 천대 괄시 심하지만 농민은 이천만의 생명 줄을 쥐고 있으니 모든 힘을 돌리라 한다. 그리고 농민은 잠을 깨고 일어나 억센 기운을 떨치고 모두 함께 싸우자 하였다. 여기에는 천도교 농민운동의 문명비판과 사회의식의 고취, 그리고 투쟁정신이 강하게 드러난다.

2) 조선농민교육의 전개

(1)『농민독본』의 발간과 그 성격

손인수는 1929년 조선일보의 문자보급운동이 문화운동의 최초라 하고, 기독교계와 1931년 동아일보의 브나로드운동을 기술하고 있다.171) 하지만

169) 김병순, 「농민운동의 범주」,『농민』1933.11.
170) 「農民歌」(한빛, 「가요와 농민」,『농민』1933.3)
    1절. 우리조선 예로부터 농업국이요 우리민족 다대수가 농민이란다 삼천리의 보고열쇠 우리가 들고 이천만의 생명줄을 쥐고 있고나 모든 힘을 돌리라.
    2절. 일어나거라 우리 농민아 자던 잠을 깨어서 일어나거라 이사회의 지위권리 보잘것없고 딴 계급의 천대 괄시 자심하구나 우리의 **가 그뉘냐 무식과 빈한이 그걸세 나아가서 싸우자 싸우러 가자.
    3절. 나아가거라 우리농민아 억센 기운 떨치어서 나아가거라 우리동무 그 얼마냐 일천육백만 발걸음 맞춰 나아갈제 당할자 없다. 우리익 **가 그*냐 우리의 **가 그*냐 나아가서 싸우자 싸우러 가자!
171) 손인수,『한국교육사 Ⅱ』, 문음사, 1987, 664~668쪽. 한편 기존 연구에 있어서 기독교를 1926년 문자보급운동의 선두로 평가하는 것은 재고되어야 한다. 항일적 성

농민운동은 천도교를 중심으로 그 시발점을 잡아야 한다. 천도교가 농촌을 중심으로 농민운동을 시작했던 것과 달리 동아일보나 기독교계는 원래 도시 중심의 계몽운동으로 시작하였다. 천도교는 1925년 『조선농민』 창간 당시부터 농민독본을 연재하여 농촌 강습소나 야학에서 읽기 교재로 사용하도록 했다. 이는 문자교육과 더불어 내용성을 겸비한 것으로 농민의 의식적 각성을 위한 실천이라 볼 수 있다.

> 이 농민독본이 남들의 10년, 20년 배우는 교과서와 같지는 못하고 또 벽돌집 학교에서 칠판을 걸어놓고 교단에 서서 선생이 가르치는 것과 같지는 못하다 하더라도 이것은 분명히 우리 농민의 학교올시다. 또 선생이올시다. 아니 친한 동무올시다. 한과 두과를 거듭할수록 여러분은 재미있어 하고 또 유익하게 생각할 줄 믿습니다. …… 글자만 많이 알고 실제로 쓸 데없는 감투학자보다는 사회나 민족을 위하여 크게 공헌함이 있는 이쁘고 귀엽고 탐스러운 일군될 것을 믿는 바올시다.172)

이성환의 『농민독본』 이외에도 조선농민사는 농민교과서를 다종으로 편집하였다. 『대중독본』 총 3권, 『대중산수』 상하 2권, 『한글독본』, 『대중간독』 등을 발행하여 다 각기 34판의 발행을 보았다.173) 농민운동은 문맹퇴치뿐만 아니라 의식의 각성을 염두에 두고 농민의 각성과 민족의 일군을 길러내고자 함이었다. 이는 분명 브나로드운동이 사회, 정치적 색채를 배

격을 배재한 동아일보의 브나로드운동이나, 기독교의 시혜적 차원에서 벌이는 농민운동은 조선농민사와 구별되고 시기적으로 문맹퇴치도 1925년의 조선농민사가 앞선다(『천도교회월보』 1931.8). 그당시 『조선일보』 1931년 7월 25일자의 신문사설은 다음과 같이 말하고 있는데, "불교는 종래의 순연한 산간불교 은둔불교에서 벗어져서 거리로 진출하여 대중 속으로 들어가려고 전선각지에 포교소를 설치하고 포교에 힘쓰고 있으며 기독교는 지금까지의 계몽운동에 대오던 손을 농촌기술의 개량, 농민생활의 향상방면에서부터 다시 손을 대보려고 하고 있으나 아직 그 초기인 까닭에 충분한 성적은 없다." 이를 보아도 기독교의 농민운동은 매우 미약했음을 알 수 있다.

172) 이성환편, 「농민독본」, 『조선농민』 1925.12.
173) 임문호, 「조선의 농민운동」, 『신인간』 370, 1979.8.

제5장 천도교의 교육실천과 운동 441

격하고 오로지 문자교육만을 내세웠던 것과는 성격이 다르다. 또한『조선
농민』지는 농민과학강좌를 실어 농민들이 영농과 위생, 농촌경제 등에 대
한 일반 지식을 갖도록 노력했다. 그리고 농민창가모집이라든가 농촌단편
문학모집 등 농촌문화 창조에 힘쓰고 조선 역사와 지리 그리고 조선인의
자랑을 주된 테마로 하여 민족적 자긍심을 키우고자 했다.174) 물론 일본
총독부도 농민에 대한 전략175)을 나름대로 세워 공포했다. 그러나 이는 농
민통제를 위한 간섭적 차원에서 단순히 경제적 의미에서의 갱생뿐만 아니
라 황국농민으로서 갱생한다는 의미를 가진다.176)

한편 김병순은 조선의 실정상 의무교육은 시급을 요하는 문제이며, 보통
학교 수업료폐지는 당연한 것이라 하였다. 또한 초등교육의 중점을 농촌에
두어 그 학제와 학과목은 농촌실정에 맞추어야 할 것이라고 하여 당시 초
등교육제도의 기계적 교육을 비판하였다.

　　현하 조선의 초등교육제도가 한갓 중학교의 입학준비로서 그것을 맞춘
　　댓자 학문으로 기술로 한 개의 열매를 맺지 못하는 데서 보통학교 무용론
　　을 부르짖고 취학률이 저하하는 한 원인도 된다. 당국으로서도 초등학교
　　의 결함을 느껴오면서도 지금까지 하등의 개선이 없는 것은 확실히 농촌
　　실정에 벗어나 오로지 기계적 교육을 하였던 것을 알 수 있다.177)

천도교의 농민교육운동은 자유주의의 정치성을 떠난 문맹퇴치운동과 다
르고 사회주의의 계급투쟁적 농민의식화와 다른 것으로 농민의 정신과 물
적 기반을 살려가면서 농촌현실에 기반한 당면 이익투쟁에 초점을 두어
사회교육을 전개하고자 했다. 이를 위해『농민독본』등 제반 교과서와 잡
지를 발행하고 힘을 모아 조합을 결성하여 물심양면의 총체적 변혁을 도
모하였다. 천도교 농민교육의 방향은 생명 혼을 자극하는 농민의식의 각
성, 조선의 언어와 역사를 통한 민족교육, 사회의식의 고취를 위한 교육 등

174)『조선농민』1925.12.
175) 주) 159 참조.
176) 안병직외,『한국근대민족운동사』, 돌베개, 1980, 195~196쪽.
177) 김병순,「교육비와 교육제도문제」,『농민』1933.12.

에 그 목표를 두었다고 볼 수 있다. 이성환은 이를 간추려 농민교육의 성
격을 <한글교육>, <정치교육>, <과학교육>이라 했다. 여기서 과학교육이
란 농사법의 과학화와 그밖에 과학상식을 말한다. 그리고 한글교육을 통해
의식을 각성케 하고 정치교육을 통해 투쟁의식을 고취하고자 했다. 그의
『농민독본』은 이러한 의도를 담은 것이었다. 그는 1927년 1월 그때까지
『조선농민』지에 실었던 『농민독본』을 단행본으로 발간하여 그 취지를 다
음과 같이 밝히고 있다.

> 첫권에는 合音合字하는 방법을 가르치기에 힘썼다. 그는 독서와 철자의
> 秘方을 발견케 함에 있다. 그리고 신문잡지를 볼 수 있으려면 합음법으로
> 보다 독서의 기계적 방법을 발견하여야 될 것이다. 독서의 기계적 방법에
> 는 언문 음조의 유조가 적지 않으므로 독본 中卷에는 古談笑話 노래로써
> 편찬하였다. 그 다음 문맹퇴치는 동시에 정치상 지식을 養하여야 된다. 혹
> 자는 몽학 즉 간이한 것을 배우는 농민이나 노동자에게 졸지에 정치적 강
> 술을 하는 것은 교육상 원칙에 위배되는 것이라 한다. 그러나 우리는 讀
> 하고 書하는 것을 가르치는 동시에 정치적 관념을 주입할 필요를 가졌다.
> 그러므로 우리는 독본에 가담, 시국문제에 대한 표어를 種託하여 독법 서
> 법 및 정치교육의 초보에 들어가는 일거양득의 공효를 얻을 수 있도록 하
> 였다. 독본 下卷에는 과학적 지식을 함양하기에 힘썼다. 적어도 조선 사
> 람의 참다운 생각을 요한 것은 첫째 조선농업가가 재래에 소비하는 자본
> 과 세력과 시간과에 대하여 이때까지 보다 더 많고 좋은 수확을 얻도록
> 할 일, 둘째 전원생활 즉 노농생활로 하여금 일층 더 흥미있고 건전한 것
> 이 되도록 할 일이니, 第一 토양을 일층 과학적으로 경작하여야 되며, 第
> 二 이때까지 목전의 만족을 동경하여 비생산적 도시집중을 방지하지 아
> 니면 안 될 것이다. 이와 같이 농촌사회의 진보발전을 위하여는 그 사회
> 내에 이 방면에 필요한 교육적 요소를 가지는 것처럼 위대한 것은 없다.
> 이것이 우리가 독본에서 노농군중으로 하여금 사회상 실생활의 이해득실
> 을 이해케하랴 하는 것이다.178)

---

178) 『조선농민』 1927.12.

한글교육을 통해 문맹퇴치와 함께 정치교육을 하여 민족혼을 넣고, 과학교육을 통해 의식을 각성시키며 미신타파와 무지를 계몽하고자 하고 여러 지식을 알아 농민의 생활을 높이고자 함이다. 그리고 정치교육을 통해 사회운동의 조직화를 도모하는 것인데 이는 결국 천도교의 교육원리에서 비롯되었다. 그의『농민독본』中권은 특히 정치교육과 사회의식을 고취하기 위한 지식을 함양하려고 애썼다 한다. 제1과를 보면 양반과 농민이라는 제목을 실어 '못난 사람이 농민이 아니다'를 거듭 읽도록 하였다. '일하지 않고 먹는 자는 사회의 도적이다' 또는 '생산의 힘은 오직 노동에 있다', '노동은 가장 신선하다' 등의 내용을 심어 농민으로 하여금 자기긍정을 불러일으켰다.179) 또한 제7과 '자유'를 보면 인간은 억눌림으로부터 자유의 세상을 찾아야 하고 그 세상을 농민 자신이 찾아야 함을 말하고 있다.180)

제8과 '평등'에서는 사람 위에 사람이 없고 사람 아래에 사람이 없다는 인간존엄과 평등을 말하여 노동하는 자에게 생존권과 인권이 없을 수 없음을 강력히 주장한다.181)

이와 같이 이성환은 과학적으로 그리고 사상적으로 자기비판을 가지는 각성한 대중이 되기 전에는 어떠한 지도원리의 운동방법이라도 이는 한갓 소경에게 거울이요 소귀의 경 읽기여서 대중을 깨우쳐야 한다는 소리가 당연히 높아지게 된다고 말한다. 그리고 이는 곧 교육의 힘을 통해서 이루는 것이라며 조선농민교육의 목표를 다음과 같이 말하기도 했다.

첫째, 중앙에 농민교육의 지도를 목적으로 하는 기관이 생겨야 될 것, 둘째, 지방에 부락을 중심으로 한 단기농민학교가 설립되어야 할 것, 셋째, 순전히 농민계몽과 농민사상을 통일적으로 지도하는 농민잡지 및 도서를 간행할 것이다.182)

우리의 살이오 피인 우리말과 글을 배우자 그리하여 그것으로써 우리나

---

179)『농민독본』.
180)『농민독본』제7과 자유.
181)『농민독본』제8과 평등.
182) 이성환, 「조선농민교육의 이상과 방법」,『조선농민』1926.11.

라의 자연과 역사와 현대에 대한 실생활과 또 요구를 잘 알며, 잘 살피며,
잘 교섭하는 일을 하자! 이 일을 중심으로 하여 민중의 힘을 집중통일하
자!183)

조선농민교육은 식민지교육이 아닌 조선교육을 조선인 스스로가 담당해
야 한다는 각오로 교육사업을 구상한 것이다. 농민학교의 경영에 과학적
지식을 가지도록 하였고, 조선의 자연과 역사, 및 현 상황의 요구를 잘 알
고 잘 살펴 민중의 힘을 집중통일시키고자 하였다. 그리고 널리 세계의 새
사조에 투합되도록 정세파악에 힘쓰고자 했다. 농민학교의 교수용어는 순
조선어로 하여 원기를 좋게 하고 사상과 표현을 흥기시키는 것이어야 한
다고184) 주장했다.

이러한 조선농민사의 활동은 1년 만에 농민계몽운동을 전 조선에 일으
켰다. 소작인운동이 치열하게 일어나 정치당국자들이 소작법 제정문제를
꺼내게 되었으며, 농민강습이 대세력으로 전개되는 성과물을 가져오게 된
다.185) 조선농민사 사원들은 조선의 경제현실을 조사하고 문제를 진단하며
조합운동,186) 공동경작 등의 해결책을 제시해 운동을 펼쳐갔다. 농가조사
결과를 『조선농민』지에 실어 현실을 파악하게 했고,187) 또한 농민들로 하
여금 의식의 각성을 촉구하여 쇄국적 배타사상을 배격하고 맹목적 모방주
의를 배격하며 조선문명을 창설하고 과학적 태도와 방법을 배우라 하였
다.188)

---

183) 이성환, 「농민계몽운동의 목표」, 『조선농민』 1926.11.
184) 이성환, 「농민계몽운동의 목표」, 『조선농민』 1926.11.
185) 이성환, 「회고1개년간」, 『조선농민』 1926.12.
186) 자유주의자들의 잡지인 『동광』에서 함상훈은 1926년 문자보급운동으로 시작했던
    YMCA가 1930년 협동조합운동에서 어느 단체보다도 놀라운 성과를 보였다고 말
    한다(함상훈, 「조선협동운동의 과거와 현재」, 『동광』 1931.7). 그러나 조합운동이
    시작된 것은 1925년 천도교의 조선농민사가 결성된 초기부터이다.
187) 양재완 조사, 「경남의 소작관행」, 『조선농민』 1926.12.
188) 이성환, 「조선적 신문명을 창설하자」, 『농민』 1929.1.

(2) 농민의 의식각성교육

천도교의 농민운동은 억눌린 농민에게 생기를 주고 인격적 해방을 돋우어 주체를 실현하는 것에서 시작되었다. 동학이 민중들을 사람대접하고 사람이 곧 하늘이라는 인간관을 제시함에 따라 민중들 스스로 힘을 창출하였던 것처럼 근대 조선농민사의 농민운동도 이러한 맥락을 계승하였다. 이는 천도교에 있어서의 사회운동이 단순히 조직활동이 아니라 교육운동 차원에서 행해졌음을 말해준다. 사회운동 안에 교육이 포함되는 것이 아니라 교육 안에 사회운동이 포함되고 있다. 이념과 조직의 도구로서 교육을 하는 것이 아니라 인간 자체의 인격과 해방을 위해 자신의 조건들을 변화시켜 가도록 하는 것이다. 따라서 천도교의 인간이해와 세계관에 의해, 그리고 인간 자신의 운동이 곧 세계의 표현이라는 맥락 하에서 사회변혁운동이 실시되었다.

> 튼튼한 뿌리에서는 그 본성과 같은 싹이 나오는 법이다. 이와 마찬가지로 사람 그대로의 근성을 가지는 사람이라야 사람의 표현이 있는 법이다. …… 기성문화와 은택에 목욕감는 반대로 종래 학대받고 천시된 사회군과 기성문화의 보금자리에서 단 향락을 누리는 것이 반대로 종래 빈궁에 빠졌고 무지에서 울던 사회군이라야 사람性 그대로의 근대가 있으리라고 믿는다. …… 인간사회에서 인간 그대로의 根臺를 못가진 얼치기 무리들이 외래사상에 잠간 유혹되어 일시의 꽃을 피우려고 떠드는 것과 같은 것으로는 신인간의 열매를 얻지 못할 것이다.[189]

이성환은 '신인간은 농민으로부터'라고 부르짖는데 농민을 조선민족의 根臺로 내세우는 것은 사람성 그대로의 근성을 가지기 때문이라 한다. 기성문화에 빠져 향락을 누리며 뿌리도 없이 일시의 장식을 위해 외래사상에 유혹되고 일시의 꽃을 피우려는 자들에게는 기대를 걸 수 없다는 것이다. 오히려 기성문화에서 학대되고 천시되고 소외되어 빈궁에 빠진 사회군, 즉 농민이야말로 순결무구한 근대를 갖추어 신인간의 열매를 맺을 수

---

189) 碧笑, 「신인간은 농민으로부터」, 『신인간』 1, 1926.4.

있다는 것이다. 참된 인간형성의 교육은 진실된 생명을 공급받아 성장하고
이로부터 참된 의식이 생겨나는 데에 있다고 할 때 농민은 인간형성의 토
대를 확보하고 있다.190)

농민은 시대적으로 일본 제국주의와 대립해야 할 조선 식민지의 무산자
로서 역사주체가 되고 동시에 조선의 냄새를 갖는 根帶이기 때문에 농민
의 각성과 분발에 민족의 미래가 있게 됨을 인식시켰다. 이성환은 농민들
에게 분기를 촉구하여 사람답게 살지 못하겠거든 차라리 죽으라고 호소했
다. 때로는 눈알을 바꾸어 박으라는 원색적인 표현도 보인다. 이들에게 있
어서 농민의 각성을 위하여 가장 장애가 되는 것은 미신과 봉건 악습이었
다.191) 그러므로 우선적으로 그 악습을 목숨처럼 그대로 지키고 있는 농민
들의 의식을 바꾸어야 했다.

(3) 조선어와 이야기를 통한 교육

조선농민사는 '농촌은 농민이 나는 곳이요 조선의 농민은 조선의 주인인
데 이 주인이 유식하려면 우리말의 보급이 급선무'라 했다. 언어와 민족은
하나이기 때문이다. 조선인이 조선어로 하나를 배우면 열을 알고 그 언어
에는 쏴하는 바람소리와 끼룩하는 학의 울음 등 조선인의 정서와 사유가
녹아들어 있다. 따라서 '우리 글을 모르는 것은 가장 큰 죄악'이라는 표어
를 제시했다.192) 일제의 관립 보통학교에서 제일 중요하게 가르치는 것이

---

190) 「신년과 신흥농민」, 『조선농민』 1926.1.
191) 이성환, 「조선농민아 대담 그리고 강하게」, 『조선농민』 1926. 3. 사회주의자 김경
재도 농민이 미신으로부터 벗어날 것을 촉구하였다. 길가다 까마귀만 울어도 흉
조라 하여 비관하고, 길가에 괴이한 나무만 있어도 귀신이 붙었다 하여 경외를 표
시하며, 방안 천정에는 성주를 걸고 장독대에는 신주를 모시고 밭에는 토주신을
섬긴다. 동리굿을 하고 소나 돼지를 잡아 산신제를 드린다. 조선에 기독교가 들어
오면서 잡다한 미신을 깨부수었지만 그러나 그대신 커다란 미신이 존재하게 되었
다고 말한다. 그는 또한 농촌에 미신이 많은 이유가 직업상 자연의 힘과 싸우기보
다는 복종하고자 하기 때문이라 했다(김경재, 「조선은 미신의 나라」, 『조선농민』
1926.3).
192) 『조선농민』 1926.11.

일어인데 농촌 현실에 있어 이러한 제도교육은 의미가 없고 더구나 졸업
후 모두 집으로 돌아가는 사람들한테는 아무 필요가 없다는 인식이 지배
적이었다. 김기전은 러시아 농민지도론을 소개하면서 농민지도의 주된 활
동수단은 이야기라 했다. 이야기는 배움과 가르침의 중요한 수단이 된다.

> 농민지도원의 하는 일의 대부분은 이야기하는 교육자로서의 활동이다.
> 농민이 갖고 있는 견문을 더 많은 일반문화적, 지리학적, 자연과학적 제
> 표상에 의하여 넓히고 새로운 개념을 전하고 밝은 계통을 세워주지 않으
> 면 안 된다.193)

교육자는 이야기로서 교육활동을 한다. 이야기는 교육자의 표상이다. 문
화와 지리, 그리고 자연과학적 표상에 의해 농민의 견문을 넓혀주고 새로
운 개념을 전하며 계통을 세워주는 것에 교육의 핵심이 있다. 이야기는 口
傳的 정서가 지배적인 농민에게 가정 적합한 교육방법이다. 그리고 살아있
는 언설은 한 사람의 정신이 타인의 정신에 스며드는 데에 가장 중요한 수
단이다. 천도교는 이야기를 통해 농민에게 감정적 충동을 주어 독립의 활
동심을 환기케 했다. 또한 연설뿐만 아니라 농민문학을 제창하여 교육의
효과를 누릴 수 있고, 이를 통해 농민의 힘과 창조력을 돕고자 하였다. 이
와 같이 천도교는 수운주의에 입각하여 농민의 교육방향을 설정하지만 이
념의 주입이 아닌 이야기나 문학을 통한 감성적 인식을 중요시했다.

그리고 전통적으로 내려오던 농촌민요와 사물놀이 등이 밀려나고 도시
식 和洋品이 농민독자의 감정과 정신을 빼앗고 있는 현실인데 침체된 문
단을 건지려면 말초적이고 순간적인 도시문학을 버리고, 예술적 가치를 깊
이 갖고 있는 농민문학을 건설해야 한다고 역설하였다. 만일 예술이 지방
성, 향토성을 잃어버린다 하면 그것은 벌써 순전한 야생적 건강미를 잃어
버려 모조된 인공품과 같아 청청하고 생생한 기운은 없어지고 교묘와 기
교만이 그 뒤를 이을 것이라 한다.194)

---

193) 김기전, 「소농지도의 실제」, 『농민』 1931.6.
194) 이성환, 「농민문학의 제창」, 『조선농민』 1927.6.

또한 백민은 농민고등학원을 설립하여 지도자를 양성하고 재래서당을 문맹교양교육에 이용하자고 하였다. 물론 1929년 제2차 전선대표대회 때 중앙농민학교를 세우자는 건의가 있었다. 그러나 급격히 파멸해 가는 농촌은 월사금을 못 내서 퇴학당하는 학생이 속출하는 현상이므로 재래서당을 이용하여 편의를 돕자는 것이었다. 이는 同村 본위로 설립되었기에 어린이의 통학이 편리하고 그 비용을 부담하는 데는 월사금제로 다달이 금전을 내는 것이 아니라 1년에 1기나 혹은 2기에 나누어 현물을 내는 것은 무엇보다도 농촌에 적당한 방식이라는 입장이다. 아무리 어려운 사람이라도 가을에 가서 곡식 몇 말 씩은 낼 수 있기 때문이다. 서당교사로서의 자격은 청년이어야 하고 과학적 지식이 풍부하며 사상이 고루하지 않고 여러 사람에게 모범이 될 만한 인격자를 기준으로 제시했다.

한편 농민 측에서도 자발적인 교육기관을 세웠는데 그것은 농민야학이다. 과목은 문맹교양을 목표로 하는 조선어, 國語, 습자, 산술 등으로 기간은 11월 초에 시작하여 다음해 3월 말까지 5개월 혹은 1월 말까지 3개월로 하는 데도 있었다. 야학교사는 그 지방의 뜻 있고 지식 있고 인격 있는 청년이 자진하여 농민야학을 설립하고 그 지방 문맹아동을 아무런 보수 없이 희생적으로 가르치는 자들이 대부분이었다.[195]

(4) 문명비판을 통한 사회의식의 고취

농민교육은 농민의 의식을 각성시키기 위한 노력과 더불어 사회의식의 고취가 함께 한다. 사람은 사회에 태어난 이상 그 사회의 일원인 동시에 공민으로서 살아간다는 것이다. 즉 인간은 사회로부터 영향받아 형성되고 형성된 개인은 반대로 사회에 영향을 주는 존재가 되며, 조선에 태어나면 조선민족으로 살아야 함을 인식시키고 있다.[196]

농민이 조선민족으로 산다는 의미는 조선사회의 연대책임을 진다는 것이다. 농민 스스로 농촌현실을 비판하여 이를 해결하고자 함에서 주체의

---

195) 백민, 「문맹교양에 편의를 주라」, 『농민』 1932.10.
196) 餘心, 「공민강화」, 『조선농민』 1926.4.

실현이 이루어진다고 보았다. 농촌중심에서 농촌현실의 비판은 주로 문명
비판의 관점에서 행해졌다.

> 서양문명은 경제적 제국주의로 물질적 문명이다. 서양문명은 동적 가치
> 를 줄 수 있으나 동적인 야수성을 띠었다. 그들은 항상 평화를 고창한다.
> 그러나 그것은 백인들 자국의 평화요 타국을 위하여 평화를 사랑한다는
> 의미는 아니다. 백인의 본토는 천부의 옥토가 없다. 그들은 아세아를 탐한
> 다. 물질문명으로서는 서양이 진보하였으나 그 때문에 동양의 정신이 열
> 등하여 졌다고는 아니한다. 지금까지 동양인은 서양의 물질문명에 현혹하
> 고 있다. 그 문명에도 물론 장처가 없는 것은 아니지만 우리는 그 단처만
> 을 學하여 온 것이다.197)

서양문명은 제국주의적 물질문명으로 야수성을 띠는데 물론 서양문명에
장점도 없지 않지만 조선인 자신들은 단지 단점만을 취해왔다는 것이다.
오봉빈은 타고르를 통한 서구문명비판을 인용하여 서양문명의 관점을 피
력한다.

> 서양문명의 보급은 세계의 분리, 인종적 증오와 인류의 타락을 증진하
> 는 것이다. 그런데 동양인은 인류호오주의를 인정하여 정신적 재능을 존
> 경하는 동양문명에 대하여 더욱 깊은 신앙을 가져야 될 것이다. 권력, 이
> 욕 및 부귀를 집지하고 있는 물질적 서양을 어디까지나 배척하여야 될 것
> 이다. 서양의 물질주의가 접촉하는 곳에는 반드시 인생을 조락케 하고 누
> 구나 격심한 차별적 대우를 하고야 만다. …… 동양인은 이와 같은 원시
> 시대의 사상, 환언하면 항상 권력으로써 타인을 압제하든 서양인의 정신
> 에 미혹해서는 안 되겠다. 현대의 세계는 도의이상주의, 인생의 정신적 기
> 준을 욕구하고 권력의 숭배, 악마의 손에서 하루바삐 벗어나야 되겠다.198)

서양문명이 보급된다는 것은 결국 세계의 분리, 인종적 증오와 인류의

---

197) 餘心, 「공민강화」, 『조선농민』 1926.4.
198) 오봉빈, 「타골박사와 서양문명」, 『천도교회월보』 1923.7.

타락을 심화시키는 것이다. 그러므로 권력과 利欲, 부귀를 지니고 있는 물질적 서양을 배척한다. 서양의 물질주의가 닿는 곳마다 인생을 조락케 하고 인간차별이 있게 된다는 것이다. 따라서 항상 권력으로서 타인을 압제하는 서양인의 정신에 미혹되지 말고 인생의 정신적 기준을 성취하라 한다.

1935년『조선의 농민운동』[199]을 저술한 임문호도 천도교 농민운동이 인내천 농본주의를 지도이념으로 하게 된 것이 현대 물질문명의 모순 때문이라고 주장하였다. 이 현대문명은 인간으로 하여금 극단의 개인주의에 빠지게 하여 서로 시기하고 질투하고 압박하고 빼앗기만 하게 만들었다는 것이다.

기계문명의 발달은 대규모 도시 공장을 발달시키는 반면에 농촌 수공업을 몰락시켰고 이에 따라 농촌의 자족경제가 파괴되며 헐값으로 농산물을 팔고 고가로 생활필수품을 구입하게 되었다고 한다.[200] 이에 반해 흙으로 돌아가라는 농본주의는 현대 인류생활에 있어 일대 생활혁명으로 현대 물질주의문명이 인간을 물질화하고 기계로 만드는 데 대한 반항이라 했다. 그러나 이는 문명의 전적인 배척이 아니라 기술적 토대 위에 서있다. 현대 자본사회의 경제조직이 농민에게 불리하다고 하여 그 기술까지 배척하자는 것은 아니며 그 기술적 토대 위에서 생산분배를 공평하게 얻자는 주장이다.[201]

이성환도 현대 사회는 모든 것을 상공업자를 본위로 하는 도회중심의 사회라 하면서 이는 소위 본말이 전도된 격이라고 비판하였다.[202] 대개 오늘날 문명이라는 것은 도회문명이며 도회문명은 곧 기계문명이다. 기계가 발달되면서 사람들은 점점 자연의 幸福地인 전원을 떠나 도회로 몰려들게 되고 도회가 점점 커짐에 따라 농촌은 점점 더 쇠하여진다. 기계가 많아지고 사람을 위하여 기계가 생긴 것이 아니요 기계를 위하여 사람이 생긴

199)『신인간』370, 1979.8.
200) 노영택, 「천도교의 농민운동연구」, 『한국사연구』 52, 1986.
201) 이성환, 「무엇보다도 세가지 표어」, 『조선농민』 1930.3.
202) 碧梁, 「전원중심! 전원중심!」, 『조선농민』 1926.6.

다.203)

농촌은 사람을 낳지만 도시는 사람을 소비한다. 그리고 농촌은 건전한 사람을 만들지만 도시는 사람을 불건전하게 만든다는 것이 도시문명에 대한 인식이다.204) 도시 같은 인위적 환경에는 인위적 인간이, 농촌과 같은 생명과 진실된 환경에는 참인간이 형성된다. 이는 자연주의교육사상을 말하지 않더라고 자연 속에서 자라나는 인간이 도시에서 자라나는 인간보다 얼마나 풍요로운가는 다 상상하는 바다.205)

땅을 사랑하고 마을을 사랑하고 나아가 그 마음이 나라를 사랑하니 농민은 곧 조선을 사랑하는 강직결백함의 소유자라 한다. 조선은 이러한 정신을 소유한 농민으로 인하여 향상될 것이며 농촌은 건전한 정신을 키우는 인간의 본향이라 한다.206) 그는 이러한 문명비판의 의식으로 농촌현실의 타개를 위해 전원문명을 부르짖은 것이다.

또한 문학과 가요 등 문화적 차원에서 교육운동이 수행되었다. 문학운동에 있어서 임연은 농민문학의 임무를207) 첫째, 날로 경제적 파멸이 심하여져 가고 계급이 분화되어 가는 현실에서 목가적이어서는 안 되고 또한 전통적 유물을 표현하는 것이어서도 안 되며 농민 스스로의 각성을 표현하는 것이라야 한다고 주장한다. 둘째, 도시인에게 청신한 공기를 제공하는 도시인의 위안물이 아니라 농민의 생활철학이나 완전한 농촌건설과 문명 달성을 위한 것이어야 한다. 셋째, 무조건 反문명이 아니라 농민으로서의 기계문명 이용, 도시교섭 등을 정당한 의미에서 제시하는 데에 있다고 하였다.

한편 이성환도 농민문예운동을 제창하였는데 예술은 어디까지든지 참된 인생의 표현이라야 된다고 했다.208) 농민문예는 흙을 망각하고 더군다나 흙을 모욕하는 문예는 진실한 생의 표현이 될 수 없다는 것이다. 이는 농

203) 이돈화, 「사람의 진정한 행복은 도시에 있는가 전원에 있는가」, 『조선농민』 1926.6.
204) 이성환, 「하고로 농민은 만민지대원일가」, 『조선농민』 1926.6.
205) 이성환, 「하고로 농민은 만민지대원일가」, 『조선농민』 1926.6.
206) 이돈화, 「하고로 농민은 만민지대원일가」, 『조선농민』 1926.6.
207) 林然, 「농민문학의 긴규정」, 『농민』 1933.1.
208) 이성환, 「농민문예운동의 제창」, 『조선농민』 1929.2.

민생활이 비참하고 암흑하며 무지한 생활을 나타내면서도 원대한 미래를
直寫하는 사회적 의의가 맡겨진 것이라 하였다. 그리고 농민의 무미건조와
노예적 기계적 생활을 고상화하고 정화하며 한 걸음 두 걸음 예술을 가지
게 하는 것이 그 임무라 한다. 또한 향토주의적 태도가 필요하다고 말하는
데 이는 어느 의미에서 곧 민족의식이기 때문이다.209)

도시문명은 곧 일본이 이식하는 서구문명이요 착취와 정복의 문명이다.
이를 배격하고 향토주의적 태도를 지닌다는 것은 민족의식의 표현이 되기
도 한다는 것이다. 따라서 농민문예는 농민으로 하여금 자기들의 사회적
지위와 참된 힘을 자각케 하는 데 교육적 의의가 있었다.210)

4. 소년교육운동

1) 소년운동의 역사적 배경

조선의 소년운동은 동학에서 비롯된다 할 수 있다. 수운과 해월의 가르
침은 어린이211)를 한울님처럼 대하고 존중하라는 것이었다. 동학의 소년존
중사상은 한국 근현대 소년운동의 기저사상이 되어 구한말 국망의 위기의
식 속에서도『소년한반도』나『소년』을 펴내며 소년을 새로운 국가의 주역
으로서 인식하여 소년운동에 박차를 가하였다. 이는 외래적인 소년운동의
수용으로서 1917년 10월에 조직된 기독교 계통의 <소년부>나 이를 모태
로 1922년 9월 정성채가 출발시킨 <소년척후대>, 같은 해 조철호가 발단

---

209) 이성환,「농민문예운동의 제창」,『조선농민』1929.2.
210) 이성환,「농민문예운동의 제창」,『조선농민』1929.2.
211) 그동안 '어린이'라는 호칭은 1920년 8월 25일자『개벽』을 통해 발표된 방정환의
   「어린이의 노래」에서 처음 사용된 것으로 알려져 왔고, 김상련은「소파연구」(『신
   인간』1972.4~1972.6)에서 소파가 처음으로 어린이라는 새 말을 썼다고 했다. 그
   러나 이미 최남선『청춘』창간호에 어린이라는 말이 있고, 그 이전으로 거슬러 올
   라가면『가례언해』에 '어린이롤 인矜히 녀겨라' 하여 어린이라는 말이 보인다. 어
   린이가 오늘날 사용되는 의미로 정착된 것은『어린이』창간호라고 할 수 있다(김
   정의,「소년운동을 통해 본 동학민중혁명운동」,『한국사상』22, 1995, 400쪽).

시킨 <조선소년군>보다 앞서 주창되었다. 그리고 사회주의 계열의 무산소년운동으로 1923년 3월 이원규 등이 조직한 <반도소년회>나 1925년 5월 정홍교 등이 조직한 <오월회>보다도 동학의 내재적인 소년운동이 훨씬 먼저 자생되어 숙성되었다.212)

김기전은 그의 소년해방사상을 직접 구현하기 위하여 1921년 5월 1일 천도교소년회를 창립하였다. 이는 한국 현대소년운동의 기점이 된다.213) 그리고 1923년에는 천도교 소년운동협회가 발족해 방정환을 중심으로 본격적인 소년운동의 첫발을 디디게 된다. 사회주의가 대두함에 따라 1923년 조선소년총동맹이 결성되고 1925년에는 경성소년연맹이 생겼으며 그 상설기관으로 오월회가 등장하였다. 1927년에는 민족통일전선에 따라 오월회와 천도교의 조선소년운동협회가 연합하여 소년연합회를 만들었고 그 핵심에는 김기전과 방정환이 있었다.

소파 방정환이 소년운동의 실천가였다면 소춘 김기전은 이론가였다. 소파가 이상주의자였다면 소춘은 현실주의자였다. 소파가 앞에 나선 운동가였다면 소춘은 숨은 운동가였다.214) 방정환은 말하기를 어린이에게 경어를 씀에 있어서도 김기전은 자신보다 훨씬 먼저 경어를 쓰기에 자리가 잡혔다고 말하면서 부모의 소유적 태도를 비판한 바 있다.215) 김기전은 "우리 유소년으로 공부하는 동무가 70만 명이 넘지 못하는데 600만 명 중에 530만 명이나 되는 우리 동무는 모다 눈뜬장님이 되고 있는 셈이라"216) 한탄하기도 하였다.

1928년에는 소년연합회가 조선소년총연맹으로 재출발하는데 이 때부터 방정환은 일선에서 물러서게 된다. 이는 방정환의 입장 차이에 기인하는 것으로 알려져 있다.217) 방정환은 일본 유학시절에 이미 윤극영, 고한승, 조재호 등과 함께 소년문제 연구단체인 <색동회>를 창립하여 아동교육의

---

212) 김정의, 『한국의 소년운동』, 혜안, 1999, 49~50쪽.
213) 김정의, 『한국의 소년운동』, 혜안, 1999, 54쪽.
214) 윤석중, 「천도교 소년운동과 그 영향」, 『한국사상』 12, 1974.
215) 방정환, 「어린 사람에게도 존대를 합니다」, 『별건곤』 4, 1927.2.
216) 김기전, 「다갓치 생각해 봅시다」, 『어린이』 1927.12.
217) 윤석중, 「동심으로 향했던 독립혼」, 『사상계』 1962.5.

길을 열었다. 그의 소년운동은 조선의 언어, 조선의 역사, 조선의 문화를 통해 조선의 정신을 키우는 것이었다. 그는 조선인을 일본인으로 만들려는 식민지정책의 눈을 교묘히 피하면서 민족의식을 고취하는 갖가지 기사를 <어린이독본>이라는 제목으로 1927년 2월호부터 『어린이』지에 연재하면서 소년에 대한 애정과 무한한 신뢰를 보내고 그들에게 힘을 북돋아 주고자 했다.

한편 김병제는 어린이들의 교육을 생명의 원리에 입각하여야 한다고 하면서 '일분일초라도 생명의 성장을 더디게 하지 말라' 하였다. 생명의 목적은 성장이기에 생명자체의 활동에 의해서만 이루어진다. 그리고 생명은 오직 바른 길로 신장시키는 것이 필요하기에 바른 궤도로 인도해주는 것이 교육이라는 것이다.[218] 방정환에게 있어서도 어린이는 자연이요 한울이었다. 그들의 세계는 평화롭고 자유로운 나라이고, 모든 사람이 그곳에 살게 되도록 이를 지키고 넓혀 가는 것은 그의 신앙적 실천이었다.

> 새와 같이 꽃과 같이 앵두같은 어린 입술로 천진난만하게 부르는 노래, 그것은 그대로 자연의 소리이며 그대로 하늘의 소리입니다. 죄없고 허물 없는 평화롭고 자유로운 나라! 그것은 우리 어린이의 나라입니다. 우리는 어느 때까지든지 이 하늘나라를 더럽히지 말아야 할 것이며 이 세상에 사는 사람사람이 모두 이 깨끗한 나라에서 살게 되도록 우리의 나라를 넓혀 가야 할 것입니다. 이 두 가지 일을 위하는 생각에서 넘쳐 나오는 모든 깨끗한 것을 거두어 모아내는 것이 이 『어린이』입니다.[219]

어린이의 나라란 죄 없고 허물 없는 평화롭고 자유로운 나라다. 그러므로 이 세상에서 사는 사람들이 모두 깨끗한 나라에서 살게 되도록 하는 것은 어린이의 나라를 넓혀 가는 것이라 한다. 방정환이 말하는 어린이운동의 목적이란 깨끗한 것을 거두어 모아 어린이의 나라를 만들고 이를 더럽히지 않고 넓혀 가는 것에 있었다.

---

218) 秋崗, 「어린이 교육의 진제」, 『신인간』 156, 1941.5.
219) 『어린이』 창간호, 1924.3.

　　방정환의 이러한 표현을 천사주의, 소박 감상적 동심주의자라 부르며[220] 이를 비판하였던 프로소년문학[221] 측의 소리도 있다. 소년문예운동에 있어서 전기는 관념주의, 후기는 사실주의가 고조하여 가는 현실에서 '어린애야말로 사랑과 순진한 화원이다', '어린이는 천사다', '어린이는 보석이다' 하고 떠받드는 것은 묵은 어린이의 개념이라 한다. 어린애들의 생활을 꿈 같은 현실로 해석하고 천국에다 올려놓는 것은 부르주아들의 추억이나 착각에 지나지 못할 것이라 하였다.[222]

　　어린이의 현실을 떠나 다소라도 그들에게 위안을 주고 심령을 달래주고자 하는 이가 있으나 이야말로 부르주아 형식적 관념에 중독되어 현실을 못 보게 한다는 것이다. 또한 순진한 어린 사람들을 억지로 끌어가지고 계급적 의식을 불어넣도록 강제하는 것은 좋지 못한 영향을 주리라 하는 천도교 비판에 대해서도 이를 도리어 어리석은 견해라 한다. 청년들이 고민하고 갈 길을 몰라 하는 것도 현실을 외면한 부르주아교육에 기인한다는 것이다.[223] 그런데 인간의 삶의 힘과 사회변혁적 활기를 불어넣는 것이 계급의식의 고취로 간단히 해결될 문제는 아니다. 이 점에서 방정환은 그들의 노선과 달리 했었다.

　　사회주의의 계급적 시각은 방정환이 서거한 후로 『어린이』지에도 다소 수용된다. 소년들로 하여금 현실을 인식하고 현실을 해방할 수 있도록 해야한다는 논조가 강하게 제시된다. 1930년대의 『어린이』지는 확실히 변모했다. 『신소년』이나 『별나라』 같은 프로소년잡지와 부르주아 잡지인 『아이생활』 사이의 그 중간 성격을 띠면서 『어린이』는 과연 어느 층에 속하는가라는 의문과 함께 전환이 시도된 것이다. 방정환을 뒤이은 신영철은 『어린이』에 혁신적인 방향전환을 제시했다.

---

220) 이재철, 「소파정신의 구현」, 『신인간』 428, 1985.
221) 1923년 3월 무산소년운동단체인 <반도소년회>가 이원규, 고장환, 정홍교, 김형배 등에 의해 조직되었다. 특히 송영 등은 『별나라』를 통해 계급소년 문학작품을 이끌어 갔다.
222) 濱江漁夫, 「소년문학과 현실성」, 『어린이』 1932.5.
223) 고문수, 「어린이는 과연 가면지일까」, 『어린이』 1932.5.

시대는 변한다.『어린이』를 개혁한 원인도 또한 시대가 낳은 것이다. 보라! 앞에는 험악한 산이 있고 주림과 추위에 우는 동무가 있는데『어린이』혼자서 고은 노래와 아름다운 시나 부르며 읊고 앉았을 것인가. 그렇게 시대에 눈이 어두울『어린이』는 아니니 그것이 여기서『어린이』를 개혁시킨 원인이 아니고 무엇이랴 ……『어린이』는 결코 가면을 쓴 잡지가 아니고 과거에 이데올로기를 깨끗이 집어 내던졌다는 것을 일언하여 둔다.224)

따라서『어린이』는 소년의 공장노동, 가난한 농촌현실, 월사금문제 등을 주된 소재로 하여 문예란을 채우게 된다. 동요인 야학노래를 보아도 분위기를 짐작할 수 있다.

옷밥에 굶주린 동무야
눈조차 머러서 산다나
나제 못가는 학교를
한탄만 하면 뭐하나
나제 못배우는 동무야
가난에 쫓긴 동무야
밤에 만나서 배우자
뜨거운 손목을 흔들자
낫가락 허리에 꿰차고
지게 목발 때리며
낫락교 못가는 신세를
노래만 하면 엇저나
석유 궤짝 책상에
호로 등불 가므락
무쇠 가튼 정성에
열려 간다 이눈들225)

224) 고문수, 「어린이는 과연 가면지일까」,『어린이』1932.5.
225)『어린이』1931.12.

그러나 그것이 단순히 사실 나열이 아닌 힘을 기르는 것을 원칙으로 하기에 소파 방정환의 생각과 크게 어긋나지 않는다. 『어린이』에 실린 소설을 총평한 난에는 이러한 방향을 보이고 있다. 천도교는 현실의 참혹한 사실나열뿐만 아니라 이를 깨치고 갈 힘과 기본바탕인 생명원리, 즉 인간원리에 바탕해서 소년운동을 보았던 것이다.

지금의 소년문학운동자들이 무엇보다도 힘찬 작품, 앞길을 열어주는 작품을 지어내는 데서만 많은 소년대중들이 씩씩하게 힘차게 빛난 앞날을 바라보고 나가는데 큰 원동력이 되리라! …… 힘을 보여주는 작품, 한 개의 사실을 그대로 그리는 것보다 나갈 바 방향을 암시하며 가질 바 생각을 붙잡아주는 작품, …… 그렇다. 힘! 힘이다. 지금의 소년대중이 바라는 것은 오로지 힘이다. 모든 소년문학작가들아! 무기력하고 절망의 구렁에서 신음하는 무리에게 힘을 넣어주어라. 나갈 바를 제시해 주어라. 슬프고 기막히고 억울한 사실을 그대로 그리여 내놓는다면 그것은 요즈음 신문지에 날마다 들어차는 한낱 기사에 더 지나는 것이 무엇이냐?[226]

2) 소년교육운동의 특징

(1) 수운의 세계관과 생명원리에 기초한 교육

교육은 세계관에서 비롯된다. 교육자 자신이 어떻게 세계와 인간을 이해하느냐에 따라 교육의 방향과 방법이 달라진다. 천도교는 조선사상의 진수에 서서 수운이 창도했던 세계관을 갖고 민족을 위한 교육원리를 낳았다. 그 교육원리란 앞에서도 고찰하였지만 인간한울의 교육, 민족문화공동체를 통한 교육, 사회변혁의 교육 이 세 가지 원리가 삼위일체적으로 구조된 것이었다. 이러한 교육적 관점은 수운의 일원론적 세계관에서 나온 것으로 어린이 교육운동에 있어서 구체적으로 실천되는 양상을 본다. 그것은 조선의 현실상황에서 조선의 아동을 대상으로 적용된 교육행위이다. 천도교는 소년운동을 모든 운동의 맨 밑바닥을 짓는 인간운동이라 하였다.

226) 노양근, 「반년간 소년소설총평」, 『어린이』 1932.7.

소년운동은 어느 정치운동이나 부인운동이나 노동운동과 같이 인류중의 어느 부분운동이 아니고 그 밑에 맨밑에 바닥을 짓는 인간운동이다.[227]

여기서 인간운동이란 각 부문의 운동을 하기에 앞서 그 부문운동을 담당하고 실현할 인간주체를 형성해내는 기초운동이라는 말이 된다. 그 기초운동으로서 어린이 교육은 어린이의 몸과 생각과 기운의 자유로운 성장을 위해 방해물을 제거하여 주고 그들의 자유로운 표현을 도와 그들의 주장이 세워지고 스스로 그들 자신의 뜻을 굳게 하는 것이었다.[228]

어린 사람이 성장에 제일 필요한 것은 기쁨이다. 어린 사람은 기뻐할 때 제일 잘 자라는 것이다. 몸이 크고 생각이 크고 기운이 크고 세 가지가 일시에 크는 것이다. 그러면 어느 때 어린 사람이 제일 기쁨을 얻느냐, 어린 사람이 제마음껏 움직일 수 있는 때, 즉 조금의 방해가 없이 자유로 활동할 수 있는 때, 그때에 제일 기뻐하는 것이니 그것은 움직인다는 그것뿐만이 그들의 생명이요 생활의 전부인 까닭이다.

방정환은 어린아이들이 마음껏 움직일 때, 조금도 방해 없이 자유롭게 활동할 수 있을 때 그들에게 제일 큰 기쁨이 되고 그 기쁨으로 몸과 생각과 기운이 동시에 커나간다고 한다. 조선의 천도교 교육운동에서 전반적으로 공통적인 것은 생명의 힘, 자신의 한울님 됨을 자각하는 것이었다. 따라서 궁핍한 조선 소년들에게 큰일을 한 사람은 여러분 어린이 같이 구차하고 세력 없는 사람 중에서 더 많이 났다고 격려[229]하면서 자유로이 활동할 수 있도록 생명과 기운을 지켜주고자 했고 이것이 소년교육의 목표였다.

슬기로운 어른이 있어서 늘 보살피고 인도하고 가르치지 아니하면 장래에 좋은 인물이 되기가 어려운 것은 나무의 이치와 똑같은 것이외다. 어린이 여러분! 여러분은 싹돋는 풀이요 잎피려는 나무요 싹트려는 씨가 아

227) 이용순, 「대회에서 돌아와서」, 『어린이』 1923.9.
228) 『어린이』 1923.3, 1쪽.
229) 『어린이』 1930.1.

니오닛가. 더욱이 여러분은 마르고 잡풀이 엉켜진 속에 들어었지 아니함
니까. 더욱이 여러분을 북돋고 김매고 거름주고 할 농부 - 다시말하면 여
러분을 위하여 정성을 다할만한 슬기로운 어른까지 없지 아니함니까.
…… 여러분께 바라는 것은 여러분이나 우리(큰사람)나 다같이 한 뜻으로
성하게 자라나기를 힘쓰자는 것이외다 뿌리박은 땅이 아무리 메마를지라
도 덮어누르는 잡풀이 아무리 억셀지라도 살겠다는 마음, 자라겠다는 기
운은 빼앗지 못할 것이 아닙니까.230)

따라서 작문교육에 있어서도 "생각하는 그대로 쓰라. 정신을 쏟아 넣어
지으라. 많이 읽고 많이 지으라. 몇 번이던지 좋게 고치라. 힘써 남의 비평
을 받으라"231) 하였다. 무엇보다도 중요한 것은 자신의 생활과 생각을 있
는 그대로 표현하는 것을 거듭 격려했다. 그리고 교육내용을 쉽게 산술창
가, 지리 창가로 만들어 아동의 흥미를 자극했다.232)
  조선에 있어서 다수를 차지하는 농촌어린이는 아무 일 못하기에 식충이
라 하여 학대받고 아이를 놀리면 게을러진다고 일을 시키고 궁색한 농촌
가정의 경제적 압박으로 인하여 노동을 강요당하는 현실이었다. 이에 천도
교는 어린이의 세계를 이해하지 못하고 유희를 못된 장난이라 하여 마음
대로 못 놀게 하는 부모들을 설득시켜233) 어린이의 학대를 막고 부모의 의
무에 눈뜨게 하고자 했다.234)

  우슴이 업는 조선의 가정, 우슴이 업는 가정의 부형밑에서 커나는 조선
의 어린이! 그들은 정말 가엽습니다. 간신이 학교를 간대야 월사금이나
학용품 몇 개만 사라해도 쳐다보게 되고 그나마 학교라고 가보지도 못하
는 수만흔 어린들은 부형들의 꾸지람과 걱정미테서 땀을 흘려가며 어
린 뼈가 휘도록 일하지 안흐면 할 수업는 형편에 잇는 것이 오늘 조선소
년의 처지입니다. …… 조선의 아버지시여! 어머니시여! 부형되신이는 무

230) 김석송,「제발로 제길을 걷자」,『어린이』1925.3.
231) 『어린이』1924.12, 33쪽.
232) 안경식,『소파 방정환의 아동교육운동과 사상』, 학지사, 1994, 124~125쪽.
233) 김명호,「농촌어린이들에게」,『어린이』1927.12.
234) 이성환,「농촌소년을 위하여」,『어린이』1925.7.

엇보다도 자기의 괴롬도 알아야하지만 어린자녀의 괴롬을 알기에 더욱 힘서야 될것이며 자기의 설움도 알아야하지만 자기자녀의 설움도 알아주기에 더욱 안타가운 심정을 써야할 것입니다. 모든 눌리움과 모든 구속에 그러지 아니해도 뻗을대로 뻗어 나가지못하는 어린사람들에게 그의 부형까지 누르고 구속하기를 더함은 너무나 그들을 위하여 애처로운일입니다.[235]

이돈화는 항상 10년 후의 조선을 잊지 말라고 하여 조선의 문제는 아동문제를 해결함에 있다 하였다. 조선이 아동을 압박한 결과 아동의 개성 발굴을 막음이 심하고 아동에게 인권자유와 활기를 꺾어 아동으로 하여금 怯病을 치게 하며 공포와 위축된 기를 양성케 된다고 했다.[236] 이정호도 조선 어른들이 아동을 대하는 태도를 비판하면서 실행해야 할 지침을 제시하였다.

우리 조선에서는 소년을 위하여 하는 사업이 그무엇입니까 하는 일이라고는 학교에 보내어 공부만 시키고 그학교도 졸업하기 전에 열살만 넘으면 장가들이고 시집보내주지 못하여 애를 쓰는 것밖에 없고 항용 좋은 사람만들기보다도 좋은 며느리 얻기와 좋은 사위얻기만 힘씁니다. 그런고로 장성하여도 쾌활하지 못하고 말이 씩씩치 못하며 일에 참되지 못한 병신을 만들어 버립니다.

1. 어린사람을 헛말로 속이지 말아주십히요
2. 어린사람을 늘 가까이하시고 자주 이야기하여 주십시오
3. 어린사람에게 항상 경어를 쓰되 되도록 부드럽게 하여주십시오
4. 어린 사람들을 목욕과 이발을 때맞춰 시켜주십시오
5. 어린사람에게 잠자는 것과 운동을 충분히 하게하여 주십시오
6. 나쁜 구경을 시키지 마시고 동물원이나 식물원에 자주보내 주십시오
7. 장가나 시집보낼 생각마시고 사람답게만 하여주십이요[237]

어린이를 진실로 대하고 사랑하여 많은 이야기를 해주며 생명을 돌보아

---

235) 신영철, 「부형에게 들려드릴 이야기」, 『어린이』 1931.9.
236) 이돈화, 「신조선의 건설과 아동문제」, 『개벽』 18, 1921.12.
237) 이정호, 「민족적으로 다같이 기념할 五月一日」, 『부인』 1923.5.

주고 교육기회를 제공하자고 주장하는 것이다. 따라서 이러한 맥락 하에서 '새 조선의 어린 사람은 『어린이』와 함께 커난다'는 말도 생겼듯이 1925년에 10만의 독자를 키운 것이 방정환이 서거하던 1931년에는 600만 어린이들의 책상머리에 놓여 있게 되었다.

⑵ 자연공동체 교육

천도교가 지니는 소년교육의 특징의 하나는 자연이 주는 인간형성을 중시한다는 점이다. 농촌소년에게 그들이 처한 상황이 자연이라서 그러한 것이 아니라 본질적으로 인간이 자연 속에서 성장해야 진실된 인간형성을 도모할 수 있다는 인식에서이다. 자연은 곧 예술이다. 어린이는 자연을 통하여 감성적 인식을 이룬다. 자연을 대하는 아이들의 의식 속에는 시각적, 청각적, 직관적 영상이 인식된다. 따라서 어린이들에게 봄이 되면 산에 가라 하고, 골짜기 흐르는 물에서 봄소리를 들으라 한다. 가지에 나는 새소리와 대지가 움직이는 소리에 귀를 기울이라 한다. 이 소리에 화응하여 나가는 사람은 사는 사람, 앞서는 사람이라 하였다.

> 잔디는 푸르고 붉고 누르며 새는 고운 노래를 부르고 있으니 꽃과 새와 나비는 어린이들에게 아름다운 느낌과 고운 마음을 길러주고 길게 흐르는 맑은 물은 앞으로 나아가는 용기와 꾸준한 부지런을 가르쳐준다. 높고 높은 산은 독립자존의 기상을 일러주고 푹푹내려 쪼이는 태양광선은 뜨겁게 뜨겁게 우리 몸을 튼튼하도록 단련해 준다. 내가 노래를 부르면 새도 노래를 부르고 꽃이 웃으면 나도 웃는다. 이렇게 내눈에 보이고 내귀에 들리우는 모든 物景이 나와 일체가 될 때에는 환희와 흥미가 우리의 깊은 맘속으로부터 온몸 머리끝까지 땀모양으로 숭얼숭얼 새여 흘러나온다. 이 때 이곳에서만 참생활 참지혜를 배우고 얻는 것이요 그러는 중에 우리의 몸과 마음이 일시에 웃줄웃줄 자란다.[238]

꽃과 새들은 어린이에게 아름다운 느낌과 고운 마음을 길러 주고 흐르

---

[238] 『어린이』 1923.4, 1쪽.

는 맑은 물은 용기와 부지런함을 가르쳐 주며 높은 산들은 독립자존의 기상을 일러주고 뜨겁게 내리쬐는 태양은 어린이의 몸을 단련한다. 새가 노래하면 어린이도 노래하는 그 일체의 경험에서 기쁨과 흥미가 땀으로 배어 나온다. 아이들은 자연 속에 자신을 투입하는 감정이입력을 지닌다. 즉 어린이는 자연의 대상 속에 자신을 투입하여 지각되는 감성적 지식을 얻게 된다. 이때 비로소 어린이는 참생활과 참 지혜를 배우며 그러는 중에 몸과 마음이 우쭐우쭐 자란다는 것이다. 감성적 지식은 모든 사고과정과 개념 이해의 기초가 된다. 자연으로부터 교육을 받고 큰 사람이라야 심신이 완전한 사람일 것이요 그러한 사람이라야 빈한한 사람, 부한 사람, 귀한 사람, 천한 사람을 차별하지 않고 사람이면 다 같은 사람으로 존경하고 사랑하며 새 짐승, 풀, 나무들이라도 다 같이 사랑하여 같은 세상에서 즐겁게 기쁘게 살 것이라 한다.239)

따라서 가장 아름다운 사람이란 맨발로 땅을 밟고 푸른 잎사귀를 지나쳐 오는 바람을 마시는 농민이요. 땅은 모든 것을 길러 주는 어머니이며 사람에게 가장 좋은 것은 흙 냄새라 한다. 확실히 자연은 진실을 인간에게 돌려주고 보여준다. 이를 배우는 어린이들은 거짓이 아닌 자연스러움을 몸에 익히고 굳은 생명의 힘을 기르게 되는 것이다.

가장 아름다운 사람이란 이런 사람을 두고 말하는 것이다.
맨발로 땅을 밟고 얼굴이 타고 땅을 파서 씨를 뿌리고 푸른 잎사귀를 지나쳐 오는 바람을 마시며 사는 농민! ……
시골 땅우에는 장래를 인도해 나아갈 철인과 시인을 기른다. ……
땅은 모든 것을 길러주는 어머니다.
사람에게 있어 가장좋은 약은 강렬한 흙 냄새다.
그리고 잎의 향기와 수풀의 향기이다…….
농민은 인간사회의 힘이고 모든 인류의 祖先의 마음을 그대로 가진 사람이다.
모든 것은 땅으로부터 나고 또 땅으로 돌아가는 것이다.

---

239) 이병두, 「자연의 대학교」, 『어린이』 1923.9.

예술도 도덕도 철학도 돈도 먹는 것도 옷도 땅으로부터 나오고 또 땅으로 돌아가지 않으면 안 된다.[240]

어린이란 천생으로 자연을 좋아한다. 조그마한 풀 싹 하나라도 조그마한 새 한 마리라도 그것을 꼭 자기와 같은 동무로 생각하는 것이 어린이 마음이며 조그마한 바위 밑 나무 밑이라도 자기가 거기에서 살 수 있고 즐길 수 있다고 생각하는 것이 어린이의 마음이다. 따라서 김기전은 자연을 통해 이 마음을 거슬리지 말고 이 마음을 곱게곱게 자라나게 해주자고 하였다.[241]

(3) 조선혼의 교육

『어린이』지와 소년회 조직을 통해 눈물과 한숨으로 조선 소년을 위하여 싸웠던 방정환은 조선 소년운동의 대명사였다.[242] 그의 「어린이독본」[243]도 어린이들로 하여금 정의를 위하여 싸울 것(1과), 타인을 위해 용기와 희생을 가질 것(2과), 비굴하지 말고 의를 나타낼 것(3과), 참된 동정은 자선이 아니라 사랑이라는 것(4과), 인간에 대해 너그러운 마음을 가질 것(6과)을 말했다. 그리고 7과에는 어린이의 노래를 다음과 같이 싣고 있다.

하로일을 마치고 집에 돌아와 / 저녁먹고 대문닫힐 때가 되면은
사다리 짊어지고 성냥을 들고 / 집집의 장명등에 불을 켜놓고
다름질 하여가는 사람이 있소 ……

아- 나는 이담에 크게 자라서 / 내일을 내맘으로 정케되거든
그렇다 이몸은 저이와 같이 / 거리에서 거리로 돌아다니며
집집의 장명등에 불을 켜리라 / 그리고 아무리 구차한집도
밝도록 환하게 불켜주리라

---

240) 최청곡, 「산문시 농민」, 『어린이』 1932.7.
241) 김기전, 「봄날과 어린이」, 『부인』 1923.5.
242) 『어린이』 1931.7.
243) 방정환, 『어린이독본』.

이 詩는 번안시로 읽는 어린이로 하여금 자신의 일을 자신의 마음으로 정할 수 있게 될 때 사회의 등불, 민족의 등불, 세상의 등불이 되리라는 의지를 유도하고 있다. 또한 그는 세계일가의 의미를 밝히고 있는데 위의 시와 유사한 맥락을 보인다. 즉 조선을 잘 알도록 힘쓰고 세계를 잘 알도록 힘쓰라 하는데 이는 조선과 세계를 위해 자신의 일을 찾아가도록 하기 위함이었다.[244]

이성환도 어린이들에게 소학시대부터 자연과학을 힘써 연구하고 학교에서 배우는 이외에 세상 일을 잘 알기에 힘쓰라 한다.[245] 이는 아이들로 하여금 끊임없이 사회와 민족을 생각하게 함이다.[246]

천도교가 방향짓는 어린이교육은 어린이가 자유와 기쁨 속에서 자신을 키워 자기 주장을 형성하고 자기 뜻을 굳히며 자기 믿는 바를 실행하게 하는 것인 동시에 시대를 앞서나가는 역사적 책임을 지는 인물로 키우고자 함이었다. 그러므로 천도교의 『어린이』지를 통한 교육에서 주된 내용을 이루는 것은 조선의 문화를 속속들이 소개하는 것이었다. 동요와 전설에서부터 지리와 역사, 언어, 자랑거리, 발명품 등 전체를 망라하여 조선을 알려주고 조선을 깨닫게 하여 그들이 조선인을 위해 살아갈 수 있도록 하였다. 어린이에게 있어 조선공부란 조선을 공부하여 조선을 보다 발전적으로 변화시키는 것인데 이는 곧 자신의 삶을 보다 크게 만들고 참된 인물로 만드는 것이라 하였다.

세상에 무엇보담도 제일 착실이 알아야 할 것이 있으니 그것이 무엇일꼬. 아이들아 그것은 <조선>이란 것이다. …… 어제 좋은 일 장한 일을 하고 그제 부지런하고 애쓴일이 있어서 참 기뻐했던 것을 늘 잊지 않고 있어야 내일과 모레도 그러케 힘써서 큰 인물이 될 것이요 작년 어느때 좀 게을럿고 재작년 언젠가 너무 놀았기 때문에 잘못된 일이 많았던 것을 늘 생각하고 있어야 명년과 내명년엔 그런 짓을 아니하여 더 큰 인물이

244) 방정환, 『어린이독본』.
245) 이성환, 「안으로 밖으로」, 『어린이』 1928.1.
246) 신영철, 「신계몽편」, 『어린이』 1931.12.

될 것이다. 그러므로 너희들은 누구보담도 너희들 자신이 너희들을 제일
잘 알고 있어야 하겠다는 말이다. 아이들아 그와 꼭 마찬가지로 …… 너
희들은 누구보담도 조선을 더 잘 알고 있어야 한다는 말이다. 그래 이런
것을 너이들에게 일러주고저 하는 것이 조선공부이니 너희들이 밥을 먹
어야 사는 것과 조금도 다를 것 없이 꼭 알아야 쓸것이 조선공부인 줄을
믿어다고. 다시 한번 더 말한다. '조선사람에게는 조선공부란 것이 밥과
같은 것이니라'고.[247]

한 인간의 시시비비의 행위를 반성하여 옳은 것은 장려하고 그른 것은
제거하여 큰 인물을 이루어 가듯이 조선의 과거와 장단점을 알아 새로운
조선을 이루기 위해 조선공부는 밥과 같은 것이라 했다.

따라서 『어린이』지는 조선공부를 위해 독자로부터 소재를 모집하여 재
미있는 시골전설[248]과 옛날 동요를 싣고,[249] 대표적인 천도교 동요작가 윤
석중 등이 동요를 지어 어린이들로 하여금 그들의 설움을 달래고 마음을
자라게 했다. 동요「설날」[250]같은 경우를 보면 조선의 정서가 물씬 풍긴다.

247) 이은상,「조선공부」,『어린이』1934.1.
248)「일곱도승과 을지문덕장군 - 청천강과 칠불사이야기」,「불쌍한 처녀의 죽음 - 金
城이야기」,「생명의 종소리」,『어린이』1924.9.
249)『어린이』지의 재래동요모집난에는 다음과 같은 내용이 기술되어 있는데, 전래동
요는 어린이를 윤택하게 하고 온 조선에 없는 곳이 없으나 뜻있는 이가 없어 흙
속에 파묻혀 있음을 안타까와 하고 있다. "조선에 동요운동이 새로 일어난 후로
남의 나라에 지지 않는 좋은 동요가 적지 않게 생겨나서 어린이의 세상을 저윽히
윤택하게 한 것은 한없이 기쁜 일입니다. 좋은 동요가 뜻있는 이가 없어서 그대로
흙 속에 파묻혀 있는 것을 지금 우리가 힘들여 모아 놓지 않으면 누가 이 일을 하
겠습닛가. 우리『어린이』독자가 왼 조선에 없는 곳이 없으니 우리들이 각각 자기
지방 것을 써보내서 모으면 단번에 왼조선 것이 한데 모이겠습니다. 그러면 그것
을 추리고 추려서『어린이』에 내이고 나중에는 한데 모아서 널리 내외국에 발표
하겠습니다(『어린이』1928.12)".
250) 1절. 까치까치 설날은 어저께구요 우리우리 설날은 오늘이래요/ 곱고 고흔 댕기
도 내가들이고 새로 사온 구두도 내가 신어요
2절. 우리언니 저고리 노랑저고리 우리동생 저고리 색동저고리/ 아비지 이미니도
호사내시고 우리들에 절받기 조화하서요
3절. 우리집 뒤뜰에다 널을 놓고서 상들이고 잣까고 호도까면서/ 언니하고 정답게
널!뛰기가 나는나는 조와요 참말 조와요

또한 윤석중 작사 홍난파 작곡의 「달마중」, 동요입선작인 최순애 작사 박
태준 작곡의 「오빠생각」, 이원수 작사 홍난파 작곡 「고향의 봄」, 한정동 작
사 윤극영 작곡 「따오기」 등 오늘날 불려지는 동요가 대부분 이 때 지어졌
다. 방정환이 작사한 「어린이노래(조선의 노래)」[251]에는 민족정신이 담겨
있다. 윤석중이 쓴 「허수아비야」[252]와 「휘파람」[253]은 고통받는 민중의 현
실을 노래하고 있다. 또한 한국 최초의 창작동요인 「반달」[254]도 어린이에
게 희망과 힘을 심어 주고자 했던 윤극영이 작사 작곡한 것이다. 自然이
그러하듯이 아이들로 하여금 동요를 부르게 하는 것은 진실을 강요하지
않고 다만 진실을 드러내어 주고자 함이다. 동요는 고운 마음을 심어주고
한편 마음을 씻어 준다. 이렇게 조선의 동요를 노래하고 조선의 자랑과 조
선의 역사적 인물을 소개하며 지리적 향취[255]를 뿜어내는 것은 조선아동
으로 하여금 조선혼을 먹고 자라게 하는 것이었다. 푸른 산, 맑은 물은 조
선의 정기인데 그 속에서 놀고 뛰고 웃고 노래하는 우리 어린이가 왜 희망

4절. 무서웠던 아버지 순해지고요 우지우지 내동생 울지안어요/ 이집저집 웃 소래
    널뛰는 소래 나난나난 설날이 참말 조와요
251) 1절. 금수의 강산에서 우리 자라고 무궁화 화원에서 꽃피려 하는/ 배달의 어린 동
    무 노래부르자 세상에 부러울 것 그 무엇이랴
    2절. 창공의 붉은 태양 그 빛 찬란코 들판의 양떼들은 무리져 논다/ 동해의 어별
    들은 꼬리쳐 놀고 즐거운 우리들은 춤을 추노라
    3절. 암흑의 긴긴 밤은 지나가고 광명한 새 아침이 밝아 온다/ 금강산 상상봉에
    얼굴을 드니 삼천리 금수강산 화려하구나 (『개벽』, 1920.8)
252) 허수아비야/ 허수아비야 허수아비야/ 여기 쌓였던 곡식을 누가 다 날라가디?/ 순
    이 아버지 순이 아저씨 순이 오빠들이/ 온 여름 내 그 애를 써 만든 곡식을/ 가져
    간다는 말 한마디 없이/ 누가 다 날라가디?/ 그리고 저 순이네 식구들이/ 간밤에
    울며 어떤 길로 가디?/ - 이 길은 간도 가는 길/ - 저 길은 대판 가는 길/ 허수아
    비야 허수아비야/ 넌 다 알 텐데 왜 말이 없니?/ 넌 다 알 텐데 왜 말이 없니?
253) 팔월에도 보름날엔 달이 밝건만/ 우리 누나 공장에서 밤일을 하네/ 공장 누나 저
    녁밥을 날라다 두고/ 휘파람 불며 불며 돌아오누나.
254) 1절. 푸른 하늘 은하수 하얀 쪽배엔/ 계수나무 한 나무 토끼 한 마리/ 돛대도 아니
    달고 삿대도 없이/ 가기도 잘도 간다 서쪽 나라로
    2절. 은하수를 건너서 구름나라로/ 구름나라 지나선 어디로 가나/ 멀리서 반짝 반
    짝 비치이는/ 샛별이 등대란다 길을 찾아라
255) 「박달성의 황해도 갔던 이야기」, 『어린이』 1925.6.

이 없겠느냐며 미래를 심어 주었다.[256]

그리고 조선의 특산자랑이라 하여 바다와 산악과 광물 등의 특산물을 소개하고,[257] 조선의 발명자랑[258]과 조선의 동요자랑[259] 등 갖가지 자랑을 모아서 알려주었다. 이 모두는 소년들로 하여금 조선을 알도록 하고 조선 공부를 많이 하도록 함이었다.

또한 지리 방면의 공부는 조선의 땅을 어린이들에게 알게 하고자 조선의 지리적 위치를 소개하는 것에서 시작하였다. 조선이 있는 곳을 동경 몇 도, 북위 몇도, 온대지역 등 구체적으로 제시하면서 거기에 해석을 가하였다. 예전부터 문명한 나라는 거의 온대지방에서 제일 먼저 일어나고 지금으로도 구라파나 아메리카가 다 그러하니 조선도 4260년이나 되는 오래된 옛날에 벌써 훌륭한 문명을 가졌다고 하여 소년들에게 민족적 긍지를 불어넣었다. 그리고 다음과 같은 물음을 던져 조선의 공간적 파악[260]과 조선의 혼을 일깨운다.

우리가 살고 있는 조선은 이 지구 위 어디에 있는지 아심닛가?
생각좋고 잘 가르쳐주는 선생님이 왜 쫓겨가게 되는지 아심닛가?[261]

박달성은 지리상으로 본 조선자랑이라 하여 지리상으로 구체적 지식을 말하였고, 신영철은 세계제일로 훌륭한 조선의 산수자랑을 말했다. 특히 백두산을 웅장하고 정다웁고 도량이 너그러우신 할아버지로 비유하면서 허연 머리로 조선의 손자들을 사랑하시고 조선의 사람들을 잊어본 적이

256) 「박달성의 황해도 갔던 이야기」, 『어린이』 1925.6..
257) 三山人, 「조선의 특산자랑」, 『어린이』 1929.3.
258) 최진순은 고려시대의 도자기를, 권덕규는 조선 한글을, 이윤재는 활자발명을 꼽고, 철갑선이나 비행기도 조선이 먼저 발명했음을 이진구는 말하고 있다. 이는 조선인의 좌절감을 불식시키고 민족자신감을 불러 일으키기 위함이었다(『어린이』 1929.3).
259) 유도순, 「조선의 동요자랑」, 『어린이』 1929.3.
260) 신영철은 『어린이』지에 「조선의 끝은 어디이며 조선의 밖에는 무엇이 있나」 등의 제목으로 조선지리를 연재하여 조선혼을 심고자 했다(『어린이』 1928.3).
261) 신영철, 「조선의 잇는곳」, 『어린이』 1928.1.

없다고 하고, 그 아름다움, 씩씩함, 웅장함을 백두산 할아버지에게 모든 것
을 배우자 하였다.262) 또한 특집호로 조선자랑호를 내었고, 조선자랑가를
지리창가로도 지어 불렀다.

> 「조선자랑가」
> 북편에 백두산과 두만강으로
> 남편에 제주도 한라산
> 동편에 강원도 울릉도로
> 서편에 황해도 장산곶까지
> 우리우리조선의 아름다움은
> 맹호라 표시함이 13도로다.263)

이 창가에서도 보면 조선 지리를 맹호 13도라 한다. 이는 일본이 한반도
를 토끼라 비유한 것과 대조되는 대목이다. 따라서 조선인은 조선을 잘 알
아야 자신의 삶을 잘 살고 조선을 잘 위하는 사람이 될 것이라 한다.

조선사람에게 조선공부란 밥과 같은 것이다. 민족의 역사는 개인의 성장
에 정체성을 부여하기 때문이다. 민족이 없으면 인간 삶의 정체성과 방향
이 부여되지 않고 혼란된다. 따라서 조선공부는 곧 자기정신의 성장이요
방향이었다. 조선공부는 궁극적으로 민족의 이상과 맞닿게 되고 하나의 신
념으로 포착되게 된다. 이 신념은 한 인간의 삶을 건축하는 데 준거요 힘
이 된다.

조기간은 어린이들에게 요구하기를 새로운 큰 주의, 사상 없이는 그 멀
고 그 험악한 길을 가기가 어렵고 또 간다 하더라도 아무 의미가 없고, 보
람도 없는 헛길이 된다고 말한다.

> 여러분이 만일에 생명이 있고 보람이 있는 길을 끝가지 잘 가랴거든 제
> 각기 제스사로 속에서 전 인류의 위대와 전 우주의 힘을 찾아내이는 그러

---

262) 신영철, 「조선의 산수자랑」, 『어린이』 1929.3.
263) 『어린이』 1929.3.

한 주의요 그러한 사상인 사람이 곧 한울이라는 그 줄을 붙잡기를 무엇보
다고 더 간절히 빕니다. …… 전 조선의 어린이들이여 다같이 한울의 힘
을 가지자! 그리하여 그 힘으로서 우리 마음대로의 세상을 만들자![264]

그가 말하는 주의와 사상이란 곧 한울의 사상으로 자신의 생명이 있고
보람이 있는 길을 끝까지 가려면 한울의 힘을 갖지 않으면 안 된다는 것이
다. 따라서 어린이교육도 이러한 한울-인간됨의 신앙과 교육목표를 깔고
있다. 이는 아이들에게 바라는 민족의 이상이요 조선혼으로 그들 삶의 준
거가 될 것임을 인식한 것이었다.

3) 소파 방정환의 아동교육

한국의 대표적인 아동교육가를 꼽으라면 小波 方定煥(1899~1931)을 꼽
는 데 아무도 이견이 없을 것이다. 그는 단순한 아동문학가가 아니라 동학
의 사인여천사상에 바탕하여 이를 조선 교육현실에 실천한 천도교 교육운
동가였다. 그가 쓴 글과 노래는 지금도 교과서에 실려 읽혀지고 불려지지
만 그가 자신의 삶과 혼을 불태워 어린이교육에 헌신했던 진면목은 일반
인들에게 피상적으로 이해되고 있는 듯하다. 안경식은 한국에 도입된 듀이
의 아동중심교육보다 훨씬 이전에 조선의 자생적 아동중심교육으로 소파
가 있었음을 강조하고 있다.[265] 그러나 소파의 교육사상은 단순한 아동중
심사상이 아니다. 아동의 권리와 흥미를 존중하는 것을 넘어서 있다.

방정환은 어물전과 미곡상을 경영하는 아버지 밑에서 9세까지는 유복한
가정에서 자랐다. 그러나 증조부의 사업실패로 그 이후 고생 많은 어린 시
절을 보냈다. 점심도시락을 못 싸가서 변소 뒤에서 눈물짓기가 일쑤였고
심부름으로 쌀 꾸러 갔다가 낙망하는 일이 많았다. 하루는 없는 밥을 싸내
라고 떼를 쓰면서 울다가 어머니에게 얻어맞고 대문을 나서다가 홀낏 돌
아다보니 어머니도 마루 끝에 서서 울고 계셨다 한다.[266] 그는 19세 때 의

264) 조기간, 「엇져면 조홀가」, 『어린이』 1928.1.
265) 안경식, 『소파 방정환의 아동교육운동과 사상』, 학지사, 1999, 17쪽.

암 손병희의 사위가 되어 1921년 일본에 유학을 가기 전까지 제동 처가에 머물며 소년운동을 준비하기 시작했다. 그의 소년운동 배후에는 김기전이 있었으며 방정환의 교육사상 역시 수운사상에서 비롯한 것으로 거기에는 굶주리고 학대받는 조선아동과 자신의 어린 시절이 함께 가슴에 아픔으로 남아 있었다.

사인여천에 입각한 방정환이 바라보는 아동은 곧 '인내천의 천사'요 '자연의 시인'이었다. 깨끗한 가슴에 가장 신성한 것을 주고자 했고, 이로 하여금 더 맑고 신성한 시인을 만들고자 했다.267) 어린이는 "비둘기와 같이, 토끼와 같이 부드러운 머리를 바람에 날리면서 뛰노는 모양, 그대로가 자연의 자태이고 그대로가 한울의 그림자다. 거기에는 어른과 같은 욕심도 있지 아니하고 욕심스런 계획도 있지 아니하다. 죄 없고 허물 없는 평화롭고 자유로운 한울나라! 그것이 어린이의 나라"라는 것이다.268)

(1) 봉건적 교육의 비판

전통적으로 조선의 가정에서는 예외 없이 모두 노인중심으로 생활을 끌고 갔다. 이는 어린 새 사람을 끌어 뒤로 가게 하는 격이라 방정환은 말한다. 즉 조선에서는 가장 늙은이가 호주가 되어 전 가족을 데리고 무덤으로 가는 격이라 비판하였다. 만약 무덤으로 가기 싫어서 돌아서는 사람이 있으면 父命을 거역하는 불효자라 하여 온 동네가 결속해 가지고 박해하는 것이 조선의 현실이었다. 이에 그는 明日의 호주를 조선사람처럼 냉대, 학대하는 사람도 없고, 새로 자라는 어린이들만이 장래의 기둥감이요 대들보이건만, 이들을 존중하지 아니하고 덕만 바란다고 분노했다. 그리하여 "싹을 위로 보내고 뿌리는 일제히 밑으로 가자! 새사람 중심으로 살자. 어린이를 터주로 모시고 정성을 바치자!"고 사람들에게 외쳤다.

그는 어린 사람의 성장에 제일 필요한 것은 기쁨으로 기뻐할 때 몸이 크

---

266) 방정환, 「나의 어릴 때 이야기」, 『어린이』 1928.3.
267) 방정환, 「동화를 쓰기 전에 어린애를 기르는 부형과 교사에게」, 『천도교회월보』 1921.2.
268) 『어린이』 창간호, 1924.3.

고, 생각이 크고, 기운이 크고 세 가지가 일시에 큰다 하였다. 또한 어린 사
람이 제일 기쁨을 얻는 때는 제 마음껏 꿈적거릴 수 있는 때, 즉 방해가 없
이 자유로운 활동을 할 수 있는 때라 말한다. 꿈적거린다는 것은 그들의
생명이요 생활의 전부다.[269] 그러나 새로 피어날 새싹이 내리 눌려만 있을
때, 조선의 설움과 아픔은 어느 때까지든지 그대로 이어갈 것[270]이라 하였
다.

> 어린이는 어른보다 더 새로운 사람입니다. 내 아들놈, 내 딸년하고 자기
> 의 물건같이 여기지 말고, 자기보다 한결 더 새로운 시대의 새 인물인 것
> 을 알아야 합니다. 어린이를 어른보다 더 높게 대접하십시오. 어른은 뿌리
> 라면 어린이는 싹입니다. 뿌리가 근본이라고 위에 올라 앉아서 싹을 내려
> 누르면 그 나무는 죽어버립니다. 뿌리가 원칙상 그 싹을 위해야 그 나무
> 는 뻗쳐 나갈 것입니다. 어린이를 결코 윽박지르지 마십시오. 조선의 부모
> 는 대개가 가정교육은 엄해야 한다는 잘못된 생각으로 그 자녀의 인생을
> 망쳐 놓습니다. 윽박지를 때마다 뻗어가는 어린이의 기운은 바짝바짝 줄
> 어듭니다.[271]

이와 같이 방정환은 어린이를 재래의 윤리적 압박으로부터 해방시키고
어린이에 대한 완전한 인격적 예우를 부르짖으면서 어린이를 내려다볼 것
이 아니라 쳐다볼 것과 어린이에게 敬語를 쓰되 항상 부드럽게 대하라고
말했다.[272] 전통적 유교윤리에서는 君臣, 男女, 長幼, 親子, 老小, 賢愚, 貴
賤 등을 설정하여 君, 男, 長, 親, 老, 賢, 貴가 臣, 女, 幼, 子, 小, 愚, 賤에
대하여 권리를 행사하게 하였고,[273] 삼강오륜에 절대위력을 부여한즉 이를
악용한 독소가 세상을 병들게 하였다고 한다[274] 따라서 방정환은 천도교

269) 방정환, 「아동문제 강연자료」, 『학생』 1930.7.
270) 방정환, 「어린이날」, 『어린이』 1926.5.
271) 「조선소년운동협회 주최 제1회 '어린이날' 선전문」, 『동아일보』 1923년 5월 1일자.
272) 「조선소년운동협회 주최 제1회 '어린이날' 선전문」, 『동아일보』 1923년 5월 1일자.
273) 김기전, 「우리의 사회적 성격의 일부를 고찰하여서 동포형제의 자유처단을 촉함」,
     『개벽』 16, 1921.10.
274) 김기전, 「장유유서의 말폐」, 『개벽』 2, 1920.7.

유소년부의 활동요항 가운데 '유소년의 생리적 발육과 심리적 발육을 구속하는 모든 폐해의 교정에 힘쓸 것'과 '재래의 봉건적 윤리의 압박과 군자식 교양의 전형을 버리고 유소년으로의 순결한 정서와 쾌활한 기상의 함양에 힘쓸 것'을 제시했다.275) "짓밟히고 학대받고 쓸쓸스럽게 자라는 어린 혼을 구원하자!"는 것이 방정환이 일으키고자 했던 소년운동이었다.276)

또한 기존의 학교교육은 기성사회에 필요한 인간을 찍어내는 것 외에 어떠한 理想도 계획도 없다고 말하면서 덮어놓고 헌 사회 사람들의 생각과 제도 일반을 억지로 씌우려는 것은 잘못된 일이라 하였다.277) 여기에는 필연적으로 강제와 위압적 교육이 생긴다. 그러나 새로운 세상에 새로 출생하는 새 사람들은 저희끼리의 사색하는 바가 있고 저희끼리의 새로운 지식으로 새 사회를 만드는 것이다. 지금의 이 사회 이 제도 밖에는 절대로 다른 것이 없다 하여 그 사회, 그 제도 밑으로 끌어 넣으려는 것은 제지되어야 하고, 오히려 현 사회의 불공평한 제도 밑에서 고생하지 않도록 해주어야 한다고 말했다. 여기에는 바로 강제와 억압이 아닌 愛와 情의 지도가 생긴다. 기존 제도교육에 있어서 修身과 算術만 가지고는 안 되고 예술교육이 행해져야 완전한 사람, 좋은 사람, 전적 생활을 잘 把持해 갈 수 있는 인물이 된다.278) 방정환은 이와 같이 전통적 윤리의 억압과 일본 식민교육을 반대하여 윤리와 수신과목을 모두 지양하고 동화와 동요 그리고 그림을 통한 예술교육을 제시하였다.

(2) 예술교육

동화(이야기)는 아동의 정신생활에 있어 중요한 식물이라 방정환은 말했다. 동화는 情意의 계발을 속히 하고 理智의 판단을 명민하게 할 뿐 아니라 도덕적 요소로 인하여 덕성을 길러준다는 것이다. 이는 他에 대한 동

---

275) 천도교청년당본부, 「천도교 유소년부의 활동요항」, 『천도교청년당소사』, 1935, 45~46쪽.
276) 방정환, 「어린이 동무들께」, 『어린이』 1924.12.
277) 방정환, 「소년의 지도에 관하여」, 『천도교회월보』 1923.3.
278) 방정환, 「세계아동예술전람회를 열면서」, 『어린이』 1928.10.

정심과 의협심을 풍부하게 하고 초월적 요소를 포함한 동화에 의해 종교
적 신앙의 기초까지 지어주는 등 실로 그 효력이 위대하다 하였다. 아동
자신이 동화를 구하는 것은 결코 지식을 구하거나 수양을 구하기 위함이
아니라 본능적인 자연의 욕구다. 영아가 모유를 욕구하는 것과 같이 아동
은 동화를 욕구한다. 동화란 아동성을 잃지 아니한 예술가가 다시 아동의
마음에 돌아와서 어떤 감격, 혹은 현실생활의 반성에서 생긴 이상을 동화
의 독특한 표현방식을 빌어 독자에게 호소하는 것이다. 기성세대는 결코
이것이 옳다 하여 강제로 주어서는 아니 되고 저희가 요구하는 것을 주고
저희에게서 싹 돋는 것을 북돋아 줄 뿐이어야 한다고 말했다.[279]

> 어린이는 결코 부모의 물건이 되려고 생겨나오는 것도 아니고 어느 기
> 성사회의 주문품이 되려고 나오는 것도 아닙니다. 그네는 훌륭한 한 사람
> 으로 태어나오는 것이고 저는 저대로 독특한 사람이 되어갈 것입니다.[280]

그러므로 『어린이』지에는 修身을 강화하는 교훈담이나 수양담은 넣지
말고 어린이 저희끼리의 소식, 저희끼리의 작문과 담화, 또는 동화, 동요,
소년소설만으로 훌륭하다 하였다. 거기서 어린이는 웃고, 울고, 뛰고, 노래
하고 그렇게 커 가면 훌륭하다 말하였다.[281] 그러므로 인간은 누구나 가지
고 있는 '영원한 아동성'을 이 아동의 세계에서 保持해 가고, 그 '영원한 아
동성'을 위하여 '동화'를 쓰는 것이다. 그러므로 오직 이 동화의 세상에서만
아동과 어른은 한데 엉길 수 있다[282] 하였다. 동화는 무엇보다 아동에게
愉悅을 주는 조건을 갖추어야 한다. 어린이의 특성은 어린이들의 놀이에서
볼 수 있듯이 그 자체가 즐겁고 기쁨을 주는 것을 욕구한다. 그러기에 아
동의 마음에 기쁨과 유쾌한 흥을 주는 것이 동화의 생명이다.[283]

방정환은 산을 좋아하고 바다를 사랑하고 큰 자연의 모든 것을 골고루

---

279) 방정환, 「세계아동예술전람회를 열면서」, 『어린이』 1928.10.
280) 방정환, 「소년의 지도에 관하여」, 『천도교회월보』 1923.3.
281) 방정환, 「소년의 시도에 관하여」, 『천도교회월보』 1923.3.
282) 방정환, 「새로 개척되는 '동화'에 관하여」, 『개벽』 31, 1923.1.
283) 방정환, 「동화작법」, 『동아일보』 1925년 1월 1일자.

좋아하고 진정으로 친해하는 이가 어린이요, 태양과 함께 춤추며 사는 이가 어린이라 했다.[284] "그들에게는 모든 것이 기쁨이요, 모든 것이 사랑이요, 또 모든 것이 친한 동무다. 그리고 어린이는 이야기세상, 노래세상, 그림세상에서 온통 것을 미화시킨다. 어린이들은 아무리 엄격한 현실이라도 그것을 한 <이야기>로 본다. 그래서 평범한 일도 어린이의 세상에서는 그것이 예술화하여 찬란한 美와 흥미를 더하여 가지고 어린이 머리 속에 다시 전개된다. 어린이들은 실제에서 경험하지 못한 일을 이야기의 세상에서 훌륭히 경험한다. 어머니와 할머니 무릎에 앉아서 재미있는 이야기를 들을 때 그는 아주 이야기에 동화해 버려서 이야기의 세상 속에 들어가서 이야기에 나오는 모든 일을 경험한다. 그래서 어린이는 훌륭히 이야기세상에서 왕자도 되고 고아도 되고 또 나비도 되고 새도 된다.[285]

또한 방정환은 동요를 통해 아동의 세계를 키워 나가고자 한다. 어린이는 모두 시인이며, 시와 음악이 담긴 동요에는 진실과 세계가 담겨 있다.

새야 새야 파랑새야
녹두남게에 앉지 마라
녹두꽃이 떨어지면
청포 장수 울고 간다.[286]

아이들은 이러한 고운 노래를 기꺼운 마음으로 소리 높여 부를 때 그들의 고운 넋이 아름답게 우쭐우쭐 자라간다. 다시 말해서 아동은 자신의 세계를 형성하고 질서지우며 옳음을 선택하고 스스로 확신해 나간다. 위의 노래는 어른들이 지은 것일 수도 있지만 몇 해 몇십 년 동안 어린이들의 나라에서 불러 내려서 어린이 것이 되어 내려온 것이기에 그 노래에 숨긴 어린이의 생각, 어린이의 살림, 어린이의 넋을 볼 수 있다. 또한 어린이는 그림을 좋아한다. 그리고 또 그리기를 좋아한다. 아이들은 그림을 통해 조

---

284) 방정환, 「어린이 찬미」, 『신여성』 1924.6.
285) 방정환, 「어린이 찬미」, 『신여성』 1924.6.
286) 방정환, 「어린이 찬미」, 『신여성』 1924.6.

금의 기교가 없는 순진한 예술을 낳는다.[287] 이상과 같이 동화, 동요, 그리고 그림과 같은 아동예술은 아이들에게 인간 내면에 대한 통찰과 동정, 그리고 감정이입력을 확대시켜 줌으로써 타인과 나의 동일감을 확대시키고 타인에 대한 사랑을 확대시킨다.

(3) 역사 주체자로서의 교육

방정환의 어린이교육은 어린이의 꿈틀거림대로만 따라가고 그들을 존중만 하는 것이 아니라 그들의 자연적 본능에 항상 관심을 두는 교육이다. 그리고 여기에는 조선현실에 대한 인식이 결부되어 있다. 그는 대다수 민중들은 모두가 모순과 불합리, 생존경쟁이란 진흙 속에서 철벅거리고 있다는 현실인식 아래 민중 스스로 해방의 날개를 펴서 민중과 함께 걸어갈 수 있도록 했다.[288]

> 조선 사람은 남에게 뒤떨어진 것이 많고 없는 것이 너무 많아서 제일 고생을 하고 있으니까 누구든지 조선 사람이라면 아무 하잘 것 없는 아무 값 없는 몸뚱이로 여기고 있는 사람이 많이 있습니다. 이처럼 섭섭하고 이처럼 손해되는 일은 또 없습니다.
>
> 조선 사람이라고 결코 못생긴 사람뿐만이 아니요 조선 사람이라고 남에게 뒤떨어지기만 할 법이 없는 것입니다. …… 그러니까 우리는 우리의 잘못도 잘 알고 있어야 하지마는 그와 꼭같이 우리들의 자랑, 우리 조선의 자랑을 알고 있어야 합니다.[289]

그러므로 교육이란 그 시대를 살아나가는 데 필요한 지식을 갖추어 주는 것이라 하였다. 그 시대와 떨어지는 교육, 실제생활과 관계없는 교육은 아무 고마울 것 없는 헛된 노력이라는 것이다.[290] 아동교육은 스스로 어린

---

287) 방정환, 「어린이 찬미」, 『신여성』 1924.6.
288) 방정환, 「작가로서의 포부, 필연의 요구와 절대의 진실로」, 『동아일보』 1922년 1월 6일자.
289) 방정환, 「편집을 마치고」, 『어린이』 1929.3.
290) 방정환, 「딸있어도 학교에 안보내겠소」, 『별건곤』 38, 1931.3.

사람을 자기 생긴 대로 커 가게 한다 하여 그의 사상이나 감정, 행동에 무
관심한 태도를 취하는 것이 아니다. 재래의 전통이 뿌리박기 전에 제반 노
력을 하지 않을 수 없고 일제가 자기편에 유리하도록 교련교육에 유의하
는 점을 보아서도 이 점을 유의해야 한다고 했다.291) 그가 소년운동을 착
수한 것은 새 세상의 새 일꾼으로 지상천국의 건설에 종사할 어린 동무를
교육하고자 함이었다. 그는 말하기를 우리의 새 문화 건설에 큰 힘이 될
줄 믿고 남이 아니하던 일을 시작한다고 했다.292) 여기에는 단순한 아동존
중이 아니라 전체적 전망 속에서의 아동존중이 들어 있고, 이는 조선현실
의 역사적 맥락을 벗어나지 않는다. 이는 전통의 억압적 윤리교육과 일제
의 식민교육 양자를 모두 부인하고 조선독립의 일꾼으로 키워야 한다는
교육적 전망이 들어 있다. 그리고 이는 조선만을 관계짓는 것이 아니라 세
계일가적 전망 아래서 어린이의 역사의식을 고취하는 것이었다.

> 조선 사람은 조선 사람끼리 왕래하고 조선에서 나는 것만 먹고 쓰면서
> 살거니 외국 사람과 무슨 상관이 있을랴고 누구든지 생각하기 쉽지만 그
> 것은 잘못 생각입니다. …… 여러분의 의복을 짓느라고 어머님이 쓰시는
> 바늘은 독일에서 나오는 것이니 여러분이 입고 앉았는 의복 한 벌에도 여
> 러 나라 사람의 공이 들어 있는 것입니다. …… 그리고 세계 각국에서 그
> 중 감사히 여기면서 그중 많이 그중 긴하게 쓰는 인쇄술 그것은 우리 조
> 선 사람이 고려 때 발명한 것입니다. 그러니 서로 피차에 인사는 없고 얼
> 굴은 모르고 지내도 날마다 물건을 서로 바꾸어 쓰고 있는 것이 아닙니
> 까. 외국 사람의 불행이 곧 우리에게도 영향되고 우리의 기쁨이 외국 사
> 람에게도 곧 관계가 되는 것입니다. …… 우리는 조선 사람이니 조선 일
> 을 잘 알기에 힘쓰는 동시에 세계 일을 잘 알아야만 하겠습니다.293)

---

291) 방정환, 「어린이날에 하고 싶흔 말」, 『개벽』 69, 1926.5.
292) 방정환, 「어린이날에 하고 싶흔 말」, 『개벽』 69, 1926.5.
293) 『어린이독본』 제9과.

4) 『학생』지에 나타난 교육의 방향

『학생』지는 소년기를 거친 이후의 학생들을 대상으로 하는 교육지로서 『어린이』지와 달리 직설적인 표현들이 많다. 이는 교육단계를 고려하여 학생들에게 그들의 나아갈 방향에 참고가 되는 교육적 내용을 싣고 있다. 기본적으로 학생들에게 용기와 힘을 가지라 촉구하면서 조선을 위한 청년이 되도록 다양한 배려와 권고를 하고 있다.

『학생』지 편집주간이었던 방정환은 우리 조선학생의 기질은 다른 무엇보다도 먼저 '앞으로 뻗는 원기가 있어 씩씩해야 한다'고 말한다. 만용의 기, 모험의 기상, 의협의 정신, 이 모든 것이 오직 씩씩한 원기에서 나온다 하여, 불쌍한 처지일수록 처지와 환경이 험난하면 할수록 원기를 갖추라 한다.[294] 또한 결함 많은 조선사회를 위하여서는 가능한 한 모든 기술과 학문을 학습하라 한다. 이는 공간적 조건을 알면 알수록 새로운 단계를 설정할 수 있고 현실을 비판할 수 있는 안목이 생겨 조선사회를 발전케 할 수 있기 때문이다. 따라서 이 일을 맡을 자는 오직 청년이라 한다.[295] 또한 학생들로 하여금 자신이 무엇을 하든지 조선사람인 것을 잊지 말고 배우는 것을 이용후생의 방면으로 생각하라 한다.[296]

김기전은 학생들에게 사람의 생명은 무한의 것을 위하여 살 때 삶의 의의가 있다고 했다. 다시 말해서 그 무한을 전 민족 전 인류에 확산시켜 이들과 하나가 되는 때 인생은 비로소 존재할 의의를 갖고, 그때야 비로소 진정한 인간이 된다 하였다.

> 학생들아 그중에도 당신들은 조선의 학생들이다. 조선의 과거에 생을 稟하여 조선의 현재에 생을 勞하며 조선의 명일에 강영을 약하는 조선의

---

294) 방정환, 「조선의 학생기질은 무엇인가」, 『학생』 1929.5.
295) 고영환, 「학생임무의 재인식」, 『학생』 1929.3.
296) 유광열, 「조선사람이다」, 『학생』 1929.3. 유광열은 상해파 거두 이동휘가 서거했을 때 안재홍, 정칠성, 원세훈, 김동인, 김경재, 김동환 등과 함께 추도회를 추진한 인물이다. 이 때 천도교의 권동진은 『삼천리』 1935년 3월호에 회고기사를 실었다(반병률, 『성재이동휘 일대기』, 범우사, 1998, 427쪽).

학생들이다. 사람의 생명이라는 것은 어떤 무한의 것을 위하여 살아있는
동안에뿐 또는 그 정도에서뿐 의의가 있는 것이다. 우리의 한 개인에 있
어서 전민족적 인류라는 것은 무한한 것이다. 사람 개개의 호흡이 개개의
사람을 包化한 전민족 전인류의 심장과 통하는 때 우리 인생은 비로소 존
재할 의의를 갖는 것이다. 자기의 의식적 생애의 전부를 통하여 이 사상
을 꼭지켜왔다고 할만한 권리가 있다하면 그는 확실히 진정한 의미에서
의 한 개의 인간이라고 한다. 사람은 자기가 소속하여 있는 그 사회, 그
단계, 그 민족 그 인류를 알고 이를 위하여 봉사하는 때에뿐 의의가 있는
것이다. 사람이란 어떻게 하든지 저하나 살아가면 그만이 아니냐 이것이
취직을 해서 그리되든지 또 祖先의 유산으로 그리 되든지 그것은 물을 바
가 아니라할 친구가 있을는지 모른다. 그러나 제군은 이 무서운 오류를
용기있게 교정하지 않으면 안 되며 이 봉건식의 미신을 근본으로부터 타
파하지 않으면 안 된다.297)

인간이 자신의 전 생애를 통하여 이 사상을 지켜 왔다면 그는 진정한 인
간이라 김기전은 말한다. 사람은 자기가 소속한 그 민족과 사회, 인류를 알
고 이를 위해 봉사할 때 인생의 의미가 있게 된다는 것이다. 만약 자기 자
신만을 위한 것이라 믿는다면 이는 무서운 오류요 미신이라 말한다. 인간
은 자기가 속하여 있는 그 사회, 그 역사적 단계, 자신의 민족과 그 전 인
류를 알아 그 심장과 통할 때 삶의 의의가 있게 된다.

한편 그는 또한 여학생들에게도 그들 자신이 귀한 자리에 있고, 지도자
의 자리에 있으며 짐을 많이 진 일군의 자리에 있음을 환기시켜, 힘써야
할 일들을 제시하고 있다. 즉 첫째, 세상일을 알라 하고, 둘째, 조선의 情形
을 알라 하며, 셋째, 정치, 경제지식을 가지라 한다. 그리고 실생활에 대한
실습과 사교방법도 배울 필요가 있다 하였다.298)

우리는 조선여성입니다. 우리는 남의 안해가 되고 어머니가 되는 외에
또 인간으로 하여야만할 사명이 부여되어 있습니다. 현실의 자기 즉 자기

297) 김기전, 「남녀학생제군에게 訴함」, 『학생』 1929.3.
298) 이성환, 「조선의 여학생은 무엇을 배울가」, 『학생』 1929.4.

의 가치를 잊지 말고 동시에 조선과 자기와의 관계를 명확히 인식하지 않으면 안 될 것입니다. 우리 생활은 다만 역사적 사명을 이행하는 데서만 참뜻이 있고 참된 빛이 날 것 입니다.[299]

한편 이성환은 졸업학생들에게 민중의 속으로! 깊이 파고들어 갈 것을 권하는 귀농운동을 말한다.[300] 그는 조선사회의 물질적 조건을 인식하지 못하고 이기주의와 공명욕에 급급한 지식인들을 비판하며 학생들에게 민중 속으로 들어가서 민중의 시대적 의식을 훈련하라 한다. 그리고 이를 위하여 의식적, 인격적, 정열적 인물이 되도록 노력하라 했다. 최규용도 여학생들에게 조선에 태어난 이상 조선과 운명을 같이하라 한다. 그리고 전 민족의 반수를 차지하는 여성사회를 위해 직접지도와 교시의 책임을 가져야 한다고 촉구했다.[301]

이상과 같이 『학생』지에 나타난 교육의 목적은 역사의식을 통한 시대인식과 행동으로 자신과 조선 그리고 세계를 발전시키도록 하는 것이었다. 이를 위해 힘과 용기를, 그리고 봉사와 지식을 갖도록 촉구해 민족독립을 위해 나설 수 있도록 함에 있었다. 따라서 『학생』지 폐간사에서는 조선학생들의 사조가 엄청나게 변하여 그들의 취미와 목표와 동향은 학생의 영역에서 안연히 자적할 수 없는 형편에 이르렀다 말한다. 이는 필연적으로 사회인과 학생 간의 경계선을 뛰어 넘어 조선의 모든 사회실정에 대하여 같은 관심과 사려를 가지게 되었다는 것이다. 학생이라 하여 도외시하고 구분할 아무런 내용적 특수성을 인정할 수 없는 처지에 이르게 되었다는 것이다. 이리하여 취급내용의 범위가 극히 제한되어 있는 『학생』지로는 도저히 조선학생의 호흡을 맞추어 갈 수 없게 되어[302] 폐간됨을 알리고 있다. 이는 바꾸어 말하면 일제에 의한 탄압으로 『학생』지가 더 이상 민족의식과 행동을 불러일으킬 수 없게 된 것을 말한다.

---

299) 지연하, 「시집가시려는 졸업생들에게」, 『학생』 1929.4.
300) 이성환, 「봉건 및 근대식완명의 철저적 극복」, 『학생』 1930.3.
301) 최규용, 「학창을 떠난 자매들에게」, 『학생』 1930.4.
302) 『학생』 1930.11, 112쪽.

참고적으로 천도교는 1922년 2월에 <종학원>을 설립하여 學員을 모집하였다. 본원은 종법부, 포덕부, 및 교역자 자격을 양성함을 목적으로 설립했다. 宗學院歌에 보면 그 설립목적이 잘 나타나 있다.

1. 오만년 무극대도를 / 천하에 넓히펴려고
   모였네 우리무리들 / 종학원 깃발아래 모였네
   맡음도 무거울시고 / 갈길도 요원하고나
2. 듣느냐 세계창생의 / 도타에 우짖는 소리
   인내천진리의 외침 / 외치며 나아가거라 나악
   구원은 동방으로서 / 온다고 기별전하라
3. 땅위에 한울나라를 / 이룩할 우리무리니
   한몸을 돌아볼것가 / 목숨도 이미 바쳤네 바쳤네
   할 일도 거룩한지고 / 운수도 皇皇하고나[303]

종학원은 중학교 이상의 졸업생을 받아 대학교 과목에 의거한 과목을 교수한다고 했다. 이를 위해서는 중등교육의 필요가 먼저 요구되어 지방 각 교구에서 중등 정도의 강습을 행하도록 하였다.[304] 따라서 1923년에는 이러한 교구의 자각에 따라 강계 사립 중일학교가 설립되기도 했다.

또한 역사방면으로 역사교과서를 편찬하였는데 보성고보 교사인 황의돈이 쓴『신편조선역사』의 간행이 그것이다. 이는 출간된 지 불과 몇 개월만에 3판 6000부가 매진되었다 한다.[305]

---

303)『천도교회월보』1923.4.
304) 오봉빈,「종학원설립에 대하여」,『천도교회월보』1922.3.
305)『어린이』지 광고에는 다음과 같은 기사가 실려 있다. "여러분! 우리는 조선사람이외다. 비록 역사연구가가 아니고 글배우는 학생이 아니라고 하더라도 우리가 발을 놓고 있는 이 땅의 史實을 몰라서야 되겠습니까? 우리는 우리의 몸에 피와 뼈를 알기 위해서라도 반드시 이 책만은 읽어야 할 것이며 조선사람이 만들 수 있는 힘을 알기 위해서라도 이 책만은 반드시 읽어야 하겠습니다. 간단한 조선사를 배우시는 생도 더구나 황의돈씨의 저작인『중등조선역사』를 교과로 배우시는 생도 여러분께는 유일한 참고서요 해석서가 될 것입니다(『어린이』1929.11, 광고)."

5. 여성운동과 교육

『부인』지와 『신여성』지를 살펴보면 비교적 세련된 여성운동론을 접할 수 있다. 1923년에 천도교 개벽사의 편집부에서는 다음의 원칙 아래 『부인』지 편집방침을 제시했다.

> 첫째, 다수를 표준하여 쉽게 하기를 표준합니다.
> 둘째, 조선부인을 표준합니다. 우리 부인부터 아는 부인, 실력있는 부인 부인다운 부인이 되게 하려 합니다.
> 셋째, 사상과 사실은 겹쳐 나아가려 합니다. 사상문제로써 먼저 각자의 사상을 충동시키고 충동된 사상이 흥분되고 흥분된 사상으로 일에 임하게 하지 않으면 아니될 것이 금일 형편인줄 아는 바입니다. 그러니가 일면으로 사상문제를 더들어놓고 일면으로 조건조건 사실에 들어가려 합니다.
> 넷째, 과거를 말치않고 안된 점일랑 숨기려 합니다. 그러나 그른 일도 말하고 좋은 일도 말하게 되였습니다.
> 다섯째, 가정에 대한 상식을 많이 쓰려 합니다.[306]

여성 다수를 위해 쉽게 하고 조선부인을 표준으로 하여 사상과 사실의 문제를 겸해서 편집을 하겠다는 취지를 밝히고 있다. 이 당시는 신여성에 대한 새바람이 불면서 舊여자와 新여자에 대한 개념정의가 시도되고 있었다. 신여자란 남자나 여자나 꼭 같은 사람이요 꼭 같이 신성하여 권리와 의무도 꼭 같다는 인식 하에서 누구에게 구속받지 않고 구속할 것도 없는 인간으로서의 여자를 의미했다. 인간으로서 신여자란 모든 실력을 얻어야 하고 지식과 도덕, 생산과 살림뿐 아니라 정치와 경제에까지 이 세상에서 사람으로서 할 일, 사람으로서 누릴 권리, 사람으로서 받을 행복을 다하고 누리며 받아야 한다는 것이다. 이러한 자각과 실행이 있는 여자라야 신여자라 했다. 따라서 구여자란 아무 권리가 없고 아무 자유가 없이 남편에게

---

306) 「독자의 소리와 편집실의 고백」, 『부인』 1923.4.

순종하는 여자로 이해되고 있다.[307] 이는 근본적으로 민중에 기초하고 남녀를 떠나서 사람 그대로의 본능과 권리와 의무를 행사하는 민중적, 사람 중심주의 입장의 여성관이다.[308]

천도교는 어떤 부문운동이든 사회주의의 계급의식을 일정 부분 수용하지만 기본적으로는 계급편향이 아닌 전 민족적 민중운동으로서 중심을 갖고 있었다. 사람 중심으로 민중 중심으로였다. 사람본위의 여권운동도 역시 사람성 발전의 차원에서 일어났다.

　　과거의 여권은 너무나 침해를 받은데서 너무나 압박을 받은데서 그 침해와 압박을 아니받고 자유로 신장하며 자유로 행사하는데서 사람성을 그대로 표현하자는데서 여권운동은 일어났습니다.[309]

그러나 오늘날 여성의 임무는 종래의 습관과 제도와 싸워 나가야함을 말한다.

　　오늘 여자가 진실로 종래의 도덕에서 또는 습관에서 또는 제도에서 해방되기를 요구하느냐, 만일 요구한다 할 것 같으면 이것은 빈 말로 될 것도 아니오, 누구의 은혜적 구원으로써 될것도 아니오, 오직 요구한다는 그 자신들이 다같이 팔뚝걷고 신들메고 나서지 않으면 안될 것이다. 적어도 우리시대의 여자는 종래의 값 없던 부지런을 새로히 값이 있을 부지런으로 바꾸어 만들기 위하여 싸우다가 죽을 사람이니라 하는 정신쯤은 가지지 않아서는 안될 것이다.[310]

여자가 종래의 도덕과 인습과 제도에서 해방되길 원한다면 이는 빈말로 되는 것이 아니요 누구의 은혜로 될 것도 아니라는 것이다. 오직 자신들 스스로 투쟁해야만이 얻을 수 있는 것임을 말해주고 있다. 역사적으로 여

307) 춘파, 「신구녀자에 대한 나의 의문」, 『부인』 1923.4.
308) 『부인』 1923.5.
309) 박달성, 「사람본위와 여권운동」, 『부인』 1923.5.
310) 김기전, 「당신에게 자기번민이 있습니까」, 『신여성』 1924.7.

자는 남의 계산 밑에서 살아왔다. 자기의 평생을 남자를 위하여 단장하고 마음을 팔아 이렇게 몇천 년을 살아온 결과 성격상으로 겉과 속이 같지 못한 이중성격을 갖게 되고 생활상으로 남의 계산 밑에서 어물거리려는 거지생활을 배우게 되었다 한다. 먼저 여자된 사람은 종래의 또는 현재 자기가 가진 심리와 생활근본의 잘못된 점을 분명히 의식하고 여기에서 스스로 죽을 지경에 빠지는 자기번민을 느껴야 한다고 말한다.

> 맨 먼저 필요한 것은 자기번민이다. 자기번민이 아니고 도저히 자기의 어떤 것을 찾아 낼수가 없으며 자기의 어떤 것을 알아내지 못하고서는 자기일가에 사상체계가 설 수 없으며 자기일가의 사상 내지 감정의 체계가 서지 못하고는 엄정한 의미에서 자기생활이 없는 것이다. 오늘 새여자가 가질 생각은 온전히 자기와 싸우고 사회와 싸울 한 가지 일밖에 없는 것을 느끼게 될 것이라 한다.[311]

따라서 『신여성』은 여자들이 직업 방면으로 많이 나가야 할 것을 주장한다. 직업은 남자와 여자를 막론하고 사람의 성인이 되기까지에 통과해야만 되는 한 계단이라는 것이다. 사람은 자기의 땀으로 자기의 생활을 하여 가는 곳에서 예속생활을 벗어나고 참된 생활의 흥미도 느끼게 된다. 독립생활을 하지 못하는 자는 외부로부터 받는 어느 자극에 대항할 능력도 없게 된다고 말한다. 또한 『신여성』지는 A.베벨의 『여성론』을 실어 여성운동의 방향을 보다 구체적으로 정리하고 있다. 집안 일을 돌보고 아이를 낳는 것이 부인들의 유일한 천직이라는 주장은 마치 인류의 역사가 시작된 이후 늘 국왕이 존재하였으므로 언제까지든지 국왕은 없어지지 아니하리라는 주장과 조금도 다름이 없는 모순된 말이라 한다. 여자로 태어났다는 이유로 부인을 평등한 권리의 소유자에서 제외하려 함은 종교와 정치상의 의견여하로 만인이 꼭 같이 가져야 할 권리와 특권을 주지 않으려는 것과 같다는 것이다. 따라서 A.베벨은 장차 계급이 계급을 착취하고 성이 성을 지배하는 낡은 사회는 영구히 소멸되고 여자는 정치, 경제, 교육 등 모든

---

311) 배성룡, 「여자의 직업과 의의」, 『신여성』 1925.4.

방면에 있어서 남자와 완전히 평등한 지위에 서게 될 것이라 한다. 남성 중심의 윤리와 도덕은 완전히 소멸되고 정조는 참으로 사랑의 표현이 되어서 애정이 계속되는 기간에서만 남자는 여자에게 대하여 여자는 남자에게 대하여 스스로 지키게 될 것이라[312] 하였다. 한편 김명호는 현대여성의 수양을 말하면서 '짐승처럼 사육당하는 과거의 모든 것을 불살라 버리라, 자존의 감정을 기르고 생각을 자유롭게 가지며 물질적 실력과 정신적 실력을 길러 무섭게 수양하라'고 한다.[313]

이상으로 볼 때 천도교의 여성운동은 사람성 발전의 차원에서 시작하여 남성과 같이 여성의 권리와 의무도 꼭 같다는 의식의 각성을 주장한다. 이를 위해 자신의 사상적 고민을 통한 사상과 감정체계를 확립하여 자기와 싸우고 사회와 투쟁할 것이며 직업을 가져 독립생활을 이룰 수 있어야 한다고 말한다. 따라서 모든 실력과 지식, 도덕과 정치, 경제적 지식은 모두 동원되어야 할 것으로 제시되는데 이는 분명히 혁신적인 관점이지만 이것이 얼마나 그 당시에 현실성 있게 진전되었는지는 모를 일이다.

312) 「앞으로 나아갑시다」, 『신여성』 1926.5.
313) 김명호, 「현대여성의 수양」, 『신여성』 1926.7.

제6장 결론 : 현대교육에의 전망

이상을 종합하여 볼 때 동학·천도교가 제시하는 교육에는 3대 요소가 결합되어 있음을 알 수 있다. 인간성 무궁의 본연성과 우주생명, 사회가 그 것이다. 이를 구체적으로 나누면 5가지 교육의 방향으로 제시될 수 있다. 이는 곧 인간성-무궁의 인간관에 기초한 교육이념에서 도출된 것으로 1) 생명공동체 교육 2) 민족, 역사, 문화의 사회화 교육 3) 역사비판과 주체화 교육 4) 自己準的 확립의 교육 5) 홍익인간의 동귀일체 교육이다.

인간성의 한 부분은 원리상 우주자연으로부터 오기에 자연은 인간형성의 한 영역이 된다. 인간 본연성 자체는 외부환경의 힘이 가해질 때 비로소 주재하는 힘이 가능해진다. 또한 인간 자체는 외부자연의 객관적 산물인 동시에 자신의 능동성이 결합되는 것이므로 우주전체와 인간은 하나이다. 인간을 포함한 모든 자연계에는 모두 특수한 본연성이 있다. 사람의 본연성은 형식의 가능성으로 주어져 있기에 그 자체만으로는 구체화되지 않는다. 여기에 외부 객관의 힘이 가해져 상호작용 속에서 인간개성의 능동기능이 일어난다. 그리고 여기에 수천년 이래 사람성 능동기능이 총합된 것을 사회기능이라 한다. 이는 앞에서 김기전이 말한 사회의 '통유성'과 같다. 그리고 이러한 사회기능에 다시 사람성 능동기능이 합쳐져 사람성 자연이 생겨난다. 인간은 태어날 때부터 수천년 이래 축적되어온 사람성 능동기능의 총합 가운데 태어나 이와 더불어 자신의 의식을 형성하고 주체적 실존을 투사하여 사람성 자연을 형성하는 것이다. 그러므로 사람성 무궁인 한울님은 초월적 세계에서 얻어지는 것이 아니라 현실세계 내에서 가능성으로서의 형식인 본연성이 인간주체에 의해 사회 및 사람-자연성과 결합되어 획득되는 것이다. 따라서 억압과 획일의 근대교육을 벗어나 차이와 다양성의 탈근대적 교육을 전망할 때 동학과 천도교의 교육론은 적절한 교육에의 암시를 주고 있다. 따라서 다음과 같은 5대 교육목표로 현대교육의 방향을 설정할 수 있다.

1. 생명공동체 교육

사람이 태어나는 것은 한울의 至氣(靈氣)를 부여받아 태어나는 것이고 사람이 사는 것도 한울의 지기를 모시고 사는 것이다. 사람뿐만 아니라 천지만물이 모두 한울을 모시지 않은 것이 없다. 새소리도 바로 한울님의 소리요, 인간의 밥먹는 것 자체가 한울이 한울을 먹는 것으로 한울(밥)로써 한울(인간)이 생겨나는 것이다. 인간은 신령한 한울인 동시에 우주 만물과 하나로 연결되어 있다. 자기 안의 한울을 섬기고 또한 천지의 창생을 위하는 것이 자기를 위하는 것이 된다. 우주 만물은 시천했음에도 불구하고 시천했음을 알지 못하지만 인간은 우주의 기운과 마음이 하나로 연결되어 있기 때문에 인간 스스로 시천했음을 알아 자신과 천지를 하나로 하여 생성을 도와가는 존재다.

천지는 만물의 아버지요 어머니라고 해월은 말했다. 젖이 사람의 몸에서 나는 곡식이라면 곡식은 천지의 젖이다. 사람이 어렸을 때 먹는 젖이나 자라서 먹는 곡식 모두가 천지의 젖이다. 따라서 인간은 부모의 은혜에 감사하는 것처럼 인간은 오곡으로 길러준 천지에게 감사한다. 인간의 식고는 바로 이러한 천지의 은덕을 갚는 이치다. 한울이 한울을 먹는 것은 이 한울이 저 한울을 침해하는 의미로써 먹는 것이 아니라 우주자체가 그 스스로의 생명을 키우고자 하는 助長운동이다. 사람은 천지의 한울 젖에 의지하고 한울은 자신의 젖을 먹고 자란 인간의 영력에 의지한다. 한울은 인간을 의지하여 조화를 나타내고 인간은 한울을 의지하여 호흡과 생명을 이어간다. 인간과 천지만물은 분리될 수 없는 것으로 우주는 하나가 된다.

오늘날 생명경시와 환경오염과 파괴에 대한 우려가 날로 증대되고 있다. 요즘 사람들은 인간이 살기 위해서는 자연을 보존하고 환경을 보호해야 한다고 한다. 그러나 이 역시 이원론적으로 대립된 사고로 인간의 이익을 위해서 자연의 생명을 보호하고자 함이다. 수운의 세계관에 의하면 인간과 천지만물이 모두 하나이기에 자연을 위하는 것이 인간을 위함이요 인간을 위하는 것이 자연을 위하는 것이라는 하나된 인식 하에서 侍天萬物을 제시하고 있다. 해월은 천지가 한 기운임을 알기에 어린이가 나막신을 신고 땅을 밟으니 그 패이는 흙에 자신의 가슴이 너무나 아프다고 했다. 그는 땅을 소중히 여기기를 어머님 살 같이 하라고 하여 천지와 인간이 모두 하나임을 체화된 경험으로 제시한다. 이는 인간이 한울님을 모신 한울로서 천지와 하나임을 말해 주는 것이다. 우주는 한 몸이요 한울의 표현이기에 풀 한 포기 작은 생명 하나하나가 소중하다. 해월이 敬心, 敬人에서 敬物까지 말하는 것은 이러한 세계관에서 기인하는 것이다. 만물은 한울에 의한 피조물이 아니라 한울 자체다. 한울의 자율적 창조성으로 말미암는 '한울 스스로의 표현'이다. 김기전도 인간 삶은 현재로서 독립된 것이 아니라 시간적으로 억천만 년의 역사와 직접 닿아 연결되어 있고 공간적으로 십수억만을 헤아리는 인류사회에 담기어 있는 존재라 한다. 인간은 이 시간과 공간을 통해 자신의 삶을 성장시킨다.

천도교는 일찍이 자연이 만들어주는 인간형성을 중시했다. 본질적으로 인간이 자연 속에서 성장해야 진실된 인간형성을 도모할 수 있다는 인식에서다. 따라서 어린이들에게 봄이 되면 산에 가라 하고, 골짜기 흐르는 물에서 봄소리를 들으라 한다. 꽃과 새들은 어린이에게 아름다운 느낌과 고운 마음을 길러 주고 흐르는 맑은 물은 용기와 부지런함을 가르쳐 주며 높은 산들은 독립자존의 기상을 일러주고 뜨겁게 내리쬐는 태양은 어린이의 몸을 단련한다. 새가 노래하면 어린이도 노래하는 그 일체의 경험에서 기쁨과 흥미가 땀으로 배어 나온다. 이때 비로소 어린이는 참생활과 참지혜를 배우며 그러한 중에 몸과 마음이 우쭐우쭐 자란다는 것이다. 이렇게 자연으로부터 교육을 받고 큰 사람이라야 심신이 완전한 사람이 될 것이라 하였다. 자연은 거짓이 아닌 순수함을 가르쳐준다. 자라나는 어린이들에게 자연의 생명과 인간이 모두 한울의 표현으로 한울의 생성을 도와가는 생명공동체임을 인식시키는 교육은 인간의 심신을 부드럽고 순수하게 다져준다.

생명공동체의 교육은 빈한한 사람, 부한 사람, 귀한 사람, 천한 사람을 차별하지 않고 사람이면 다 같은 사람으로 존경하고 사랑하며 새 짐승, 풀, 나무들이라도 다 같이 사랑하여 같은 세상에서 즐겁게 기쁘게 살도록 할 것이다. 땅은 모든 것을 길러주는 어머니며 모든 인간의 오물을 받아 생명으로 키워준다. 사람에게 가장 좋은 것은 흙냄새요, 땅이 살아 있어야 인간도 산다. 분명 자연은 진실을 인간에게 돌려주고 보여준다. 이를 배우는 어린이들은 거짓이 아닌 자연스러움을 몸에 익히고 굳은 힘을 기르게 되는 것이다. 과학의 발전이라는 것도 이를 바탕으로 할 때 공생의 길로 갈 수 있는 것이지 이를 외면하면 전쟁과 파멸이 있을 뿐이다. 인간과 자연, 그리고 한울을 둘로 보지 않는 三敬으로 말미암아 인간을 신뢰하고, 우주와 인간을 한 몸으로 하여 세계를 창조하고자 한다. 자연은 곧 인간이다. 자연이 망가지면 인간도 망가진다. 인간은 자연을 지키고 생명을 소중히 할 때 인간 자신도 온전해 질 수 있다. 생명교육은 바로 이러한 세계관 아래 이룩되는 것이다. 해월이 한울과 사람과 사물을 공경하라는 것은 이 모두가 한울의 표현으로 하나된 한울임을 이해하여 생명공동체 교육을 목적으로 한다.

2. 민족, 역사, 문화의 사회화 교육

인간은 수천 년 축적되어 온 인간의 역사 속에 태어나고 그 사회적 기능으로부터 인간 자신을 형성한다. 사회의 기능이란 인간 개체의 능동이 이루어놓은 총합이다. 인간은 사회 속에서 태어나지만 그 사회를 이룬 것 역시 인간에서 시작한다. 인간은 자신이 태어난 사회의 체제, 문화, 도덕, 관습을 배워 의식을 형성하고 자기라는 정체성을 확보한다. 그러므로 사회기능은 인간성을 이루는 영역이 된다. 교육은 바로 사회기능 중에서도 최고로 발전되어온 지식과 善을 가르치고자 하고 질 좋은 교육내용을 제공해야 한다. 시대가 바뀔수록 그리고 새로운 과학혁명과 새로운 이론이 생겨나면 지식체계를 재구성하여 보다 넓고 깊은 경험의 지평을 제공해야 한다.

천도교는 개인과 민족, 그리고 문화가 교육의 중요한 요소임을 말한다. 인간은 민족을 조건으로 하여 문화공동체에 태어나게 된다. 인간 자신이 태어난 민족문화는 곧 자신을 형성하는 주된 요인이 된다. 즉 조선인은 조선의 땅과 역사와 문화를 조건으로 자신의 생명을 키우고 이로부터 자기라는 정체감을 형성하는 것이다. 그러나 이 문화는 민족을 단위로 이루어진다. 한 민족의 존재가치는 문화를 떠나서 민족의 삶을 생각할 수 없으며 민족 또한 민족단위를 떠나서 문화를 예상할 수 없다. 그러므로 민족문화를 사회화시키는 교육이란 조선사람의 사상, 감정 즉 실사회와 실제 삶에 접촉하여 있는 것이고 이를 찾아 세우고 더욱 늘리는 것을 목적으로 한다. 그렇다고 외래문화를 배제하는 것이 아니라 외래문화도 본바탕에 세워져야 함을 강조한다. 이는 조선과 유리되지 않고 현실과 괴리된 모방적 문명을 맹목적으로 추종해서는 안 된다는 것이다.

천도교의 어린이교육에 있어서 주된 내용을 이루는 것도 현재까지 공유된 조선의 문화를 속속들이 소개하는 것에서부터 세계를 알도록 하는 것이었다. 동요와 전설에서부터 지리와 역사, 언어, 자랑거리, 발명품 등 전체를 망라하여 조선을 알려주고 조선을 깨닫게 하여 그들이 조선인을 위해 살아갈 수 있도록 하였다. 그리고 온 세계를 열심히 알라 했다. 어린이에게 있어 조선공부란 조선을 공부하여 조선을 보다 발전적으로 변화시키는 것인데 이는 곧 자신의 삶을 보다 크게 만들고 참된 인물로 만드는 것과 같다. 조선사람에게는 조선공부란 것은 밥과 같은 것이다. 민족 역사는 개인의 성장에 정체성을 부여하기 때문이다. 민족이 없으면 인간 삶의 정체성과 방향이 부여되지 않고 혼란이 가중된다. 따라서 조선공부는 곧 자기 정신의 성장이요 방향이다. 그리고 이와 더불어 진보된 과학지식과 世界─家主義에 입각한 각 나라의 이해를 돕고자 하였다.

이는 지배담론을 강요하는 이데올로기적 근대교육과는 거리가 멀다. 학습의 주체는 아동으로서 교사는 아동의 세계가 열리도록 다양하고 질 높은 지식을 소개하는 의무를 지닐 뿐이다. 교사는 아동으로부터 강요된 지식을 산출받고자 하는 것이 아니라 서사와 은유, 그리고 지식제시를 통해 아동 주체의 세계형성을 돕는 온화하고 지성있는 이야기꾼이다. 이야기꾼은 선동과 강요를 목적하지 않는다. 그러므로 방정환은 일찍이 전통담론과 교훈적 개념교육을 파기하고 이야기와 그림, 동요, 자연을 일차적인 교육방법으로 삼았다. 인간의 진리에 대한 헌신성과 참여는 이데올로기적 개념주입의 교육에서가 아니라 은유와 서사를 통한 교육의 암시 속에서 인간 주체 자신이 이를 수용하고 감성적으로 확신하는 것에서 얻어지는 것이다. 그러므로 현대교육은 권력과 밀착되어 있는 특정담론의 대상적 지식교육에서 서사적 지식교육의 형태로 전환될 필요가 있다.

3. 역사비판과 해체의 주체화 교육

인간이란 사회적 존재로서 사회를 떠나서 인간이 될 수 없다. 그리고 그러한 인간 자신은 그저 막연한 사회적 존재가 아니라 각각 독특한 개성으로서 사회에 대립하면서, 그 대립을 통해 통일되는 사회적 존재의 일부다. 인간을 지배하는 사회제도, 예술작품, 종교, 과학, 기술, 시민적 법률은 모두 인간의 생의 최고계단에서 산출된 문화의 형식이다. 그러나 이러한 문화는 처음에는 인간의 생을 위하는 것이 되나 그 문화는 완전한 형태를 이루자말자 생의 발전을 위하던 처음의 문화와는 반대로 인간을 속박하며 압박하는 것으로 전화된다. 끊임없이 유전하는 인간의 생과 고정불변하려는 문화의 형식과는 서로 모순과 충돌을 낳게 되는데 이러한 전통과 인습으로부터 벗어나는 데서만 후천의 창건이 가능하다.

인간의 생명은 자신이 살고 있는 역사적 상황 속에서 자신의 의미를 묻고 해석을 가해야 하며 자신의 사회화교육으로부터 얻은 진리적 가치를 현실에 실현하고자 해야 한다. 그러기 위해서 인간은 자신의 理想과 괴리된 역사현실을 비판하지 않을 수 없고 변혁하고자 아니할 수 없다. 물론 그 현실의 전통과 인습은 쉽게 극복될 수 있는 것이 아니다. 전통과 인습은 사람들로 하여금 이전 세대들이 행하던 것을 모두 절대적인 것, 모범적인 것으로 보게 한다. 그리하여 전통과 인습에 얽매인 사람들은 현재의 자기를 항상 과거의 규준에 의하여 평가한다. 그러므로 역사적 전통은 그 속에서 살아온 사람들의 의식을 지배하고, 사람들로 하여금 전통과 인습의 폐해를 자각치 못하게 한다. 전통적 의식을 지니고 있는 사람들은 항상 보수적 입장에 머무르게 되며 현실의 새로운 방향을 인식하지 못한다. 인간의 자각적 의식은 이 전통적 교화력에 의하여 마비되고, 역사적 전통은 일종의 유전력을 가지고 있는 까닭에 그 폐해를 인식하는 사람들도 오랜 시간과 부단한 노력을 쌓지 않고는 그것으로부터 완전히 해탈할 수 없는 것이다. 그러므로 역사적 전환기에 있어 새로운 건설을 뜻하는 사람들은 무엇보다 이러한 역사적 전통과 싸우지 않으면 안 된다.

인간은 사회로부터 받는 통유성이 있기에 그로부터 자기를 형성할 수 있는 발판을 얻는다. 인간은 부모나 교사 등으로부터 직접간접의 가르침을 받고 사회환경으로부터 크고 작은 感戟을 받으며 자라는 것이다. 김기전은 인간이 자기의식이 명료하게 되는 때에 이르러서는 지금까지 받아왔던 사회적 통유성에 자기라는 특수성을 참여시켜 자기건축의 구체적 도안을 얻는다 했다. 이는 교육적으로 매우 중요한 의미를 지닌다 하겠다.

한편 인간을 제약하는 질곡으로서의 이 역사적 현실은 인간의 새로운 건설에 불가결한 소재가 된다. 다시 말해서 기존의 문화와 관습은 인간형성에 불가결한 소재가 된다. 인간은 사회(언어)를 통해서 정체성을 부여받고 세계를 질서지우기 때문이다. 저항은 권력담론에서 나온다는 푸코의 말과 상통하는 것이다. 인간이 현실세계를 떠나서는 인간을 형성할 수 없다. 그러므로 현실을 부정하는 사람은 정당한 견해와 온전한 행동을 갖지 못한다. 그러나 인간은 이 현실을 두 가지로 구분해야 한다. 김형준은 역사적 현실이 인간에게 질곡이 되는 것을 <역사적 전통>이라 하고 인간건설에 소재가 되는 것을 <역사적 유산>이라 이름 붙인다. 새로운 인간에게는 역사적 전통은 증오의 대상이 된다. 이는 해체되어야 할 지배담론이다.

인간이 항상 역사의 주체자로 나서야 하는 것은 역사성 자체가 變易이기 때문이다. 생명과 역사는 끊임없이 변화한다. 변화만이 진리다. 그러므

로 인간은 시운을 파악하여 변혁의 주체자가 되지 않으면 시대의 무용지
물이 된다. 인간은 자신과 타인이 둘이 아니고 인간과 자연만물이 하나의
몸으로 이루어진 한울님이라는 것에서 자신이 곧 세계완성을 이루어가는
주체적 조화자라는 역사의식을 갖게 된다. 궁극적으로 교육이 의도하는 바
는 만인의 마음속에 잠겨 있는 산 혼을 불러일으키는 것이다. 수운의 심법
이라는 것도 사람의 산 혼을 일러 하는 말로 사람의 마음속으로부터 이를
불러일으키는 것이었다. 인간은 역사와 현실을 비판하고 현실의 자아를 넘
어서는 한울을 깨달아 믿고 이를 일상생활에서 실천할 때 자기와 사회를
해방해간다. 인간은 우주의 일부인 동시에 사회의 산물이지만 다른 한편으
로는 인간의 주체적 행동에 의하여 영위되는 대립적이고도 모순적인 통일
체다. 다시 말해서 인간은 자연과 사회를 자신에게 대립시켜 이를 극복, 변
혁, 재생산하여 새로운 창조와 발전을 가하는 주체다. 인간은 우주(한울)의
중심생명으로서 자연을 한울 중심으로 재건 발전시키는 우주의 주격이다.

4. 自己準的 확립의 교육

인간이 태어나면서부터 받는 사회화교육은 곧 김기전이 말하는 통유성
으로 여기에 인간 개인 자신의 특수성을 불어넣어 자기건축의 도안을 얻
지 못하면 교육은 사회화에서 그치고 만다. 그러므로 기존 사회의 모순을
파악하고 사회를 새롭게 창조하기 위해서는 신시대 창조의 정신이 필요하
다. 한 시대에 있어 장래할 신시대의 설계도를 구하려 하면 거기에 신시대
창조의 관념을 가해야 한다. 즉 한 시대의 모순을 발견하고 신시대를 창조
하고자 하면 현재 자기가 가지고 있는 사람성 자연의 가운데로부터 그 결
함을 집어내고 나아가 신시대에 필연적으로 요구할 만한 생활방식의 정신
적 도안을 세워야 한다. 김기전의 교육론에 있어 건축설계안과 같다. 그 생
활방식의 도안이나 건축설계안에 있어 필요한 것이 곧 준적이다.

인간은 신시대를 창조할 정신을 얻기 위해서 준적을 세워야 한다. 그 준
적은 사람성 자연의 변증법적 발전과정에서 찾는 것이다. 이는 역사과정에
서 인과를 살펴 명료히 알아낼 수 있다. 봄으로부터 봄의 원인으로 여름이

올 결과를 아는 것과 같이 인간은 역사적 과정에 있어 지나간 사람성-자연이 원인을 따라 지어 놓은 결과를 살펴 도래할 시대의 표준을 얻는다. 또한 이 표준은 현 사회의 모순을 비판함에서 얻어진다. 한 시대의 사람성 자연의 준적을 구하고자 하면 기존질서를 유지하고자 하는 입장에서가 아닌 개혁과 비판의 입장에서 이를 보아야 한다. 한 시대에 안주하고 안락과 복을 누리고자 변화를 싫어하고 일상생활과 인습에 함몰되면 새로운 지평은 생기지 않는다. 새 시대의 창조는 그 시대의 모순에 눈이 열린 자로서 비판의 눈을 가진 자에게 있다. 그리고 그 비판은 그 시대를 건질 만한 大覺에서 나온 것이라야 한다. 그 대각에 따른 표준은 곧 大願, 大主義라 이름할 수 있다.[1]

준적으로서 대주의란 개인을 표준한 것이 아니라 <인류공동체를 표준한 희망>에서 나오는 것이어야 한다. 그리고 준적을 세운다는 것은 무궁한 진리의 힘과 그 절대성을 믿는 신앙이다. 무궁한 절대성을 믿는다는 것은 자기 자신이 그 진리와 힘을 능히 파지함에서 나온다. 인간 자신의 一動一靜이 인간의 적은 힘과 적은 지식으로 나온 것이 아니라 한울님이라 하는 전체적 초월성이 자기의 몸에 實與됨을 믿는 신앙에서, 그리고 자신의 현상적 자아가 본래적 자아로 전환(Conversion)되는 위치에서 가능하다.

사람은 진화론처럼 어떤 시대에 돌연 출생한 것이 아니라 무궁자인 한울성이 천지만물을 통하여 사람에게 이른 것이다. 또한 인간은 한울의 표현이기에 진화된 것도 창조된 것도 아니다. 따라서 교육이란 최고 인간격인 인간 무궁성을 실현하는 것으로 인간의 전면적인 표준을 갖도록 도와주는 것이다. 인간이 한울로서 이 무궁성을 스스로 실현하게 함에 있다. 지금까지 변화 발전되어 온 인간의 역사적 과정을 과학적 혹은 직각적으로 관찰 체득하여 역사적 前尖이 지시하는 것으로써 인간 자신의 중추사상을 삼아 그로써 실천하여 가지 않으면 안 되는데, 여기서 그 중추사상이란 것은 사람은 한울이요 한울(一圈)은 하나라는 인내천사상이다. 이 세계의 궁극자는 곧 인간 안의 전체(한울)로서 이 한울을 깨달아 이와 합일하고 스

---

1) 이돈화, 『新人哲學』, 1963, 273쪽.

스로 실현해 갈 때 인간은 보편이 되는 것이다.

그러므로 이러한 표준을 확립하였으면 일상행위에 몰입해야 한다고 김기전은 말한다. 인간은 일상생활에 있어 모든 일을 시작하고 마칠 때 그리고 자기의 몸에 크고 적은 변화가 생길 때마다 자기의 붙잡은 중추적 사상 즉 표준을 위해 충실히 실천해 나가는 것이다. 또한 조기간은 어린이들에게 요구하기를 새로운 큰 주의, 사상 없이는 그 멀고 그 험악한 길을 가기가 어렵고 또 간다 하더라도 아무 의미 없이 보람 없는 헛길이 된다고 말했다. 그가 말하는 주의와 사상이란 곧 한울의 표준으로, 자신의 생명이 있고 보람이 있는 길을 끝까지 가려면 한울의 신앙을 갖지 않으면 안 된다는 것이다.

5. 홍익인간의 동귀일체 교육

수운이 동귀일체를 말한 것은 곧 인간 모두가 한울-마음의 회복을 통해 대동세계, 지상천국을 이루려는 것이다. 동귀일체는 인간 각자가 세운 한울의 대아적 표준을 실천하고 더불어 타인도 자신의 무궁성을 실현하도록 타인의 인간건축을 도와가면서 하는 것이지 자신만의 인간건축이란 따로 없다는 것이다. 義湘은 중생을 교화하는 것이 곧 스스로 성불하는 법이라 했다. 그러므로 의상은 利他를 또한 自利라고 부른다. 자신과 만물의 생명적 활동을 하나로 보기에 萬物一體가 가능하다. 이러한 동귀일체의 대동실천이 원효가 말했던 홍익중생이요, 지눌이 말한 廣度群品이요, 동학에서 말하는 廣濟蒼生이다. 김지하의 표현으로 하면 인간 마음 안에서의 천지공심의 성취요 한 개인의 우주사회적 공공성의 깨우침이자 그 사회적 우주적 실천의 시작을 뜻한다. 홍익하는 인간으로 살아 모든 만물과 동귀일체로 돌아가게 하여 후천개벽을 이루는 것이다. 후천개벽이란 바로 인간과 만물이 하나로 통일되어 가는 것을 말한다. 흔히 인간은 강자와 약자, 우월한 자와 열등한 자, 빈부, 귀천의 모든 시비와 선악과 장단, 후박의 표준으로 각자의 욕망을 만족시키고자 하는 상대자를 설정한다. 인간은 상대적 자아를 위해 사람의 소유를 탈취하고 승자를 증오하며, 국가가 적대하여 약탈전을 벌이는 戰雲이 모두 여기서 기인하는데, 천도교는 이러한 상대적 我가 아닌 절대적 我, 세계적 我가 되어 한울공동체를 위하여 활동하고 세계를 위하여 生死를 내놓으라 한다.

천도교 사상에 있어서 자아는 흔히 교육학에서 말하는 자아실현의 개념과 다르다. 즉 서구개념에 있어서 자아란 인간마다 고유하게 독립하여 자리 박혀있는 그 무엇으로, 이것을 환경과 상호작용하여 실현하는 것으로 생각한다. 하지만 천도교에 있어서 진정한 자아는 한울이요, 우주다. 이를 천도교에서는 無我로 표현한다. 우주는 무아의 표현이요 개성의 발현이다. 그리고 인간의 무아는 무진장한 보고로서 이를 개척하는 것이 인간의 목적이다. 인간의 궁극 목적은 자신의 개성적 능력을 개척함에서 우주를 완성하여 가는 것이고, 그 과정에서 부산물로 실현되는 것이 자아실현이다. 처음부터 자아라는 것이 있어서 이를 실현함이 아니라 자신의 무궁성을 개척함에서 얻어지는 결과가 우주적 표현이요 인간 개인으로 보았을 때는 이것이 자아실현이다. 따라서 자아실현이 중요한 것이 아니라 자신의 무궁성을 개척하는 것, 즉 한울님을 실현해 가는 것이 중요하다. 자기 마음의 한울님을 깨닫고 한울님을 공경하여 나의 한울이 大天에 융합·일치하면 우주가 즉 자신의 전체가 되어 우주가 한 몸이 되고 인간의 정신은 일체에 간섭치 않음이 없게 되는 것이다. 이는 궁극적으로 한울님적 我가 되어 중생의 생명활동을 돕는 홍익인간의 동귀일체 교육을 제시하는 것이다. 인간이 동귀일체가 될 수 있는 것은 오직 이러한 대동에 통하는 준적으로 모두가 성장할 때 가능하다. 이를 수운은 '山河大運이 盡歸此道하리라'는 말로 표현했고 김형준은 '문화적 동귀일체의 현상'이라고 했으며 김지하는 이것이 수운이 말하는 '후천개벽'이라 하였다.

이상으로 볼 때 인간 무궁성에 기초한 동학의 교육이념은 공교육의 교육현장에 도입되어 인간형성 교육에 일조를 가할 수 있다. 인간이 한울님인 동시에 우주와 연결되어 있다는 인식은 인간 개체와 생명공동체의 소중함을 인식시켜 인간의 무한한 가능성을 부여하기에 교육에 있어서 중요한 내용들을 제시한다고 하겠다.

끝으로 현재 탈분단시대에 있어서 교육을 전망할 때, 동학 · 천도교가 갖고 있는 교육론은 이념의 대립을 해소하고 통일로 나가는 이론적 근거를 제시한다. 근대 산업사회의 쌍생아인 자유주의와 사회주의는 유심, 유물의 대립구도를 지니는데 천도교에 의한 양자의 통일은 결국 이념대립의 해소를 지향하고자 하는 것이다. 분단의 현실에서 자본주의와 사회주의를 통일시켜 낼 이념적 대안은 민족주의적 중도로서 천도교가 보여준 사유틀을 주시할 필요가 있다. 실제로 일제 하에서 천도교는 민중 · 민족을 중심으로 사회주의와 자유주의 어느 운동과도 결합할 수 있다는 입장을 취했고 역사적으로 볼 때 민족과 민중에 기반하지 않은 운동은 어떤 이념을 표방하더라도 반민족적, 반민중적이었음을 보게 된다.

천도교는 자유주의의 개량주의적 성향을 지양하고 천도교의 변혁사상을 기초로 했고, 사회주의의 계급편향을 반대한 공산제를 제시하기도 했다. 천도교는 사회주의자들이 계급적 도당으로 자본계급에 대한 투쟁관념에만 갇혀 진실한 만민동포의 관념에 기초하는 공산사회의 실현을 알지 못하기에 비판을 가한다. 즉 천도교는 장래사회는 진실한 인류 동포 형제적 관념의 공산적 사회가 아니면 불가능하다는 입장에서 무계급적 민중주의를 주장했다. 그리고 경제투쟁은 인간의 최종목적이 아니요 과정으로서 최종이상은 창조투쟁, 즉 최고 인간격을 실현하는 데 있다고 했다. 천도교에 있어서 인간형성은 역사의식을 바탕으로 한 창조적 투쟁을 통해 형성되는 것으로 자신과 세계를 포함한 총체적인 변혁교육이다. 경제투쟁을 하는 것은 의식주에 얽매인 민중이 자신의 최고 인간격을 발휘하기 위해서는 의식주를 해결해야 최종이상인 창조투쟁 즉, 최고인간격의 우주생활을 실현할 수 있고 물적세계가 인간을 결정짓기 때문이다. 따라서 유심론과 유물론의 극복을 통해 이념을 통합하고 자유주의와 사회주의의 대립을 극복하는 가운데 통일교육의 방향이 모아질 수 있을 것이다. 특히 북한에서의 동학연구를 보면 상당히 긍정적으로 서술되어 있다. 동학이 광범한 민중 속에 급속히 전파될 수 있은 것은 그들의 주장이 당시 위기에 처한 민족적 자주권을 수호하고 농민 대중의 반봉건적인 지향과 요구를 반영하고 있다는 것이

다.2) 동학은 북한에 있어 기본적으로 조국과 민족의 운명을 구원하려는 애
국적인 민족적인 교리로 인식되고 있다. 그러므로 동학사상을 중심으로 남
한의 교육이념인 홍익인간과 북한의 교육이념인 주체사상을 비교하여 통
일교육의 이념적 기초를 마련하는 일이 필요하다 하겠다. 그러나 이 문제
는 향후의 연구과제로 남겨두고자 한다.

---

2) 원종규외, 『갑오농민전쟁100돌기념논문집』, 집문당, 1994, 29~31쪽(이 책은 북한
   의 과학백과사전종합출판사에서 낸 것을 집문당 출판사에서 김일성, 김정일의 교
   시를 제외하고 영인한 것이다).

참고문헌

1차 자료

『東經大典』　　　　　　　『龍潭遺詞』
『續藏輕』　　　　　　　　『書經』
『詩經』　　　　　　　　　『周易』
『論語』　　　　　　　　　『中庸』
『莊子』　　　　　　　　　『晦巖先生文集』
『朱子語類』　　　　　　　『大學章句序』
『王龍溪全書』　　　　　　『傳習錄』
『三國遺史』　　　　　　　『華嚴經疏』
『一乘十玄門』　　　　　　『華嚴經演義抄』
『肇論』　　　　　　　　　『華嚴論節要』
『華嚴一乘法界圖』　　　　『華嚴一乘法界圖記叢髓錄』
『大乘起信論疏別記』　　　『金剛三昧經論』
『普照國師全書』　　　　　『懶庵雜著』
『虛應堂集』　　　　　　　『函虛大師文集』
『禪家龜鑑』　　　　　　　『退溪全集』
『栗谷全書』　　　　　　　『與猶堂全書』
『鹿門集』　　　　　　　　『陶庵集』
『霞谷集』　　　　　　　　『湛軒書』
『近庵遺稿』　　　　　　　『畏窩集』
『明南樓叢書』　　　　　　『西學辨』
『天主實義』　　　　　　　『農政新編』
『甲申日錄』　　　　　　　『海月神師法說』
『毅庵聖師法說』　　　　　『覺世眞經』

『天約宗正』	『新人哲學』
『人乃天要義』	『自修大學講義』
『天道敎創建史』	『水雲心法講義』
『東學之人生觀』	『天道敎經典釋義』
『東學史』	
『東學思想資料集』Ⅰ·Ⅱ·Ⅲ, 아세아문화사, 1979	
『天道敎會月報』	『新人間』
『開闢』	『朝鮮農民』
『農民』	『어린이』
『學生』	『第一線』
『彗星』	『別乾坤』
『婦人』	『新女性』
『新階段』	『現代評論』
『靑年』	『東光』
『中央』	『新民』
『朝鮮之光』	『批判』
『新生活』	『理論鬪爭』
『서울』	『實生活』
『帝國新聞』	『皇城新聞』
『朝鮮日報』	『東亞日報』

단행본

계환 譯, 『홍명집』, 동국역경원, 1999.

권오영 外, 『혜강 최한기』, 청계, 2000.

금장태, 「惠岡 崔漢綺 哲學의 近代的 特性」, 韓國精神文化硏究院, 1984.

금장태, 『韓國實學思想硏究』, 集文堂, 1987.

김갑철·고성준, 『주체사상과 북한사회주의』, 문우사, 1988.

김경일, 『이재유연구』, 창작과비평사, 1993.

김성학, 『서구교육학 도입의 기원과 전개』, 문음사, 1996.

김옥균 외, 『한국의 근대사상』, 삼성출판사, 1981.

김용성·우한용 편, 『한국근대작가연구』, 삼지원, 1985.

김용옥, 『도올선생中庸講義』, 통나무, 1995.

김인회 외,『한국교육사상연구』, 집문당, 1983.

김정의,『한국소년운동사연구』, 성신여대출판부, 1992.

김정의,『한국소년운동사』, 민족문화사, 1993.

김정의,『한국의 소년운동』, 혜안, 1999.

김지하,『셋과 둘 그리고 혼돈』, 솔出학, 2000.

김지하,『사상기행 1』, 실천문학사, 1999.

김한식,『상고시대의 신관과 수운의 신관』(제2회 학술세미나 자료), 1998.

김 현,『임성주의 생의철학』, 한길사, 1995.

김형효 외,『퇴계의 사상과 그 현대적 의미』, 한국정신문화연구원, 1997.

김형효 외,『다산의 사상과 그 현대적 의미』, 한국정신문화연구원, 1998.

노태구,『동학과 신문명론』, 아름다운세상, 2000.

도광순,『신선사상과 도교』, 범우사, 1994.

동학혁명100주년기념사업회,『동학백주년기념논총上·下』, 태광문화사, 1994.

동학농민전쟁100주년기념사업추진위원회편,『동학농민전쟁연구자료집(1)』, 여강
        출판사, 1991.

민족문화연구소,『동학사상의 새로운 조명』, 영남대학교출판부, 1998.

반병률,『성재 이동휘 일대기』, 범우사, 1998.

박선영,『불교의 교육사상』, 동화출판공사, 1981.

박선영,『불교와 교육』(현대불교신서45), 동국대학교역경원, 1982.

박은식,『박은식전서 下』, 단국대학교출판부, 1975.

박찬승,『한국근대정치사상사 연구』, 역사비평사, 1992.

박현채·김홍명 편,『통일전선과 민주혁명 Ⅱ』, 사계절, 1988.

박형병,『사회진화론』,(사회과학연구사 팜플렛9), 경성 : 사회과학연구사, 1927.

배종호,『한국유학사』, 연세대학교출판부, 1974.

백세명,『하나로 가는 길』, 일신사, 1968.

서울대교육연구소,『한국교육사』, 교육과학사, 1997.

서명석,『선문답의 탈근대교육』, 아름다운세상, 1999.

서중석,『한국근현대의 민족문제연구』, 지식산업사, 1989.

소흥렬,『자연주의적 유신론』, 서광사, 1992.

손병욱 역,『氣學』, 여강출판사, 1992.

孫仁銖,『韓國敎育史』, 문음사, 1987.

孫仁銖,『동학의 교육사상』(한국교육사상사Ⅳ), 문음사, 1989.

송석구,『불교와 유교 上』(현대불교신서), 1993.

신용하,『한국근대사회사상사연구』, 일지사, 1987.

신인간사 편, 『3·1 재현운동지』, 천도교중앙총부출판부, 1969.
신주백, 『만주지역 한인의 민족운동사(1920~45)』, 아세아문화사, 1999.
신채호, 『신채호전집』, 형설출판사, 1982.
심훈, 조남현 해설 주석, 『상록수』, 서울대학교출판부, 1996.
안경식, 『소파 방정환의 아동교육과 사상』, 학지사, 1994.
양현혜, 『윤치호와 김교신』, 한울, 1994.
염인호, 『김원봉 연구』, 창작과비평사, 1993.
오문환, 『사람이 하늘이다』, 솔, 1996.
오인탁, 『현대교육철학』, 서광사, 1990.
오천석, 『한국신교육사』, 현대교육총서출판사, 1964.
원용문 等編, 『동경대전연의』, 동학협의회, 1975.
원종규 외, 『갑오농민전쟁100돌기념논문집』, 집문당, 1995.
유병덕 편저, 『동학·천도교』, 시인사, 1993.
유봉학, 『조선후기 학계와 지식인』, 신구문화사, 1998.
윤건차, 『한국근대 교육의 사상과 운동』, 청사, 1987.
윤건차, 『현대한국의 사상흐름』, 당대, 2000.
尹絲淳, 『東洋思想과 韓國思想』, 乙酉文化社, 1984.
尹絲淳, 『韓國의 性理學과 實學』, 열음사, 1987.
尹絲淳, 『정약용』, 고려대학교출판부, 1990.
윤석산, 『도교사상의 한국적 전개』, 아세아문화사, 1989.
윤석산, 『수운 최제우평전 - 후천을 열며』, 동학사, 1996.
윤찬원, 『도교철학의 이해』, 돌베개, 1998.
의암손병희선생기념사업회, 『의암손병희선생전기』, 의암손병희선생기념사업회,
         1967.
이능화, 이종은 역, 『조선도교사』, 보성문화사, 1977.
이만규, 『조선교육사 I』, 을유문화사, 1948.
이세권, 『東學思想』, 경인문화사, 1987.
이세권 편, 『동학경전』, 정민사, 1986.
이시용·피정만, 『지방교육사』, 한국교육사학회, 2000.
이원호, 「동학의 인간관과 현대교육적 의미」, 『한국교육사상연구』, 집문당, 1983.
이재화 편역, 『한국금대민족해방운동사 I』, 백산서당, 1986.
이종각, 『한국교육학의 논리와 운동』, 문음사, 1992.
이현희, 『동학혁명과 민중』, 대광서림, 1985.
趙基周 編, 『天道敎宗令集』, 天道敎中央總部出版部, 1983.

조동일, 『한국의 문학사와 철학사』, 지식산업사, 1996.
조동일, 『민중영웅이야기』, 문예출판사, 1992.
조용일, 『동학조화사상연구』, 동성사, 1998.
정병삼, 『의상의 화엄사상연구』, 서울대학교출판부, 1998.
정영근, 『인간과 교육의 이해』, 문음사, 1995.
정영희, 『개화기 종교계의 교육운동연구』, 혜안, 1999.
鄭在哲, 『日帝의 對韓國植民地教育政策史』, 一志社, 1985.
지눌, 김달진 역주, 『보조국사전서』, 고려원, 1987.
차성환, 『한국종교 사상의 사회학적 이해』, 문학과 지성사, 1992.
최동희 역, 『동경대전 外』, 삼성출판사, 1974.
최동희, 『동학의 사상과 운동』, 성균관대학교출판부, 1980.
최봉익, 『朝鮮哲學史概要』, 한마당, 1989.
최정간, 『해월 최시형家의 사람들』, 웅진출판사, 1994.
풍우, 김갑수 역, 『천인관계론』, 신지서원, 1993.
한국교육연구소 편, 『한국교육사』, 풀빛, 1993.
한국도교사상연구회, 『도교와 한국문화』, 아세아문화사, 1989.
한국도교학회 편, 『한국도교문화의 위상』, 아세아문화사, 1993.
한국민족운동사연구회 편, 『한국근현대의 민족운동』, 국학자료원, 1999.
한국사상사연구회 편저, 『실학의 철학』, 예문서원, 1996.
한국역사연구회 편, 『한국사상사의 과학적 이해를 위해』, 청년사, 1997.
한국종교교육학회 편, 『한국의 종교와 인격교육』, 아름다운세상, 1998.
한기언, 『한국교육이념의 연구』, 태극문화사, 1992.
한명희, 『교육철학』, 배영사, 1983.
해주스님, 『화엄의 세계』, 민족사, 1998.
현대사연구소, 『지운 김철수』, 한국정신문화연구원, 1999.
황선희, 『한국근대사상과 민족운동 I - 동학·천도교편』, 혜안, 1996.
황의동, 『율곡사상의 체계적 이해』, 서광사, 1998.
홍원식, 『실학사상과 근대성』, 예문서원, 1998.
홍장화 편저, 『천도교운동사』, 천도교중앙총부, 1990.

외국서적

鎌田茂雄, 『中國華嚴思想史の研究』, 東京大學東洋文化研究所, 1965.

鎌田茂雄(1983), 한형조 역, 『화엄의 사상』, 고려원, 1987.

荒木見悟, 『佛敎と儒敎』, 平樂寺書店, 1963.

友枝龍太郎, 『朱子の思想形成』, 春秋社, 1982.

西井忠夫(1985), 최준식 역, 『도교란 무엇인가』, 민족사, 1990.

木村淸孝, 『中國華嚴思想史』, 平樂寺書店, 1992.

中村 元 외, 석원욱 편역, 『華嚴思想論』, 문학생활사, 1988.

小野澤精 외편, 전경진 역, 『氣의 사상』, 원광대학교출판국, 1987.

平井俊榮, 『三論敎學の硏究』, 春秋社, 平成2年.

賴永海, 金鎭戊 譯, 『불교와 유학』, 운주사, 1999.

梅根悟, 김정환·심성보 역, 『세계교육사』, 풀빛, 1990.

梅根悟 外, 『근대교육사상비판』, 남녘, 1988.

村田昇編, 송승석·임창호 역, 『교육철학』, 교육출판사, 1997.

朝鮮史硏究會, 『朝鮮史硏究會論文集 26』, 綠蔭書房, 1989.

村岡典嗣, 박규태 역, 『日本神道史』, 예문서원, 1998.

『宗敎學辭典』, 東京大學出版會, 1973.

和歌森太郎, 『美保神社の硏究』, 國書刊行會, 1955.

후쿠자와 유키치, 정명환 역, 『문명론』, 홍익사, 1986.

아라키 겐고, 배영동 역, 『불교와 양명학』, 혜안, 1996.

사다마 겐지(1967), 김석근 역, 『주자학과 양명학』, 까치, 1985.

尹建次, 『朝鮮近代敎育の思想と運動』, 東京大學出版部, 1982.

李明實, 『日本强占期社會敎育史の基礎的硏究』, 日本筑波大學大學院博士學位論文, 1999.

구노보리따다(1977), 최준식 역, 『도교사』, 분도출판사, 1990.

『莊子集釋』, 中華書局, 1982.

王叔岷, 『莊子校詮』, 1984.

朱日耀, 정귀화 역, 『전통중국정치사상사』, 신지서원, 1999.

풍우란, 박성규 역, 『중국철학사』, 까치, 1999.

까르마 C.C.츠앙(1970), 이찬수 역, 『화엄철학』, 경서원, 1990.

마테오 리치, 이수웅 역, 『천주실의』, 분도출판사, 1984.

마테오 리치, 송영배 외역, 『천주실의』, 서울대학교출판부, 1999.

막스 베버, 『힌두교와 불교』, 한국신학연구소, 1986.

모리스 메이스너, 권영빈 역, 『李大釗 : 중국사회주의의 기원』, 지식산업사, 1992.

스트렝, 정진홍 역, 『종교학입문』(현대신서43), 대한기독교서회, 1973.

앙리마스페로(1971), 신하령·김태완 역, 『도교』, 까치, 1999.

제레미 리프킨, 김용정 역, 『엔트로피 II』, 원음출판사, 1984.
조나단 반즈, 문계석 역, 『아리스토텔레스의 철학』, 서광사, 1989.
테야르 드 샤르댕, 양명수 역, 『인간현상』, 한길사, 1997.
Edward W.Said, 박홍규 역, 『오리엔탈리즘』, 교보문고, 1991.
E.프롬/H.포핏츠, 『마르크스의 인간관』, 동녘, 1983.
H. 베르그송, 송영진 역, 『도덕과 종교의 두 원천』, 서광사, 1998.
Herman Jacobi(1923), 山田龍城·伊藤和男 共譯, 『印度古代神觀史』, 大東出版社, 1940.
O.F.Bollnow, 하영석·허재윤 역, 『교육학과 인간학』, 형설출판사, 1981.
R.A.Scalapino, 이정식 역, 『한국공산주의운동의 기원』, 청계연구소, 1988.
W.C.스미스(1963), 길희성 역, 『종교의 의미와 목적』, 분도출판사, 1991.
Alfred N. Whitehead, *Process and Reality*, ed. by Griffin and Donald Sherburne, New York : The free press, 1979/강성도, 『화이트헤드의 과정철학입문』, 조명문화사, 1992.
Allie M. Frazier, *Issues in Religion*, Wadsworth publishing company Belmont. Califonia, 1975.
Anthony Giddens(1991), 권기돈 역, 『현대성과 자아정체성』, 새물결, 1997.
Benjamin B. Weems, *Reform, Rebellion, and The Heavenly Way*, The University of Arizona Press, 1964.
B.Gerner, *Einführung In Die Pädagogische Anthropologie*, Druck und Einband : Wissenschaftliche Buchgese llschaft Darmstadt, 1974.
B.K.S. Iyengar, *The Tree of Yoga*, Fine Line Books Ltd, Oxford, 1988.
Edgar Sheffield Brightman, *A Philosophy of Religion*, New York, Prentice-Hall, Inc., 1940.
Edited by Harold G. Coward(1987), *Modern Indian Responses to Religious Pluralism*, Sri Satgru Publications a Division of Indian Books Centre Delhi-India, 1991.
F. Schleiermacher(1967), 최신한 역, 『종교론』, 한들, 1997.
Joachim Wach, *The Comparative Study of Religion*, 1958.
Joachim Wach, *Types of Religious Experience*, The Univercity of Chicago Press, 1951.
John Dewey, *A Common Faith*, Yale University Press, 1934.
Kala Acharya·Shubhada Joshi, *Sri Aurobindo and Vedic Interpretations*, Somaiya Publications Pvt. Ltd., 1996.

Kenneth H. Tucker(1998), 김용규·박형신 역, 『앤서니 기든스와 현대사회이론』, 일신사, 1999.

Marvin J. Taylor, *Religious and Moral Education*, The Center Applied Research in Education, Inc. New York, 1965.

Norma H. Thompson, *Religious Pluralism and Religious Education*, Religious Education Press Birmingham, Alabama, 1988.

Paul E. Johnson, 강돈구 역, 『현대종교학』(원제 : Psychology of Religion), 청년사, 1986.

Paul Tillich, *Dynamics of Faith*, Harper & Row, Publishers, 1957.

Ronald Goldman, *Religious Thinking from Childhood to Adolescence*, Humanities Press, U.S.A, 1965.

Rudolf Otto, *The Idea of the Holy*, Oxford University Press, 1923.

Satya P. Agarwal, *The Social Role of The Gita*, motilal Panarsidass Publishers Private Limited, Delhi, 1993.

Sir James George Frazer, *The Worship of Nature*, Macmillan and co., Limited St.Martin's Street, London, 1926.

Sri Aurobindo, *The Divine*, Sri Aurobindo Ashram Press Pondicherry, Printed in India, 1997.

Sri Aurobindo, *The Upanishads*, Published by Sri Aurobindo Ashram, Printed in India, 1994.

T.M.P. Mahadevan & G.V. Sarota, *Contemporary Indian Philosophy*, Stering Publishers Private Limited, 1981.

Trevor Ling, *Buddha, Marx, and God*, Macmillan London St Martin's Press New York, 1966.

William James, *The Varieties of Religious Experience*, The Modern Library New York, 1902.

논문·잡지류

강만길, 「동도서기론이란 무엇인가」, 『마당』 5, 1982.

강영한, 『한국근대 신종교운동의 성격과 사회변동』, 경북대학교 박사학위논문, 1994.

권오영, 「崔漢綺의 西歐制度에 대한 認識」, 『韓國學報』 62, 1990.

권오영, 「崔漢綺의 氣說과 宇宙觀」, 『韓國學報』 65, 1991.

권희영, 「고려공산당 이론가 박진순의 생애와 사상」, 『역사비평』 4, 1989 봄.

금장태, 「崔漢綺의 人間觀 硏究」, 『哲學的 人間觀』, 韓國精神文化硏究院, 1985.

금장태, 「氣哲學의 傳統과 崔漢綺의 哲學的 特性」, 『東洋學』 19, 檀國大學校
　　　東洋學硏究所, 1989.

김경재, 「최수운의 시천주와 역사이해」, 『한국사상』 15, 1977.

김경재, 「최수운의 신개념」, 『동학사상논총 1』, 천도교중앙총부, 1982.

김경탁, 「동학의 동경대전에 관한 연구」, 『아세아연구』 14 제1호, 1971.

김권정, 「1920~1930년대 신흥우의 기독교 민족운동」, 『한국근현대의 민족운동』,
　　　국학자료원, 1999.

김기웅, 「일제하 농민교육에 관한 일 연구」, 한국정신문화연구원 석사학위논문,
　　　1985.

김낙필, 「녹문 임성주의 기철학」, 『철학논구』 9, 1981.

김낙필, 「惠岡 氣學의 構造와 性格」, 『韓國近代宗敎思想史』, 圓光大學校出版
　　　部, 1984.

김성범, 「퇴계와 율곡의 심성설 비교연구」, 동아대학교 박사학위논문, 1994.

김수청, 『주희의 경사상연구』, 동아대학교 박사학위논문, 1994.

김용표, 「종교적 심리의 공동 원형론과 종교교육」, 『종교교육학연구』 1, 1995.

김의환, 「동학사상의 사회적 기반과 사상적 배경」, 『한국사상』 7, 1964.

김인환, 「용담유사의 내용분석」, 『한국사상』 15, 1977.

김종석, 『퇴계 심학연구』, 영남대학교 박사학위논문, 1996.

김태영, 『퇴·율 성경사상연구』, 충남대학교 박사학위논문, 1988.

김한식, 「동학과 실학과의 관계」, 『동학혁명백주년기념논총』, 태광문화사, 1994.

김호일, 『한국근대학생운동연구』, 단국대학교 박사학위논문, 1987.

박경환, 「민중의 철학 사상과 실천」, 『시대와 철학』 10, 1995 봄.

박선영, 「한국종교들의 인간관과 인격교육의 가치요소」, 『종교교육학연구』 4, 한
　　　국종교교육학회, 1997.

박선영, 「고구려 승랑의 중국유학과 활동 및 사승관계」, 『불교학논총』, 大韓佛敎
　　　天台宗本山救仁寺, 1999.

朴星來, 「韓國近世의 西歐科學受容」, 『동방학지』 20, 1978.

박종홍, 「發刊辭」, 『韓國思想』 12, 1974.

배종호, 「奇蘆沙와 任鹿門의 철학 비교」, 『연세논총』 7, 1970.

배한권, 「동학사상, 그 성격과 한계」, 『부산교육대학 연구보고』 13-1, 1977.

서윤길, 「보우대사의 사상」, 『한국사상논문선집』 48, 불함문화사, 1998.

성주현, 「1930년대 천도교의 반일통일전선운동」, 『한국민족운동사연구』 25, 2000.

손종현, 『일제 제3차 조선교육령기하 학교교육의 식민지 지배관행』, 경북대학교 박사학위논문, 1993.

송건호, 「민족교육의 사적 고찰」, 『창작과 비평』 11 1호, 1976.

송준석, 『동학의 평등교육사상에 관한 연구』, 고려대학교 박사학위논문, 1993.

신용하, 「서세와 체제에 대한 동학의 대응」, 한국정신문화연구원 편, 『한국의 사회와 문화 19 - 조선후기의 근대적 사회의식』, 1992.

신일철, 「한국의 근세화와 최수운」, 『한국사상』 1·2합집, 1959.

신일철, 「동학사상의 전개」, 『동학사상논총 1』, 천도교중앙총부, 1982.

신일철, 「崔水雲의 歷史意識」, 韓國思想研究會, 『韓國思想』 12, 1974.

신일철, 「동학사상의 도교적 성격문제」, 유병덕 편저, 『동학·천도교』, 시인사, 1993.

심재룡, 「鹿門 任聖周의 氣哲學 序說」, 『동양문화국제학술회의논문집 2』, 1980.

안경식, 「동학의 민중교육사상과 운동에 관한 연구」, 한국정신문화연구원 석사학위논문, 1983.

안진오, 「동학의 발상」, 유병덕 편저, 『동학·천도교』, 시인사, 1993.

영류사회철학연구소, 「동학사사의 사상적 의의와 그 위치를 재론한다(2)」, 『사회철학』 5, 1995.

오성철, 『1930年代 韓國初等教育 研究』, 서울대학교 박사학위논문, 1996.

오익제, 「동학사상연구의 방향」, 『동학사상논총 1』, 천도교중앙총부, 1982.

유명종, 「任鹿門의 唯氣說과 羅整庵의 氣哲學」, 『철학연구』 17, 1973.

유명종, 「오노주의 이기설」, 『철학연구』 19, 1974.

유정동, 「鹿門 性理說에 관한 고찰」, 『민태식고희기념논문집』, 1973.

윤사순, 「실학사상의 철학적 성격」, 『아세아연구』 56, 1976.

윤사순, 「한국성리학과 천명사상」, 유교학회, 『유교사상연구』 4·5, 1992.

윤현진, 「한국교육이념의 법철학적 해석」, 정신문화연구원 박사학위논문, 1994.

이경원, 『한국근대 천사상연구』, 성균관대학교 박사학위논문, 1998.

이균영, 「김철수연구」, 『역사비평』 3, 1998 겨울.

이문원, 『신간회 민족운동의 교육사적 연구』, 연세대학교 박사학위논문, 1983.

이문원, 「일제의 대한식민지 정책과 한국인의 민족교육관」, 『한국교육사학』 16, 1994.3.

이원순, 「惠岡 崔漢綺의 教育觀 序說」, 『檀國大大學院 學術論叢』 3, 1979.

이원순, 「惠岡 崔漢綺의 西洋 教學觀」, 『교회사研究』 2, 1979.

이현희, 「동학사상의 배경과 그 의식의 성장」, 『한국사상』 18, 1981.

장대희, 『동학의 민중교육사상연구』, 중앙대학교 박사학위논문, 1983.

정순우, 「근대교육 도입기에 있어서의 교육정책」, 『한국교육사학』 14, 1992.

정인재, 「任鹿門의 氣學」, 『한국사상』 17, 1980.

정재서, 「한국민간도교의 계통 및 특성」, 한국도교학회편, 『한국도교문화의 위상』, 아세아문화사, 1993.

정재호, 「용담유사에 나타난 수운상」, 『동학사상논총』 1, 천도교중앙총부, 1982.

정혜정, 「지눌의 수심론과 현대교육의 위상」, 『동국사상』 28 · 29, 1996.

정혜정, 「1920 · 30년대 한국근대교육사상의 전개와 그 평가」, 『한국교육사학』 22 제2호, 한국교육사학회, 2000.

조용일, 「고운에서 찾아 본 수운의 사상적 계보」, 『한국사상』 9, 1968.

조혜인, 「동학과 주자학 : 유교적 종교개혁의 맥락」, 한국사회사연구회, 『한국의 사회조직과 종교사상』, 문학과지성사, 1990.

최기영, 「한말 동학의 천도교로의 개편에 관한 검토」, 『한국학보』 76, 1994.

최동희, 「道의 의미와 그 한국적인 전개」, 『한국사상』 10, 1972.

최동희, 「천도교의 근대사상수용」, 『한국사상』 13, 1973.

최무석, 『동학의 도덕교육사상에 관한 연구』, 고려대학교 박사학위논문, 1988.

표영삼, 「수운대신사의 생애」, 『한국사상』 20, 1985.

한명희, 「한국교육의 이념 · 철학의 정립 과제」, 한국교육학회편, 『교육학연구』 22-3, 1984.

한우근, 「동학의 리더쉽」, 『동학사상논총 1』, 천도교중앙총부, 1982.

허남진, 「朝鮮後期 氣哲學의 性格 - 鹿門任聖周의 경우」, 『한국문화』 11, 1991.

황문수, 「야뢰에 있어서 인내천사상의 전개」, 『동학사상논총 1』, 천도교중앙총부, 1982.

황성기, 『원측의 유식학설연구』, 동국대학교 박사학위논문, 1975.

찾아보기

| 정혜정 |

숙명여자대학교 교육학과 및 동 대학원 졸업(석사). 동국대학교 대학원 교육학과 졸업(박사). 현재 동국대, 외국어대, 한양여대 강사.

주요 논문 : 「佛敎의 '空觀'이 現代敎育에 주는 시사점」, 「지눌의 修心論과 현대교육의 위상」, 「일제하 승가교육의 근대화론」, 「東學에 나타난 일원론적 사유체계의 교육구조」, 「다산 정약용의 性嗜好說과 知天의 수행론」, 「한국근대교육사상을 통한 21세기 교육의 전망」, 「1920·30년대 한국근대교육사상의 전개와 그 평가」, 「혜강 최한기의 '추측지리' 공부론」 등.

동학·천도교의 교육사상과 실천

정혜정 지음

2001년 11월 24일 초판 1쇄 인쇄
2001년 11월 30일 초판 1쇄 발행

펴낸이·오일주
펴낸곳·도서출판 혜안
등록번호·제22-471호
등록일자·1993년 7월 30일

⊕ 121-836 서울시 마포구 서교동 326-26번지 102호
전화·3141-3711~2 / 팩시밀리·3141-3710
E-Mail hyeanpub@hanmail.net

ISBN 89-8494-146-8 93910
값 25,000 원